DU MÊME AUTEUR

Aux Éditions Gallimard

Romans

L'ENFANT ÉTERNEL, « L'Infini », 1997, prix Femina du Premier Roman (Folio n° 3115).

TOUTE LA NUIT, 1999, Premio Grinzane Cavour.

SARINAGARA, 2004, prix Décembre, prix Konishi (Folio n° 4361).

LE NOUVEL AMOUR, 2007 (Folio n° 4829).

Essais

RAYMOND HAINS, UNS ROMANS, « Art et artistes », 2004.

TOUS LES ENFANTS SAUF UN, 2007 (Folio n° 4775).

ARAKI ENFIN, L'HOMME QUI NE VÉCUT QUE POUR AIMER, « Art et artistes », 2008.

Aux Éditions Cécile Defaut dans la série « Allaphbed »

LA BEAUTÉ DU CONTRESENS ET AUTRES ESSAIS SUR LA LITTÉRATURE JAPONAISE, 2005.

DE TEL QUEL À L'INFINI, *Nouveaux essais*, 2006.

LE ROMAN, LE RÉEL ET AUTRES ESSAIS, 2007.

HAIKUS, ETC. SUIVI DE 43 SECONDES, 2008.

LE ROMAN INFANTICIDE : DOSTOIEVSKI, FAULKNER, CAMUS, ESSAIS SUR LA LITTÉRATURE ET LE DEUIL, 2010.

Chez d'autres éditeurs

PHILIPPE SOLLERS, « Les contemporains », Seuil, 1992.

CAMUS, Marabout, 1992.

LE MOUVEMENT SURRÉALISTE, Vuibert, 1994 (rééd. sous le titre de *Introduction au surréalisme*, Vuibert, 2008).

TEXTES ET LABYRINTHES : JOYCE/ KAFKA/ MUIR/ BORGES/ BUTOR/ ROBBE-GRILLET, éditions Inter-Universitaires, 1995.

Suite de œuvres de Philippe Forest en fin de volume

LE SIÈCLE DES NUAGES

PHILIPPE FOREST

LE SIÈCLE DES NUAGES

roman

GALLIMARD

« Mais chaque spectateur cherchait en
soi l'enfant miraculeux
Siècle ô siècle des nuages. »

GUILLAUME APOLLINAIRE,
Un fantôme de nuées

PROLOGUE

Tantaene animis caelestibus irae ?

VIRGILE

Ils descendaient depuis l'azur, laissant vers le bas grossir la forme de leur fuselage, traçant doucement leur trait au travers des nuages. Le vrombissement des quatre moteurs, juchés sur le sommet des ailes, enflait, vibrant dans le vide, résonnant jusqu'à terre. Leur ventre touchait enfin la surface de l'eau, projetant à droite et à gauche un panache puissant qui retombait en écume, bousculant tout avec des remous épais qui dérangeaient les barques amarrées et remontaient haut sur le bord des berges.

C'était l'été sans doute. Les vacances étaient déjà commencées. Il avait couché son vélo dans l'herbe toute brûlée par la chaleur du soleil. Peut-être attendait-il allongé sur le sol ou bien se tenait-il assis sur un ponton, les jambes se balançant au-dessus du courant très lent. À perte de vue, le grand ciel bleu du beau temps recouvrait le monde. Il regardait descendre vers lui le signe en forme de croix de la carlingue et des ailes. Lorsque l'avion heurtait l'eau, le choc le ralentissait net. Forant dans le fleuve une tranchée immatérielle, il creusait son sillage entre les rives, rebondissant formidablement d'avant en arrière, basculant sur l'un et puis l'autre de ses flancs, oscillant sur ses deux flotteurs jusqu'à ce qu'il s'arrête enfin : rond avec son ventre vaste comme celui d'une baleine, inexplicable parmi les péniches et les navires de plaisance, immobile comme un paquebot étrange mouillant au beau milieu des terres.

L'Histoire raconte qu'ils venaient d'Angleterre, de Londres et de Southampton, puis reprenaient leur vol pour plus loin, *via* Marseille et Brindisi, vers l'orient et le midi, Le Caire, Le Cap, Bombay et Sydney. Imperial Airways avait choisi ce lieu comme escale pour ses hydravions parce que l'autonomie de ses appareils commandait cet arrêt au milieu de nulle part. Il fallait ce point très précis de province française, désigné sans doute au hasard sur la carte, pour faire passer par lui tout le réseau des lignes conduisant jusqu'aux principales destinations du Commonwealth. Avec le courrier et la cargaison, les appareils n'emportaient que quelques passagers pour qui, le temps que les mécaniciens opèrent dans la nuit, on réservait en ville, à l'Hôtel d'Europe et d'Angleterre, les chambres les plus luxueuses. Un petit bateau venait chercher à bord les voyageurs et les conduisait jusqu'au débarcadère. Celui-ci se situait quai du Breuil à deux pas des bureaux de la compagnie. Là les attendait un taxi, entouré de la foule des curieux, les jeunes filles venues pour voir les toilettes et les parures des dames, les jeunes gens pour admirer la mécanique des moteurs et copier l'allure des aviateurs.

Pour son tout premier vol, son *maiden flight*, quelques mois plus tôt, le Capricorne, un jour de mars 1937, s'était perdu dans le vent et la neige. Le brouillard recouvrait tout le pays. Les bourrasques étaient si puissantes qu'elles déportaient l'engin qui, depuis longtemps, avait tout à fait perdu son cap. Les pilotes ont survolé Mâcon sans même apercevoir la forme de la ville au-dessous d'eux. Et puis l'appareil est allé s'écraser un peu plus loin contre les monts du Beaujolais près d'un sommet qu'on appelle la Croix de Fufret. Depuis quelque temps, l'avion perdait de l'altitude. L'enquête n'a jamais pu établir pourquoi. Le givre avait peut-être affecté les moteurs et les instruments. Ou bien : le commandant de bord cherchait la vallée pour y passer sous les nuages. Privé de toute visibilité, il est descendu trop bas. L'aile droite a heurté la cime de deux arbres, la coque a accroché le sol et l'engin est allé se perdre près de l'épaisseur des pins. Il n'y a eu qu'un seul survivant, presque indemne, le radio, un certain Cooper, grelottant, stupéfié dans le paysage blanc où s'était abattu le Capricorne blessant mortellement ou bien tuant sur le coup le seul passager à bord, une demoiselle du nom de Betty Coakes en route vers les Indes, et puis tout le reste de l'équipage.

Je le revois, lui, mon père, vieillissant, et ce qu'il disait parfois du naufrage d'avoir vécu. Il ne se plaignait pas. Il n'avait rien à regretter de sa vie, je crois. C'était autre chose. Au fond, il n'en revenait pas. Que tout soit allé si vite et se trouve désormais accompli. Qu'il y ait eu toute cette accumulation d'instants avant d'attendre la fin. Autour de lui, il cherchait quelqu'un qu'il puisse prendre à témoin de son étonnement. Et il n'y avait personne, bien sûr. Pas plus moi qu'un autre. Personne puisque l'expérience est chaque fois si singulière qu'on échoue soi-même à la comprendre et qu'il est du coup impossible de la communiquer, de la transmettre à quiconque. Au mieux, on laisse aux suivants un signe pour plus tard afin qu'ils s'en souviennent le jour où, après vous, leur vient la même surprise et qu'ils découvrent que, sur eux, le temps à son tour a passé et que, pas davantage que vous, ils ne trouvent désormais quelqu'un avec qui partager l'évidence de leur étonnement. Personne puisque ceux qui ont su sont morts et que les autres, pour eux, l'heure de savoir n'est pas encore arrivée.

C'est le seul mot que je lui ai jamais entendu : la vieillesse, un naufrage. Non pas, avec l'âge, le corps qui s'use, l'envie d'exister qui s'étiole, la fatigue retrouvée au lever du lit, l'attente morne du soir et du sommeil, l'incessante lassitude devant le monde, l'énervement face à la stupide et insistante immobilité des choses vaines de la vie. Pas même le sentiment d'avoir laissé se perdre sa chance, d'avoir raté sa vie, de n'avoir pas été à la hauteur de ce que l'on s'était autrefois imaginé de soi. Simplement : la certitude tardive que tout s'achève toujours dans la plus complète indécision, et que l'on termine égaré, comme dans un paysage de brume et de neige où le hasard d'un obstacle insignifiant vous fait chuter soudain n'importe où, à l'endroit indifférent qu'une panoplie de décombres viendra marquer un moment pour la curiosité des passants.

Ou alors : autre chose. Seulement le temps qui s'épaissit soudain et qui acquiert subitement sa vraie consistance au sein de laquelle vient se loger toute la somme des histoires passées avec le tour étrange qu'elles ont pris et qui vous interdit d'y croire pour de bon. On ne se rappelle plus rien et l'on se sent tout seul. Alors, la longue parole impersonnelle du monde reprend, qui raconte votre vie avec toutes les autres, et qui les verse au compte des mêmes fables dont reste encore un instant la rumeur de légende retentissant pour rien.

Il devait s'imaginer, parce qu'il avait quinze ou seize ans, que l'aventure commençait quand elle touchait déjà à sa fin. La génération des hydravions d'Imperial Airways était la dernière. Ou presque. Les Dornier et les Latécoère avaient franchi l'Atlantique Sud quelque temps auparavant. Des îles du Pacifique et puis des Caraïbes servaient depuis peu de pontons à la Pan American. Bientôt, la guerre obligerait à fermer toutes les lignes. De toute façon, elles avaient cessé d'être assez rentables. Il y avait eu déjà pas mal d'appareils perdus, comme celui de Mermoz, quelques mois plus tôt, dans le grand vide des océans, percutant la plaque dure des flots, dispersant leurs fragments de fuselage dans la houle, avec les sacs du courrier marquant simplement l'endroit de l'impact comme des bouées tournant à la dérive dans le courant, avant d'être engloutis à leur tour. Et le reste irait bientôt à son destin de ferrailles.

Il n'y a pas plus de vingt kilomètres de Mâcon à Ouroux, là où l'avion était tombé, et gisait près des arbres, le corps comiquement rompu comme celui d'un homme passé par la fenêtre, le cou cassé, et dont les membres prennent sur le sol une attitude impossible de pantin. Heurtant la pente, l'appareil avait glissé sur plusieurs centaines de mètres avant de venir reposer sur le blanc de la neige, à la lisière d'un bois. La trace laissée était aussi lisible que celle d'une luge trop lourde.

De part et d'autre du rail ouvert dans le froid et la pierre, on trouvait des fragments de l'appareil que le choc avait éparpillés et projetés parfois très loin sur le côté : les hélices, les moteurs, les réservoirs, l'un des flotteurs, un morceau de la dérive. La structure de l'appareil avait à peu près résisté. Seule l'aile droite avait cédé. Mais la violence du choc avait dû être considérable pour produire une telle hécatombe instantanée.

La nouvelle s'était répandue très vite. Alertée par la presse locale, une petite foule s'était réunie dans la forêt. Lui, regardait avec les autres, fasciné comme on l'est par un spectacle de désastre. Il était monté dans l'automobile de l'un de ses camarades. La route serpentait, au sortir de la ville, parmi les coteaux et les vignobles. La neige rendait la circulation difficile. Et puis personne n'avait pu dire précisément où l'appareil était tombé. Après un virage, ils ont aperçu plusieurs véhicules rangés dans une clairière. Un chemin grimpait un peu plus haut. Les gendarmes faisaient cercle autour des débris qu'ils protégeaient des photographes et de la cohue des curieux. Les cadavres avaient déjà été allongés sur le sol, un drap posé sur eux, dans l'attente d'être chargés par l'ambulance qui peinait à parvenir sur les lieux. Mais c'était le ventre de l'avion qu'on voyait surtout, exposé, obscène, comme celui d'un gros poisson mort tiré de son élément et agonisant sur la berge. L'anglais dit : « *flying boats* ». Cela veut dire : « bateaux volants ». Un naufrage, oui : l'anéantissement arbitraire, la rencontre des récifs, leur lame de pierre qui fend le fuselage d'un seul coup, la coque qui craque, et enfin l'éparpillement de l'épave qui se répand partout autour d'elle.

Et pourtant s'il avait voulu raconter son histoire, s'il avait trouvé quelqu'un pour l'écouter, ne sachant pas par où commencer, l'idée ne lui serait certainement jamais venue d'évoquer cette journée de mars 1937 dont il n'avait probablement même pas gardé le souvenir. La nouvelle, d'ailleurs, il ne l'avait apprise qu'à la sortie du lycée, après la récréation et puis l'étude, une fois finie sa version de Virgile, redescendant vers les quais où se situaient la maison, le laboratoire, la boutique, rencontrant par hasard un camarade l'informant tout excité du désastre, lui disant que cela devait arriver avec un tel temps, que l'un des hydravions d'Imperial Airways s'était écrasé contre la montagne en début d'après-midi, qu'il y avait des victimes, qu'on racontait aussi qu'une cargaison précieuse (de l'or!) avait disparu. Ou bien : il l'aurait su seulement par les journaux du lendemain, *Le Progrès, Le Nouvelliste*, venus de Lyon, faisant leurs gros titres de l'accident et qu'il aurait aperçus, le matin, au petit déjeuner, à même la toile cirée tendue sur la table de la cuisine, près des bols et du café, avant de prendre le chemin de la classe, son devoir de la veille dans son cartable, une vingtaine de vers tirés du premier livre de *L'Énéide*, dont il ne lui aurait pas été trop difficile de vérifier la traduction dans n'importe quelle édition courante de Virgile s'il n'avait mis un point d'honneur, parce qu'il était le meilleur latiniste du lycée, à les rendre lui-même en français avec la seule ressource de son Gaffiot tout neuf.

Et même s'il s'était souvenu de cette journée de mars 1937, même s'il avait trouvé quelqu'un pour l'écouter racontant la brume et la neige et comment elles avaient tout à coup enveloppé la région d'une épaisseur opaque à l'intérieur de laquelle l'avion s'était perdu, passant invisible au-dessus de la ville où lui, pendant ce temps-là, butait sur la charade d'un exercice de trigonométrie un peu compliqué, il n'aurait pas eu le cœur de donner à l'événement la grandeur épique dont pourtant il devait bien avoir quelque idée à cause de Virgile : tous les vents soudain sortis du flanc creux de la montagne, l'Eurus, le Notus, l'Africus dépêchés par un dieu, les nuages dérobant tout au regard tandis qu'une nuit noire s'installe en plein milieu du jour, et les navires éventrés par les vagues, les abîmes qui s'ouvrent, le vertige où se met à tourner toute conscience du monde, l'univers avalant les vivants.

Si quelqu'un lui en avait parlé, il se serait plutôt contenté de citer le modèle de l'appareil, un Short Empire, un peu surpris de retrouver dans sa mémoire le souvenir de cet accident dont il n'avait pas été le témoin et dont, même à l'époque, il avait eu le sentiment qu'il ne le concernait pas, qu'il était l'affaire de l'aviation anglaise et des conducteurs d'hydravions, appartenant ainsi à une autre histoire que la sienne — son histoire à lui qui, pourtant, puisqu'il n'avait encore que seize ou dix-sept ans, n'avait pas encore commencé mais dont il ne doutait pas qu'elle serait totalement différente car il entendait bien être pilote mais meilleur pilote, plus habile et plus heureux. Et à tout prendre, plutôt que l'accident, il y aurait eu davantage de chances qu'il se rappelle tel ou tel des vieux vers latins, « *Tantaene animis caelestibus irae ?* », qu'il avait fini par savoir par cœur à force de s'interroger sur la manière dont s'emboîtaient dans la phrase les mots morts d'une langue morte avec leurs cas et leurs déclinaisons.

Il n'aurait pas su par où commencer. Il n'aurait pas eu le souci de le faire. Commencer est une inquiétude de poète. Se demander par l'arbitraire de quel premier mot il faut rompre le silence où se tiennent toutes les histoires, ouvrir l'outre pour libérer le vent moins meurtrier des phrases et se laisser ainsi emporter au hasard dans la direction où il souffle. Se le demander sans savoir — si bien qu'il faut implorer le secours d'une divinité, en appeler à n'importe quelle fiction dans le ciel vide, pour recevoir d'elle — la divinité, la fiction — la parole qui manque et qui fera aussi bien qu'une autre l'affaire, « *Musa, mihi causas memora...* », tirant alors de l'épaisseur amnésique de la durée le semblant d'un récit. Mais puisque l'histoire était finie, ou du moins sur le point de l'être, il se serait sans doute dit qu'il était inutile qu'elle eût jamais commencé.

C'est moi qui me souviens, « *Arma virumque cano* ». Quelqu'un d'autre que lui qui met des mots sur l'histoire et qui la sort du vide au fond duquel elle ne demandait qu'à disparaître doucement, rejoignant toutes les autres au sein de l'indiscernable rumeur où elles se mêlent enfin. Moi qui cherche maladroitement par où commencer, « Ils descendaient depuis l'azur... », en croyant calculer l'emphase qu'il faut aux phrases, « le vrombissement des quatre moteurs », afin de donner son allure d'épopée, « L'Histoire raconte... », à ce qui ne fut après tout qu'un roman comme un autre, celui d'un tout jeune homme, amoureux du ciel, dont la traversée des nuages eut pour seule particularité de se dérouler tandis qu'éclataient un peu partout sur le monde les mêmes orages d'acier. Moi dont la manie imbécile prive, un peu et pour rien, ce roman de l'oubli auquel il aspire et du repos dans lequel il finira malgré tout par dormir.

Si bien que c'est autrement qu'il faudrait commencer. Car un Short Empire — comme il l'aurait dit, identifiant sans hésitation le modèle de l'appareil —, j'en avais vu un, à Duxford, sous l'un des hangars du musée de l'Air (l'Imperial War Museum) où j'allais parfois le dimanche après-midi quand j'habitais à Cambridge. On l'avait allongé là pour servir de témoin et illustrer l'aventure ancienne qui voyait les avions d'Imperial Airways parcourir le monde. De vieilles photographies disposées sur des panneaux, des coupures de la presse anglaise ou française montraient l'appareil arrêté à l'escale de Mâcon. C'est donc là, il y a vingt ans, que j'ai dû me dire, que je me suis inévitablement dit que lui et elle avaient vu ce même avion, très exactement un demi-siècle auparavant, à l'occasion de l'une ou l'autre de ses escales, au cours des trois brèves années durant lesquelles la ligne fut régulièrement exploitée, malgré l'accident dont j'ignorais encore tout — car l'accident ne conduisit pas à renoncer à l'escale — et avant que la déclaration de guerre n'oblige à interrompre pour de bon la routine des vols commerciaux.

Par un jour de grand soleil — « c'était l'été sans doute » —, les images montraient la cohue sur le quai où des jeunes filles et des jeunes gens se pressaient pour apercevoir l'appareil, moteurs arrêtés, mouillant à quelque dix ou quinze mètres de la berge, eux — les jeunes gens et les jeunes filles — tournant le dos au photographe puisqu'ils regardaient l'engin immobile duquel l'équipage se préparait sans doute à débarquer si bien qu'aucun visage n'était visible sur la photographie et que lui et puis elle auraient pu être n'importe qui parmi les curieux se tenant face au même avion devant lequel, maintenant qu'on l'avait tiré de l'eau pour en faire une relique, ce quelqu'un qui était moi se trouvait à son tour — debout désœuvré parmi les rares visiteurs dominicaux de Duxford —, observant une épave échouée à terre, momifiée comme un objet de musée, semblable non pas à une œuvre d'art mais à la dépouille soigneusement naturalisée d'un grand animal disparu, vestige d'une espèce éteinte depuis longtemps. Quelque chose d'impossible : comme une sorte de poisson volant aux proportions géantes, de baleine blanche aux ailes absurdement déployées, à quoi on avait donné pour nom Cambria ou Canopus mais qui aurait mérité davantage de s'appeler Béhémoth ou Léviathan, comme ces monstres aux formes d'hippopotame ou de dragon dont la légende raconte qu'ils naquirent autrefois de l'union coupable des anges du ciel avec les femmes de la terre et qu'ils survécurent au déluge pour servir de signe et rappeler aux vivants l'héroïque confusion du chaos dont ils sont tous sortis.

Sauf que l'animal n'avait rien de menaçant, qu'il n'avait pas l'apparence inquiétante d'un prédateur mais plutôt celle d'une créature débonnaire que sa seule disproportion aurait lentement rendue impropre à la vie. « Chimère » est le mot : quelque chose de mâle et puis de femelle, tenant à la fois des grands reptiles volants et des plésiosaures de la préhistoire, hésitant longuement entre le ciel et l'eau, à mi-chemin du pachyderme et du cétacé, avec les fantastiques ailes blanches d'un oiseau marin ouvertes sur le corps d'une baleine excessive.

Tout cela appartenant déjà à des temps légendaires, au même titre que les cerfs-volants humains, les montgolfières, les dirigeables, les appareils aux allures de chauve-souris, les bicyclettes ailées, les gyroplanes, tout le bestiaire assez fabuleux des formes qui auraient pu être et se développer si l'avion ne s'était imposé à leur place, faisant passer aussitôt toutes les autres créatures volantes pour des aberrations vouées à disparaître dès leur conception, condamnées d'avance par les lois de l'évolution aéronautique, l'hydravion lui-même n'existant qu'à la façon d'un maillon dans la chaîne, maillon destiné à marquer le changement d'époques auquel, sans le savoir vraiment, il assistait — lui, couché sur l'herbe brûlée, ou bien assis sur le ponton, ou bien debout sur le quai —, observant, alors que la guerre allait éclater, le passage des derniers appareils de la ligne avant que ne commence, avec la sienne, une histoire nouvelle.

Car il ne pouvait imaginer que l'histoire ancienne était déjà sur le point de finir, que le temps des expérimentateurs et des pionniers, des acrobates et des bricoleurs touchait à son terme, que les explorateurs d'hier avaient pour la plupart disparu et que ceux d'entre eux qui avaient survécu étaient sur le point de s'entre-tuer dans des combats auxquels on ne lui laisserait pas même l'occasion de participer vraiment. Il ne pouvait se douter que le dernier de ceux-ci se laisserait mourir énigmatiquement aux commandes inutiles d'un appareil de reconnaissance comme pour mieux signifier que l'aventure s'arrêtait avec lui et que, si l'épopée devait continuer malgré tout, elle le ferait sous une forme si différente et méconnaissable que ceux qui y participeraient, et lui serait bien de ceux-là, oseraient à peine se réclamer encore d'elle.

Je me suis approché de l'appareil avec la tentation de le toucher. Je me souviens avoir posé la main sur ce ventre extraordinairement rond. Il avait l'air d'abriter comme le travail incompréhensible d'une grossesse et il semblait que derrière les flancs formidablement gonflés s'agitait vaguement toute une rumeur de rêves que je pouvais entendre si j'approchais assez l'oreille — comme on croit entendre la mer au fond d'un coquillage où retentit simplement le battement de son propre sang. C'est ce que je me suis dit en tout cas, me racontant à moi-même que tout le temps se tenait contenu, compressé, dans la coque de la carlingue, et qu'il se trouvait donc encore à naître, que toute l'histoire et sa brocante de débris reposaient dans la panse maternelle d'un monstre qui régurgiterait tout, le père, le fils, même le Saint-Esprit, et que le passé se tenait là attendant pour sa délivrance que quelqu'un vienne qui prononce seulement sur lui une parole propice.

J'ai posé ma main à plat sur le ventre de l'avion. Et j'ai très précisément pensé qu'il avait dû autrefois se coucher dans le lit de sable et d'eau de la Saône, celui-là même auprès duquel lui et elle — mon père et ma mère — avaient grandi à l'âge du vieux vingtième siècle, le fleuve coulant si lentement vers le sud que personne, un autre auteur latin le dit, n'a jamais su en percevoir le mouvement ni en dire la direction, comme si lui, le fleuve, allait indifféremment vers sa source supposée ou bien vers son possible estuaire, l'amont et l'aval indiscernables, traçant une sorte de boucle perpétuelle, sans commencement ni fin, à l'intérieur de laquelle remuaient doucement les longs et lents remous d'une seule et même histoire.

Car cela vient très tard, à chacun, une fois que le milieu du chemin de sa vie est passé, ce désir imbécile de se retourner sur soi et de mesurer toute l'accumulation du temps qui pèse déjà dans votre dos, sur vos épaules, et qui vous précipite sur l'autre pente, celle qui dévale vers nulle part, là où plus rien ne vous retient. L'événement est sans mystère. Il y a eu un moment, et c'est tout, où l'ordre des jours s'est tout à coup trouvé inversé. Maintenant, il faut descendre et la vitesse grandit qui vous tire vers le bas. L'inertie du temps devient la force mauvaise qui voue les vivants à la nuit. Il n'y a pas lieu d'en faire toute une histoire, sans doute.

Lui, d'ailleurs, il n'en parlait presque pas. Il lâchait prise simplement. Tout ce à quoi avait tenu sa vie, il le regardait s'en aller autour de lui. Dire qu'il descendait ne suffirait pas. Il dégringolait plutôt d'un à-pic invisible. Il n'avait plus l'énergie qu'il lui aurait fallu pour rester debout et résister à la grande gravité qui l'aspirait vers le dessous des choses. Une sorte de torpeur s'était saisie de son corps et l'avait rendu incroyablement lourd et lent. Rien ne pouvait plus le distraire vraiment d'une mélancolie inavouée et profonde. Un brouillard opaque était tombé depuis longtemps sur le monde. Et s'il descendait ainsi, peut-être était-ce aussi dans l'espoir de trouver plus bas, sous les nuages, l'abri d'une vallée dégagée ou bien parce que, sans vouloir se le dire, il visait au fond l'obstacle sur lequel s'écraser et qui le délivrerait de la fastidieuse besogne de vivre plus longtemps.

La vieillesse : un naufrage. Mais c'était juste un mot. Et si je m'en souviens dans sa bouche, cela ne signifie pas qu'il l'ait dit en tout plus d'une fois. Il n'avait changé d'avis sur rien. Toutes ses convictions étaient restées intactes. S'il exprimait son opinion, il considérait le monde avec la même bienveillance positive qu'autrefois, l'optimisme intouché d'un homme de son temps persuadé que les plus modestes dispositions morales, la bonne volonté, le travail, l'intelligence, l'honnêteté, suffisent à agir sur la réalité et permettent de la réformer, de la transformer. Son esprit de toujours ne l'avait pas quitté : esprit d'ingénieur, d'officier, de pilote, rétif aux rêves inutiles, congédiant très vite les trop longs colloques intérieurs, appliqué aux choses concrètes du monde, les envisageant à la manière d'un problème à résoudre et ne concevant pas même que celui-ci puisse être parfois insoluble. Mais ses propres convictions avaient en quelque sorte cessé de le concerner au plus profond de lui. Elles avaient pris la consistance exacte du passé lorsque celui-ci est devenu si lointain que même celui qu'on a été finit par sembler à soi-même aussi incompréhensible qu'un étranger et qu'il faut faire un effort d'imagination pour se figurer qu'un jour cet homme a été soi.

Soi : cet homme. Ou plutôt : cet enfant, improbable et miraculeux, comme celui que chacun cherche en soi lorsqu'il considère tout le spectacle du passé et qu'il tente de sauver celui-ci du saccage des siècles, se disant « Oui, j'étais lui », attendri et agacé par ce fantôme sortant timidement des nuées avec lequel il ne partage plus rien, ou bien juste la même voix, les mêmes yeux, et qui plutôt que pour lui passerait tout autant pour le père ou bien le fils de celui qu'il est devenu, un être irréel, figurant peu plausible dans une histoire à demi effacée, histoire dont ne subsistent plus que des souvenirs insignifiants auxquels il est désormais devenu si difficile de croire que n'importe quelle version de sa vie finit par en valoir une autre et qu'il est totalement indifférent de savoir ce que l'on fit ou non au cours d'une lointaine journée de mars 1937 dont seule la chronique locale garde encore quelque peu la trace.

Et s'il n'avait jamais raconté comment, adolescent, il avait l'habitude de se rendre quai du Breuil chaque fois qu'il le pouvait afin de guetter la descente des appareils d'Imperial Airways, toujours curieux de savoir comment le pilote allait négocier cette fois le choc avec les eaux de la Saône et incrédule devant le prodige toujours répété de l'opération, traînant si souvent auprès des bureaux de l'escale qu'il avait obtenu un jour de l'un des employés la permission de monter à bord avec l'équipe des mécaniciens, de s'asseoir dans le siège du pilote, de poser ses mains sur les commandes inertes de l'hydravion, d'installer ses pieds sur le palonnier, s'il n'avait jamais raconté cette anecdote ou une autre, aussi vraie ou aussi fausse que celle-là, la catastrophe du Capricorne, l'épave qu'il avait ou non vue dans la neige, ce n'était pas par peur de ne pas trouver quelqu'un à qui confier ce souvenir mais plus simplement parce qu'il avait le sentiment que ce passé avait déjà cessé d'être le sien.

Dans l'endormissement de l'âge, comme cela arrive à chacun, son existence avait pris l'allure d'un rêve décousu dont il lui était impossible de dire comment il avait commencé puisqu'il n'en conservait plus qu'un vague tissu d'images, mis en pièces, troué de partout, la trame même du temps s'étant tout à fait défaite et s'effilochant en tout sens : une sorte de chiffon, de torchon sur lequel figurait bien le visage miraculeux de sa vie, mais souillé, déchiré, illisible. L'oubli, et non la mémoire, étant la substance du passé. De telle sorte que l'oubli n'interrompt pas accidentellement le fil de ce que l'on fut, intercalant par endroits le blanc provisoire d'une absence dans la succession des événements vécus, mais qu'il constitue bien l'élément même où, tout se trouvant perdu, subsiste parfois l'exception singulière d'un souvenir isolé, d'un semblant de souvenir, dont on échoue à comprendre ce qui le lie aux autres et quelle place exacte il occupe parmi eux.

C'est pourquoi celui qui se souvient, qui se souvient de soi, en est réduit à reconstituer un roman, son propre roman, à partir des débris dépareillés du passé, acceptant l'invérifiable hypothèse qu'une intrigue doit pourtant exister qui unit tous ces moments et les intègre à la cohérence d'un récit à peu près suivi et sensé, prêtant sa psychologie présente, pour autant qu'il est capable d'en savoir quoi que ce soit, au personnage qu'il a été autrefois et dont il ne connaît plus rien. Et dès lors, le roman se lit fatalement à l'envers puisque ce sont les dernières pages à l'aide desquelles on invente les premières, donnant un tour mélancolique à l'histoire car, ainsi qu'on s'en avise alors, c'est toujours par la fin qu'en fait elle commence.

Il avait été cet homme et cet autre et puis cet autre encore, tellement dissemblables que, les regardant tous, on percevrait à peine de l'un à l'autre comme un vague air de famille, les mêmes yeux, la même voix, mais que tous ces visages auraient aussi bien pu appartenir à des individus distincts, étant ceux de tout le monde et puis de personne. Si bien que n'importe qui, au fond, pourrait raconter n'importe quelle histoire comme si elle était la sienne, conjecturant sur la meilleure manière d'assembler des souvenirs qui de toute façon ne disent déjà plus rien à quiconque et auxquels on peut indifféremment faire signifier tout et son contraire puisqu'il suffit juste du tour de passe-passe d'une parole propice pour que tout se mette à parler aussitôt.

Lui-même avait dû finir par ne plus rien savoir de celui qu'il avait été un demi-siècle auparavant — le jeune homme distrait de sa version de Virgile ou de son problème de trigonométrie par le passage dans le ciel opaque d'un quadrimoteur volant décidément trop bas et dont le vrombissement étouffé allait en s'éloignant. Et celui qui raconterait aujourd'hui sa vie n'en saurait ni plus ni moins, se trouvant donc conduit à tout inventer ou presque à partir de quelques bribes invérifiables de souvenirs et d'histoires, déchets ramassés comme les fragments épars qu'on collecte à proximité d'une épave — le moteur, le morceau de la dérive, les deux flotteurs, un pan de l'aile droite tombé à terre — et à l'aide desquels on construit une hypothèse vraisemblable afin de rendre compte de ce qui, malgré tout, restera toujours inintelligible comme la vérité elle-même lorsqu'on la rencontre aussi brutalement qu'un sommet de montagne surgissant entre deux bancs de brouillard. Et, rassemblant ces morceaux douteux de mémoire, celui qui raconterait n'aurait pas d'autre choix que d'en faire à son tour la matière d'un roman dont il saurait bien qu'il est aussi le sien. Puisque c'est sur ses épaules à lui, les miennes, que viendrait peser maintenant le poids même du temps, celui qui vous précipite vers demain tout en faisant naître en soi l'envie imbécile d'un regard en arrière, le désir vraiment stupide de trouver qui prendre à témoin de l'évidence dès lors qu'est arrivé pour soi le moment du grand étonnement vain devant la vitesse et la vacuité de la vie.

Contemplant un corps — car c'est toujours ainsi que tout s'achève —, affalé en plein air sur un trottoir parisien, le cœur s'étant arrêté sans raison mais se trouvant bien décidé à ne pas reprendre son battement régulier puisque tous les efforts faits pour le réanimer n'avaient servi à rien et qu'à l'hôpital on avait dû se contenter de constater l'événement du décès, plaçant ce corps dans le compartiment de la morgue prévu à cet effet avant de l'en sortir quelques jours plus tard, pour l'exhiber dans l'apparat habituel du deuil, logé un peu à l'étroit dans la boîte de bois exposée sous les tentures, les statues, les symboles, parmi les fleurs et les cierges, et puis dépêchée vers le feu et la terre.

Se disant donc que si l'on ignore comment tout commence, au moins, on sait bien avec quoi tout se termine : un homme allé au bout de ses jours, tombant de tout son long dans la rue, le visage tourné vers le sol, inerte et incroyablement pesant, masse aussi fermée et suffisante désormais qu'un caillou inutile perdu parmi le peuple incalculable des pierres, un mort parmi les morts, passé d'un seul coup dans leur camp de telle sorte que tout s'évanouit en une fois avec lui, la somme innombrable des souvenirs, les vrais comme les faux, et que, s'ils s'en soucient, la tâche passe aux autres, aux suivants, de résoudre la charade, celle de se demander au fond ce qu'a pu être une vie.

Contemplant ce corps, constatant l'évidence ordinaire du désastre, pas plus ému qu'il ne convient devant une telle mort, celle d'un homme étant réglementairement allé au bout de ses presque quatre-vingts ans de vie, se disant cependant que cette dépouille ne suffisait pas, qu'il y manquait des mots — même insignifiants ou impropres. Car ce n'est pas le corps par quoi tout commence ou tout finit mais les mots que l'on dit sur lui. Des mots, les mêmes pour recevoir les vivants dans le jour et puis les congédier vers la nuit. Mots de prêtre ou de poète mais qu'à défaut tout le monde, et même le premier venu, peut prononcer car ils ne dépendent ni de la dignité ni du talent de celui qui les dit, paroles emphatiques appelant pathétiquement au secours n'importe quelle divinité, n'importe quelle fiction dans le ciel vide de façon qu'une histoire existe malgré tout, même si on la sait mensongère : non pas dans l'espoir de vaincre l'oubli ou d'obtenir de lui un sursis mais seulement afin de manifester une fois, une seule fois que quelque chose aura été dans le temps contre quoi le temps lui-même, quand il aura effacé cette chose, n'aura rien pu, n'aura rien pu contre le fait qu'elle ait été.

Me disant donc tout cela, ou du moins, sinon cela, quelque chose de comparable, alors que je contemplais ce corps, un certain jour de novembre 1998, il y a ainsi dix ans au moment où j'écris, n'ayant pourtant vu le cadavre ni lorsqu'il restait écroulé sur le trottoir tandis qu'on tentait en vain de le réanimer, ni même alors que l'ambulance hurlante l'emmenait par un dernier scrupule jusqu'à l'hôpital le plus proche, n'ayant pas davantage assisté à la crémation ou à la cérémonie au cours de laquelle, plusieurs mois plus tard, on fit ouvrir, devant une délégation de pilotes et d'officiers, le vieux monument funéraire, coffre-fort vermoulu et rouillé autant que la pierre peut l'être, usé par la pluie et le froid, plein comme un œuf, et dans lequel il avait fallu concasser quelques cercueils d'aïeuls et leur poudre d'ossements pour faire un peu de place à l'urne contenant les cendres du nouveau venu.

N'ayant donc pas pu proprement contempler ce corps, sinon à la sauvette, dans la chambre du funérarium, avant la fermeture de la bière, n'en ayant d'ailleurs pas eu le goût, convaincu que le corps allongé dans sa boîte de bois comptait moins que les mots qui l'accompagneraient vers le néant.

Me mettant ainsi à prier mentalement, à réciter la vieille oraison des morts, ou plutôt à fabriquer dans ma tête quelque chose qui devait y ressembler car, cette prière, si je l'avais jamais sue, cela faisait longtemps que je l'avais complètement oubliée, destinant cette oraison à un ciel vide, ne croyant nullement qu'il y ait quelque part quelqu'un pour l'entendre — une divinité, une fiction —, et certainement pas celui que la mort avait désormais rendu aussi sourd qu'une chose ou qu'un dieu. Priant silencieusement mais pas pour moi-même. N'espérant aucune consolation des mots. N'ayant d'ailleurs pas besoin d'être consolé. Sachant qu'aucun secours n'existe qui vienne d'eux. Mais qu'ils exigent pourtant d'être dits — ne serait-ce que sous la forme mutique d'une prière faite par n'importe qui et pour personne.

Quand ? Ni lors de la cérémonie officielle, lorsque quelques pilotes à la retraite, quelques officiers réservistes firent le voyage jusqu'au cimetière de Vieu-d'Izenave pour déposer sur la tombe la plaque où figuraient ses titres, ses insignes, ses médailles, ni pour la messe funéraire, à l'église Saint-Jean-Baptiste-de-La-Salle, avec tout le cirque sincère et digne autour du cercueil. Et pas même au cours de cette journée de novembre 1998 devenue déjà aussi invérifiable que celle de mars 1937 où il tomba brusquement et sans raison sur le trottoir de la rue de la Procession, dans le quinzième arrondissement de Paris, à quelques mètres à peine de l'entrée de son immeuble, alors qu'il promenait tout simplement son chien. Parce que de toute cette journée, à part le coup de téléphone qui m'apprit la nouvelle, je ne garde aucun souvenir, et s'il fallait que je la raconte, je me mettrais à faire une fable dont je saurais qu'elle ne retient rien de ce qui a effectivement été — dix ans en valant cinquante ou bien cinq cents et suffisant à tout effacer —, qu'elle serait juste une sorte de signe fait dans le vide.

Un signe ? Oui, en somme. Ni celui du baptême, reçu il y avait bien longtemps, ni l'extrême-onction qu'un prêtre, à la demande de ma mère, avait accepté de lui donner sur le brancard où il gisait déjà mort dans l'un des couloirs de l'hôpital, mais peut-être ce sacrement que l'Église nomme l'« ondoiement » et dont le vieux catéchisme dit que n'importe qui, si c'est nécessaire, peut le prononcer, sans même avoir à être baptisé ou seulement croyant, et peut-être longtemps après qu'il est en principe trop tard pour le faire ou dans d'autres circonstances que celles pour lesquelles il est prévu car l'Esprit saint n'est pas très regardant, les formalités ne sont pas son fort et il lui suffit que quelqu'un fasse à peu près le geste qu'il faut, se dispensant des rites, n'ayant aucune foi en eux ou presque, pour qu'il descende malgré tout dans un battement d'ailes, inaperçu, déguisé en pigeon parisien, son plongeon silencieux en piqué le faisant tomber d'en haut d'où il vient et vers où il retourne aussitôt, ayant seulement fait briller un instant la gloire invisible de sa chute sur la scène insignifiante où un médecin et quelques ambulanciers s'agitent autour d'un corps étendu dont le cœur a soudainement cessé de battre.

Alors, quand ? Maintenant ? Oui, allons-y pour maintenant s'il faut commencer. Sur le front de chacun de nous, mes deux frères, mes deux sœurs, moi, sur nos crânes de nouveau-nés lorsqu'il avait pu nous prendre pour la première fois dans ses bras, notre mère le raconte, il avait fait chaque fois ce même geste discret de la main droite, le pouce traçant comme un évasif signe de croix, nous marquant ainsi pour le cas où la mort nous aurait réservé la mauvaise farce de nous enlever avant qu'un prêtre ait pu procéder avec nous dans les règles. Et lui rendre ce geste était donc la moindre des choses maintenant que, lui, il franchissait dans l'autre sens la frontière qui sépare du néant, ni plus lourd ni plus léger de péché qu'au premier jour, puisque la tache originelle d'être né pèse d'un poids tel que tous les vices ou toutes les vertus d'une vie ne l'allègent ni ne l'alourdissent vraiment. Non pas à la manière d'un viatique vers le ciel — car il en connaissait mieux que quiconque, et certainement mieux que moi, le chemin. Plutôt comme une sorte de grande et dérisoire parole de compassion dont la valeur ne dépend donc ni de celui qui la dit ni de celui auquel elle s'adresse car elle concerne en vérité tous les vivants à la fois, elle les prend ensemble dans sa miséricordieuse merci et elle signifie aux innocents comme aux coupables le même et inutile pardon pour la faute exclusive d'avoir vécu.

CHAPITRE 1

17 décembre 1903

« Nos yeux furent premiers à voir
Les nuages plus bas que nous. »

LOUIS ARAGON

Même sa date de naissance exacte, je l'avais oubliée. Le livret de famille dit : 17 septembre 1921.

Lui qui, pendant toute la dernière partie de sa carrière, se trouverait aux commandes d'un Boeing 747, de ceux qui, à quelques aménagements près, constituent encore l'essentiel de la flotte des long-courriers d'aujourd'hui, à qui la limite d'âge interdirait tout juste de devenir l'un des premiers pilotes du Concorde, la compagnie étant peu désireuse de former sur ce nouvel appareil un commandant de bord voué à prendre prochainement sa retraite, spectateur enthousiaste et un peu envieux de la conquête spatiale pour laquelle il se serait porté sans hésitation volontaire s'il en avait eu la qualification et l'occasion, lui qui sur la fin aurait pu posséder son ordinateur personnel et son téléphone portable, comme n'importe qui désormais, si la curiosité pour la technique ne l'avait d'un coup abandonné après qu'il eut fait l'acquisition, un peu pour ses enfants, un peu pour lui-même, de toute la gamme des dernières nouveautés rapportées d'Amérique ou du Japon — la première machine à calculer, la première console de jeux, la première caméra vidéo : tous ces objets, depuis longtemps inutilisables, si tant est qu'ils aient jamais vraiment fonctionné, mais pieusement conservés dans un placard et ayant pris sous la poussière en vingt ou trente ans une apparence aussi préhistorique que les premières pierres taillées de l'humanité —, lui, donc, qui connut le monde dans lequel nous vivons encore, était né alors que les premières usines de l'industrie aéronautique — d'ailleurs, ce n'étaient pas des usines mais plutôt des ateliers où se côtoyaient les établis de quelques bricoleurs — fabriquaient des appareils aux formes si extravagantes qu'ils paraissent, à qui les regarde aujourd'hui, appartenir aux âges balbutiants de l'aviation, la palme revenant incontestablement, cette année-là, en 1921, donc, au Capronissimo, un gigantesque hydravion italien qui se disloqua dès son premier essai, le 4 mars, sur les eaux du lac Majeur, avec ses neuf ailes superposées, voilure absurde et démesurée, et les 3 200 chevaux de ses huit moteurs, insuffisants cependant pour lui faire prendre plus de quelques mètres d'altitude avant qu'il ne rebondisse sur l'eau et que toute son architecture branlante de métal et de toile ne tombe comiquement en morceaux comme un château de cartes, cet incident, plutôt qu'une véritable catastrophe aérienne comme celle que connaîtrait le Capricorne d'Imperial Airways, évoquant un gag de Buster Keaton ou de Harold Lloyd dans l'un des films burlesques du cinéma d'alors.

Soixante-dix-sept ans de vie suffisant certainement toujours pour que le monde change complètement de physionomie. À moins, après tout, qu'il ne s'agisse du privilège exclusif du vieux vingtième siècle, le seul en somme à avoir pris l'Humanité dans l'immémorial état où l'avaient laissée les immuables millénaires de son Histoire immobile pour la propulser, du jour au lendemain, dans l'effervescence apparente d'un univers en perpétuel cours de recommencement. Ces soixante-dix-sept ans qui auront été ceux de sa vie ayant correspondu à la pure parenthèse du Progrès, celui-ci ne constituant aucunement le phénomène irréversible d'accélération continue avec lequel lui-même et les hommes de sa génération l'avaient confondu mais l'inexplicable et exceptionnel moment d'un bond en avant, sans précédent certainement mais destiné peut-être à n'avoir aucun équivalent après lui, l'antique lenteur du temps reprenant aussitôt ses droits, laissant les hommes de son âge et ceux du nôtre un peu interloqués devant ce changement d'époque dont ils n'ont rien su lorsqu'il avait lieu mais qui ouvre comme une grande béance dans le récit que chacun se fait à soi-même de sa propre existence, donnant un tour irréel et, pour tout dire, légendaire à ce qui fut et suscitant entre le présent et le passé une séparation aussi nette que celle que les manuels d'Histoire établissent entre les régimes ou les dynasties.

Ainsi on a tout oublié du temps d'avant, et pas seulement les grandes choses (celles de l'Histoire) mais aussi les plus petites (celles de la vie). Et pour réaliser que cela a bel et bien été, il faudrait un tel effort de mémoire que se souvenir du passé reviendrait à l'imaginer, inventant un univers dans lequel, bien qu'on y ait autrefois effectivement vécu, tout aurait la consistance exacte d'une féerie improbable. Si bien que, retrouvant par mégarde dans le rebut d'un grenier une règle à calculer, une machine à écrire, une caméra super-8 ou même un Minitel, la sensation serait la même que celle qui saisirait un archéologue exhumant de la poussière une poterie en pièces témoignant d'une civilisation disparue dont il savait bien l'existence mais à laquelle, s'il doit l'avouer, il ne croyait pas vraiment et qui l'oblige à réévaluer l'image de l'Histoire qu'il avait en tête.

Alors à celui-là même qui en fut le contemporain approximatif, le Capronissimo ou bien un Short Empire, ou n'importe lequel des avions d'alors, aussi bien que ceux de Clément Ader ou des frères Wright, ferait l'effet d'une créature antédiluvienne dont il n'aurait pas aisément accepté l'idée qu'il avait pu effectivement la voir voler de ses yeux d'enfant, se figurant spontanément que l'aviation avait toujours été telle qu'il l'avait enfin connue, cette grande affaire planétaire de lignes routinières reliant des aéroports vastes comme des cités et dont décollent en permanence des quadrimoteurs à réaction à bord desquels toutes les ressources ordinaires de la technique la plus sophistiquée viennent assister le pilote — le pilote de 747 qu'il aura eu le sentiment d'avoir toujours été, ayant oublié le temps qu'il connut pourtant des terrains d'aviation improvisés dans un champ, des hélices qu'on lançait à la main, des moteurs assez simples pour que l'on puisse en réparer soi-même les pannes à l'aide d'une vulgaire trousse à outils.

La même loi valant pour les idées. Car chacun finit par adopter les convictions de son temps et, en toute bonne foi, affiche la certitude d'avoir toujours pensé identiquement, ne doutant pas que les opinions libérales et démocratiques que l'on professe aujourd'hui, celles de tout citoyen respectable, propres à un pays où règnent une paix et une prospérité perfectibles, relatives mais réelles si on les compare honnêtement aux conditions qui furent celles des siècles passés, pays globalement épargné par les guerres, les révolutions, la terreur policière, la misère dont on meurt et dans lequel les seuls événements mémorables sont devenus des résultats sportifs ou électoraux, ne doutant pas que ces opinions aient également été celles d'un homme, lui-même et pourtant un autre, né au lendemain d'une guerre mondiale et devant en connaître une autre avant d'avoir atteint l'âge de la majorité, grandissant dans un univers où toutes les idéologies désormais discréditées, disqualifiées, nationalisme, fascisme, communisme, avaient non seulement droit de cité mais incarnaient aux yeux de la plupart l'idéal même de la modernité.

Car lui qui, au terme de ses soixante-dix-sept années de vie, serait l'habitant d'une Europe pacifiée à l'intérieur de laquelle les différences de patrie auraient fini par apparaître, et même à lui, comme des particularités pittoresques et presque insignifiantes, ayant oublié l'antique haine de l'Angleterre et de l'Allemagne dans laquelle les enfants de son âge avaient été éduqués, lui qui considérait comme allant de soi, finalement, l'indépendance de l'Algérie et l'existence d'Israël, alors même que le colonialisme et l'antisémitisme avaient dû certainement faire partie des postulats indiscutés de son milieu d'origine, lui qui, en somme, était devenu authentiquement réfractaire, s'il ne l'avait toujours été, à toutes les convictions nauséeuses du siècle dans lesquelles il avait pourtant grandi comme les autres et sans doute davantage que certains, lui, était né en un temps où, quoi qu'on préfère en penser désormais, les idées d'aujourd'hui étant parvenues à se faire passer pour les convictions de toujours, triomphaient les opinions délétères qui sur les ruines d'hier préparaient les crimes de demain, né en cette année 1921, donc, où, président du Conseil, Aristide Briand œuvrait, mais ce serait en vain, à la réconciliation de l'Europe tandis qu'on inhumait en grandes pompes les restes du soldat inconnu sous l'Arc de triomphe et qu'on jugeait aux assises un certain Henri Désiré Landru coupable d'avoir expérimenté en amateur un procédé de liquidation des corps destiné à être très prochainement pratiqué à beaucoup plus grande échelle.

Et la même loi valant donc, si les idées pouvaient être conservées comme des choses, l'étonnement ne serait pas plus grand pour celui qui, plutôt qu'une règle à calculer ou une machine à écrire, retrouverait, quelques années ayant passé, dans le placard de sa mémoire, intact sous la poussière, l'objet de ses convictions anciennes, ne voulant pas croire que de telles opinions aient pu lui appartenir aussi, faisant d'ailleurs très facilement comme si cela n'avait pas été le cas, préférant les imputer à d'autres, réussissant ainsi à se convaincre que s'il y avait adhéré, il l'avait fait sans jamais y croire vraiment, avec distance et ironie, partageant déjà les pensées qui, puisqu'elles étaient plus tard devenues les siennes, l'avaient toujours été, considérant enfin qu'un homme qui meurt en 1998, l'année de la Coupe du monde de football, et un autre qui naît en 1921, après que s'achève la conférence de la paix de Paris, ne peuvent avoir été une seule et même personne et que, du temps des premiers Breguet à celui des derniers Airbus, l'épaisseur du temps est telle qu'elle laisse assez de place en elle pour un millier de vies, que c'est davantage qu'un siècle qui s'étire de l'une à l'autre de ces dates mais bien la révolution avec laquelle la réalité a tellement changé que même la conscience de ce changement s'en est trouvée effacée, l'oubli ne suffisant pas puisqu'il ne s'accomplit que lorsqu'il a été lui-même à son tour oublié.

Quand il naît, le 17 septembre 1921, l'aviation est seulement sur le point de fêter ses dix-huit ans et d'atteindre au temps de sa majorité. À supposer, bien sûr, qu'Orville Wright ait effectivement été le premier homme à voler aux commandes de l'appareil conçu par son frère et qu'il faille donc considérer que l'Histoire commence bien le 17 décembre 1903, parmi les dunes de Kitty Hawk en Caroline du Nord, lorsque, lancé sur un rail de bois, le Flyer I décolle et, pour sa dernière tentative, quitte le sol pendant près d'une minute, 59 secondes très précisément, parcourant une distance de 260 mètres. À supposer, donc, qu'il faille tenir la relative réussite des frères Wright pour plus significative que les résultats — plus relatifs encore — obtenus par Clément Ader en 1890 et 1897, celui-ci faisant indubitablement voler — ou du moins se soulever du sol — ses « avions » — il semble qu'il ait inventé le mot sinon la chose — aux formes de chauve-souris du côté d'Armainvilliers et de Satory. Et étant entendu que seuls méritent d'être pris en considération les engins dits « plus lourds que l'air », selon l'expression consacrée, ayant à leur bord un pilote et capables de s'envoler par leurs propres moyens. Ce qui revient à compter pour rien les planeurs, cerfs-volants, dirigeables et montgolfières, ballons de toutes sortes et, d'une manière plus générale, toutes les inventions baroques que des hommes, depuis des siècles, sont parvenus à faire flotter au-dessus de leur tête.

Sans même évoquer ce qui relève de la légende et donnerait alors à l'Histoire une épaisseur de siècles inouïe car alors, cette Histoire, il faudrait la faire commencer avec les premiers hommes dont le regard se leva vers un nuage, vers un oiseau, ou du moins avec les héros qu'ils inventèrent pour leur prêter leur propre désir de s'arracher à la terre. L'étonnant étant que ces héros, dont ils firent pourtant des modèles, ils leur donnèrent toujours un destin tragique comme pour indiquer qu'un homme qui vole viole non seulement les lois naturelles mais également les commandements divins et qu'une telle transgression appelle le châtiment de la chute, le coupable s'abattant pareillement pour payer du prix de sa vie l'orgueil d'avoir cru atteindre le ciel.

Car on peut faire commencer l'Histoire quand on veut. Ce ne sont pas ceux qui la font qui en décident mais celui qui la raconte et qui peut donc choisir comme premier mot de son récit n'importe quelle journée pour en faire le point zéro de son calendrier : le 9 octobre 1890, le 17 décembre 1903, le 27 juillet 1909, le 24 mars 1937 ou même le 17 septembre 1921, chacune et puis n'importe quelle autre aussi bien contenant en elle toute l'amplitude ramassée du temps, le passé, le présent et l'avenir, attendant juste le tour de passe-passe d'une parole propice pour se déployer à la fois dans toutes les directions de la durée. C'est pourquoi tout événement de la chronique universelle demande à être daté selon un calendrier subjectif qui mesure le mouvement même du temps en le rapportant à la perception qui fut celle de tel ou tel individu et que tout moment du passé, que désignent différemment les calendriers inventés par l'Humanité au cours de son Histoire, pourrait au fond porter n'importe quel millésime : car s'il n'y a pas autant de calendriers qu'il y eut d'individus, il y en a autant qu'il existe de manières de raconter leur vie et, parmi toutes ces manières, il en est une par laquelle l'histoire de l'aviation et celle du vingtième siècle, qui sont une seule et même histoire, débutent à la date indifférente du 17 septembre 1921 tandis qu'il en est une autre par laquelle son existence à lui commence en ce jour du 17 décembre 1903.

Car lorsqu'il vient au monde, cela fait alors un peu moins de dix-huit ans, autant dire le temps d'un battement de cils au regard des siècles, que Wilbur et Orville Wright ont accompli le tour de force de faire glisser dans l'air, juste au-dessus du sol, quelques morceaux de bois tendus de toile, imposant cet exploit de façon qu'il marque désormais la date de naissance officielle de l'épopée aéronautique, éclipsant le souvenir de toutes les tentatives immédiatement antérieures ou postérieures pour lesquelles il y aurait autant d'arguments sérieux à faire valoir si l'on voulait créditer le Français Ader, le Brésilien Santos-Dumont ou une bonne dizaine d'autres d'avoir inventé l'aviation.

Car les prétendants au titre de « premier homme volant » ne manquent pas. Et il faut que Wilbur Wright fasse le voyage de France pour établir son incontestable suprématie sur ses concurrents, entreprenant de battre ceux-ci sur leur propre terrain, puisque la France est, à l'époque, la « nation ailée » par excellence, celle où l'enthousiasme aéronautique est le plus délirant au point que l'avion y passe pour le signe nouveau de la grandeur nationale retrouvée, faisant le 8 août 1908, du côté du Mans, devant une foule assez incrédule, la preuve que son Flyer sait non seulement voler mais également manœuvrer, un peu, dans le ciel et que l'aviation est bien née dans les ateliers d'un autodidacte américain, réparateur de bicyclettes de son état, que la France, avant de l'adopter comme l'un de ses propres héros, avait tendance à tenir pour un mythomane et pour un escroc. Car s'il est si difficile d'attribuer à l'un ou à l'autre des pionniers la paternité de l'invention, au point que les spécialistes en discutent encore aujourd'hui, c'est bien parce que se comptent alors par dizaines les expérimentateurs qui, ajoutant chacun leur tâtonnante touche personnelle aux découvertes de leurs prédécesseurs, améliorent les machines de sorte qu'en l'espace de quelques mois, un claquement de doigts, on passe de l'ère des hasardeuses démonstrations en circuit fermé à celle des premiers vrais voyages aériens.

En 1909, le 25 juillet 1909, douze ans avant sa naissance, un demi-battement de cils, l'ingénieur Louis Blériot traverse la Manche, aux commandes de son monoplan, laissant la côte française derrière lui et s'avançant le premier au-dessus de la mer dont la surface uniforme lui ôte tout repère à l'aide duquel évaluer sa vitesse ou même sa progression, produisant sur lui l'impression inquiétante qu'il n'avance pas, que son appareil fait du sur-place, arrêté en l'air par la main divine d'un vent contraire, suspendu à la verticale d'un plan d'eau hostile faisant monter vers lui l'épaisseur d'une brume qui, lorsqu'elle se dissipe enfin, lui révèle la ligne blanche que trace à l'horizon le rempart de craie des falaises anglaises et le cortège des navires accomplissant la routinière traversée du Channel. Trente-sept minutes après avoir pris le ciel, il se pose — ou plutôt se laisse tomber — dans la première prairie trouvée, au nom prédestiné de North Fall Meadows, brisant son appareil comme il en a l'habitude, se disant sans doute que l'exploit accompli le dispense de devoir faire davantage la preuve de ses talents de pilote, accueilli par de flegmatiques douaniers de Douvres dont il reçoit le certificat réglementaire attestant qu'il n'est atteint d'aucune maladie contagieuse et qu'il ne transporte à bord de son embarcation ni chien ni chat, accomplissant de telles formalités avant que ne lui vienne l'hommage triomphal des Londoniens le saluant comme un demi-dieu.

C'est l'âge héroïque, disent les livres, celui où le monde entier s'enthousiasme pour une poignée de casse-cou, l'anglais dit plus justement : « *daredevil* », aventuriers et ingénieurs, aristocrates excentriques ou industrieux entrepreneurs, attirés par l'appât du gain ou bien dilapidant gracieusement des fortunes inouïes mais saisis tous de la même folie qui les lance dans une seule course où ils sont à la fois, les uns pour les autres, coéquipiers et concurrents et dans laquelle ils s'engagent pareillement à la recherche du prochain exploit, du nouveau record, ralliant de plus en plus vite des villes de plus en plus lointaines, développant des appareils aux performances sans cesse améliorées, suscitant partout où ils passent la frénésie presque hystérique de la foule comme si celle-ci, sur la foi des miracles qu'ils font, s'était subitement convertie à une religion nouvelle peuplant le ciel vide d'un panthéon imprévu d'hommes en lunettes et combinaison de vol.

Entre toutes les nations développées du monde s'engage alors une sorte de tournoi itinérant où chacun dépêche ses champions, compétition amicale — « amicale » non pas au sens où celle-ci serait sans enjeux, car l'opinion planétaire a bien conscience des conséquences économiques et militaires de l'affaire, mais parce que chaque victoire acquise par l'un ou par l'autre fait tomber une frontière de plus au-delà de laquelle tous vont désormais pouvoir s'avancer, si bien que n'importe quel nouvel exploit sert la cause de toutes les Nations en illustrant le génie propre de l'une d'elles. Et lorsque Edmond Rostand — il est l'un des premiers écrivains à se livrer à l'exercice — consacre à Louis Blériot un grand poème — qu'il intitule *Le Cantique de l'Aile* —, il est fatal qu'il fasse en même temps du pilote une figure universelle de la grandeur humaine et un héros bien français, condensé extrême de son Cyrano et de son Chantecler, mélancolique et hâbleur, s'imaginant que le monde est rond parce qu'il trace autour de lui un premier morceau de cercle et triomphant seul de l'hostilité des éléments pour le pur plaisir de faire passer son panache sur les eaux de la Manche.

Il y a des esprits forts, naturellement, pour se moquer de l'engouement populaire et déplorer que le ciel se trouve ainsi sali par le passage, parmi les purs nuages, des vedettes nouvelles de la plèbe. Il y a des oiseaux de mauvais augure, bien sûr, pour prophétiser l'apocalypse que promet l'inévitable alliance de la compétition aéronautique et de la rivalité nationaliste. Comme H. G. Wells dans *The War in the Air*, son roman de 1908, où des machines de mort volent au-dessus des cités du monde pour les réduire en cendres. Et l'Histoire ne leur donne pas tout à fait tort.

La guerre éclate sept ans avant sa naissance, le simple signe nerveux annonçant le début d'un clignement de cils. Dans la course au désastre qui en Europe est déjà engagée, les états-majors étudient très sérieusement l'éventualité de faire servir l'aviation aux prochains affrontements, lui confiant la tâche des opérations de reconnaissance et d'aider aux réglages des tirs d'artillerie. Mais dès lors que la décision est prise de lui donner un rôle dans les combats, il devient nécessaire de convertir l'avion en une arme à part entière, le dotant des moyens de se défendre, blindant les biplans, les revêtant de plaques d'acier destinées à les protéger des projectiles tirés du sol, l'équipant des engins indispensables pour répliquer au cas où il serait attaqué, installant une mitrailleuse sur le nez des appareils et inventant, après pas mal de mécomptes, l'astucieux mécanisme conçu afin de synchroniser le tir de la machine avec le mouvement de l'hélice de telle sorte que les balles passent entre les pales de celle-ci.

Au cours des quelques semaines qui précèdent la déclaration de guerre, la métamorphose a lieu. Toutes les armées européennes convertissent précipitamment les avions à leur disposition pour les préparer à leurs prévisibles missions. Si bien que, lorsque le conflit éclate, les conditions se trouvent réunies pour que s'ouvre dans le ciel l'espace d'un nouveau champ de bataille sur lequel, en quatre ans, seront expérimentées toutes les formes pensables de la guerre aérienne. Car on n'a rien vraiment inventé depuis, se contentant de perfectionner, d'approfondir les intuitions destructrices de quelques hommes en uniforme improvisant, grâce aux ressources nouvelles de la technique, et avec une admirable ingéniosité à mettre à leur seul crédit, un art inconnu d'utiliser le ciel et de l'annexer au domaine où sévit déjà la plus systématique entreprise de destruction que l'Humanité ait jusque-là connue. La machine infernale de la guerre est en marche. Une logique maligne renverse toutes les valeurs que la civilisation avait produites pour les faire servir au plus formidable déchaînement de la barbarie.

L'aviation est d'abord censée se consacrer aux seules missions de reconnaissance. Mais tandis qu'elle s'emploie à enregistrer l'avancée des troupes allemandes et le mouvement des forces se dirigeant vers la Marne, elle largue ses premières bombes sur les combattants — si l'on peut qualifier de « bombes » les terribles tiges de métal, dites « fléchettes Bon », imaginées par Clément Ader et semées depuis le ciel sur l'infanterie et la cavalerie adverses, douées, dit-on, de par leur propre poids d'une force suffisante de pénétration pour traverser de part en part un homme et sa monture, cette lourde pluie de traits produisant sur ses premières victimes l'impression qu'elles sont livrées impuissantes au tir de toute une invisible armée d'archers fantômes ressuscités d'Azincourt. La maîtrise du ciel devient un enjeu essentiel que se disputent quelques pilotes engagés dans une sorte de guerre parallèle, flottant au-dessus des lignes où le front s'immobilise dans la boue. En quelques mois, quelques semaines même, se constitue ainsi un nouveau théâtre d'opérations, se situant à la fois nulle part, partout et où se déploient de meurtrières manœuvres immatérielles parmi un inconsistant décor de nuages.

Une mythologie neuve naît aussitôt. Des aviateurs, elle fait des chevaliers d'un genre nouveau, se défiant en duel dans les airs, devant découvrir par eux-mêmes les règles inconnues d'une chorégraphie martiale qui recommande, comme ils l'apprennent alors et parfois à leurs dépens, d'aborder l'adversaire non pas de face mais en l'approchant d'en haut et par-derrière, profitant de l'aveuglement du soleil pour fondre sur lui par surprise, se glissant dans son sillage pour l'aligner dans sa mire, l'appareil ainsi pris en chasse n'ayant d'autre solution de salut que celle qui consiste à réussir une figure assez acrobatique, virant, piquant, pour se défaire de son poursuivant, le combat aérien prenant immédiatement l'apparence d'une lutte étrange, « *a dogfight* », comme le dit l'anglais, où des chiens ailés se mordent la queue dans le ciel jusqu'à ce que l'un d'entre eux, son arrière-train se trouvant agrippé par la mâchoire de l'autre, tombe en vrille et en feu vers la terre.

Les mêmes pilotes qui rivalisaient d'audace pour unifier le monde en rapprochant des cités séparées par les mers collaborent désormais au dépeçage sanglant de la terre, s'affrontant auprès des ballons d'observation suspendus au-dessus des grandes coutures cicatricielles que font les tranchées sur le sol de Champagne ou d'ailleurs. Leur panache d'hier, cependant, ils ne l'ont pas tout à fait oublié puisqu'ils l'arborent au contraire avec ostentation — sombres Cyrano, pathétiques de Guiche, pauvres Christian —, mettant un point d'honneur à passer pour les derniers aristocrates d'une guerre sans gloire, cultivant une réputation de mauvais garçons et de dandys qu'ils sont seuls à pouvoir se permettre encore lorsque, sous eux, les officiers d'infanterie les plus distingués pourrissent avec leurs hommes dans la crasse, l'ordure et la vermine. Et si elle contribue beaucoup à leurs succès dans l'opinion, je ne suis pas sûr qu'une telle attitude mérite vraiment qu'on en fasse l'éloge, entretenant l'illusion qu'il puisse subsister de l'héroïsme et de la galanterie à s'entre-tuer pour peu que l'on se situe à quelques mètres d'altitude au surplomb de l'horreur.

Ils se nomment Nungesser et Guynemer, Richthofen ou Göring. Leurs exploits se mesurent en ennemis abattus dont les souvenirs sinistres décorent la carlingue de leur appareil. Il y en a beaucoup d'autres dont l'Histoire ne retient pas les noms. Lorsque la guerre s'achève, il reste trois ans avant qu'il ne naisse, ils sont plusieurs dizaines de milliers de pilotes à servir dans les armées de France, d'Allemagne, de Grande-Bretagne — sans compter les autres, Italiens, Irlandais ou Américains, et les aventuriers de toutes nations attirés par l'exaltation romantique du risque. Car sur toute la planète la machine folle s'est emballée, produisant d'elle-même une pléthore d'appareils, bientôt sans emploi, exigeant tout ce qu'il faut d'hommes pour mettre à leurs commandes mais que la démobilisation va rendre à une vie dont ils ne sauront plus trop que faire.

Ce sont les héros des premiers romans de Faulkner, ceux de *Sartoris* ou de *Soldier's Pay*, personnages de papier auxquels il prête la guerre qu'il n'a pas vécue, lui l'aspirant écrivain et le pilote imaginaire, renvoyé par la Royal Air Force dans ses foyers du Mississippi avant même de s'être réellement assis aux commandes d'un avion mais n'hésitant pas à construire de toutes pièces la légende qui lui sied : paradant dans les rues d'Oxford, vêtu d'un uniforme de lieutenant dont il a acheté les galons, simulant sur sa canne une sorte de claudication dont il laisse entendre qu'elle lui vient d'une blessure de guerre, renchérissant sans cesse sur ses propres mensonges au point de prétendre parfois avoir été abattu au cours d'une mission dans le ciel de France, qu'il n'a pourtant jamais vu, conférant une telle consistance à sa supercherie qu'il n'est pas exclu qu'il en soit devenu lui-même la dupe, réveillé en pleine nuit par des cauchemars où il se croit descendu par l'aviation allemande, comme si l'esprit de ses héros s'était finalement emparé de lui et qu'il était à la fois John Sartoris et le jeune Bayard, tous deux morts aux commandes de leur appareil, l'un comme pilote de chasse et l'autre comme pilote d'essai, incarnant l'antique et mélancolique malédiction qui détruit leur dynastie, la voue à une vraisemblable extinction, faisant de l'aviation la figure même d'une moderne Némésis.

Ceux des aviateurs qui ont survécu forment le contingent le plus exemplaire de la « génération perdue » — selon l'expression inventée par un anonyme garagiste parisien et à laquelle, la traduisant en anglais, Gertrude Stein et Hemingway feront le succès que l'on sait — : jeunes gens spectaculairement ou secrètement mutilés par l'expérience trop précoce de l'horreur et dotés du talent devenu inutile de se tuer dans les airs. Ils sont nombreux à se réveiller alors aussi impréparés à la paix qu'ils l'avaient été quatre ans auparavant à la guerre. Et tous n'ont pas la chance de pouvoir monnayer la gloire de leurs victoires, se transformant — ce sont, en Amérique, les personnages de *Pylon* — en cascadeurs, en acrobates, gagnant leur vie en se produisant dans des cirques aériens, donnant en spectacle les exploits les plus absurdes et les plus risqués, sautant, par exemple, d'un avion en vol à l'autre.

Tout semble s'être écroulé soudain et plus rien ne subsiste du rêve autrefois rêvé. Les hangars ressemblent à d'immenses casses, des cimetières où l'on entasse les carcasses d'appareils usés aussi bien que les avions flambant neufs, réformés dès leur sortie de l'usine puisque les commandes de l'armée ont subitement cessé et qu'aucun marché de seconde main n'est assez vaste pour pouvoir absorber de tels surplus. Ce pourrait être la fin, déjà, un beau crépuscule tragique comme les aime la mélancolie des artistes et qui conforte ceux-ci dans le sentiment que l'épopée a touché à son terme, qu'il ne reste plus rien d'autre à faire qu'à en chanter la grandeur passée. Mais on ne peut pas raisonnablement en vouloir aux industriels, aux ingénieurs, aux aviateurs d'avoir sur la question un point de vue un peu plus pragmatique que les écrivains et de considérer que leur présent vaut mieux qu'une oraison funèbre — fût-elle la plus belle.

L'Histoire n'a pas retenu tous les noms. Mais il en est qu'il ne pouvait pas ignorer, lui qui naît à Mâcon le 17 septembre 1921. Ainsi, il est peu probable qu'il n'ait rien su de la légende de Marius Lacrouze, et surtout de celle de Bernard Barny de Romanet et de Jean Dagnaux qui passèrent tous deux par le lycée Lamartine une trentaine d'années avant lui et qui, au titre d'as de la chasse, durent compter très vite au nombre des gloires locales dans une ville qui, certes, ne vit la guerre que de loin et fut épargnée par le fléau du front mais qui, touchée dès le premier mois du conflit par l'anéantissement de son régiment, le 134e RI, eut à subir une saignée comparable à celle des autres cités de l'« arrière », sortant appauvrie, affaiblie, pour longtemps, de l'épreuve, et avide des histoires édifiantes qui pourraient donner un peu de sens à ce désastre.

Né en 1891, Lacrouze est celui par qui l'aviation vient à Mâcon. Alors qu'il n'a pas encore vingt ans, il est le premier à y posséder son propre aéroplane, cadeau de son père, propriétaire d'une prospère « distillerie à vapeur », « Vin en gros, vieux marc et quinquina Monplaisir ». Lorsque le jeune homme a pris l'air aux commandes de son appareil, la légende locale veut que ses deux grands-mères étendent le linge de la lessive dans un pré voisin de la maison pour baliser à son intention la piste d'atterrissage et lui indiquer ainsi la direction du retour. En 1912, Lacrouze obtient son brevet à l'école de pilotage d'Ambérieu. Il devient la vedette incontestée des « meetings aériens », comme on dit déjà, qui se multiplient dans le pays, l'un des tout premiers à pratiquer, et à réussir, la figure du « looping » dont il passe vite pour le roi, jusqu'à ce que la guerre interrompe le cirque de si gratuites démonstrations d'adresse et d'audace, et lui donne l'occasion d'autres exploits, devenant pilote de Nieuport avec Roland Garros, effectuant de mystérieuses missions d'espionnage de l'autre côté des lignes ennemies, avant qu'à la demande de Blériot il ne soit affecté à Paris comme pilote d'essai afin d'éprouver les nouveaux engins destinés à la chasse française, mourant ainsi le 28 novembre 1917, il est âgé de vingt-six ans, en évaluant les performances d'une nouvelle version du Spad qui se disloque dans le ciel et s'écrase du côté de Villacoublay.

Romanet est à peine son cadet. Il naît le 28 janvier 1894 au château de Satonnay, à quelques kilomètres de Mâcon où sa famille s'installe ensuite, investissant le premier étage de l'hôtel Senecé. Issu d'une famille de militaires de carrière, il est de ces jeunes gens qui devancent l'appel et n'attendent pas que vienne la mobilisation générale pour rejoindre les drapeaux. Il s'enrôle dans la cavalerie. Comme Louis-Ferdinand Destouches, né la même année que lui, servant dans la même arme, chasseur plutôt que cuirassier, et aussitôt jeté dans l'horreur. Il se présente lorsque l'on demande des volontaires pour embarquer comme observateurs à bord des premiers avions de reconnaissance volant au-dessus du front puis obtient d'être formé comme pilote et affecté ensuite à la chasse, rejoignant en avril 1917 l'escadrille des Faucons Noirs puis, dès l'été, celle des Cigognes, la plus célèbre car elle combat au-dessus de Verdun, ayant à son actif lorsque la guerre s'achève dix-huit victoires homologuées — plus quelques autres. Si bien qu'avec un tel palmarès les principaux constructeurs de l'époque, Breguet, Nieuport, le sollicitent comme conseiller et pilote d'essai, faisant de lui l'un de leurs champions dans la course au record du monde de vitesse — qu'il bat en 1920 —, trouvant enfin la mort à son tour, le 23 septembre 1921, il a vingt-sept ans, dans des circonstances assez comparables à celles qui avaient été fatales à Lacrouze, circonstances au demeurant très banales pour l'époque, l'entoilage de son appareil se déchirant soudainement en vol alors qu'il essaie un nouveau modèle en vue de remporter un prochain record.

Le portrait que conserve le musée de l'Armée à Paris lui donne le visage prévisible d'un officier de carrière comme en comptaient à l'époque les vieilles familles de l'aristocratie française — l'effet tenant peut-être moins à sa physionomie véritable qu'à l'idée que les artistes d'alors se faisaient du traitement convenable de la figure militaire — avec un air du jeune de Gaulle, dû au regard, à la petite moustache, à l'uniforme sur lequel dégringole la breloque des médailles, croix de guerre et Légion d'honneur, incarnant avec une telle perfection l'image toute faite de l'aviateur français au destin exemplaire qu'on se dit de lui qu'il aurait ravi Faulkner et trouvé sa place prévisible, si celui-ci l'avait connu, dans le monument manqué de son tardif roman sur la Grande Guerre.

Jean Dagnaux semble d'une autre espèce. Les photographies lui font plutôt le physique d'un très viril mauvais garçon du cinéma muet — mais comme les photographies ne disent pas plus que les peintures la vérité d'un visage, il est possible qu'il s'agisse là d'une illusion favorisée par l'art d'un portraitiste et par la pose martiale de son modèle. Il est né le 28 novembre 1891 dans le Doubs et, même s'il est passé par les bancs du lycée Lamartine, il est probable qu'il n'a vécu que peu d'années à Mâcon, la ville faisant pourtant tout de suite de lui l'un de ses héros de prédilection. Il est en effet « l'as à la jambe de bois », selon le surnom que lui a inventé la presse patriotique. Sous-lieutenant dans un régiment d'artillerie, il obtient comme récompense pour une action d'éclat d'être affecté dans l'aviation. En février 1916, son appareil est abattu du côté de Verdun et, s'il survit, ses blessures exigent qu'on l'ampute de la jambe gauche — ce qui ne l'empêche pas, l'année suivante, de reprendre ses missions de combat et de finir la guerre aux commandes d'un bombardier. La paix revenue, il commence une nouvelle vie et une nouvelle carrière : appuyé sur une canne — qui, contrairement à celle du jeune

Faulkner, ne doit rien à la coquetterie ni à la mystification. Sa grande affaire est l'Afrique. Plus tard, il participe à la course que se livrent la France et l'Angleterre pour y installer les premières lignes aériennes. Il multiplie les raids au-dessus du désert et de la jungle, établissant des escales à Tombouctou, Brazzaville ou Madagascar. Il mourra aux commandes de son bombardier lorsque éclatera la guerre suivante.

On se trompe, certainement, lorsque l'on imagine que les lendemains de catastrophe sont des moments de deuil. Rien n'est plus sauvage que le souci qu'ont les vivants d'oublier aussitôt la souffrance qu'ils ont connue, de faire comme si elle n'avait pas été. L'Europe est un immense cimetière. Sans aucun doute. Le sort a ironiquement fait passer sur elle le fléau de la grippe espagnole, causant plus de victimes que la guerre elle-même, afin de s'assurer que l'horreur avait bien donné toute sa mesure. Il n'y a rien de plus commun que la condition de veuve ou d'orphelin dans des familles partout décimées et irréversiblement brisées par l'épreuve de la perte et de la séparation. On ne compte plus les individus abandonnés pour toujours à l'expérience de la plus extrême solitude : anciens combattants, invalides de guerre, gueules cassées, pupilles de la Nation, jeunes femmes fiancées pour toujours à une ombre plus indivorçable que n'importe quel mari vivant, tout un peuple pathétique attendant, ou plutôt n'attendant pas mais vomissant par avance, que des raconteurs d'histoires, tranquillement installés dans le confort d'un futur impensable, fassent de leur douleur le matériau d'un négoce sentimental et lucratif, écrivant des romans sur la Grande

Guerre qu'ils n'ont pas connue, spéculant sur ce qu'elle eut de plus atroce, recevant de prestigieux applaudissements pour un courage qui ne fut pas le leur. Quant aux morts, ils sont si nombreux qu'il n'y a plus rien qu'on puisse en dire. Leur foule noire et cendreuse se presse aux portes de toutes les cités. Mais le drame le plus déchirant prend un air d'anecdote quand la mesure est passée. Car il y a une limite à la compassion comme il y en a une pour tout. Alors, dans chaque village, on érige un monument aux morts. Et on tourne sur ceux qui ont péri une lourde page de pierre.

On ne peut pas en vouloir à ceux que la chance a miraculeusement préservés du supplice auquel tous les autres ont été livrés. Ils ont l'intention de profiter du sursis que la providence leur a donné — et dont ils savent bien qu'ils ne l'ont pas mérité mais que, la plus grande injustice régnant dans le monde, ils n'ont aucune raison de se sentir davantage coupables que n'importe lequel de ceux que la foudre, au plus fort d'un orage, a épargnés tandis qu'elle tombait sur la tête des autres. Ils reprennent le calcul de leur existence là où ils l'avaient abandonné, et ils le font avec une énergie qu'ils ne soupçonnaient pas, prenant tout le plaisir qu'ils peuvent comme si le pire de l'épreuve les délivrait de toute autre exigence. Ou alors : ils se lancent dans le commerce et les affaires, font les enfants qu'il faut pour qu'il y ait quelqu'un à qui laisser l'héritage, mettent de l'argent de côté, achètent la maison où ils songent déjà à abriter leur vieillesse puis à mourir très vieux et dans leur lit. Qui le leur reprocherait ? Si l'on a la chance d'avoir échappé au désastre qui vous ôte un parent, un enfant, qui défait d'un coup toute votre existence, rien ne vous contraint à porter le deuil des autres. Et si l'on a l'infortune d'avoir perdu sa vie, le plus vif de sa vie, rien ne vous autorise à exiger des autres qu'ils sacrifient leur avenir au souvenir de ce qu'a été votre propre et personnelle souffrance. Ou sinon il faudrait que l'humanité tout entière se soit donné la mort en guise de protestation solennelle sur la première tombe ouverte de l'Histoire.

On les nomme les « années folles ». Les Américains disent les « *roaring* » ou les « *golden twenties* ». Et certainement, la démence née des récentes atrocités explique l'étourdissante insouciance avec laquelle le monde, unanime, entreprend alors de tout recommencer, soldant instantanément le compte de ses anciens soucis, et construisant sur le tapis des ruines le décor un peu clinquant d'une prospérité rêvée où rugissent les échos tapageurs de fêtes incessantes, une vraie fièvre s'emparant de toutes les grandes cités d'Amérique, d'Europe et dont il n'est pas surprenant qu'elle se soit donc propagée jusqu'aux villes les plus modestes des somnolentes provinces du pays. L'optimisme, oui, pour lui donner un nom simple et scandaleux, l'optimisme qui est, quoi qu'on en dise et même si l'on prétend le contraire lorsque l'on fait mélancoliquement les comptes *at the end of the day*, le grand sentiment dominant toute l'Histoire du vieux vingtième siècle et particulièrement en ces moments où les hommes se relèvent à peine de l'horreur, qu'ils la congédient d'un revers de la main, reprenant le fil indifférent d'une aventure qu'ils veulent heureuse — et dont ils laissent à leurs cauchemars et à ceux que rêvent pour eux quelques artistes le soin d'exprimer seuls tout l'envers de nuit.

L'aviation est le nom — l'un des noms — qu'a porté cette grande confiance dans l'avenir née avec le siècle, par exemple le 17 décembre 1903, et que même les deux monstrueuses catastrophes répétées de la guerre n'ont pu véritablement entamer, celles-ci constituant comme des parenthèses perplexes au sein de l'épopée, ouvertes et puis refermées comme si de rien n'était, de telle sorte que tout puisse reprendre aussitôt et n'importe quand, le 17 septembre 1921 aussi bien. Confiance que l'on peut juger naïve, mensongère, meurtrière même puisqu'elle tait ce que fut l'horreur avérée du présent et s'en rend ainsi silencieusement complice, mais que l'on ne doit pas condamner tout à fait, sauf à donner tort au temps lui-même et au mouvement de perpétuel recommencement où certains survivent malgré tout au désastre auquel les autres ont succombé et font ainsi que le dernier mot n'appartienne pas à la mort pour de bon — « Qu'on entende bien », c'est Aragon qui parle, « comment j'écris le mot *optimisme*, avec quel désespoir toujours ».

Cette espérance entêtée et tragique en l'avenir, l'aviation l'exprime exemplairement — qui est donc davantage qu'une invention technique aussitôt mise au service de la barbarie mais bien l'une des formes de ce grand pari que prend l'Humanité quand elle décide parfois de ne pas renoncer à l'idée de se civiliser. Il y eut ce rêve qui fut celui des hommes nés avec le vieux vingtième siècle, qui disparut sans doute avec eux, et dont il est facile de rire comme il est toujours facile de rire cyniquement de tous les rêves d'autrefois lorsque l'on s'imagine sorti de la nuit où ils ont grandi. Oui, on peut rire de tout cela. Maintenant que toute l'histoire a perdu son aura d'épopée. Et que n'importe quel esprit désabusé dispose du privilège triste de savoir dans quels précipices a sombré l'enthousiasme d'hier, de quels crimes il a été l'auxiliaire et comment le projet de construire une terre où, les frontières entre les pays et les continents ayant disparu, ce seraient celles entre les classes et les nations qui s'effaceraient à leur tour, sachant donc comment ce projet a pathétiquement avorté, préférant ne rien voir des effets très concrets qu'il a malgré tout produits, et concluant péremptoirement que si l'avenir n'a pas eu lieu, c'est qu'il ne pouvait pas en être autrement. On peut en rire, oui. Mais peut-être après tout étaient-ce les rêves révolus d'hier qui disaient vrai et la pathétique prophétie qu'ils nous adressaient n'aurait pas dû devenir parole morte. « Crains qu'un jour un train ne t'émeuve plus », écrivait Guillaume Apollinaire. Et cet avertissement nous semble insignifiant. Mais peut-être faut-il plaindre pourtant celui qui ne lève plus les yeux quand passe au-dessus de sa tête un avion.

C'est le même émerveillement toujours, celui que décrit un romancier, et il s'agit de Proust !, racontant comment il fond en larmes, oui, riez !, lorsque, averti par un bruit singulier venu du ciel et qui fait se cabrer le cheval sur lequel il se promène, il voit soudain, surgissant d'un paysage d'aquarelle allongé sur la mer, se dresser dans le soleil deux grandes ailes d'acier étincelant auxquelles se trouve unie une vague forme humaine, et qu'il se retrouve soudainement « aussi ému que pouvait l'être un Grec qui voyait pour la première fois un demi-dieu », bouleversé au spectacle de cet être tournoyant librement devant ses yeux comme si toutes les routes de l'espace et de la vie lui étaient ouvertes, merveilleusement anéanti enfin par l'adieu que celui-ci semble lui adresser quand il pique droit vers l'horizon. Sans doute ne sait-on jamais exactement pourquoi l'on pleure. Et quand Proust écrit ces lignes, il ne peut pas ne pas se rappeler comment son amant,

Alfred Agostinelli, connu de ses camarades pilotes sous le nom de Marcel Swann, s'est, en mai 1914, tué sur les eaux de la Méditerranée, perdant le contrôle de l'aéroplane sur la carlingue duquel devaient être inscrits les vers d'un sonnet de Mallarmé : « Le vierge, le vivace et le bel aujourd'hui... », aéroplane que Proust lui avait offert en gage d'amour, le plus grand roman du siècle, peut-être de tous les siècles, étant sinon sorti de cet accident mortel du moins ayant été irréversiblement marqué par lui, et peut-être davantage par lui que par la bucolique et consensuelle légende de *Combray*. Si bien que lorsque *Sodome et Gomorrhe* paraît, et c'est en 1921 encore, où figure cette scène, Proust sait bien ce qu'elle signifie et qu'un avion qu'il aperçoit dans l'or et le bleu du ciel est à ses yeux comme un fantôme ami dont le pathétique passage dit à la fois, et c'est cet « à la fois » qui compte, l'adieu irréparable à la vie et le salut célébrant la nécessaire et nouvelle naissance du monde.

Car, toujours, c'est une semblable naissance à laquelle ont la certitude d'assister tous ceux qui, en ces années-là, enfant, il est parmi eux, sont les témoins extasiés de l'invention de l'aéronautique, n'en revenant pas du miracle répété que constitue l'envol de chaque appareil dans le ciel, simplement sidérés par l'expérience physique subitement rendue possible par l'ingéniosité ou l'audace de quelques-uns et qui met le monde sens dessus dessous. Une révolution du regard — Aragon : « Nos yeux furent premiers à voir / Les nuages plus bas que nous » — dont les artistes et les poètes ne tardent pas à tirer toutes les conséquences, comprenant qu'elle exige une représentation renouvelée des choses telles que les perçoit désormais l'œil du pilote, voyant sous lui se mettre en mouvement et se défaire la vieille figure du monde, exigeant pour la dire une parole accordée au formidable déploiement des phénomènes s'allongeant calmement depuis la perspective du ciel. Et d'une telle révolution s'en déduit une autre dont les philosophes et les idéologues se font les propagandistes immédiats, expliquant que la « conquête de l'air », puisque c'est le nom qu'on lui donne, marque l'entrée de l'Humanité dans une époque nouvelle où, s'étant soustraite à la fatalité ancienne de la pesanteur, elle va pouvoir coloniser le dernier territoire qui lui restait interdit et, à partir de celui-ci, conduire à terme son entreprise immémoriale en vue d'unifier l'univers et de réunir ceux qui y vivent.

Et quelle que soit la langue dans laquelle il s'exprime, c'est le même émerveillement enfantin qui se manifeste chez tous et décide de l'adhésion unanime qui va alors à l'aéronautique — un émerveillement sur lequel la guerre, au fond, n'a rien pu, et qu'elle a même renforcé en lui donnant la dimension tragique qui lui manquait un peu, celle qui double l'optimisme d'un revers de nuit, faisant donc de l'aviation ce mythe nouveau qui exprime à la fois l'aspiration de l'Humanité à un monde meilleur et la menace constante qui pèse sur elle de verser dans le néant définitif d'une destruction sans merci.

Dès l'armistice signé, profitant des milliers d'appareils que les armées sont prêtes à brader et des milliers de pilotes rendus à la vie civile, des sociétés aériennes se créent un peu partout en Europe, ouvrant des lignes commerciales entre les principales cités du continent avec le projet de les pousser parfois jusqu'en Afrique ou même en Amérique. Le pari est loin de passer pour gagné. Conçus pour de brèves batailles aériennes, les engins ne présentent aucune des garanties de fiabilité qu'exige une exploitation régulière. Dans la précipitation, on aménage sommairement des bombardiers réformés pour leur permettre d'accueillir quelques voyageurs auxquels il faut beaucoup d'audace ou d'inconscience pour embarquer — comme Colette qui, en février 1919, compte au nombre des tout premiers passagers de l'histoire de l'aviation civile, volant à bord du Caudron qui inaugure la liaison entre Paris et Bruxelles. Tout comme il faut beaucoup de confiance en sa bonne étoile pour miser sur une activité dont la rentabilité — ou même la pure possibilité — est loin d'être assurée, investissant tout son argent et toute son énergie dans l'hypothétique perspective qu'une compagnie puisse exister, réussissant le tour de force de convoyer quotidiennement personnes et biens au-dessus des montagnes, des déserts, des océans — ainsi Latécoère fondant dès 1919 ce qui deviendra l'Aéropostale.

Et le rêve n'a rien perdu de sa force de fascination puisqu'il séduit une génération nouvelle de jeunes gens, au nombre desquels il est bien sûr trop jeune pour compter encore, venus le plus souvent trop tard pour combattre dans le ciel mais décidés à ce que, loin de s'achever, l'épopée connaisse avec eux un second départ en ce tout début des années vingt où ces jeunes gens prennent pour la première fois les commandes d'un avion et que le talent, la chance, la ténacité, l'insouciance aussi, les transforment, sans même qu'ils en aient eu le désir, en champions du grand optimisme retrouvé. Eux ? Des centaines de pilotes, pour la plupart oubliés, dont seule une poignée de noms a subsisté, et dont deux suffisent à représenter tous les autres, comme si ces deux-là étaient les Dioscures de la mythologie nouvelle, aussi dissemblables l'un de l'autre que le sont souvent les divinités jumelles, s'étant partagé la terre — à l'un l'Atlantique Nord d'ouest en est, à l'autre l'Atlantique Sud d'est en ouest —, vérifiant ainsi à quel point la légende, au fond, fut écrite exclusivement par des Américains et par des Français.

Lui, Charles Lindbergh, né en 1902 dans le Michigan, le digne héritier de Wilbur Wright, comme lui un homme tout à fait seul, puritain pragmatique au beau visage de petit garçon trop sage, sorti de nulle part et parvenant pourtant à ses fins, pilote tout à fait anonyme transportant le courrier entre Chicago et Saint Louis, une sorte de postier comme ceux qui traversaient autrefois les plaines du Far West à cheval et avec la charge de leur sacoche, autant dire personne et réunissant cependant auprès des financiers les capitaux nécessaires à son expédition, concevant lui-même son appareil, en surveillant la fabrication, le faisant enfin voler à la stupéfaction générale, le premier, de New York à Paris. Et l'autre, Jean Mermoz, bien sûr, d'un an l'aîné du précédent, personnalité flamboyante au physique de cinéma, séducteur avide de tous les plaisirs de la vie, quittant l'armée de l'air pour rejoindre les rangs de l'Aéropostale, en devenant le chef de file incontesté, ouvrant les routes les plus périlleuses, depuis les déserts hostiles de l'Afrique jusqu'aux sommets vertigineux des Andes, et faisant ainsi passer la première liaison postale entre l'Europe et l'Amérique latine.

Lui qui naît le 17 septembre 1921 a presque l'âge de raison, et sans doute a-t-il su la nouvelle, lorsque, le 21 mai 1927, le

Spirit of St. Louis se pose sur le terrain du Bourget. Quelques jours auparavant, l'*Oiseau blanc* de Nungesser et Coli s'est perdu, au large des côtes du Canada, au cours d'une tentative pour traverser l'Atlantique dans l'autre sens, la presse patriotique n'ayant pourtant pas hésité à proclamer prématurément la réussite du raid dans son désir que ce soit au crédit de l'aviation française que l'on porte l'exploit. Et c'est un tout jeune aviateur américain, au fond assez inexpérimenté, qui triomphe *against all odds* et qui le fait avec une discrétion et une modestie assez désarmantes pour que la foule délirante qui l'accueille à Paris l'adopte aussitôt comme l'un de ses propres héros, le rangeant dans son panthéon aux côtés du vieux Blériot qui dépose publiquement un baiser, de ses lèvres surplombées de moustaches gauloises, sur la joue du jeune homme, assez embarrassé de cette marque d'affection latine, lui qui n'a jamais été embrassé encore d'aucune femme, même de sa propre mère. Des deux côtés de l'Atlantique, l'enthousiasme est unanime, et assez exceptionnel pour qu'un petit garçon de cinq ans vivant au fin fond de la province française l'ait partagé, le monde entier se réjouissant non d'une victoire électorale, sportive ou militaire mais du prodige gracieux accompli par un très raisonnable inconnu natif de l'Illinois, rapprochant soudainement les deux moitiés de la terre.

Et lui qui était peut-être assez grand pour se souvenir de l'exploit de Lindbergh est en âge certainement, il va sur ses neuf ans, d'être bouleversé lorsque parvient en France le récit, rapporté par la presse, du périple de Guillaumet, contraint par une tempête de neige un jour de juin 1930 à atterrir quelque part dans les Andes, si l'on peut parler d'atterrissage pour un exercice si périlleux qu'il s'achève par la culbute de l'appareil se retrouvant les quatre fers en l'air, attendant deux jours dans le froid la venue des secours, puis laissant sur la carlingue un message : « Suis parti vers l'est, direction Argentine, pense que l'avion ne fut pas repéré, adieu à tous, la dernière pensée pour ma femme », marchant cinq jours et quatre nuits avant de parvenir enfin, épuisé et les pieds gelés, aux abords du premier village, Saint-Exupéry s'envolant aussitôt de Mendoza pour recueillir son ami qui lui confie ces mots : « Ce que j'ai fait, aucune bête ne l'aurait fait », devenus du coup la devise — ou mieux : le slogan — de l'Aéropostale, transformant aussitôt cette histoire en une légende — cette légende même dont Mermoz vient juste d'écrire la page la plus glorieuse, lui qui, survivant de plusieurs accidents comparables, a réussi à faire enfin passer le courrier du Sénégal au Brésil.

Eux deux, donc, Lindbergh et Mermoz, devenant ainsi les plus grandes vedettes de leur temps, incarnant passagèrement le meilleur de celui-ci, le meilleur c'est-à-dire le projet, idéalement illustré par la mystique de la Ligne, qui consiste à penser que tous les hommes pourront être unis les uns aux autres dans le dépassement de ce qui les avait jusque-là divisés et opposés. Et c'est sans doute donner beaucoup trop de signification à ce qui n'est, après tout, qu'un tour de force technique et sportif, mais qui fait de ces deux très jeunes hommes les porte-parole imprévus d'une utopie en laquelle l'humanité entière se reconnaît alors, oubliant momentanément toute distinction de nation et de parti, ce tour de force suscitant l'hommage enthousiaste de la gauche comme de la droite, appelant les hyperboles les plus excessives, comme si ces deux pilotes, surnommés l'un « l'aigle » et l'autre « l'archange », avaient été investis de la mission surnaturelle de prophétiser l'entrée de tous dans une ère nouvelle, non pas celle de la technique mais bien, à l'inverse, l'âge d'un idéalisme triomphant du matérialisme moderne.

Avant que tout cela ne tourne très vite assez mal et que la légende ne révèle son envers douteux, laissant un goût amer dans la bouche de ceux qui ont trop rapidement cru en elle. Car le rêve, démocratique au fond, d'une humanité, pacifique et prospère, dont les aviateurs constitueraient en quelque sorte l'avant-garde, unie dans un effort collectif, « chacun étant seul responsable de tous », selon la formule de Saint-Exupéry, préparant non pas la révolution violente qui renverserait le monde ancien mais travaillant à l'entreprise raisonnable qui consisterait à l'améliorer, tout comme depuis trente ans s'amélioraient les performances des appareils et se développait le réseau des lignes à la surface de la planète, ce rêve-là n'était pas totalement dissociable du rêve contraire, fasciste pour lui donner son nom, exaltant dans l'aviateur la figure de l'homme d'exception, incarnant seul le génie souverain de sa race, surplombant de tout son tempérament et depuis l'altitude du ciel la masse médiocre des hommes, étant donc légitimement appelé à exercer sur elle le magistère de sa domination, ou du moins à servir d'emblème à un tel exercice. Ces deux rêves étant à la fois si proches et si éloignés, l'un constituant très exactement l'envers de l'autre, que dans l'ensommeillement et l'exaltation de leur propre raison les mêmes individus les rêvaient parfois en même temps sans en avoir seulement conscience, à la merci du moindre événement qui les ferait basculer d'un côté ou de l'autre.

Et sans doute un tel événement survient-il pour Lindbergh lorsque au printemps 1932 son fils unique, qui n'a pas encore deux ans, est victime d'un rapt crapuleux et qu'on retrouve quelques semaines plus tard son cadavre, un homme étant arrêté puis exécuté sur la chaise électrique pour ce crime sans pourtant qu'on ait jamais vraiment fait la lumière sur l'affaire. Lindbergh se trouvant ainsi subitement confronté à la violence nue d'un drame qui fait certainement s'effondrer sa croyance en l'innocence d'un monde où meurent les enfants et où l'exaspération du malheur, loin de susciter la compassion vraie, les livre, lui et sa femme, à l'attention malveillante de la foule. La douleur n'exonère de rien — et certainement pas de la complaisance à l'égard de la barbarie. Mais elle explique, pour autant que l'on puisse comprendre quoi que ce soit à la psychologie d'un tel homme, comment Lindbergh fuit alors sa vie, cherchant d'autres projets dans lesquels investir l'énergie de son désespoir, se laissant séduire par les plus douteux dès lors qu'ils lui semblent servir son dessein, collaborant avec le docteur Alexis Carrel, prix Nobel de médecine mais également théoricien de l'eugénisme et de l'inégalité des races, à l'invention du premier cœur artificiel dont il l'aide à concevoir la mécanique, saluant enfin l'Allemagne de Göring et de Hitler, devenant ainsi, lui, l'homme qu'avaient célébré les communistes d'Europe, de Paul Vaillant-Couturier à Bertolt Brecht, le chef de file de l'Amérique nationaliste et isolationniste, se transformant en tribun et en idéologue au point de représenter une menace politique pour Roosevelt lui-même, sombrant progressivement dans une très visible paranoïa, convaincu d'être seul à incarner la justesse et la droiture dans un pays désormais livré aux agissements de ses plus pernicieux adversaires de l'intérieur. Et puis, lorsque la guerre éclate, la seconde, donc, et qu'il refuse de se déjuger, parvenant pourtant, alors que l'armée le déclare indésirable, à se faire confier en secret un avion de chasse et à aller accomplir quelques missions victorieuses au-dessus du Pacifique. La douleur du deuil durant, sans doute, chez cet homme jusqu'au bout, lui le puritain d'autrefois fondant à la fin de sa vie plusieurs familles à travers le monde, mettant dans sa pratique clandestine de la polygamie le même esprit inflexible d'organisation qui lui avait autrefois permis de vaincre l'Atlantique, multipliant les épouses et les enfants illégitimes, comme s'il lui fallait cette abondance de fils et de filles pour tenter en vain d'oublier celui, le seul, qu'il avait perdu.

Et si sa mort prématurée, en décembre 1936, à bord de la *Croix du Sud*, au cours de l'une de ses traversées de l'Atlantique, évite à Mermoz les déshonorantes compromissions de Lindbergh, elle ne fait pas complètement oublier comment, par un réflexe assez comparable à celui de l'Américain, le pilote français, déçu de l'abandon de l'Aéropostale par le gouvernement de la IIIe République et imputant cette démission à la décadence de la démocratie parlementaire, rejoint le mouvement des Croix-de-Feu du colonel de La Rocque, comptant au nombre de ses « Volontaires nationaux » — au même titre qu'un certain François Mitterrand —, devenant même la figure la plus populaire d'un parti qui, certes, refuse toute alliance avec les ligues de l'extrême droite, condamne avec une égale vigueur l'antisémitisme et le nazisme, passera d'ailleurs en partie dans la Résistance, mais dont toutes les valeurs autoritaires qu'il exalte ressemblent souvent à s'y méprendre à celles du fascisme. De telle sorte que si Mermoz, au moment de sa mort, reçoit l'hommage du Front populaire — qui lui emprunte son rêve d'une aviation pour tous — il va se voir assez vite transformé en l'un des symboles de la « révolution nationale ». Sauf à inventer douteusement ce qui n'a pas été, et même si on préfère l'imaginer partant pour Londres ou pour New York comme Saint-Exupéry, mourant aux commandes de son appareil comme Dagnaux, aucun moyen n'existe donc de savoir ce qu'aurait été l'attitude de Mermoz s'il avait survécu et s'il serait devenu un héros des Forces françaises libres, aurait rejoint l'armée des ombres de son ami Kessel, suivi La Rocque dans la Résistance ou fait allégeance à la médiocre horreur de Vichy.

À supposer d'ailleurs qu'il y ait un sens à juger, depuis le confort d'un futur dont ils ne pouvaient avoir idée, de la conduite de tous ces hommes qui disparurent avant d'avoir été confrontés à l'épreuve de l'Histoire ou qui, confrontés à celle-ci, l'affrontaient sans le secours des certitudes que détiennent ceux qui savent comment cette Histoire s'est achevée et la signification qu'on lui a donnée après eux. Non pas qu'il n'y ait ni bien ni mal, ni juste ni injuste, et que l'on puisse ainsi dédouaner tous les hommes des choix qu'ils firent et dont ils doivent répondre, au moins devant leur propre conscience. Mais les juger supposerait que l'on puisse se prévaloir soi-même de l'autorité d'avoir eu raison et de s'être tenu courageusement du bon côté au moment où il y avait un risque à le faire. Et faute de le pouvoir, plutôt que de convoquer confortablement le tribunal des siècles et d'y jouer le rôle avantageux d'y rendre une sentence pour rien, construisant un récit très édifiant à l'intention exclusive de ses propres contemporains, la vérité consiste à montrer dans quel brouillard ils se trouvaient tous, ceux qui ont eu raison comme ceux qui ont eu tort, et parfois ils ont été tour à tour de l'un et l'autre côté, déroutés par hasard ou par chance vers l'erreur ou bien vers la vérité, tâtonnant dans une épaisseur de brume qui leur dérobait toute vision du passé comme du futur, limitant même le présent au sein duquel ils erraient à une vague poche de visibilité semblable à celle qui entoure un avion lorsque celui-ci tourne dans le vide opaque d'un ciel dépourvu de repères et où même les étoiles semblent s'être éteintes.

CHAPITRE 2

17 septembre 1921

> « L'enfance, ce grand territoire d'où chacun est sorti. »
>
> ANTOINE DE SAINT-EXUPÉRY

Et lui, perdu alors comme tous les autres parmi l'opacité du présent, de quoi, vers la fin, se souvenait-il ? Lui, né le 17 septembre 1921, qui grandissait alors qu'une à une se mettaient en place autour de lui les conditions préparant à la plus formidable manifestation de barbarie dont l'Humanité ait jamais été témoin. Mais « témoin » n'est pas le mot qui convient. Il faudrait dire : « victime ». Et pourtant « victime » ne serait pas juste non plus. Car l'Humanité a également été coupable du crime qui fut perpétré. Alors c'est le mot « Humanité » qui ne va pas puisqu'il confond en lui ceux qui accomplirent ce crime et ceux qui eurent à le subir. Et puis tous les autres avec eux : ceux qui assistèrent seulement à ce pur déchaînement d'horreur mais qui, parce qu'ils le virent se dérouler sous leurs yeux, eurent à connaître à la fois la souffrance et la honte qui accompagnent le spectacle d'une injustice que l'on se découvre impuissant à empêcher — ou pire encore : indésireux de le faire. Si bien que le Mal a ceci de terrible qu'il affecte indifféremment ceux qui sont coupables et ceux qui sont innocents — et tous les autres avec eux : les lâches, les indifférents, les distraits — parce que en tous c'est l'humanité même qui se trouve corrompue et qu'elle l'est par le hasard qui, parfois, toujours, fait de n'importe qui le contemporain du néant.

Alors il ne suffit pas de dire de chacun qu'il est responsable de tous, comme le fait celui par qui l'épopée s'achève et qui disparaît ce jour de 1944 où, son corps déjà épaissi par l'âge et un peu à l'étroit dans l'habitacle de son appareil de reconnaissance, un P-38 Lightning dépêché pour une mission inutile au-dessus de la Méditerranée, il s'abîme sans raison sous le soleil brillant, s'abattant sur des eaux sans fond pour s'y dissoudre, lui et son avion. Mais il faudrait avoir le courage d'écrire, comme ce vieux romancier russe d'autrefois auquel plus personne ne comprend rien, que chaque homme est coupable devant tous les autres, et il suffirait que cette culpabilité soit une fois reconnue pour que l'Humanité, et alors seulement elle mériterait d'être appelée ainsi, entre enfin unanime dans le terrible paradis de la vérité. Et sans doute est-ce une telle vision qui seule donne sa juste perspective au temps. Mais comme elle est rigoureusement inintelligible, alors il faut bien que l'on entreprenne de raconter autrement le récit à l'intérieur duquel tous ils furent pris : coupables, innocents et les autres avec eux.

Et même s'il n'y a aucun sens à dire après-coup de l'un d'eux, lui, par exemple, né le 17 septembre 1921, qu'il grandissait alors que se préparait autour de lui la plus barbare des catastrophes de tous les siècles. Car l'exprimer ainsi revient à considérer que cette catastrophe était déjà acquise avant même d'avoir eu lieu, qu'elle devait fatalement être puisque finalement elle fut et que tous les événements dont les livres d'Histoire disent qu'ils conduisirent au déchaînement du crime constituaient comme les étapes déterminées d'un seul et même programme dont rien n'aurait pu empêcher qu'il se déroule jusqu'au bout si bien que l'atrocité que découvrirent les premiers soldats poussant les portes des camps d'extermination se trouvait tout entière contenue par avance dans n'importe lequel des faits qui précédèrent, sans qu'il y ait moyen de discriminer parmi eux pour faire la part des faits majuscules et des faits minuscules puisque tous ils eurent leur place dans le grand récit rétrospectif qui confère au temps son apparence fausse de logique implacable — comme si à ce récit avaient contribué également tous les gestes accomplis, et les siens tout autant que ceux de n'importe qui.

Alors que, bien sûr, il en va tout autrement et que le temps ne fut jamais qu'une poussière d'instants hésitants, isolés dans l'épaisseur insignifiante d'une durée sans direction où chaque événement contenait non pas la promesse exclusive de ce qui fut mais l'infini informe de tout ce qui aurait pu être aussi bien. La vérité consistant à montrer ce que fut, à tout moment, l'incertitude du présent. Le temps, donc. Non pas : la chaîne implacable où chaque événement implique le suivant comme un maillon de métal soudé au maillon d'après mais bien une sorte de vide au sein duquel s'éparpillent tous les morceaux cassés de la chronique. Comme des points de crayon, ou des taches d'encre, disposés au hasard sur une page blanche sans que les relie la forme d'aucune causalité si bien que c'est celui qui raconte, et qui le fait depuis le confort d'un futur impensable, qui unit ces points, qui rapproche ces taches pour montrer comment ceux-ci composent à sa guise le dessin d'ensemble auquel il prête sa valeur arbitraire d'allégorie. Ou bien : comme des lueurs vagues dans un ciel nocturne sur lequel passent des nuages noirs et dont on sait comment il s'est trouvé des hommes avant soi pour les arranger de manière à leur découvrir d'incertaines ressemblances avec tout un bestiaire et une brocante de mythes mais dont on se dit qu'on aurait pu également les rapprocher selon d'autres lois afin de leur faire raconter une histoire différente. La vérité consistant alors à délivrer tout ce fouillis d'étoiles, tout ce ramassis de formes du schéma trop plein de sens auquel les yeux des hommes, depuis des siècles, se sont habitués dans le noir, rendant alors ce clignotement spectral au désordre d'un même mouvement d'ombres tournant au-dessus de soi.

Et le temps, dans sa vérité, est ce vertige de ciel obscur — semblable à celui auquel on se laisse aller par une nuit d'été, lorsque, enfant, allongé sur l'herbe, à l'écart dans le jardin où se sont effacées les formes habituelles du jour, on attend assez longtemps pour que la conscience de ce qui est en haut et celle de ce qui est en bas se trouvent interverties et que le sentiment s'installe alors d'être penché sur un puits, le ciel non pas au-dessus mais au-dessous de soi, lointain et pourtant large au point de prendre l'apparence d'un océan illimité sur lequel on flotte, rivé à la surface de la planète et livré à sa révolution comme on le serait aux mouvements des eaux, dérivant sur l'encre d'une épaisseur sans fond où luisent cependant quelque reflets sous la surface. Avec les yeux écarquillés afin de recevoir des étoiles leur clarté pâle, distinguant progressivement leurs assemblages lactés de nébuleuses tournant sur elles-mêmes dans un coin ou l'autre du tableau, y décelant des compositions absurdes où quatre, cinq lumières apparemment plus vives que les autres font la forme non pas d'un chariot, d'une ourse, d'un fauve ou d'un cygne mais le dessin plus inattendu de n'importe quoi, ainsi : une chimère aux allures de baleine ailée, attendant de soi la légende qui lui donnerait sens. Un grand puits tournoyant, oui, sur lequel le regard s'incline et où l'on voudrait presque pouvoir s'abîmer, avalé par le vide, se laissant glisser au sein de cet éclatement de clartés qu'on dirait adressé à soi seul par la vigie absurde de plusieurs phares brillant ensemble depuis la distance d'un archipel impensable.

Scrutant ce vide dans lequel ils tournaient tous, les victimes, les coupables, les autres, inventant quel sens ils pouvaient bien lui donner, et tentant de l'apercevoir, lui, presque indiscernable déjà parmi la foule innombrable des morts, un enfant alors, grandissant au cours de ces années-là, se rappelant certainement Lindbergh et Mermoz parce qu'ils appartenaient à l'aventure dont finalement il ferait sa vie, quelques événements aussi, et peut-être ce jour de mars 1937 où un Short Empire d'Imperial Airways s'était écrasé contre l'un des monts du Beaujolais, mais pour le reste ne se souvenant de rien et abandonnant à n'importe qui le soin de chercher à sa place dans les livres et les souvenirs de quoi fabriquer le simulacre d'une chronique qui relierait vaguement son histoire à celles qui se déroulèrent autour de lui, dans sa famille, là où il avait été enfant, quelque part dans le pays.

Racontant ainsi, imaginant plutôt comment l'année où il naît, en 1921, alors que la ville décide de se doter de son propre aérodrome, il a dû se trouver certains de ses habitants pour estimer que Mâcon méritait, sinon le titre assez excessif de capitale de l'aviation française, du moins de figurer très honorablement dans la légende de l'aéronautique, pouvant se prévaloir d'avoir donné au pays quelques pionniers et quelques héros. Et c'était déjà beaucoup, devait-il penser, pour une ville aussi petite et qui jusque-là n'était connue que pour ses vins et pour ses poètes, plutôt : pour l'un d'entre eux, Lamartine, dont le goût moderne n'avait pas encore décrété la totale et rédhibitoire insignifiance, une cité où le temps semblait certainement s'être arrêté et que, faute de la connaître vraiment, je m'imagine allongée le long d'un fleuve lent, ville couchée dans le vert et le bleu, là où il faudrait pouvoir posséder une maison pour y regarder passer sa vie. Tout cela, je l'écris d'ailleurs avec la plus parfaite mauvaise foi, ayant cessé de visiter mon oncle et ses enfants il y a maintenant près de trente ans et conservant de l'endroit où tous, avec le reste de la famille paternelle, ils vivaient encore en ces années-là, la décennie soixante-dix, le souvenir d'une ville déjà désastreusement enlaidie par le pire de l'urbanisme moderne encerclant toute la cité de zones pavillonnaires, industrielles et commerciales.

Au sortir de la Grande Guerre, Mâcon, chef-lieu du département de Saône-et-Loire, est une ville assez fatiguée, traînant derrière elle son prestigieux passé de cité médiévale, ayant échoué à prendre vraiment en marche le train de la modernité, démographiquement stagnante — l'hécatombe de 14-18 n'arrangerait rien — et ne pouvant plus compter que sur quelques entreprises pour maintenir un peu la fiction d'une réelle activité économique : une fonderie, une filature, une scierie, deux ou trois fabriques et puis la société Monet-Goyon, prospérant grâce à la conception des voiturettes d'infirmes destinées à la nouvelle et abondante clientèle des mutilés de guerre avant d'élargir ses activités à la manufacture des motocycles.

En 1921, sa famille (à lui) fonde un magasin de confiserie, baptisé « Aux fiançailles », installé sur les quais, spécialisé dans la confection des bonbons et des dragées. Il est difficile d'en ignorer davantage que moi sur sa propre lignée paternelle. De son grand-père, mon arrière-grand-père, le père de son père, et de son épouse, morts avant sa naissance, personne ne se rappelle rien. Son fils, mon grand-père, se nomme Fleury Forest, joli nom désuet aux sonorités semblables à celles du mien, et il tient de son père le métier de pâtissier. De lui non plus, mort subitement le 11 novembre 1940, personne ne semble rien avoir su sinon qu'il devait être un artisan de talent, la réputation des « Fiançailles » l'atteste, et qu'il était suffisamment malade pour avoir échappé sinon à la conscription, une photographie le montre en uniforme, du moins à la mobilisation, affligé d'une affection rare, l'acromégalie, un trouble hormonal consécutif au développement d'une tumeur bénigne de l'hypophyse et qui a pour effet une augmentation anormale de la taille des pieds, des mains ainsi qu'une déformation progressive des traits du visage, donnant ironiquement à cet individu mélancolique, à tort, peut-être, je me le représente ainsi, un faciès comparable à celui du grand acteur comique de l'époque, Fernandel, dont on dit qu'il en était aussi atteint.

Cet homme malade et laid, disons : devenu tel, considéré comme tel, est prévisiblement marié à une beauté pleine d'énergie et de santé. Ou du moins à une femme, Isabelle est son prénom, qui passe pour l'une des plus séduisantes de la ville : élégante et très tôt coiffée à la garçonne, aux formes si généreuses qu'on la compare à la Marianne de pierre qui se tient sur le monument aux morts nouvellement érigé dans la ville et qu'on lui demande d'en tenir le rôle lorsque se présente l'occasion d'une commémoration. Belle, donc. Encore qu'il me soit difficile à moi de le croire, l'ayant connue très âgée et sous l'apparence d'une vieille dame massive et austère dont même les anciens portraits n'exprimaient rien du charme voluptueux qu'elle était censée avoir autrefois exercé sur ses contemporains. Mais je veux bien m'en convaincre car, comme on le sait, rien ne change plus radicalement et plus vite que les canons de la beauté — féminine ou masculine — et les grandes vedettes érotiques du début du siècle dernier, Damia par exemple, sont déjà autant éloignées de nos goûts amoureux que les modèles d'un Rubens. Elle est la fille d'un « soyeux » réputé, paraît-il, pour son toucher sans pareil qui fait de lui un expert en matière de tissus rares. La légende veut qu'il fasse à vélo les quelques dizaines de kilomètres qui séparent Lyon de la demeure familiale que son père a fait construire sur le territoire d'une commune de l'Ain, un minuscule village nommé Le Balmay, à proximité du lac de Nantua, dans ce que l'on nomme « la montagne à vaches », gravissant et descendant les cols du Cerdon, un cauchemar de routes sinueuses et escarpées — jusqu'à ce que, des décennies plus tard, l'autoroute de Genève finisse par contourner les gorges en jetant dans le paysage la barre gigantesque d'un ouvrage d'art. Et un tel exploit devait faire de lui un coureur digne du jeune Tour de France. Elle, elle est musicienne et chanteuse, est passée par le conservatoire, joue du piano et l'enseigne. De son talent, à la fin de sa vie, elle ne retiendra que ce qu'il faut pour tenir l'harmonium de la paroisse.

Ils forment donc le couple le plus mal assorti qui soit et aussi le plus bourgeoisement uni, fréquentant la bonne société mâconnaise, habitués des meilleurs restaurants de la région, allant aux concerts et à l'opéra, disposant de leurs places réservées au premier rang du théâtre comme à l'église. Il a fait l'acquisition de tout le matériel nécessaire à son art : une turbine à dragées, une broyeuse pour le chocolat, de quoi torréfier les fèves de cacao et le café vert. Elle tient la boutique qu'il approvisionne en sucreries de toutes sortes. Et leur entreprise prospère au point que leurs produits deviennent indispensables à tous les ménages aisés du département — particulièrement le « chocolat des deux frères » qu'ils commercialisent avec succès, des tablettes sur lesquelles, en guise de réclame, ils ont fait imprimer les médaillons photographiques de leurs deux enfants (mon père, mon oncle devenus ainsi des vedettes précoces et locales de la société de consommation).

La même année, en 1921, donc, sa famille (à elle) fait l'acquisition d'une librairie située place de la Barre. Sa mère, ma grand-mère maternelle, en a assez du métier d'institutrice qui était déjà celui de sa propre mère, mon arrière-grand-mère, et de n'avoir connu finalement dans sa vie que l'école primaire, l'école normale puis de nouveau l'école primaire, les classes perdues au fin fond de la Franche-Comté dans des villages de campagne où l'on enseigne pour un traitement de misère devant des fils de paysans ou d'ouvriers, plus misérables encore que soi et dont les parents crèvent littéralement dans la honte et le dénuement, résignés à leur sort jusqu'à ce qu'une grande violence les soulève — comme lors des grèves de 1904 auxquelles elle assiste au cours de sa première année comme maîtresse d'école, elle a dix-sept ans. Quant à lui, instituteur également, il n'a plus vraiment le goût d'enseigner le calcul et l'orthographe après dix années passées sous les drapeaux. Ils se sont mariés en 1914. Lui, venait alors de terminer les trois ans de son service militaire au bataillon de Joinville, où lui avait valu d'être versé son physique avantageux et athlétique, très grand, svelte, sportif, pratiquant en maillot l'art de la savate avec l'allure exacte d'un héros dégingandé et élégant de la Belle Époque. Lorsqu'il vient de finir son temps, la guerre éclate et il est de nouveau mobilisé. Il sert comme artilleur à cheval, entreprend de devenir officier, pour la solde qu'exige l'entretien de sa nouvelle famille et que sa femme lui réclame, se voyant confier le commandement d'une batterie avant d'être affecté à la fin de la guerre, en tant que capitaine, dans l'ALVF, l'artillerie lourde sur voies ferrées dont les pièces énormes atteignent — ou du moins : visent — des objectifs situés à plus de trente kilomètres. Et si de telles missions lui évitent certainement l'épreuve des premières lignes, lui permettant ainsi sans doute de sauver sa vie, elles ne le tiennent pas complètement à l'écart de l'horreur directe du combat comme en témoignent les quelques anecdotes qui restent de sa guerre, les gaz, la médaille décernée pour avoir forcé, pistolet au poing, un médecin militaire à l'accompagner porter secours à un groupe de soldats encerclés par l'ennemi, toute la gamme des décorations habituelles, croix de guerre, Légion d'honneur, qui ont fait de lui, parmi quelques milliers d'autres, quelques dizaines de milliers d'autres, l'un des héros ordinaires du pays. L'armistice signé, la République ne le laisse pas pour autant rentrer chez lui. Il appartient aux troupes envoyées en Allemagne pour y occuper la rive gauche du Rhin. Au total, pour lui et pour les plus malchanceux des jeunes gens de sa classe, heureux pourtant d'avoir survécu, la guerre de 14-18 aura duré aussi longtemps que l'Iliade ou que l'Odyssée.

Sa femme le convainc sans mal de quitter l'Instruction publique pour ouvrir un commerce et, comme elle aime les livres, ils décident de reprendre une vieille boutique spécialisée dans les ouvrages pieux, les objets de dévotion et d'en faire une grande et moderne librairie à deux pas de la Poste. L'affaire prospère. Ils se partagent le travail ingrat. Son plaisir à elle est d'aménager le magasin, elle se réserve le rayon de la papeterie et la décoration des vitrines, y élevant au moment des fêtes ce qu'elle nomme « le paradis », une pyramide de beaux livres d'étrennes, présentés dans un décor de lumières, de papier d'emballage, et qui est l'une des attractions commerciales du quartier. Lui, profitant des relations qu'il s'est faites au front, jouissant du prestige mérité de ses décorations, et sans doute servi par le don spontané de susciter la sympathie, démarche avec succès dans tout le département, obtenant que la librairie Feyeux (Feyeux est son nom) décroche les principaux contrats de manuels et de fournitures passés avec les écoles et les lycées des environs. Il s'évade ainsi souvent de chez lui, laissant provisoirement de côté sa routine nouvelle de commerçant, prenant prétexte d'une affaire à traiter pour retrouver d'anciens camarades de l'armée, peut-être parce qu'il a le sentiment qu'une part de sa vraie vie est déjà derrière lui et qu'il ne peut la retrouver qu'auprès d'eux, ou plus simplement afin de satisfaire un penchant pour l'alcool assez avéré et qui suffit à expliquer le cancer précoce dont il mourra après la guerre suivante. Mais les deux hypothèses ne s'excluent pas l'une l'autre : il lui faut cette compagnie et cette ivresse pour oublier — oublier tout en se souvenant d'une manière qui lui soit supportable — ce qu'il a vécu : l'alerte, le masque porté au visage dans la panique, le gaz descendant sur les lignes, se déposant partout auprès de soi, les hommes aux parties génitales brûlées pour avoir imprudemment uriné sur un sol souillé de poison chimique, le boum-boum régulier et assourdissant des pièces d'artillerie tirant à l'aveuglette vers l'ennemi sans que l'on sache sur qui tombent vraiment les obus dont on se débarrasse à la chaîne et les effets sanglants qu'ils produisent, déchiquetant les corps à la ronde, la terre trouée de cratères dans les creux de laquelle on agonise pendant des heures attendant l'hypothétique salut des soins. Si le souvenir de la guerre suffit à réveiller en sueur et en sanglots un romancier américain qui l'a simplement rêvée, on imagine ce qu'elle peut faire à quelqu'un — fût-il un modeste libraire de province — qui l'a effectivement vécue et on voit mal au nom de quelle morale on pourrait s'offusquer du secours qu'il trouve en s'étourdissant un peu dans la conversation et dans le vin.

La librairie de la place de la Barre devient le lieu où, un peu avant l'heure de la fermeture et celle de l'apéritif, se retrouve la bourgeoisie cultivée de la ville pour y discuter des dernières nouveautés littéraires et en faire parfois l'emplette. Il y a là les professeurs du lycée Lamartine, leurs élèves les plus brillants, un dénommé Georges Duby destiné à devenir le grand historien que l'on sait, et puis tous ceux des notables qui lisent un peu, notamment le pédiatre, un « vieux garçon » — j'imagine que tel était alors l'euphémisme dont on désignait les homosexuels lorsqu'ils avaient passé un certain âge —, homme très aimé et assez aisé, qui tient l'un des principaux cabinets de la ville, et qu'une bonne dizaine de familles ont choisi comme parrain de l'un ou l'autre de leurs nombreux enfants, achetant à l'intention de ses multiples filleuls les éditions illustrées des grands classiques. Lui, son père à elle, mon grand-père, sportif et soldat que rien ne prédisposait à une telle occupation, une fois la boutique fermée, afin de pouvoir faire la conversation avec ses clients, passe plusieurs heures dans les romans qu'il vend. Ainsi, il a dû tout lire : Proust, Céline, Mauriac, Malraux, Aragon et bien d'autres dont plus personne ne connaît les noms. Au moment des prix littéraires, le rituel veut qu'on invite les habitués, qu'on installe la radio dans le magasin pour recevoir de Paris la nouvelle du nom des lauréats. Et lorsqu'il est arrivé que l'occasion se présente, je me suis parfois dit que si j'avais un prix, ce serait dans l'idée de donner ainsi de mes nouvelles — où qu'ils soient désormais et si la TSF monte jusqu'au ciel — à ces grands-parents que je n'ai pas connus.

L'argent rentre. Bien sûr, les romans se vendent moins bien que les confiseries. Mais il y a la papeterie, les manuels, les livres de prix dont la coutume veut encore qu'on les décerne par dizaines aux meilleurs élèves lors de la cérémonie qui clôt l'année scolaire. Rapidement, ils ont mis assez de côté pour envisager de déménager à Paris. Ils pensent faire l'acquisition d'une des grandes librairies du quartier Latin, Joseph Gibert, jusqu'à ce que, comme ils s'étonnent, visitant le magasin, du nombre inhabituel de miroirs placés parmi les rayons, on leur explique que ceux-ci sont nécessaires pour surveiller discrètement les clients et éviter les vols. Et comme ils se font une autre idée du métier, ils renoncent à leur projet et rentrent à Mâcon, confortés dans leurs préjugés de provinciaux à l'endroit des Parisiens. Alors, ils achètent une grande maison entourée d'un jardin, La Coupée, qu'ils louent un temps à des personnalités de passage — ainsi à une famille d'Anglais, celle du nouveau chef d'escale d'Imperial Airways dont les hydravions se posent désormais sur les eaux de la Saône — et dans laquelle ils songent à s'installer bientôt, prenant précocement leur retraite, nous sommes en 1939, en se disant que le moment est peut-être venu de profiter un peu de la vie.

Lui, mon père, a un frère cadet, Paul. Elle, ma mère, a une sœur aînée, Michelle. Et comme dans toutes les familles, surtout lorsqu'elles ne comptent que deux enfants, il faut bien que les plus petits soient le contraire des plus grands afin d'exister. Et comme lui, le grand, mon père, est un garçon sérieux, appliqué, un peu austère et renfermé, qu'il a choisi ce rôle-là qu'ils ne peuvent pas être deux à jouer, l'autre, le petit, mon oncle, se glisse dans la peau du personnage inverse, devenant un jeune homme enjoué, sociable, insouciant, travaillant dur pour pouvoir s'amuser, gagnant de l'argent pour mieux le dilapider, quittant l'école pour se faire apprenti, et puis — après la guerre — reprenant le négoce paternel, le faisant fructifier, devenant à sa manière un pionnier en se lançant dans le commerce des produits surgelés, à une époque où aucun individu sensé n'aurait imaginé que l'on puisse décemment se nourrir de la sorte, inventant des plats et des desserts glacés, concevant les machines pour les fabriquer, les vendant et vendant avec eux les lourds appareils nécessaires pour les conserver, affrétant aux armes de la société Forest & Fils une petite armada de camions frigorifiques destinés à livrer les commandes dans toute la région.

Elle, la grande, ma tante, est née pendant la guerre, conçue à la faveur d'une permission. Elle tient de son père une taille et une allure qui font qu'elle ne passe pas inaperçue auprès des hommes. Elle part à Lyon pour y suivre des études à la faculté et obtient son diplôme de pharmacienne. Avec le blond platine de ses cheveux, les jeunes gens lui disent qu'elle a des airs de Ginger Rogers. Ils lui font une cour assidue. Elle en épouse un, un médecin bien entendu, qui l'abandonnera après la naissance de leur fils. Alors, elle, la plus petite, ma mère, s'invente elle aussi un autre personnage, laissant à l'aînée le prestige des succès scolaires, amoureux et mondains. Elle décide que les études ne sont pas faites pour elle, proclame une aversion toute particulière pour les mathématiques et les sciences, les matières où sa sœur est la meilleure, poursuit cependant jusqu'au baccalauréat, à une époque où seule une jeune fille sur cent l'obtient, mais elle met un point d'honneur à n'exceller que dans les disciplines inutiles : le sport et le dessin. Elle a en tête de faire les Beaux-Arts ou, du moins, de gagner sa vie comme illustratrice. En attendant, elle lit. Elle a à sa disposition tout le trésor de la librairie familiale, prenant chaque soir un livre à sa guise dans les rayons, devenant spécialement habile à la gymnastique qui consiste à lire les ouvrages sans en couper les pages de manière qu'ils paraissent comme neufs le lendemain lorsqu'elle les remet en place. Cette adolescente, pleine de vie, aux allures de « garçon manqué » quand elle emmène son équipe sur un terrain de sport, a une prédilection pour les auteurs romantiques. Son livre favori, l'un des rares qu'elle possède et qu'elle a fait relier en cuir, est bien sûr la *Graziella* de Lamartine.

On peut difficilement trouver familles plus dissemblables que les leurs — dissemblables d'ailleurs au point d'en être sans doute plus exemplaires encore aux yeux d'un historien qui les tiendrait certainement pour des échantillons particulièrement représentatifs de la bourgeoisie provinciale de l'entre-deux-guerres. Dans sa famille (à lui) — pour ce que j'en sais — on professe un peu haut et fort les valeurs de la Nation et de l'Église, considérant que rien ne vaut la gloire d'être chrétien et français. Il n'est pas trop difficile de se faire une idée de ce que devaient être les convictions politiques des parents et des grands-parents : le seul regret que lui, mon père, ait jamais exprimé est de n'avoir pas réussi à convaincre son grand-père, le « soyeux », le « cycliste », lorsqu'il parlait avec lui à la fin de sa vie, dans les années trente donc, que le capitaine Dreyfus, près d'un demi-siècle auparavant, avait été injustement jugé coupable.

Son grand-père (à elle), le père de sa mère, est d'une espèce tout à fait opposée et, pour la paix des ménages, il est sans doute préférable que les deux hommes soient morts assez tôt pour ne pas se rencontrer. La légende veut qu'il soit devenu athée et anticlérical un soir de Noël où, enfant de chœur, servant la messe de minuit, il aurait perdu son orteil qui avait gelé pendant que le sermon du curé s'éternisait : c'est une preuve qui en vaut une autre de l'inexistence de Dieu et de l'idiotie de ceux qui croient en lui. Il est secrétaire de mairie à Dôle — ce qui ne l'empêche pas, bien que fonctionnaire, d'exprimer les opinions les plus ouvertement anarchistes, ne jetant pas de bombes, ne dévalisant pas de banques, comme cela se faisait à l'époque, n'étant ni Ravachol ni Bonnot, mais exerçant son doux militantisme principalement dans les banquets où, vidant son verre et très attentif à ce qu'on le remplisse aussitôt, il s'est fait une réputation de chanteur en interprétant le répertoire des grands airs révolutionnaires de la Commune de Paris, ne dédaignant pas non plus de charmer les dames en leur rappelant combien court est le temps des cerises. Lorsque sa fille, ma grand-mère, décide — il y a des mauvais sujets même dans les meilleures familles — de se faire baptiser, il lui faut le faire en cachette de son père. Mais lorsque celui-ci meurt et demande à être enterré nu dans son cercueil, sans cérémonie religieuse, c'est elle, ma grand-mère, sa fille, qui tient tête au maire et au curé pour obtenir que les dernières volontés du défunt soient respectées et que l'autorisation soit accordée de laisser passer dans la ville le scandaleux convoi funéraire derrière lequel elle marche seule sous la réprobation unanime. Et il semble qu'ils soient tous ainsi dans cette famille, obstinément réfractaires à toute autorité, moins par conviction idéologique que par défiance instinctive à l'égard de n'importe quelle douteuse discipline. Comme ces deux cousins qu'elle, ma mère, voyait parfois lorsque les réunissaient les noces ou les baptêmes d'avant-guerre, l'un disparaissant dans la montagne pendant l'Occupation car il n'était pas question pour lui de partir en Allemagne et l'autre, l'apprenti boulanger qui devint romancier, dont tous les livres disent le même entêtement à exprimer la vie vraie, dans le dégoût de tout ce qui enchaîne et humilie, avec le souci de pouvoir être lu de n'importe qui, un romancier auquel tous les autres, je me compte parmi eux, devraient peut-être ressembler s'ils abandonnaient un peu la vanité de croire qu'un livre devrait être autre chose, au fond, que ce que sont les siens, je veux dire : ceux de Bernard Clavel.

Je donne toutes ces légendes pour ce qu'elles valent, les tenant d'elle, ma mère, et non de lui, sachant qu'elles comptaient pour rien à ses yeux, qu'il aurait eu une autre manière de les raconter s'il avait seulement pensé que cela en valait la peine et surtout s'il avait su par quel bout prendre toutes ces histoires en morceaux et par où les faire commencer.

Ce dont il se souvenait, vers la fin ? Rien. Ou alors si peu. Car s'il ne retombait pas en enfance, son enfance devait forcément remonter vers lui et, dans le désœuvrement auquel la vieillesse l'obligeait, il assistait à ce miracle imprévu qui, certainement, lui rendait cette part de son passé à laquelle il avait cessé de penser depuis que l'occupait le travail exclusif d'exister. Le Temps, avec pour chacun ce rêve plus ancien au sein duquel le cauchemar de l'Histoire ne vient s'installer qu'ensuite, préservant ainsi l'immémoriale antériorité d'un songe plus vrai que tous ceux qui l'ont suivi et que la lointaine nuit de jadis abrite, où les fictions du sommeil originel ne se laissent jamais totalement distinguer des premières expériences de la vie consciente. Et, entrant dans l'âge adulte, à son insu, on emporte au fond de ses poches toute cette menue monnaie de la mémoire dont chacun retrouve, pour finir, le lot insignifiant de souvenirs indélébiles comme un trésor magnifique de petites pièces jaunes dont le cuivre a noirci et qui, pourtant, luisent sous les yeux et tintent encore entre les doigts, aussi intensément qu'elles le faisaient autrefois lorsqu'on les tenait pour l'or même du temps.

Il n'en parlait pas mais il se rappelait certainement l'odeur du sucre et du chocolat tournant dans le chaudron des turbines. Et aussi : il voyait les cylindres scintillants des presses qui façonnent les formes de coquillages ou de fruits que prennent les bonbons lorsque les plaques collantes glissent entre les rouleaux dorés du métal, les cailloux calibrés des dragées aux couleurs de layette, blanc, rose et bleu, remplissant les lourds bocaux de verre, les dominos des pâtes de coing roulés dans leurs papillotes; il assistait à la confection de tous ces trésors dans la profondeur du laboratoire — qui, sans doute, lui était plus ou moins interdit quand il était petit — et puis à leur disposition régulière au grand jour sur les présentoirs et dans les vitrines du magasin. Une fois l'an, lors de la foire, leur père installait ses turbines devant la boutique, au 12 du quai Lamartine, pour faire en public la démonstration de son art, confiant à ses deux fils — ils n'avaient que huit ou neuf ans —, sous l'égide affable de leur mère, le soin de proposer à la clientèle de petites pochettes à un franc contenant un échantillon des produits les plus représentatifs de la confiserie. Les deux frères avaient revêtu leurs habits du dimanche et les passants reconnaissaient certainement leur visage pour l'avoir vu déjà sur l'emballage des tablettes de chocolat où leurs photographies étaient imprimées en médaillons. Il n'y a pas de raison de douter que son enfance ait eu ce goût de sucre.

Tout cela se trouvant susceptible d'être encore raconté alors même qu'il a disparu depuis longtemps. Car, mystérieusement, les souvenirs survivent à celui qui se souvient. Ils font toute une foule de sensations qui flottent dans l'air, détachées désormais de celui qui les a d'abord éprouvées et qui n'est plus rien, rendues ainsi au vide à l'intérieur duquel ils errent, distraits et disponibles, susceptibles d'être réclamés par n'importe qui, comme ces objets perdus auxquels on finit par estimer que leur légitime propriétaire a dû renoncer et dont le premier venu peut maintenant se considérer comme le seul détenteur authentique. Comme les rêves, passant par leurs portes de corne et d'ivoire, dont on a tort d'imaginer qu'ils appartiennent à ceux qui les font puisque, de toute éternité, la nuit les contient et qu'elle les laisse au hasard visiter ceux qui dorment — ceux-ci s'imaginant les avoir inventés de toutes pièces alors qu'ils en ont simplement recueilli dans leur sommeil la même et perpétuelle rumeur de récits ressassés. De telle sorte que la somme des histoires qui constituent la mémoire humaine est certainement fixée depuis toujours et que celui qui rêve ou se souvient ne fait jamais que réciter à son insu une fable qui lui a été dictée ou bien soufflée, qui fut celle de milliers d'autres avant lui et à l'exclusive propriété de laquelle il n'est personne qui puisse finalement prétendre.

Si bien que c'est moi maintenant qui me souviens et qui, par exemple, entends à sa place le bruit que faisait le lourd rideau de métal se déroulant devant la porte du magasin. Et comme c'était par celle-ci qu'on accédait aussi à l'appartement, lorsque ses parents s'absentaient le soir et allaient souper ou se rendaient au spectacle, l'enfant qu'il était attendait tard pour s'endormir dans son lit que ce vacarme — assez sonore pour réveiller tout le quartier — soit parvenu deux fois à ses oreilles : la première qui indiquait le départ de sa mère et la seconde qui signifiait son retour. Restant longtemps les yeux ouverts dans la nuit, attendant le matin, cependant, qui ne manque jamais de venir. Ainsi ce jour que tout le monde se rappelle et où, les volets ouverts, on découvre que la neige est tombée sur la ville, qu'elle recouvre les trottoirs et les toits, et que ce blanc suffit à changer d'un coup tout le paysage comme si un enchantement de lumière avait métamorphosé le monde. Cet hiver — c'était celui de 1929 — la Saône avait gelé. Et ce n'étaient pas simplement de sporadiques plaques de glace qui, comme des glaçons tournant doucement dans un verre, stagnaient à la surface du fleuve dont le courant est si lent, un auteur latin le dit, qu'il aurait été impuissant à les entraîner vers l'aval ou vers l'amont — à supposer qu'on ait pu les distinguer l'un de l'autre. Non, une vraie banquise avait pris dans la nuit qui, du côté du pont Saint-Laurent, faisait se rejoindre les deux rives du fleuve. Si épaisse qu'un fanfaron — aussitôt immortalisé par les photographes de la presse locale — avait gagné le pari de rouler en automobile d'une berge à l'autre.

C'était un dimanche matin et toute la ville, comme si les gens s'étaient immédiatement donné le mot, avait pris le chemin de là-bas. Eux deux, certainement, juste après la messe — car il n'aurait pas été question qu'ils la manquent même pour une aussi bonne raison —, conduits par leur père tandis que la mère avait sans doute regagné la maison dès le *Ite, missa est* pour surveiller les préparatifs du repas familial ou bien pour se réinstaller à sa caisse, car la boutique ne pouvait se dispenser trop longtemps d'elle au moment où toute la bonne bourgeoisie faisait l'emplette du dessert dominical ; eux deux, donc, découvrant cet incroyable panorama de glace soudainement surgi entre les quais : une étendue inexplicable et pourtant familière puisqu'ils avaient aussitôt reconnu en elle les déserts de Russie ou ceux du Canada que parcouraient Michel Strogoff et Œil de Faucon dans les romans qu'ils devaient commencer à lire — ou bien : qu'on devait encore leur lire avant qu'ils ne s'endorment —, se prenant pour le courrier du tsar que l'amour de sa mère sauve de la cécité ou bien pour le trappeur blanc qui assiste à l'extinction héroïque de la tribu des Mohicans.

Puisque au fond, s'il s'en était souvenu, s'il lui avait été possible de s'en souvenir vraiment, son enfance, comme celle de chacun, aurait eu l'apparence exacte d'un de ces romans de Jules Verne ou de Fenimore Cooper avec lesquels devait se confondre l'idée très vague qu'il avait alors de sa vie. Ou plutôt : de ce qu'elle deviendrait. L'histoire étant toujours la même. Et c'est pourquoi elle est celle de chacun et que celui qui se souvient d'elle se rappelle toutes les autres à la fois. Comme si, en somme, un seul et même conte se récitait depuis la nuit des temps, toutes les enfances se trouvant alors plus ou moins identiques puisque c'est la même histoire qui les dit et qu'il n'y a donc pas lieu de s'étonner de leurs ressemblances, celles-ci donnant à celui qui s'en souvient l'impression très exacte qu'il est en train de se rappeler non pas les événements qui lui sont arrivés autrefois mais le livre même qui les racontait déjà, qu'il a lu tout petit, dont ne subsistent dans son esprit que des indices trop douteux pour lui permettre de savoir avec certitude quels en étaient le titre, l'intrigue, les héros, et même s'il a jamais vraiment existé autrement que sous la forme d'un pur mirage de la mémoire.

Et se souvenir de son enfance, ou aussi bien : de celle d'un autre car elles sont toutes pareilles, revient alors à reconstituer ce roman perdu, satisfait non pas lorsqu'on le retrouve, cela est impossible, mais quand on est parvenu à inventer une fiction qui convienne, qui lui soit conforme, et qui dès lors concerne moins celui qui l'a effectivement vécue que les purs personnages de papier pour lesquels il s'est pris tour à tour.

Michel Strogoff, Œil de Faucon ou plutôt Ben Hur, lui plus que tous les autres, puisqu'il le connaissait, non pas à travers le vieux roman de Lewis Wallace — encore qu'il en existait une énorme édition illustrée dans la bibliothèque familiale que, moi-même, j'ai lue enfant et qui peut-être lui avait appartenu — mais par le film, qui fut le premier, avait-il raconté, qu'on l'avait emmené voir au cinéma et pas dans la version de William Wyler, bien entendu, mais dans celle de Fred Niblo lorsque au début des années trente — il avait donc une dizaine d'années — en avaient été exploitées en Europe des copies nouvellement sonorisées — si bien qu'il se rappelait encore le bruit des fouets s'abattant sur le dos des galériens, des rames poussées en cadence, des chars roulant sur le sable de l'arène. Et si ce film avait ainsi compté pour lui, de tous ceux qu'il avait vus enfant c'était le seul dont il ait jamais parlé, sans doute était-ce parce que lui, qui grandissait alors que se préparait la plus barbare des catastrophes de tous les siècles, y avait reconnu par avance l'Histoire même dont l'Humanité allait prochainement être témoin, c'est-à-dire coupable et victime à la fois, exposée à cette pure explosion d'horreur que le pieux péplum du général américain avait, cinquante ans auparavant, précisément prophétisée sous la forme d'un mélodrame antique : une histoire de vengeance et puis de pardon — mais elle n'était possible qu'à la condition que le pardon vienne après la vengeance, une fois celle-ci accomplie dans le sang —, honteusement démarquée d'un autre roman populaire, *Le Comte de Monte-Cristo* d'Alexandre Dumas, mais lui ajoutant la poésie douteuse d'un mysticisme un peu exalté, disant, dans le décor d'une Judée très sulpicienne où la vallée des lépreux servait d'image anticipée d'Auschwitz et où le sable du cirque de Jérusalem annonçait celui des plages d'Omaha Beach, disant donc très exactement l'Occupation et la collaboration, la déportation et puis l'extermination du peuple juif, mais aussi la possibilité impensable que quelqu'un, animé par la haine ou par la foi, puisse se dresser seul au milieu de l'atrocité du monde et y devenir le champion victorieux de la justice et de la vérité. Et il fallait bien qu'il se fût ainsi épris d'un héros juif, qu'il se fût pris pour lui afin d'expliquer comment contre son milieu, contre sa famille, contre ce grand-père qu'il aimait et dont il se désespérait de n'avoir jamais pu le convaincre de l'innocence du capitaine Dreyfus, cet autre héros juif injustement condamné à la déportation sur une île lointaine comme le premier l'avait été aux galères, afin d'expliquer donc qu'il ait été si totalement réfractaire, semble-t-il, à l'antisémitisme de son temps. Le rêve de l'enfance préparant ainsi la forme même à l'intérieur de laquelle pour lui se glisserait bientôt le cauchemar de l'Histoire, le préservant miraculeusement d'acquiescer à l'horreur de celle-ci, une aventure un peu excessive sortie de l'imagination d'un très réactionnaire officier yankee du siècle précédent le faisant fidèle plus tard au parti de ceux qu'on enferme, qu'on déporte, qu'on livre au fouet, que l'on abandonne à la lèpre.

L'enfance ayant été, pour lui comme pour tout le monde, la répétition de l'âge adulte. Et l'inverse, également. Puisque le mot de « répétition » sert à la fois à signifier ce qui précède et prépare le spectacle de la vie et ce qui constitue le recommencement bégayant de celui-ci. Et comme les petits garçons jouent à la guerre avec une grande gravité tragique, presque convaincus qu'ils risquent leur vie pour de vrai lorsqu'ils s'affrontent à coups d'épées de bois et de carabines à flèches, les adultes qu'ils deviennent partent en guerre, et c'est sans doute pourquoi ils y parviennent, avec une désinvolture un peu puérile, voulant croire que si on les force à se déguiser, à se mettre en rang, à parader en musique, l'horreur ne peut être tout à fait sérieuse, car il y aura toujours un moment où ils pourront dire pouce.

Toutes les vacances scolaires, tandis que ses parents restaient à Mâcon pour faire tourner l'atelier et garder la boutique ouverte, il les passait auprès de son grand-père et de sa grand-mère dans la maison du Balmay, héritée de l'aïeul qui l'avait fait construire pour ses vieux jours et qui, dans le minuscule village de montagne à la lisière duquel elle se tenait, avait à l'époque presque des allures de château en raison de son luxe un peu tapageur, de ses chambres fraîchement tapissées, de son chauffage central, de sa cuisine tout équipée, de ses toilettes et de sa salle de bains, toutes commodités dont les maisons voisines se trouvaient tout à fait privées, et en resteraient pour certaines dépourvues encore un bon demi-siècle, demeures dos à la rue auxquelles on n'accédait parfois qu'en passant par l'étable et la grange, tout cela voué à rester si longtemps inchangé que, même moi, j'ai pu en conserver un souvenir qui doit être strictement semblable à ce qu'était le sien : tournant autour de la maison et de son tilleul centenaire, le défilé meuglant des bêtes matinales conduit aux prés et maculant la chaussée d'une bouse perpétuelle, le passage des immenses et lents chars à foin tirés par deux bœufs, le lavoir, la fontaine, l'abreuvoir à l'eau recouverte de mousse verte, la fruitière on l'on allait chercher le lait, toutes ces choses finalement incroyables et qui donneraient à un homme ou une femme d'aujourd'hui, je suis cet homme, le sentiment d'avoir été l'enfant d'un autre temps.

La convention voulait qu'ils se retrouvent tous après le repas et qu'ils colloquent sur le muret de pierre qui marquait la pointe extrême du quartier afin de décider, avec autant de sérieux qu'un état-major, de leur ordre du jour. Eux : tous les enfants du quartier, semblablement désœuvrés par les vacances, les fils du charron et ceux de deux ou trois fermiers, une dizaine de gamins tous vaguement cousins, leurs noms liés les uns aux autres comme l'aurait assez bien montré n'importe quelle visite au cimetière voisin où ces noms se mêlaient sur les pierres tombales comme s'il n'y avait jamais eu dans les environs qu'une demi-douzaine de familles dont les membres se mariaient perpétuellement les uns aux autres, distribuant leurs dépouilles entre quelques caveaux vétustes, parmi lesquels celui où, en mon absence, seraient bien plus tard déposées ses cendres en présence d'une délégation d'officiers de réserve et de pilotes à la retraite. Ils s'enfonçaient dans la forêt, si épaisse que personne n'a jamais pu dire si elle s'arrêtait quelque part et ce qui se trouvait de l'autre côté, les promenades les plus longues renonçant toujours à conduire au-delà d'une certaine clairière qui marquait ainsi, bien mieux que ne l'auraient fait les colonnes d'Hercule, le bout du monde connu, ou bien ils se dispersaient dans les prés. Et alors commençait le grand jeu, celui dont les filles étaient bien sûr exclues — à moins que les plus âgées d'entre elles, adolescentes de treize ou quatorze ans conduisant les vaches à leur pâturage, n'aient été désignées comme la cible des opérations du jour et qu'il se soit agi d'approcher et d'encercler leur troupeau choisi comme possible prise de guerre.

Ou bien : ils se répartissaient en deux armées rivales et ils comptaient bien que les garçons de la ville iraient en tirer l'histoire dans ceux des livres qu'ils lisaient le soir et dont les autres n'avaient rigoureusement aucune idée car, de livres, il n'y en avait aucun chez eux et ils ne connaissaient de la lecture que la corvée que les maîtres leur imposaient à l'école, trouvant assez étrange que l'on puisse volontairement se l'infliger à soi-même. Heureux cependant que quelqu'un l'ait fait à leur place de manière à pouvoir décider du jeu qu'ils joueraient, inspiré d'histoires qu'au fond ils n'avaient pas besoin d'avoir lues puisqu'ils les savaient déjà depuis toujours et qu'elles étaient les mêmes avec leurs héros victorieux et sacrifiés. Et ce seraient donc les deux frères, et plutôt l'aîné que le cadet, qui décideraient de la distribution des rôles en inventant de très improbables combats où s'affronteraient des tribus d'Indiens et des équipages de pirates, des légions romaines et des hordes barbares.

À moins qu'ils ne tombent tous d'accord pour aller chercher leur inspiration dans l'épopée de la Grande Guerre, qu'ils connaissaient tous car cela faisait à peine plus de dix ans que leurs pères, leurs oncles, leurs cousins en étaient revenus, pour ceux qui en étaient revenus, et que les récits du front, l'horreur des tranchées leur étaient devenus aussi coutumiers que l'histoire de leur propre famille ou celle de leur propre village. La seule difficulté étant, dans cette hypothèse, qu'il ne se trouvait jamais personne pour faire l'ennemi, le « Boche », et que les palabres destinées à désigner au moins deux ou trois d'entre eux qui soient susceptibles de défendre le fort ou la tranchée voués à être victorieusement conquis par les héros, les « Poilus », que ces palabres duraient plus longtemps que l'assaut quand il était finalement livré. Eux tous, ces dix ou douze petits garçons, ne pouvant aucunement deviner, puisqu'ils ne savaient rien de la catastrophe qui se préparait et dont seuls ceux qui lui survivraient pourraient plus tard se dire qu'elle devait fatalement avoir lieu, eux tous ne pouvant donc nullement s'imaginer qu'ils se retrouveraient, à peine une décennie plus tard, à lutter vraiment les armes à la main dans ce décor de prairies et de montagnes qu'ils connaissaient par cœur à force d'y avoir joué à cache-cache, et non seulement à lutter contre des ennemis qui auraient mis la meilleure volonté du monde à prendre les rôles dont ils ne voulaient pas, mais également à lutter entre eux, les uns dans les rangs de la Résistance, les autres dans ceux de la Milice, puisque toute la région serait alors le théâtre effroyable de cette guerre fratricide qui répétait celle à laquelle sans le savoir ils avaient joué si souvent.

N'importe qui, et moi aussi bien mais pas davantage qu'un autre, peut se rappeler tout cela et en faire la matière inutile d'un roman qui soit à la fois le sien et celui de tous. Mais lui, peut-être ne s'en souvenait-il pas. Peut-être était-il même le seul à ne pas s'en souvenir puisqu'il ne s'en souciait pas, dépourvu de tout attachement nostalgique pour l'enfant qu'il avait été, précisément parce qu'il avait été cet enfant et que cela le protégeait de s'attendrir stupidement sur celui-ci, ayant à un moment donné de sa vie choisi de tout oublier, la journée de l'hiver 1929 quand la Saône avait gelé autant que celle du printemps 1937 où un hydravion anglais s'abîmerait contre l'un des monts du Beaujolais, le bruit du rideau de métal tombant devant le magasin de ses parents, l'odeur du sucre et du chocolat et puis les jeux auxquels il jouait avec son frère et les autres parmi les prairies et les forêts du Balmay, considérant que sa propre existence, tout comme l'Histoire autour d'elle, n'était jamais qu'un ramassis d'épisodes insignifiants, éparpillés dans le temps comme les fragments d'une épave depuis longtemps naufragée et dont les morceaux méritaient une bonne fois pour toutes d'être abandonnés là où le hasard de l'accident les avait laissés. Que l'on entreprenne d'en faire la collecte, comme un paléontologue ramasse des débris de squelette en vue de reconstituer la forme — qui peut-être n'a jamais existé que dans son imagination — d'un animal impossible, créature depuis longtemps disparue, à l'anatomie invérifiable autant qu'une chimère de pachyderme croisé de cétacé, ne lui serait certainement jamais venu à l'esprit. Et s'il n'avait pas réprouvé ce projet, du moins aurait-il eu le sentiment qu'il ne le concernait pas. Car raconter n'est jamais l'affaire de ceux qui ont vécu et qui abandonnent à la manie mélancolique de quelques autres le soin de faire à leur place le récit pour rien de leur vie.

Leur vie ? Pas même. Puisqu'en parler ainsi revient déjà à lui prêter une apparence de légende, faisant comme si le scintillement de souvenirs qui subsiste du passé avait la cohérence exacte d'un conte où chaque épisode entraîne l'épisode suivant tandis que même l'événement le plus important n'y a jamais que la valeur esseulée d'une anecdote ne témoignant que pour elle-même, dépourvue de toute relation vraie avec ce qui vint avant ou avec ce qui viendra après. Si bien que c'est celui qui raconte, et lui seul, qui arrange toutes ces anecdotes, prétendant dire la réalité de ce qui a été mais taisant que cette réalité, dès lors qu'il la relate, prend par lui la forme d'une fiction, falsifiant ainsi la formidable inconsistance du passé et lui conférant la méthodique, mensongère et solide logique d'une intrigue. Et dès lors, il n'y a pas lieu de s'étonner de ce que toute vie ait l'air d'un roman puisque raconter sa vie, ou bien celle d'un autre, revient très exactement à lui donner cette allure de roman qui la fait seule exister. Et que, sauf à se résoudre au silence, sauf à renoncer à tracer dans le vide le signe d'une parole, il n'existe aucun moyen de se soustraire à une telle loi. Car même le livre qui prétendrait mimer l'étoilement du temps, figurer la pure dispersion de ce qui fut au sein de la durée indifférenciée, ne parviendrait pas à empêcher que se compose au bout du compte une constellation d'événements où le regard reconnaîtrait telle ou telle ressemblance avec l'une ou l'autre des formes du monde, ordonnant malgré tout la dilapidation déréglée des instants afin d'en faire la somme et d'en fixer le sens.

Mais, en ce qui le concerne, il n'est pas même certain que, sur la fin, il se soit retourné vers hier et aucun indice n'autorise à penser qu'il ait accordé un quelconque intérêt aux souvenirs de ses premières années. En tout cas, il n'en parlait jamais. Il n'en avait jamais parlé à personne. Ou bien s'il l'avait fait, il ne s'était trouvé personne pour l'écouter. Et pas plus moi qu'un autre. Si bien qu'il avait fini par se taire. Le résultat était le même. Et aucun de ceux auprès de qui il avait pourtant vécu n'aurait pu citer le moindre mot de lui portant sur ses grands-parents, ses parents, ses amis d'école ou de collège, tout ce folklore de l'enfance dont on veut qu'il constitue la part la plus précieuse du passé de chacun mais avec laquelle, lui, il semblait avoir cessé depuis longtemps de compter au point de n'avoir rien gardé du tout de ses premières années, pas le plus petit souvenir un peu tangible.

Car, finalement, c'est encore un fantasme de romancier qui fait que l'on invente, à défaut de l'avoir découvert, le détail singulier dont il serait si consolant de penser qu'il recèle le secret de chaque existence et que tout adulte conserve de lui et en soi le souvenir émouvant : une sorte de « Rosebud », un objet dérisoire qui soit comme le confident exclusif de chacun et qui contienne en lui le chiffre vrai de celui qu'on a été, cet enfant plus soi que soi-même, indéfectiblement attaché à ce quelque chose d'insignifiant dont dépend pourtant la pure merveille d'avoir été en vie, et qui constitue le dernier trésor que laisse échapper de ses doigts celui qui va mourir. Alors que la vérité est tout autre, sans doute, et qu'au moment de la fin il ne reste rien à personne puisque le mouvement même de la vie consiste précisément à abandonner derrière soi toute la collection des fétiches d'autrefois et à laisser s'évanouir la figure de celui que l'on fut pour recevoir du temps lui-même la révélation vide du rien avec lequel tout s'arrête.

Comme si tout avait disparu. Ou alors quoi ? À défaut d'une luge — encore qu'il en existait une avec laquelle il avait peut-être glissé sur les eaux glacées de la Saône ou bien sur les pentes enneigées des prairies du Balmay —, un bric-à-brac d'objets dépareillés prenant la poussière, datant des années vingt mais paraissant à peine plus anciens que les nouveautés qui avaient fini par leur ressembler dans la profondeur des placards parisiens, la première machine à calculer, le premier ordinateur, la première console de jeux : quelques paires de skis aux fixations si primitives que la moindre chute devait être fatale à la cheville, un chariot de bois dit, je ne sais pourquoi, chariot suisse, aux hautes roues cerclées de fer sur lequel les enfants partaient en promenade tirés par les adultes ou bien avec lequel, le timon relevé pour servir de guidon, imitant les courses du cirque, ils dévalaient seuls la longue pente qui descendait depuis le hameau voisin du Chevril, une malle contenant impeccablement rangés les éléments d'un train électrique, la locomotive, les wagons, les rails, reçu à Noël mais dont le transformateur, à l'occasion d'un vétuste changement de voltage, avait grillé depuis si longtemps que plus personne n'avait entrepris de le faire fonctionner depuis, la collection complète des numéros du *Chasseur français* et du *Catalogue des armes et cycles de la Manufacture de Saint-Étienne* — dans laquelle les deux frères étudiaient soigneusement l'équipement qui leur serait nécessaire pour mener à bien une éventuelle expédition vers l'Arctique ou vers l'Afrique.

Ce qui restait de son enfance était à l'abandon : une pure panoplie de déchets relégués au grenier dans la vieille maison du Balmay. Et si, à chaque vacance que nous y passions, le rituel voulait que mon petit frère et moi nous en entreprenions l'inventaire, cela n'était certainement pas à son instigation car il se désintéressait complètement de l'opération, nous laissant seuls mener à bien celle-ci. La porte à laquelle conduisait l'escalier de bois n'avait pas été ouverte depuis un an et les quelques marches qui, de l'autre côté, menaient sous le toit étaient entièrement couvertes de cadavres de mouches par centaines — les mouches qui infestaient toute la maison et contre lesquelles se révélaient tout à fait vains la protection des rideaux faits de perles de bois ou de lanières en plastique pendus aux portes, aux fenêtres pour en défendre l'entrée et plus encore le piège des assez ignobles tortillons de ruban collant accrochés aux lustres, aux poutres et qui retenaient longtemps le cadavre noir de quelques insectes en guise d'avertissement macabre adressé à tous les autres. Car quand elles se décidaient à mourir, les mouches, mystérieusement, ou peut-être obéissant à un phénomène naturel qui ne nous paraissait mystérieux que parce que nous en ignorions la cause, allaient chercher refuge sous le toit, s'abattant donc sur le sol du grenier, comme si elles avaient répondu à quelque obscur appel semblable à celui dont les romans d'aventure disent qu'il fait converger les éléphants agonisants vers la vallée secrète où ils s'allongent enfin parmi un fantastique ossuaire d'ivoire.

Le spectacle soulevait un peu le cœur car la porte poussée du grenier laissait voir un épais et inégal tapis noir recouvrant presque tout et constitué des formes desséchées et recroquevillées de toute une population d'insectes dont les corps minuscules ne pouvaient se comparer à rien sinon à un rebut crasseux d'ongles noirs et de cheveux sales dont les rognures et les mèches se seraient agglomérées comme le font les algues et le varech mêlés aux déchets que les vagues roulent et assemblent sur les plages pour les laisser sécher au soleil lorsque la mer s'est retirée. Il était tout à fait impossible de se frayer un chemin à moins d'être armé d'un balai pour écarter méthodiquement, mètre après mètre, et puis ramasser en la poussant vers la poubelle toute cette couche d'immondices fossiles — balai qui servait aussi afin de crever et de faire tomber à terre les grands rideaux gris qu'en une année entière les araignées avaient eu le temps de tendre sur toute la hauteur du grenier. Et pénétrer dans la pièce signifiait percer la membrane de ce voilage qui en obstruait l'accès. Sans avoir cependant le sentiment de violer vraiment un tombeau : la cave vide, à laquelle conduisaient deux trappes ouvertes l'une dans l'entrée de la maison et l'autre sous le gravier du jardin, évoquant bien davantage, avec son odeur forte de remugles remontant de la fosse septique, l'humidité de la terre où, dans le cimetière voisin de Vieu, se décomposaient les corps tandis que le grenier, dont l'atmosphère paraissait dessécher et momifier toute vie, une fois le ménage accompli, avait l'allure d'un mausolée étrange et propre qui en somme n'était celui de personne, simplement consacré à un passé anonyme et abstrait que quiconque pouvait réclamer comme le sien et dont mon frère et moi nous avions, pensions-nous, reçu, mais de qui alors ?, la mission insignifiante de dresser l'inventaire annuel. Comme si par un absurde mécanisme de génération spontanée, d'un été à l'autre, les objets assemblés dans les armoires et les malles avaient eu la propriété de se reproduire et qu'il nous fallait nous assurer que quelque chose d'inexplicablement neuf et inconnu n'était pas né dans notre dos de toute cette brocante aussi pléthorique que celle dont les pharaons entouraient leur sarcophage en prévision des commodités qu'exigerait peut-être leur existence dans l'au-delà.

Et bien sûr, d'année en année, il n'y avait jamais rien que nous n'ayons déjà vu. Tout ce trésor se réduisant à une collection hétéroclite d'objets hors d'usage dont le plus monumental consistait en une machine à coudre du début du siècle, grosse, avec ses pédales, comme une sorte d'harmonium dont plus personne n'aurait eu le goût de jouer, des cartons à chapeau, des robes et des dentelles jaunies qui, si on les touchait, s'émiettaient en charpie sous les doigts et puis l'essentiel à nos yeux : quelques vieilles collections de journaux illustrés, des livres de classe ou de prix, la série presque complète des romans de Pierre Benoit, des petites voitures en ferraille dont miraculeusement le mécanisme à clé fonctionnait encore, une carabine à flèches, mais les flèches elles-mêmes restaient introuvables, un jokari et des quilles, les éléments dépareillés d'un Meccano et ceux d'un autre jeu de construction qu'il fallait beaucoup d'ingéniosité et d'imagination pour combiner afin d'élever quelque chose évoquant vaguement le château fort, la cabane de trappeur ou le pont suspendu. Enfin : comme les résidus d'une armée en déroute, une vingtaine de soldats de plomb aux formats inconciliables, ayant visiblement appartenu à des collections distinctes, mousquetaires, grenadiers, fantassins, hussards privés de leur monture, mais tellement usés qu'ils en avaient presque acquis l'apparence uniforme de survivants ou de déserteurs en loques, ayant abandonné leurs armes et leurs drapeaux pour fuir l'avancée des troupes ennemies.

Tout cela, qui était absolument sans valeur et particulièrement en regard des jouets modernes et des livres neufs dont nous ne manquions pas, une fois que nous l'avions trié, était descendu par nos soins et étalé sur le sol du salon de sorte que nous pouvions simuler une espèce de jeu qui, en vérité, ne servait que de prétexte à exhiber ces trouvailles, à leur faire prendre l'air avant de les remettre à leur place. Et lui, qui devait pourtant reconnaître les objets de son enfance, ne manifestait aucune forme d'émotion ou d'intérêt pour l'un ou l'autre de ces vestiges, les considérant avec la même indifférence que s'ils avaient appartenu à un autre que lui. Non, toutes ces choses, il les laissait sortir du grenier et puis le regagner comme si leur place était là-haut, préservées du temps au sein d'une pure parenthèse à laquelle il était le seul à ne pas accorder la valeur symbolique que, nous, nous devions bien, même de façon obscure, lui donner. Il n'alignait pas les vieux soldats de plomb que nous avions laissés traîner sur le tapis pour les passer en revue. Il ne prenait pas le livre ancien qui avait été le sien pour le feuilleter et y retrouver les gravures qui montraient le héros de son enfance triomphant au cirque avant que ne s'obscurcisse le ciel de Jérusalem.

Car c'est encore une fiction de romancier qui veut que les objets du passé conservent en eux le temps pur de jadis et qu'ils soient comme la lampe magique qu'il suffit de frotter pour qu'un génie en surgisse, exauçant le souhait d'être enfin uni à la vérité de sa vie. Et pas davantage on ne retrouve dans les livres que l'on a lus petit — et même s'ils ont décidé de tout ce qui allait suivre — la promesse dont on s'imaginait alors qu'ils la contenaient. Pensant plutôt ceci : passé un certain point, tout n'est plus que poussière. Les objets restent inertes. Il n'y a plus personne pour éprouver la nostalgie poignante qu'ils étaient censés susciter. Et personne pour éprouver la merveilleuse sensation qu'un monde perdu pourrait renaître avec eux et à leur simple contact. La seule révélation qu'ils offrent est celle de leur stricte et définitive vacuité, exprimant bien la vérité du temps mais d'un temps vide qui ne s'accomplit que dans l'épuisement de tous les possibles qu'il contenait et le découvrement du rien auquel ceux-ci aboutissent.

Sans qu'il y ait rien de véritablement désolé dans une telle vision. Car pour un esprit positif comme l'était le sien, de tels enfantillages ne méritaient certainement pas la moindre considération et l'essentiel était d'avoir, une fois pour toutes, franchi le gué du temps, se retrouvant de plain-pied sur l'autre berge de l'âge adulte où les linges de l'enfance n'ont plus de charme que pour les mères et pour les poètes, de sorte qu'il est normal qu'on les relègue dans un grenier, les abandonnant à la seule compagnie des mouches et des araignées, jusqu'à ce que le travail de leur propre corruption les tourne en charpie jaunie. Puisque, pensait-il, c'est une autre aventure que celle-là qui compte pour soi, aventure à laquelle, un jour, on a consciemment lié sa vie sur la foi de quelques fragments de fable exaltant les exploits d'hommes traversant les océans, survolant les cimes des montagnes à bord de leurs machines volantes. Et même si, ce jour, on l'a tout à fait oublié, ne se souvenant plus du premier signe que l'on vit dans le ciel et du tournoiement parmi les nuages de la prophétie en forme d'étoile, d'oiseau ou d'avion sur la foi de laquelle on renonça alors à tout le reste.

Lui, ce jour-là, les yeux levés, à considérer vaguement les nuages et leur assemblage dans le bleu, à leur trouver d'habituelles ressemblances qui sans doute sont celles dont parle un poète, une apparence de chameau, de belette, ou plutôt de baleine, tout cela se mêlant selon le vent faisant et défaisant les contours, unissant et dissociant tour à tour les masses blanches, croisant toutes ces espèces célestes pour en faire naître un peuple merveilleux de monstres légers, fantômes de formes soufflées vers le lointain. Se demandant de quoi tout cela pouvait bien avoir l'air lorsqu'on le regardait d'en haut, glissant entre des paysages impossibles comme si le monde s'était trouvé tout à coup renversé avec la terre désormais qui prend l'allure d'un mirage distant sous le soleil. Lui, passant à l'altitude de montagnes immatérielles, n'ayant pas même à les contourner lorsqu'il les rencontrerait sur sa route, doté du pouvoir magique d'une sorte de passe-muraille traversant sans effort ni violence des épaisseurs inouïes de vapeur.

Imaginant tout cela à défaut de le connaître encore. Se perdant dans cette contemplation, celle du ciel, toujours semblable et sans cesse différent si bien que chaque journée passée à le regarder est identique à la suivante alors que rien de ce qu'on y a vu ne s'y répète jamais exactement et que ce jour-là, s'il lui avait fallu s'en souvenir, il aurait été incapable d'en rien dire ni même de le situer avec une quelconque précision, se rappelant peut-être malgré tout ce moment flou de son adolescence — lui, né le 17 septembre 1921, ayant donc alors quinze, seize ans — où, ayant posé son vélo, assis sur un ponton, ou bien couché dans l'herbe, il avait levé la tête pour voir passer au-dessus de lui la forme d'un appareil qui descendait depuis l'azur, virait lourdement sur l'aile pour se placer dans l'axe du fleuve et plongeait de toute la formidable puissance de son poids et de ses quatre moteurs en direction de l'eau afin d'y allonger la forme de son ventre énorme. Ou bien : cet autre où c'était en vain qu'il avait regardé par la fenêtre de la salle de classe, levant le nez de sa version latine ou de son exercice de trigonométrie, alerté par le bruit de l'avion qui passait au-dessus de la ville, volant trop bas, pris tout entier dans la masse opaque d'un très tardif ciel d'hiver.

Pour commencer sa vie n'importe lequel de ces jours plutôt que celui de sa naissance, dont il ne pouvait rien savoir ni se rappeler, bien sûr. Ni même aucun de ceux qui avaient suivi au fond. Si bien que les livres d'Histoire racontant les années de son enfance lui auraient paru parler d'une époque qu'il avait à peine connue et dont il aurait eu du mal à se représenter que lui et elle l'avaient pourtant bien vécue. Sachant, mais d'un savoir abstrait et mort comme celui que contiennent les journaux jaunis, que lorsqu'il naît en 1921 à Mâcon, alors qu'ouvrent à quelques mois d'intervalle la confiserie Forest et la librairie Feyeux, Aristide Briand est président du Conseil et œuvre, mais ce sera en vain, à la réconciliation de l'Europe, on inhume sous l'Arc de triomphe les restes du soldat inconnu et l'on juge aux assises un certain Henri Désiré Landru coupable d'avoir expérimenté en amateur un procédé de liquidation des corps destiné à être très prochainement pratiqué à beaucoup plus grande échelle. Et que lorsqu'elle naît l'année suivante dans la même ville, Raymond Poincaré succède à Aristide Briand, décidé à obtenir de l'Allemagne même par la force que la nation vaincue s'acquitte du montant astronomique et absurde des réparations de guerre que les vainqueurs ont exigées d'elle tandis que la lame de la guillotine tombe sur le cou de Landru et que le premier bulletin météorologique est transmis depuis la tour Eiffel sur les ondes de la TSF.

Ils sont des enfants de l'après-guerre, de la première après-guerre du siècle, tout petits au temps de la crise économique et du cinéma muet, lorsque les emprunts russes, que leurs parents conserveront au coffre de leur banque et leur légueront dans l'espoir qu'un jour ou l'autre ils en tirent malgré tout quelque chose, acquièrent à peu près la valeur du papier et que le franc se met à ne valoir guère plus. Ils ne sont pas beaucoup plus vieux quand la France se met en grève et qu'éclate la guerre d'Espagne. On n'en finirait pas de recenser tout ce qu'ils ont vécu et dont ils n'ont certainement rien su, qu'ils ne connaissaient vaguement qu'à travers les conversations que leur infligeaient les adultes à la fin du déjeuner dominical, discussions de fin de repas auxquelles ils prêtaient sans doute une attention distraite et polie parce qu'ils devaient, en faisant bonne figure, les supporter avant de quitter la table. Elle : pour retrouver ses camarades et aller jouer avec elles à la balle ou pour reprendre la lecture du livre qu'elle avait abandonné la veille et qu'elle voulait absolument finir afin de le remettre à sa place dans le rayon avant que la librairie ne rouvre le lendemain. Lui : pour pouvoir prendre son vélo et aller jusqu'à l'aéroclub regarder voler les premiers appareils de l'aviation populaire, comptant les jours qui le séparaient de son anniversaire, sachant qu'il lui faudrait attendre jusque-là pour espérer prendre sa place aux côtés de ceux qu'on autoriserait à préparer le brevet de pilote. Eux donc : chacun totalement ignorant de l'autre, de son existence et du monde dans lequel celui-ci vivait — car entre leurs deux familles l'écart n'était pas moins grand, dans cette France d'autrefois, qu'entre celles des Montaigu et des Capulet —, totalement insoucieux de l'univers qui les entourait et dont il recueillait seulement la très vague rumeur sans avoir aucunement souci — ou même conscience — que cet écho d'événements lointains — la crise, les élections, les grèves — passerait un jour pour de l'Histoire — au même titre que les événements du passé qu'on leur enseignait à l'école.

C'était une autre époque. Et à l'intérieur de celle-ci, même au sein de la clôture d'une ville aussi minuscule que l'était celle où ils vivaient, se côtoyaient plusieurs univers étanches auxquels des hommes, des femmes appartenaient sans se connaître du tout, comme si le temps, en vérité, était fait de plusieurs histoires imperméables les unes aux autres, et dont la réunion en un seul récit — lui-même intégré au récit plus grand de l'Histoire majuscule — serait à la fois fidèle à la vérité — en montrant comment tous ces gens furent effectivement contemporains — et infidèle à celle-ci — en taisant à quel point ils ignoraient l'être —, faisant la somme forcée de toutes ces expériences de hasard comme s'il allait de soi que la réalité est une et ressemble aux mauvais romans populaires, aux feuilletons télévisés qu'on en tire, donnant du temps une mensongère image homogène, disposant au sein d'une intrigue unique des destins exemplaires, les leurs et ceux de leurs familles avec eux, dont l'opposition illustre trop explicitement l'image toute faite de ce que fut le passé.

Cela a été ? Sans doute. Pourtant, on aurait du mal soi-même à s'en convaincre s'il ne s'agissait de la stricte vérité. Alors que c'est le cas, on a du mal. Ils n'auraient jamais dû se rencontrer. Il y fallut une catastrophe qu'ils n'avaient pas pressentie et à laquelle ils ne pouvaient rien. Peut-être cela aurait-il mieux valu. Il faudrait ne pas être né, dit la sagesse de la vieille philosophie. Ou peut-être si.

CHAPITRE 3

17 juin 1940

« Ce fut comme une apparition. »

GUSTAVE FLAUBERT

Ce jour-là, qui est un dimanche, il fait très beau : un anticyclone indifférent certainement posé quelque part au large de l'Europe repousse au loin la masse des nuages, développant calmement sa spirale invisible par-dessus le continent où s'étend le plus pur ciel bleu qui soit. Des conditions favorables se sont installées sur le pays et ne paraissent pas décidées à en bouger. Les six appareils en formation, on les voit donc arriver de si loin que l'impression donnée est qu'ils avancent à peine et ne se pressent pas d'atteindre leur but. Si tant est d'ailleurs qu'ils aient un but car on les dirait plutôt en patrouille ou mieux : en promenade. Régulièrement disposés en triangle, sans doute, ils font un seul grand V renversé, ou bien deux plus petits emboîtés l'un dans l'autre, et semblent composer comme les éléments d'un seul cerf-volant qu'un enfant aurait réussi à faire monter très haut pour se désennuyer un peu par une trop longue journée sans école et qui, arrivé à cette altitude où il repose sans heurts sur l'air, se tiendrait doucement et bien ferme à la verticale. Jusqu'à ce que tout à coup la figure dans le ciel se déforme, se reconstitue mais sous un autre angle et qu'elle se mette à grossir, d'abord assez lentement puis de plus en plus vite, le bruit des moteurs devenant alors perceptible, avant qu'un autre bruit plus sonore ne commence à retentir au point de couvrir le précédent. Des oiseaux de proie fondant sur leur cible, dirait un livre. Mais une telle image ne va pas car elle suppose déjà accompli ce qui n'a pas encore eu lieu. Alors que dans le moment qui précède ce à quoi on assiste a plutôt l'apparence d'un mouvement très gracieux d'acrobates se livrant ensemble à un exercice de voltige autour d'agrès invisibles suspendus dans le vide sous un immense chapiteau d'un bleu tout à fait transparent.

Elle n'a pas peur. Et même lorsqu'elle entend les sirènes des avions poussant leur hurlement strident et que la première salve vient heurter le sol avec un immense vacarme, elle reste un instant immobile car, quelle que soit la forme qu'il prenne, on ne croit jamais à l'impossible lorsque celui-ci survient, on le tient pour un pur prodige dont on reçoit passivement le spectacle excessif, se demandant seulement de quoi il peut bien être le signe, avant de réaliser, mais il faut pour cela des secondes qui durent autant que des siècles puisque avec elles c'est la continuité même du temps qui se trouve interrompue, avant de comprendre que « cela » qui se passe ici doit être ce que l'on appelle « la guerre » et qu'il existe certainement un lien entre ces objets bruyants qui tombent tout à coup du ciel, elle ne pense pas « des Stuka » car si elle n'ignore pas leur nom elle n'en a encore vu aucun, et qui, contre toutes les lois de la gravitation, remontent aussitôt vers l'azur, entre cet effondrement soudain du monde qui répand par terre ses formes au milieu d'un grand nuage de poussière montant du sol et se propageant partout, entre tout cela, donc, et les peu vraisemblables histoires racontées au cours des semaines précédentes dans les journaux, diffusées à la radio, commentées dans les conversations et qui devaient bien, finalement, avoir quelque consistance puisqu'elles sont capables de réduire en cendres et en gravats tout un pan de la réalité ordinaire et jusque-là immuable, en l'occurrence : un édifice, celui de la gare, et une bonne partie du quartier qui l'entoure. Tout comme il devait y avoir un lien entre les trompettes qui sonnèrent à Jéricho et les murailles qui s'y effondrèrent puisque ce sont les sirènes mécaniques des Stuka, le vent s'engouffrant en elles lorsque l'appareil bascule en piqué, qui semblent avoir réduit en poussière le bâtiment, précipitant vers lui une onde vibrant avec assez de violence pour en renverser les murs et en abattre la toiture.

Sans savoir ce qu'il convient de faire en de telles circonstances. Puisque ces circonstances, on ne les a jamais connues auparavant. Restant immobile, ou plutôt : interdit, non par courage mais en raison de sa stricte incapacité à se représenter ce qui, soudainement, est en train d'arriver. Ressentant le même grand calme imbécile que celui qui saisit le témoin d'un tremblement de terre, d'un incendie, d'un accident ou de n'importe quelle autre catastrophe dont il peut avoir été lui-même la victime et qui échoue pourtant à réaliser ce qui vient juste de se passer. Se disant simplement : voilà. Ne pouvant se détacher du spectacle de désolation qui menace sa vie mais dont il (ou bien : elle) se dit qu'il lui révèle soudain le visage vain de la vérité. Et qu'il n'y a du coup rien de plus important que de retourner le regard que celui-ci vous adresse depuis un ciel encore magnifique où un premier orage vient d'éclater à l'improviste comme s'il annonçait l'inévitable moment du changement de saison.

Le ciel : un seul nom donné par les hommes au vide vers lequel ils lèvent les yeux et dans lequel s'accomplissent à la fois le lointain mouvement réglé des astres et celui, bien plus aléatoire, des « météores » — comme les appelaient les Anciens. Si bien que le vide dans lequel brillent les étoiles fixes, ou du moins qui nous paraissent telles, et celui dans lequel errent les nuages sont très précisément l'un par rapport à l'autre comme le jour et la nuit : la profondeur sans fond d'un espace infini, immuable et pourtant continuellement changeant, soumis à la plus stricte nécessité comme au hasard le plus capricieux, où il est très aisé de calculer des années à l'avance une éclipse mais tout à fait impossible de prévoir l'averse du lendemain. Et au sein d'un tel chaos, il est normal qu'on ne comprenne jamais rien au présent, puisque celui-ci est le produit d'une telle somme de causes contradictoires et disparates qu'il pourrait aussi bien être l'effet d'un plan décidé depuis le premier moment de la création que le résultat du strict dérèglement de toute logique, manifestant exclusivement le fonctionnement fantaisiste d'une machinerie déglinguée, livrée à elle-même, spectacle sans fin recommencé, soumis au mouvement sans rime ni raison du temps qui construit et déconstruit dans le ciel les mêmes simulacres splendides sans souci aucun de leur signification.

Le temps : l'horlogerie des cycles séculaires ramenant les mêmes saisons à leur tour mais aussi la loterie journalière des événements arbitrairement décidés par la rencontre hasardeuse de deux accidents et aux plus étonnants desquels on donne le nom de « prodige », voulant y voir un signe, mais de quoi ? — l'étoile filante qui surprend l'astronome, la comète qui heurte la terre, la grêle tombant en été, l'hiver aussi chaud que le printemps et qui réveille le monde à contretemps, ou bien si froid que sous un climat tempéré il transforme un fleuve très lent en banquise, un ciel de mars qui s'obscurcit en plein milieu d'après-midi et dans lequel s'égare un hydravion aux allures de baleine, ou bien la journée de juin où éclate l'orage et où un cerf-volant formé de six appareils militaires attire la foudre et la transmet jusqu'à terre où elle brûle tout autour d'elle. Tous ces événements constituant uniquement de minuscules irrégularités au regard de l'immémoriale et impavide coulée de la chronologie céleste mais prenant dans le présent où ils surviennent l'allure exacte de vrais désastres pour ceux qui en sont les témoins et croient assister à un phénomène exceptionnel : le temps comme un fleuve quittant capricieusement son lit, une porte soudainement sortie de ses gonds et qui pend piteusement dans le vide, tout cela se trouvant pris dans la chaîne sans fin des causes et des effets se déroulant sans que quiconque puisse jamais dire avec certitude en son sein de quoi tel événement particulier fut à la fois la raison et puis le résultat.

L'Histoire et la météorologie étant, au fond, deux disciplines assez comparables. Puisque leur valeur prédictive se révèle également à peu près nulle. Et qu'il leur est rigoureusement impossible de dire avec certitude ce qui arrivera demain mais qu'en revanche il leur est tout à fait loisible d'expliquer après coup ce qui s'est passé hier. De raconter, comme le fait l'historien, que le jeu conjugué des conflits et des intérêts, que l'action inconsciemment concertée des hommes iraient entraîner la crise, la guerre ou la révolution dont nul n'aurait pu pourtant prévoir qu'elle se produirait effectivement, et particulièrement ce jour-là plutôt qu'un autre. Ou bien de montrer, comme c'est le métier du météorologue, que le déplacement des masses d'air chaudes et froides, que leur rencontre en tel ou tel endroit selon la disposition du relief provoquerait ou pas les perturbations atmosphériques sur lesquelles personne, et même pas lui, le météorologue de métier, n'aurait osé vraiment parier la veille. Si bien que n'importe quel événement — une fois qu'il a eu lieu — devient totalement explicable tout en demeurant définitivement incompréhensible.

Ainsi ce 16 juin 1940 quand, par un temps magnifique, une escadrille de six avions allemands, certainement des Junker, s'en vient bombarder en piqué la gare de Mâcon. L'opération dure un quart d'heure. L'attaque est si rapide que personne n'a su identifier avec certitude les appareils impliqués. Une légende tenace mais peu fondée l'attribuant à l'armée de l'air italienne. Ce sont cinquante bombes qui sont lâchées sur l'objectif dont les plus lourdes consistent en des torpilles pesant leurs cinq cents kilos. L'édifice est totalement détruit. Deux trains bondés de réfugiés filant vers le sud se trouvent stationnés sur les voies. Et c'est un miracle que, garés à l'extrémité du bâtiment, ils soient tout à fait épargnés. Une bombe crève le champignon d'un château d'eau voisin dont le contenu se répand tout autour, noyant les caniveaux comme un jour d'orage. Une autre tombe sur la place d'à côté, providentiellement désertée par les habituels joueurs de boules du dimanche. Mais l'église Saint-Clément en prend un coup, dont tous les vitraux s'effondrent. Et les maisons qui l'entourent également dans l'une desquelles meurt un homme — dont seule l'histoire locale retient le nom mais qui est la première et la seule victime de la ville, un certain M. Ferret, homme de soixante-dix-huit ans, écrasé sous un pan de mur écroulé.

Tout cela se passant donc en un petit quart d'heure tandis que Philippe Pétain remplace Paul Reynaud à la présidence du Conseil. L'avant-veille, les Allemands sont entrés dans Paris et leurs troupes ont aussitôt défilé sur les Champs-Élysées. Encore qu'elle n'en sache peut-être rien car les journaux de la capitale ont cessé de paraître et que la TSF — si elle émet toujours et autre chose que de la musique classique — reste nécessairement très discrète sur la déroute de l'armée, sur l'infranchissable ligne Maginot contournée par les divisions adverses, sur le front qui s'enfonce de partout, pulvérisant le bel ordonnancement des forces françaises déployées d'est en ouest et dont les morceaux épars jouent désormais une assez pathétique partie de cache-cache sur tout le territoire, tentant de se reconstituer sur une position plus au sud, s'en remettant à la discipline fantôme d'un commandement en vadrouille, résistant là où elles le peuvent, décidant de tenir un pont ou bien une route comme si l'issue de la guerre en dépendait, et puis renonçant à tout, cherchant le salut dans la fuite.

Tout cela n'ayant d'ailleurs aucun sens pour ceux qui en furent les contemporains car, lorsque l'on ne dispose pas de la ressource des livres d'Histoire, écrits depuis le confort d'un futur impensable, il est très difficile de relier le fil mental qui mène de l'un à l'autre de tous ces événements et qui fait que l'anéantissement impeccable et brutal du pont ferroviaire de Bioux, exécuté par six appareils de l'aviation allemande et visant à couper à hauteur de Mâcon les voies reliant Lyon à Paris, sans doute pour interdire la route de la retraite aux divisions françaises ou bien pour bloquer l'éventuelle arrivée de renforts venant du sud, cette précaution n'étant prise que par un surcroît de scrupules de la part de l'état-major ennemi tant l'une ou l'autre des hypothèses envisagées apparaît maintenant irréaliste dans l'état de désorganisation totale du pays, que cet anéantissement donc, cinquante bombes tombant de nulle part sur un quartier de la somnolente préfecture de Saône-et-Loire le 16 juin 1940, appartient subitement à la même histoire que celle où figurent, et sans remonter trop loin vers le passé, le traité de Versailles, l'occupation de la Ruhr, la prise de pouvoir légale de l'autre côté du Rhin par un inconnu nommé Adolf Hitler, les accords de Munich, le partage de la Pologne entre le IIIe Reich et l'Union des républiques socialistes soviétiques. Et bien d'autres événements encore, le Front populaire, la guerre d'Espagne, le sort de l'insituable cité de Dantzig, avec à l'intérieur de chacun de ceux-ci toute une myriade d'événements de plus en plus minuscules, semblablement pris dans le réseau impensable auquel appartiennent tous les actes, tous les êtres, tous les objets du monde et qui compose l'Histoire majuscule avec aussi le moindre des gestes accomplis, ou pas, par chacun de ceux qui, depuis vingt ans et davantage, assistaient sans en avoir conscience à la mise en place des conditions préparant à la plus formidable manifestation de barbarie qu'ait jamais connue l'Humanité — ainsi que l'expliqueraient bien doctement et sans aucune difficulté les manuels dont dispose désormais n'importe quel écolier d'aujourd'hui mais qui manquaient si stupidement à ceux qui, au milieu du siècle dernier, en auraient eu le plus grand besoin afin de voir un peu plus clair à travers le brouillard épais d'épisodes épars qui les enveloppait.

Car ce fil-là n'existe pas qui relierait les décisions prises les unes après les autres par des individus pensant souverainement chacun de leurs actes, en sachant, en croyant savoir de quoi ceux-ci étaient l'effet et de quoi ils seraient la cause. Ou s'il existe, s'il devient possible malgré tout de le faire apparaître, c'est seulement une fois qu'il est devenu trop tard pour en faire usage et qu'il ne sert donc plus à rien. À rien : sinon à aligner sagement, de manière bien symétrique et pour la seule satisfaction assez suffisante de l'œil ou de l'esprit, les morceaux éparpillés de la chronique comme on recueille des débris dans un paysage de ruines et qu'on les assemble afin de leur faire dessiner la forme d'un monde disparu, reconstituant celui-ci un peu au hasard, à la façon d'un enfant qui empile les éléments dépareillés d'un vieux jeu de construction retrouvé au fond d'un grenier pour élever un monument minuscule aux proportions puériles. L'Histoire étant précisément cela : cette ligne que l'on trace dans le temps, une fois celui-ci définitivement passé, ramenant à une seule dimension toutes celles qui le composaient, de manière à disposer par rapport à cette ligne droite quelques vagues vestiges à l'aide desquels raconter un récit dont l'intrigue égale en simplicité mensongère celle des romans que l'on donne à lire aux petits et dans lesquels ils se forment une image trop sensée du monde, croyant naïvement que celui-ci a une queue et une tête quand il n'est rien d'autre qu'une insignifiante avalanche d'événements inconséquents emportés en désordre par la coulée indifférente de la durée dégoulinant vers l'aval, poussée dans plusieurs directions à la fois, s'éparpillant partout, soumise à la loi de la gravitation, à moins que ce ne soit au principe d'entropie, l'une et l'autre aboutissant sensiblement au même résultat puisque tout finit par verser vers le bas et dans le désordre le plus grand.

Quant à relier ce fil à celui que forme chacune des existences de ceux qui furent témoins — victimes ou coupables, et parfois l'un et l'autre à la fois — du pur déchaînement d'horreur de la barbarie, celui-ci crevant tout à coup comme un orage, imprévu et cependant explicable, traversant tout le continent et laissant, par un jour ensoleillé d'été, tomber sa foudre n'importe où — et de préférence sur les sites les plus esseulés : ainsi le quartier de Bioux et de Saint-Clément —, il faudrait pour cela disposer d'une intelligence proprement divine et qui soit assez vaste pour procéder simultanément aux milliards de milliards de calculs intégrant aux mêmes opérations les données les plus disparates de telle sorte qu'une formule mathématique existe qui fasse tenir dans la même équation tous les événements de l'Histoire et ceux de chaque vie.

Pour lui : la routine du commerce paternel et celle du lycée Lamartine, les versions latines et les problèmes de trigonométrie, les matchs de football et puis les heures passées sur l'aérodrome de Charnay-lès-Mâcon, regardant tourner les avions avant de se retrouver aux commandes de l'un d'eux, obtenant à dix-sept ans son brevet, formé comme pilote afin de s'engager dans une guerre qui aurait bien lieu mais à laquelle on ne lui laisserait pas l'occasion de participer vraiment. Pour elle : les anecdotes de la librairie et du lycée aussi, les tournois de basket-ball dans la cour de l'école, la lecture de *René* ou bien de *Graziella*, et toutes sortes d'autres choses qui, légitimement, et puisqu'elle n'était encore qu'une adolescente, une jeune fille, disait-on plutôt à l'époque, devaient occuper davantage son esprit que les manœuvres immatérielles dont faisaient mine de se soucier les grandes personnes autour d'elle.

C'est maintenant seulement que la sirène sonne, moins pour signaler l'événement, puisque celui-ci a déjà eu lieu, que pour le célébrer, dirait-on, et faire entendre une grande plainte lugubre sortie des profondeurs de la ville comme le hurlement même, de désespoir plutôt que de souffrance, de celle-ci. Elle s'est réfugiée dans l'anfractuosité d'une porte cochère — comme si un porche de pierre pouvait la prémunir des précipitations de feu qui tombent à quelques centaines de mètres au-devant d'elle. Observant le manège, c'est le mot qui convient, des six appareils, ceux-ci accomplissant de larges cercles dans le ciel, se laissant chuter vers leurs cibles, lâchant leurs bombes, et puis s'arrachant inexplicablement à la pesanteur pour remonter et reprendre un instant leur place en altitude avant de recommencer la même opération, donnant l'impression, à elle et à tous les autres qui regardent avec elle depuis la fenêtre de leur appartement, de leur maison, ou depuis n'importe quel autre endroit qui leur ait paru un abri approprié, que les pilotes procèdent avec la plus totale indifférence à l'égard du chaos qu'ils provoquent sous eux, seulement soucieux de tracer dans l'air une boucle bien gracieuse, se livrant à un exercice qu'ils ont cent fois répété, sans aucune crainte que celui-ci soit perturbé, puisqu'il n'y a plus d'aviation ou d'artillerie qui puisse les menacer, et qu'ils se contentent d'exécuter les mouvements magiques appelant sur la terre le déchaînement d'un orage dont ils ne sont pas même responsables car, pour décider de celui-ci en toute connaissance de cause, il leur aurait fallu disposer d'une impossible intelligence assez vaste pour comprendre et épuiser la somme même du temps.

Un mort suffit — dont personne, sans doute, ne saurait plus dire le nom que seule la chronique locale a jugé bon de retenir. Un mort suffit pour donner le signal à toute une ville et décider ses habitants à quitter leur maison dans la plus totale précipitation. Tandis que la sirène sonne, elle court depuis le quartier Saint-Clément jusqu'à la place de la Barre ou peut-être plutôt, puisque c'est dimanche, jusqu'à la maison de La Coupée — moins pour échapper au bombardement, car celui-ci a presque aussitôt cessé, que pour porter la nouvelle à quelqu'un avec qui elle puisse la partager et vérifier auprès de ce quelqu'un qu'elle a vu vrai et que la guerre est bien là, qu'elle n'est plus cette pure fiction dont parlaient les journaux, tant que ceux-ci pouvaient encore paraître, et qu'elle est devenue cette évidence, irréfutable autant qu'inexplicable, à cause de laquelle s'effondre en quelques minutes l'un des morceaux du monde, disparaissant d'un coup dans les gravats, la poussière et les flammes. Et, mystérieusement, quand elle parvient à la librairie ou à la maison, et peut-être, plutôt, dans cet appartement qu'ils ont habité un temps dans le centre de la ville puisque la librairie, ils l'avaient déjà vendue et que la maison, ils la louaient encore ; bien qu'elle soit certaine que personne n'a pu courir aussi vite qu'elle, c'est pour s'apercevoir, comme si la nouvelle avait pu aller encore plus vite, que chacun sait déjà ce qu'elle se disposait à annoncer, que la rumeur s'est propagée plus rapidement qu'une onde résonnant depuis le lieu même du bombardement, constatant un peu incrédule que tout le monde en a tiré les conséquences et réfléchit désormais aux préparatifs les plus appropriés en vue de prendre au mieux la route du sud et d'échapper ainsi à l'arrivée imminente des armées allemandes.

Son père est absent, mobilisé au titre de capitaine de réserve dans une garnison de la Sarthe, sans doute assez loin du front, mais celui-ci recule si rapidement qu'il s'est disloqué et a désormais pratiquement disparu, affecté en raison de son âge et de son grade quelque part où il devrait en principe être à l'abri du feu, encore que le bombardement de Mâcon prouve bien qu'il n'y a plus de tel endroit nulle part en France, sans pourtant qu'il y ait aucun moyen de savoir si c'est le cas et de dire avec certitude ce qu'il devient et où il se trouve, maintenant que la drôle de guerre a pris un tour un peu plus brutal et qu'elle n'est plus ce jeu pour lequel, l'année précédente, il est parti, plutôt insouciant et heureux, ravi de reprendre l'uniforme, de délaisser pour la bonne cause patriotique la routine du commerce et de la librairie, d'en laisser le soin à sa femme et de renouer avec l'expérience sinistre de ses années de jeunesse, content cependant puisque retrouver ses vingt ans, ou seulement l'illusion de ceux-ci, est toujours un don du ciel quelles que soient les circonstances dans lesquelles le miracle a lieu et qu'il n'est personne, passé un certain âge, qui ne renoncerait au privilège de redevenir celui qu'il a été même s'il devait payer ce privilège du prix d'une catastrophe planétaire où tous les autres périraient sous ses yeux. Sa sœur est à Lyon où la faculté de pharmacie vient de suspendre ses cours. À Mâcon, il ne reste qu'elle, sa mère et sa grand-mère, avec une voiture dont le plein a été fait mais sans personne qui sache la conduire — ou même : la sortir du garage. Et comme elle n'a pas encore dix-huit ans, sans doute est-elle la seule à avoir l'énergie et l'inconscience qu'il faut pour chercher une solution à ce problème au fond très simple, trouver un chauffeur dans une ville où tout le monde cherche une auto, demandant auprès d'elle qui pourrait prendre le volant de la vieille Peugeot familiale, apprenant d'une camarade de classe que le professeur de latin du lycée de garçons l'a informée qu'un de ses élèves pourrait sans doute faire l'affaire, qu'il suffit d'aller se renseigner le lendemain, quai Lamartine, du côté de la confiserie des Fiançailles.

Le 17 juin 1940 — qui est un lundi —, la ville se vide d'un coup. Le préfet a pris les devants, mettant un point d'honneur à partir le premier comme s'il fallait que la République donnât l'exemple — si bien que c'est le sous-préfet de Charolles, moins soucieux sans doute du sens de l'État que son supérieur, qui vient assurer l'intérim et se retrouve dans des bureaux tout à fait vides, sans aucune autre distraction possible que celle qui consiste, revêtu de son plus bel uniforme et des insignes de sa fonction, à guetter l'arrivée des premières colonnes ennemies, répétant dans sa tête le discours très emphatique et très digne qu'il destine au commandant en chef des forces chargées d'occuper la ville. Tous les fonctionnaires se sont évanouis comme par enchantement — et même les gendarmes, semble-t-il. Et ce sont l'inspecteur d'académie, le proviseur du lycée, les médecins de l'hôpital, puisqu'ils sont restés, qui se retrouvent à devoir assumer — seuls et dans la plus totale improvisation — la tâche d'exercer encore un vague semblant d'autorité sur la ville, recevant de personne un pouvoir dont ils n'ont pas voulu et dont mieux que quiconque ils apprécient à quel point il est sans effet sur le grand désordre qui les entoure. Non pas, donc, qu'ils aient désiré ce pouvoir ou même qu'ils se soient arrangés pour le recueillir mais se retrouvant, presque malgré eux, en situation d'en devenir les seuls légitimes détenteurs puisque des décisions doivent cependant être prises et que c'est vers eux qu'on se tourne afin qu'elles le soient.

La panique irraisonnée, celle qui pousse à courir droit devant soi et sans se retourner, comme elle, elle a couru depuis le quartier Saint-Clément, afin de mettre le plus de distance possible entre son corps et l'embrasement soudain du monde, cette réaction en soi de l'instinct de survie, pur et animal, contre lequel il n'y a au fond rien à dire, n'est pas seule en cause dans ce grand mouvement de fuite qui, s'emparant du pays, saisit maintenant la cité. Un mort suffit parce que cela fait un mois, depuis le bombardement de la Hollande et de la Belgique, qu'ils ont tous appris, par les journaux, la radio, comment la Luftwaffe exécute très consciencieusement un plan consistant à s'abattre sur les villes et sur les villages, non pas pour anéantir seulement des cibles stratégiques mais de manière à répandre la terreur depuis le ciel, chassant les habitants de leurs demeures, les laissant s'assembler en convois de fortune sur les routes, avant de disperser sous le feu des mitrailleuses ces convois ou bien de les carboniser sur place, les fixant sur le ruban des routes se déroulant dans le vert des campagnes, de telle sorte que le flot des réfugiés passant à travers les épaves abandonnées au hasard vienne contrarier tous les mouvements des armées alliées, leur interdisant de se porter en premières lignes, prises comme elles le sont dans une sorte d'inextricable embouteillage où ce sont les automobiles, les tracteurs, les landaus et les cadavres qui servent désormais de bouclier involontaire aux forces allemandes et d'obstacles imprévus pour les troupes françaises. Et si un mort suffit, la raison en est que celui-ci a toutes les allures d'une première victime annonçant toutes les autres. Si bien qu'il n'est pas plus absurde, pensent-ils et sans qu'on puisse leur donner tort, de fuir sa maison que d'y demeurer, se terrant dans sa cave pour y périr enseveli, brûlé vif ou asphyxié. Se disant certainement que quitte à faire, et s'il faut mourir, autant mourir au soleil, profiter du beau temps et partir sur les routes. Car s'ils ne peuvent savoir comment le bombardement de la gare de Rennes, à l'autre bout du pays, ce même jour du 17 juin, provoque un millier de morts, ils ont assez d'arguments pour s'imaginer qu'un sort semblable leur est peut-être réservé. De telle sorte qu'il n'y a plus d'autre choix qui vaille, sinon celui de partir.

Sans doute connaît-elle le magasin. Il est fort peu vraisemblable qu'elle n'y ait jamais mis les pieds. On a dû l'y envoyer déjà faire une course ou deux : prendre les chocolats de Noël ou de Pâques. Ou bien : il y a eu des dimanches où elle allait en famille commander en terrasse, à l'heure du thé, une glace. Et puis, dans une ville aussi petite, chacun connaît tout le monde. Et même si l'écart est énorme entre libraires et confiseurs, s'il est aussi considérable que celui dont les intellectuels estiment qu'il les sépare des artisans, une solidarité existe certainement entre commerçants. Elle doit connaître, au moins de vue et de réputation, la dame un peu massive et intimidante, au physique de Marianne, qui siège derrière la caisse. En temps normal, elle n'aurait jamais osé lui adresser la parole sans lui avoir été présentée. Mais c'est la guerre après tout, il y a des circonstances qui autorisent qu'on mette entre parenthèses les convenances de la civilité ordinaire.

Le rideau métallique — celui dont le bruit réveille tous les voisins du quartier — est à demi baissé pour protéger la vitrine et les employés ont commencé à ranger les grands bocaux de verre afin de les mettre à l'abri. Ils remballent soigneusement la marchandise, plaçant les tablettes de chocolat, les boîtes de dragées dans des cartons qu'ils descendent à la cave. Alors, elle dit très poliment qui elle est, la fille cadette de la famille Feyeux, celle qui tient la librairie de la place de la Barre. Elle ne manque pas de se recommander du professeur de latin dont lui a parlé son amie, expliquant que c'est lui qui a suggéré qu'elle vienne se renseigner ainsi. Demandant donc s'il est vrai que l'un des fils de la maison — qui, certainement, comme tout le monde, doit chercher à quitter la ville — serait disposé à profiter de leur voiture et à les conduire, elle, sa mère et sa grand-mère, jusqu'à Nîmes où ils ont de la famille et où ils pourraient tous trouver refuge.

La porte, au fond du magasin, donne sur une arrière-cour où un jeune homme — elle imagine à la silhouette un garçon de son âge car elle ne le voit que de dos — est accroupi auprès de sa bicyclette, visiblement occupé à en vérifier la mécanique ou, plus simplement, à en regonfler les pneus. Et quand il entend son prénom crié par la femme aux allures de

Marianne qui est sa mère — « Jean ! » —, le jeune homme se retourne et se redresse, vient vers la jeune fille dont il ne serre pas la main car les siennes sont pleines de l'huile et du cambouis dont il vient de se servir, s'inclinant très cérémonieusement comme le veulent les usages qu'on lui a inculqués, un peu embarrassé malgré tout car il a gardé glissée sous le bras sa pompe à vélo, déclinant son identité comme si elle, la jeune fille, ne savait pas qui il est, alors même qu'elle vient le chercher, et recevant d'elle son nom — « Yvonne Feyeux » —, lui donnant du « Mademoiselle » parce que cela lui semble plus correct — sans se demander du tout si la correction est encore de mise dans un monde qui se prépare à fuir au hasard sur les routes, totalement impréparé à une telle épreuve pour n'avoir pas su comprendre à temps quelle catastrophe se préparait depuis vingt ans, sans avoir voulu s'imaginer qu'il faudrait bien un jour que l'orage éclate, que la foudre tombe. Du moins c'est ce qu'il devrait penser s'il n'avait la tête soudainement tout à fait ailleurs, aussi loin du bombardement de la gare de Mâcon que des accords de Munich et du traité de Versailles, tout à fait oublieux de Daladier, de Pétain, de Hitler, comme de n'importe lequel des actes, êtres et objets dont seuls les historiens auraient le souci de dire quel fil mental les reliait les uns aux autres une fois que le présent, leur présent serait devenu l'objet d'une méticuleuse et vaine attention, aussi insignifiante que celle que l'on porte aux bulletins météorologiques d'une année ancienne.

« Ce fut comme une apparition », racontait-il lorsqu'il arrivait qu'ils évoquent tous les deux ce souvenir, moins pour eux d'ailleurs que pour nous, leurs enfants, qui attendions ce récit rituellement répété à l'occasion des fêtes de famille et particulièrement lorsque revenait l'anniversaire de leur mariage. Sans savoir du tout, ni eux ni nous, que cette phrase venait d'un roman puisque, ce roman, il ne l'avait certainement pas lu et ne le lirait jamais, ayant plus ou moins renoncé à toute autre lecture que celles que lui imposait le lycée et ayant rangé sur l'une des étagères de sa chambre les vieux livres de son enfance, livres qu'il n'ouvrait plus jamais et dont les histoires de trappeurs, d'Indiens, et même celle du vieux héros juif lui paraissaient devenues infiniment puériles maintenant qu'il ne jurait plus que par l'épopée de Mermoz ou de Guillaumet. Quant à elle, ce livre, elle ne pouvait davantage l'avoir lu car on tenait toute jeune fille à l'écart d'un auteur dont le roman le plus célèbre se trouvait encore à l'index, près d'un siècle, très exactement quatre-vingt-trois ans, après que la justice du Second Empire eut pourtant renoncé à le condamner, estimant toujours que de telles histoires d'adultère ne convenaient pas à l'éducation d'une future épouse et mère de famille catholique. Et si, bravant l'interdit, elle avait pris l'ouvrage un soir en cachette dans l'un des rayons de la librairie, le lisant de nuit en nuit sans en couper les pages et en prenant un soin tout particulier à ne pas y laisser de marques qui puissent la trahir, sans doute ne l'aurait-elle pas aimé car elle n'y aurait pas reconnu l'idée de la vie qui lui venait d'*Atala*, de *René* ou de *Graziella*. D'ailleurs si, lui, il aurait pu vaguement passer pour Frédéric Moreau — parce que tous les jeunes gens se ressemblent —, elle, personne n'aurait pu la prendre pour Mme Arnoux, les photos de l'époque lui donnant encore moins que les dix-sept ans qui étaient alors les siens, lui faisant presque l'air d'une fillette si bien qu'elle aurait fait penser plutôt à Béatrice ou à Juliette si le contexte s'y était prêté et que l'invasion du pays par les divisions blindées du IIIe Reich, le bombardement systématique de tous ses sites stratégiques, sans omettre la cible assez dérisoire du pont ferroviaire de Bioux, n'avaient subitement donné un sacré coup de vieux à l'affrontement des guelfes blancs et des guelfes noirs, à celui des Capulet et des Montaigu, imposant à tous, de Florence à Vérone, l'Union sacrée, nécessaire à ce qu'une vieille Peugeot trouve le chauffeur qui lui manquait sur la route menant de Mâcon jusqu'à Nîmes.

L'intrigue restant pourtant plus ou moins la même. Car, dans un roman, les convulsions de la Grande Histoire servent seulement à favoriser ou à contrarier les desseins des amants qui en sont les contemporains mais qui passent à travers elles tout à fait insoucieux de ce que ces convulsions signifient puisqu'ils se voient entièrement requis par une autre aventure qui seule importe dès lors à leurs yeux, l'épopée de la Grande Armée traversant l'Europe dans les deux sens, l'incendie de Moscou, la retraite de la Berezina, la bataille de Borodino et tout le reste dont parle le vieux roman russe n'ayant finalement compté autrefois qu'afin que se nouent et se dénouent les rêves amoureux d'une héroïne aussi jeune qu'elle, elle l'était alors. Si bien que tous les vrais romans du monde pourraient indifféremment porter pour titre *L'Éducation sentimentale* ou bien *Guerre et Paix*. Et si le gâchis d'une révolution ratée avait pu servir de décor au rendez-vous manqué de deux personnages nés de l'imagination d'un romancier du siècle précédent, il n'était ni absurde ni invraisemblable que le gâchis plus grand d'une guerre perdue puisse concourir au résultat inverse, réunissant sur les routes de l'exode un très jeune homme et une très jeune femme oublieux de tout ce qui les entourait.

Car s'ils avaient dû raconter leur roman à tous deux, ils l'auraient certainement fait commencer là, sachant bien que celui-ci appartenait aussi à une histoire plus ancienne — plutôt : à toute une somme d'histoires anciennes — et que d'ailleurs pour premier mot ils auraient pu en choisir un autre aussi bien, ouvrant tout à fait au hasard le livre de leur mémoire, comme on pioche à l'aveuglette un terme dans le dictionnaire et que l'on décide que c'est de lui, en vérité, que tout se déduit. Pointant du doigt une phrase et supposant, puisqu'on ne pouvait rien lire vraiment avant elle, que c'est avec celle-ci que commençait leur existence et que, donc, cet instant en valait un autre, qu'on pouvait lui trouver toutes sortes de significations en le situant sous le ciel où tournent les étoiles et errent les nuages.

Il citait sans le savoir. Il le faisait sans savoir ce qu'il citait. Ayant conscience, pourtant, qu'il parlait comme un livre, y ajoutant un peu d'ironie à l'égard du jeune homme qu'il avait été mais mettant dans ses mots toute la solennité d'un roman de manière à bien montrer que de ce moment où il l'avait vue, « Ce fut comme une apparition », ils étaient entrés tous les deux dans une sorte de récit avec lequel leur vie entière s'était confondue. Une romance aussi vieille que le temps lui-même, histoire d'amour et de mort, où le désordre du monde conduit l'un à l'autre deux êtres qui, s'ignorant jusqu'alors, découvraient subitement que de toute éternité ils avaient été faits l'un pour l'autre. Comme si toute la chaîne des causes et des effets poussant l'Europe vers la plus barbare manifestation d'horreur que l'Histoire ait jamais connue, ou plutôt : l'incohérent désordre du temps, sans queue ni tête, n'avait finalement eu pour raison d'être — et plus scandaleusement encore : pour justification — que de les réunir ainsi au matin du 17 juin 1940 et que, sans le savoir, le disparate et chaotique jeu de l'univers avait été pensé, prémédité depuis toujours à seule fin de les pousser l'un vers l'autre.

Car, à supposer qu'il soit tombé d'un coup amoureux d'elle, apercevant, sa pompe de bicyclette glissée sous le bras, les mains souillées de cambouis et d'huile, cette enfant aux allures de Béatrice, certainement se doutait-il au fond de lui que les circonstances, si l'on peut nommer ainsi un événement aussi monumental que l'écroulement d'un pays, n'étaient pas étrangères à son éblouissement et qu'il fallait bien qu'une divinité propice lui ait dépêché cette jeune fille au moment même du désastre afin de donner, en dépit de tout, un sens à celui-ci, lui adressant un signe et permettant qu'à défaut de défendre la France, puisqu'on lui avait refusé le droit de prendre part à une guerre à laquelle il s'était pourtant préparé, il se charge de sauver celle qui venait providentiellement à lui, et avec elle, sa mère, sa grand-mère, ignorant encore qu'on chargerait également à bord de la vieille Peugeot le chien et les deux chats de la famille de manière, pour faire bonne mesure, à donner aussi à l'automobile la dignité symbolique d'une sorte d'arche de Noé échappant au déluge. Lui, donc, devenu miraculeusement comme un chevalier servant, adoubé par le hasard et la fatalité de l'Histoire, répondant à l'appel d'une demoiselle en détresse. Ou plutôt : tout à fait semblable au coureur des bois dont, reléguant le livre sur l'étagère la plus élevée de sa chambre, il croyait avoir oublié les aventures et qui conduit les filles du colonel Munro à travers les terres d'une Amérique en proie à la guerre, les préservant des assauts hurlants des Hurons dont les cris sonnent comme ceux des sirènes.

Et elle, bien sûr, ne manquait jamais de le contredire un peu, disant que les choses ne s'étaient pas du tout passées ainsi que lui le disait, qu'elle n'avait pas prêté vraiment attention au garçon très courtois qui s'était cérémonieusement présenté à elle, malgré son physique très avantageux de « jeune premier » mélancolique et ténébreux, concédait-elle, un peu pour lui faire plaisir et aussi parce que c'était la vérité, tout simplement parce qu'elle était beaucoup trop jeune, prétendait-elle, pour avoir en tête la moindre idée de romance et que, apportant la preuve de plus de pragmatisme, son seul souci était alors de lui faire poser sa pompe, ranger son vélo, et de le ramener avec elle jusqu'au garage où les attendait, le plein fait par précaution, la Peugeot, que sans doute sa mère était déjà en train de remplir de tout un chargement inutile. Elle tenait à ne pas lui donner tout à fait raison. Mais lui, bien sûr, n'en démordait pas, ne renonçant pas à l'idée que toute leur histoire avait commencé précisément en cette matinée du 17 juin 1940, alors que tombait la ligne Maginot, que les troupes allemandes franchissaient la Loire en même temps qu'elles atteignaient la frontière suisse, prenant en somme définitivement possession du pays, d'ouest en est. Ajoutant même, rituellement, que c'était elle après tout qui était alors venue le chercher — comme le font toujours les femmes avec les hommes. Taisant cependant que, dès lors qu'il l'avait vue, « une apparition », c'était lui qui avait décidé qu'un roman débutait qui serait le leur. Et elle ne le détrompait pas tout à fait car elle savait bien que, et même si cela n'avait pas été dès ce moment-là, elle allait accepter de se laisser prendre à l'histoire qu'il lui proposait, succombant ainsi à la séduction de ce garçon aux allures de « jeune premier » romantique ou plutôt, puisqu'elle prétendait n'avoir pas remarqué de quoi il avait l'air, à la séduction de cette romance dont l'Histoire leur fournissait tout à coup les rôles, l'intrigue, le décor avec tant de complaisance qu'il leur aurait été sans doute impossible de ne pas s'y abandonner tout entiers.

De partout, la France fuit. Une grande panique prend le pays. Les villes se vident les unes après les autres à mesure que les atteint le flot des réfugiés venus du nord, comme si, le 10 mai 1940, c'était un séisme qui en Europe s'était produit là-bas avec l'invasion de la Hollande et de la Belgique, la terre tremblant et soulevant la vague d'un gigantesque raz-de-marée humain déferlant vers le Midi, la mécanique des fluides permettant de mieux comprendre le phénomène que toutes les autres explications des spécialistes : la poussée conjuguée des forces allemandes précipitant vers l'avant la masse de plusieurs millions d'individus instantanément transformés en fuyards et prenant en direction du sud la route de leur hypothétique salut, ceux-ci empruntant les principaux axes de communication jusqu'à ce que ces derniers se retrouvent très vite saturés, ou bien interdits, ou encore impraticables, et que les cortèges se dispersent, se précipitent d'eux-mêmes dans le réseau ramifié des voies secondaires, se perdant dans des chemins de traverse, aboutissant dans des culs-de-sac, en plein champ ou bien en lisière de forêt, rebroussant leur route, échouant très exactement nulle part, dans un paysage absurde de campagne, entre deux ou trois maisons abandonnées par leurs habitants, ceux-ci devant certainement se trouver dans la même situation que ceux qui venaient d'arriver avec, sur eux, la seule et insignifiante avance de quelques dizaines de kilomètres, le mouvement d'ensemble reproduisant celui d'un liquide trop abondant dégoulinant le long d'une pente et dont la coulée se divise et s'étend, épousant le dessin d'un relief qui ouvre devant elle tout un labyrinthe de canaux divergents s'élargissant en éventail sur le sol. Comme les précipitations brutales d'un orage de montagne, qu'un seul coup de foudre a d'abord signalé dans un ciel clair, quelques secondes avant que vienne la confirmation du tonnerre et qu'un déluge s'abatte, emportant tout avec lui des cimes jusqu'aux vallées.

Du moins, tel aurait été le spectacle s'il s'était trouvé quelqu'un pour pouvoir le contempler depuis le ciel, à une altitude bien supérieure à celle où croisaient calmement les escadrilles d'avions allemands dépêchés en vue d'accomplir leur manège gracieux au-dessus des cibles abstraites que l'état-major leur avait désignées, détruisant un pont, une gare, mitraillant l'impersonnel ruban noir d'une colonne de réfugiés égarés sur le tracé gris d'une départementale, l'œil s'établissant encore bien au-dessus du plan où passaient les formations régulières de chasseurs bombardiers semblables à des bancs de poissons filant dans la profondeur d'une eau claire. Car pour observer ce spectacle, il aurait été nécessaire d'adopter le point de vue dit de Sirius, celui des satellites encore inexistants et même impensables à l'époque, photographiant la terre depuis leur orbite et y repérant le mouvement de myrmidons de millions d'individus s'égaillant sur le sol dans la plus totale confusion et y dessinant pourtant la forme très lisible d'une migration concertée. Exactement comme, parmi les ruines effondrées d'une fourmilière qu'un enfant vient de piétiner, les insectes paniqués tracent à leur insu et malgré eux des figures parfaitement géométriques dans leur fuite affolée. La France de la débâcle ressemblant alors, depuis cette hauteur inhumaine, aux cartes qu'en proposeraient les manuels scolaires, ceux que possède n'importe quel élève d'aujourd'hui et qui manquaient si cruellement à ceux qui cherchaient alors leur chemin, se demandant à chaque carrefour quelle direction prendre, cartes où de grandes flèches colorées signalent l'avancée des divisions allemandes, leur percée à travers les Ardennes, leur mouvement tournant par les Flandres et puis leur irrésistible déploiement dans toute la profondeur du pays.

Car pour ceux qui venaient de quitter leur maison, abandonnant tout derrière eux, obéissant d'ailleurs autant à l'instinct de survie qu'aux ordres des autorités qui avaient elles-mêmes donné la consigne du « sauve-qui-peut », aucun schéma n'indiquait la direction. Et ils se retrouvaient échoués n'importe où et tout à fait au hasard, ayant bien sûr mille fois choisi d'aller à droite ou bien à gauche, de rester ou non sur la grand-route, de suivre tel panneau plutôt que tel autre, toutes ces décisions s'ajoutant les unes aux autres, s'annulant les unes les autres, portés comme ils l'étaient par une gigantesque marée qui ne leur laissait pas plus de liberté que n'en a une goutte d'eau poussée par toutes les autres. Et s'ils mettaient le cap vers Rennes, Bordeaux ou bien Nîmes — villes qu'ils ne connaissaient que de nom —, c'était avec le sentiment qu'il s'agissait de destinations assez lointaines pour qu'ils puissent y chercher un abri. Se retrouvant coincés dans l'ornière d'une campagne perdue, sur une route minuscule dont ils peinaient à repérer les méandres sur leur carte Michelin, à supposer qu'ils aient pris la précaution de se munir de la bonne, captifs dans l'épaisseur hétéroclite d'un trafic disparate où les automobiles, les charrettes, les cyclistes et les piétons allaient du même pas lent, surveillant le ciel très bleu au-dessus de leur épaule pour s'assurer que n'y apparaissait pas la forme de cerf-volant d'une formation ennemie prête à s'abattre sur eux. Et si cela était le cas, courant se jeter dans le fossé voisin, tournant la face contre terre afin de ne pas voir, fermant les yeux jusqu'à ce que le bruit des sirènes puis celui des détonations se soient tus, les rouvrant enfin pour découvrir le spectacle des voitures en flammes, des corps déchiquetés et sans vie, vérifiant si eux et les leurs étaient toujours indemnes, s'assurant de ce qui restait du véhicule de fortune qu'ils avaient abandonné, puis reprenant leur route, laissant derrière eux le témoignage du carnage auquel ils avaient survécu.

Bien sûr, il avait jugé préférable de ne pas lui avouer qu'en vérité il ne possédait pas le permis de conduire, qu'il avait remis à plus tard de le passer, préférant obtenir d'abord son brevet de pilote, profitant pour cela du grand programme de l'Aviation populaire mis en place par Pierre Cot avec l'aide d'un certain Jean Moulin dont ni lui ni personne n'avait encore de raison de connaître le nom, programme destiné à former en nombre les jeunes pilotes dont le pays aurait besoin le moment venu de l'affrontement avec les puissances fascistes. Et lui, il avait été très exactement dans les temps, décrochant sa licence de tourisme, précisément en août 1939 — il n'avait pas encore dix-huit ans —, soit quelques jours avant la déclaration de guerre, se trouvant susceptible ainsi, du moins l'espérait-il, d'être mobilisé dans l'armée de l'air, pourvu de la qualification nécessaire et qui, ironiquement, allait s'avérer strictement inutile puisque, lorsqu'il avait voulu devancer l'appel, étant encore mineur, il avait dû obtenir l'autorisation de son père, qui la lui avait refusée.

Tout cela n'ayant, au bout du compte, qu'une importance très relative puisque, d'aviation française, il n'y en avait plus, qu'il n'y en avait jamais vraiment eu, que les efforts de Pierre Cot et de Jean Moulin avaient été assez vains, que le rêve d'une aviation pour tous, malgré les trois mille cinq cents jeunes pilotes formés en trois ans à travers la France et au nombre desquels il comptait, n'aurait jamais pu compenser à temps l'irrémédiable retard pris par l'industrie aéronautique dans la course aux armements. Et, après tout, il était peut-être heureux que l'armée de l'air n'ait pas eu d'appareils à confier à tous ces nouveaux brevetés dont la formation un peu approximative et expéditive ajoutée aux performances très médiocres des chasseurs aux commandes desquels ils se seraient retrouvés leur aurait laissé peu de chances de survivre longtemps aux premiers engagements de la bataille de France.

Cette opinion trop raisonnable n'ayant certainement pas été la sienne à l'époque car, pour avoir cru en ce rêve-là, il devait être convaincu — et sans aucun doute à tort — qu'il aurait suffi que les adultes timorés qui gouvernaient une Nation vieillie, que ces ministres, députés et généraux « cacochymes », selon l'adjectif consacré, lui aient fait confiance, à lui et à ses camarades, pour que quelques centaines de pilotes, même avec le matériel inapproprié d'appareils vétustes, se jettent avec assez d'énergie dans la bataille et renversent le cours de la guerre, se portant en premières lignes dans leurs avions, rééditant sur un mode un peu plus moderne les exploits de la guerre précédente, ceux de l'infanterie rejoignant en taxis les rives de la Marne, ou à défaut se sacrifiant avec tout le panache que la légende prêtait aux officiers saint-cyriens mourant sabre au clair et casoar au vent. Rêvant tout cela et conscient de l'irréalisme de son rêve, sachant qu'un brevet de tourisme ne permet pas de s'improviser pilote de chasse et peut-être pas si désireux que cela, au fond, de trouver une mort fût-elle aussi glorieuse, mais soucieux malgré tout de ne pas se déjuger. Car cela faisait au moins trois ou quatre ans, autant dire : depuis toujours à l'échelle d'une vie aussi courte, qu'il avait pris la décision de devenir aviateur, obtenant son brevet de tourisme mais en vue de passer le concours de l'École de l'air, se disant donc qu'il aurait suffi que la « drôle de guerre » s'éternise encore un peu pour qu'il parvienne à temps à son but.

La chaîne des causes et des effets qui décide d'une vie n'étant pas beaucoup plus intelligible que celle qui commande à l'Histoire, probablement n'aurait-il pas pu dire pourquoi ni comment il en était arrivé là. Là : muni d'un brevet de pilote mais dépourvu de permis de conduire, derrière le volant d'une vieille Peugeot plutôt que dans la cabine d'un Dewoitine, non pas à affronter les appareils de la Luftwaffe mais à devoir assurer le salut et la fuite de trois femmes, la fille, la mère et la grand-mère, d'une famille de libraires sans oublier le chien et les deux chats. Presque, mais c'est ce « presque » qui faisait toute la différence, prêt à revêtir l'uniforme et à combattre pour la France, plutôt que pour la démocratie, et contre l'Allemagne, sinon contre le fascisme. Car ses convictions politiques d'alors, pour autant qu'il en ait vraiment eu, devaient être assez vagues si elles n'étaient pas très douteuses au regard, encore à venir, de l'Histoire qui juge de tout et de chacun.

Hostile au nazisme, certainement, depuis que, ayant étudié l'allemand au collège, poussé à le faire par le sentiment que la jeunesse des deux pays devait réconcilier l'Europe, il avait passé, en précurseur des séjours linguistiques, quelques semaines de ses vacances d'été dans une famille de Bavière. Une photo le montrait aux côtés d'un vieil homme en costume traditionnel et d'un adolescent, son correspondant, en tenue des jeunesses hitlériennes. Et, de fait, il ne lui avait pas fallu longtemps pour comprendre. Se disant d'abord que c'était sa mauvaise connaissance de la langue de Goethe qui était en cause et puis, réalisant que non, il comprenait bien — et même trop bien — que l'autre, le jeune garçon dont il était supposé devenir l'ami, était posément en train de lui expliquer que le Reich était appelé à dominer l'Europe, à purger le continent des races inférieures qui l'infectaient, mais que lui, il n'avait pas trop à s'en faire, puisque les bons Français sauraient trouver leur place au sein de l'ordre nouveau et que les meilleurs d'entre eux seraient même appelés à collaborer à l'entreprise générale de rénovation que le Führer conduirait. Et l'écoutant il avait l'impression étrange d'entendre les mots mêmes que le vieux général yankee avait placés dans la bouche de Messala — sans être pourtant certain qu'il aurait le courage et le destin de Ben Hur. Se disant juste que lire *Mein Kampf* était superflu maintenant qu'on lui en avait si obligeamment résumé et présenté les thèses essentielles.

Hostile au nazisme, donc, mais tout autant au bolchevisme, comme l'on disait à l'époque, convaincu à juste titre mais pour de mauvaises raisons que ces deux idéologies, comme on le lui avait expliqué, constituaient comme le côté face et le côté pile de la même pièce, qu'elles incarnaient la déraison barbare d'un matérialisme ivre de puissance et contre lequel devait se dresser la civilisation. Identifiant cette dernière à la France, à la conception plutôt naïve qu'il s'en faisait certainement, fille aînée de l'Église et de la Révolution, sans qu'il y ait là pour lui aucune contradiction, ayant spontanément arrangé sa synthèse personnelle des enseignements qu'il avait reçus au catéchisme et à l'école, convaincu que le Bien se trouvait du côté du crucifix et du drapeau tricolore, brandis semblablement par l'esprit de Saint-Just et par l'âme de Jeanne d'Arc afin de conduire au combat une armée nationale destinée à bouter hors des frontières la menace ennemie et promise à une victoire certaine puisqu'elle bénéficiait de la double bénédiction de Marianne et de Marie.

De gauche ? Certainement pas. Comment aurait-il pu l'être avec la famille, le milieu, l'époque auxquels il appartenait ? Il devait penser, comme tout le monde en ces années-là, que la démocratie parlementaire avait fait la preuve de sa corruption et de son caractère décadent, qu'elle avait livré le pays aux affairistes et aux comploteurs de toutes sortes, que la seule solution de salut consistait à s'en remettre à l'autorité d'un chef qui rétablirait les valeurs vraies de la République et les concilierait avec l'enseignement éternel de la foi chrétienne. De droite, alors ? Oui, si l'on veut, mais sans aucune forme de complaisance, semble-t-il, pour les vieilles rêveries antirépublicaines ou racistes — dont, sans doute, d'ailleurs il ne savait rien — auxquelles s'adonnait alors toute une partie du pays et qui allaient bientôt le régenter tout entier. N'ayant certainement pas plus lu Maurras que Flaubert, trop occupé d'aviation pour s'intéresser — même un peu — à la politique. Donnant sans doute — bien qu'il ne l'ait jamais dit — raison au parti dans lequel s'était rangé Mermoz — et c'était un argument suffisant à ses yeux —, aspirant à ce que quelqu'un vienne qui relève le vieux drapeau tricolore, incarnant l'espoir d'un pays qui, contre la barbarie fasciste et bolchevique, se tiendrait du côté de la liberté, de l'égalité, de la fraternité mais aussi de la religion, et le ferait avec assez de force pour permettre à la Nation de rompre avec les erreurs qui l'avaient conduite à sa perte et au nombre desquelles, sûrement, il comptait sans hésitation le Front populaire.

Une telle conception — que vraisemblablement il n'exprimait pas en ces termes — étant non seulement naïve mais également très dangereuse comme le montrerait sans mal n'importe quel historien installé dans le confort de son futur impensable car, mélangeant tout, elle contenait les principes dont se réclameraient bientôt la collaboration aussi bien que la Résistance. Toutes ces convictions complètement confondues les unes avec les autres dans son esprit et le préparant à s'exalter au hasard pour les idéaux les plus contradictoires, disposé identiquement et selon les circonstances à faire pénitence pour demander à Dieu pardon des péchés du pays et à prendre les armes pour aller combattre sur les rives du Rhin comme l'avaient fait autrefois les troupes de la Révolution et de l'Empire. Et, dans sa tête de très jeune homme, avant que les choses ne se compliquent assez vite, tout devait alors, en cette année 40 et du moins avant que le pays ne s'écroule, tomber plus ou moins à sa place, maintenant que le camp du Bien et celui du Mal étaient très clairement définis, Hitler et Staline ayant fait opportunément alliance sur le dos de la Pologne de telle sorte que l'Église et la République, devait-il penser, se situaient désormais dans le même camp puisque Pie XI avait semblablement condamné le nazisme et le communisme et que c'était contre ces deux ennemis que la France, celle de la vieille République et du jeune Front populaire, se trouvait déjà, ou se trouverait bientôt, croyait-il, en guerre.

Du coup, toute l'Histoire dont il avait été le contemporain, s'il y avait réfléchi ces derniers mois, et pour autant qu'il était alors en mesure d'y réfléchir vraiment, lui était apparue aussi simple et évidente que celle dont on lui avait raconté le cours au lycée. Elle faisait comme une longue et transparente épopée dont tous les épisodes racontaient le même affrontement, répété de génération en génération, et finalement triomphant, comment aurait-il pu en être autrement ?, par lequel la France — ou du moins ce qu'il appelait naïvement ainsi — volait au secours du monde pour le libérer de l'oppression, solitaire et souvent défaite, cependant toujours victorieuse au bout du compte, soutenue par une Providence secrète qui jamais ne pouvait vraiment lui faire défaut longtemps. Si bien qu'à ses yeux c'étaient encore les soldats de l'an II qui avaient été mobilisés à la fin de l'été précédent, dotés d'inopérantes unités blindées et de médiocres appareils de chasse comme les autres avaient été équipés de souliers aux semelles trouées, d'uniformes dépareillés, ce qui ne les avait pas empêchés de remporter la victoire à Valmy et puis de conquérir, de libérer l'Allemagne et l'Italie.

Sauf que là, ce 17 juin 1940 où il s'apprêtait à fuir avec tous les autres, il lui fallait bien reconnaître que le présent prenait plutôt des allures de Sedan. Et, au fond de lui, après tout, cela n'était peut-être pas secrètement pour lui déplaire. Car quand on a dix-huit ans et la tête un peu romantique, on s'exalte davantage pour une défaite que pour une victoire — du moins pour l'idée forcément abstraite qu'on se fait d'abord de la défaite —, éprouvant une ivresse certaine à assister au spectacle d'un monde qui s'écroule. Étant français jusqu'en cela, considérant, stupidement sans aucun doute, que la vraie grandeur est toujours du côté des vaincus, la loi valant sur les terrains de football comme sur les champs de bataille, vibrant aux vers des *Châtiments* — « Waterloo ! Waterloo ! morne plaine ! Comme une onde qui bout dans une urne trop pleine » —, convaincu avec Hugo, son poète à lui plutôt que Lamartine, que le seul héroïsme qui soit consiste à se faire la victime exemplaire d'une fatalité injuste et à témoigner ainsi de la pathétique iniquité du destin. Si bien que tous les grands romans français, tous les romans qu'il ne lirait pas, pas plus qu'il n'avait lu *L'Éducation sentimentale*, depuis *Les Misérables* et *La Débâcle* jusqu'à *La Route des Flandres* en passant par *Les Communistes* ou *Un balcon en forêt*, racontaient la même débandade. Et quand les Américains tournent *Le Jour le plus long*, les Français filment *Week-end à Zuydcoote*.

Se disant alors comme le vieux roi à Pavie : « Tout est perdu, fors l'honneur », ne pouvant pas prévoir que pour ce qui est de l'honneur, celui-ci ne tarderait pas à se trouver perdu également. S'enchantant donc du vertige qui vient de l'épreuve d'avoir vu tout à terre. S'imaginant qu'il faudrait bien alors que quelqu'un arrive et relève les ruines. Ne doutant pas que la partie était seulement remise et qu'il était nécessaire d'en passer par la déroute pour donner plus de prix à la revanche qui suivrait et à laquelle certainement on lui donnerait enfin l'occasion de prendre part, à lui qui, malgré son brevet de pilote, n'avait pas été autorisé à se mettre aux commandes d'un Dewoitine et se retrouvait maintenant derrière le volant d'une vieille Peugeot, pris avec tous les autres dans l'épaisseur d'un gigantesque embouteillage sans gloire, à guetter dans le ciel le passage d'avions ennemis cherchant calmement leurs cibles parmi un paysage de vacances.

Ils fuient sans avoir vu encore le moindre uniforme allemand. Le premier soldat, un motocycliste envoyé en reconnaissance, n'arrive à Mâcon, déclarée « ville ouverte », que dans la soirée du 18 juin. Et constatant que la ville est effectivement vide et sans défenses, après avoir pris le temps de fumer une cigarette sur les quais de la Saône et avoir poliment salué quelques-uns des habitants, il donne le signal nécessaire pour que le lendemain deux divisions blindées y pénètrent. Et eux, alors, sont déjà loin, partis sur la route pour échapper à la menace presque immatérielle d'une force fantôme dont ils ne savent rien, poussés en avant avec tous les autres par une simple et grossissante rumeur d'effroi, fuyant sur la foi du seul bombardement du pont ferroviaire de Bioux et de son unique victime, cadavre anonyme enseveli sous les décombres. N'ayant pas, comme les habitants de Hollande, de Belgique, des régions de l'Est et du Nord, assisté à l'entrée des chars allemands dévastant tout sur leur passage après que les Stuka ont effectué leur gracieuse besogne de bombardement, mettant en pièces les divisions alliées, en dispersant les morceaux hagards dans la campagne, ouvrant alors la voie à l'infanterie, investissant d'un coup chaque parcelle du pays.

Car, jusque-là, la seule chose qu'ils avaient vue de leurs yeux, à supposer qu'ils l'aient effectivement vue, se réduisait au spectacle incongru d'une sorte de cerf-volant glissant à haute altitude dans le ciel bleu et précipitant sur terre le feu soudain d'une foudre incompréhensible. Si bien que de la bataille de France — comme l'appelleraient parfois les livres d'Histoire — ils ne connaîtraient finalement que cela : l'attente angoissée et un peu incrédule d'une mort qui s'abat d'en haut et au hasard sur les villes qu'ils quittaient, les villages qu'ils traversaient, les convois de civils absolument abandonnés à eux-mêmes dans le grand désordre d'une pagaille généralisée.

L'aviation française, eux, tous ceux jetés depuis plus d'un mois sur les routes, ils avaient cessé de croire qu'elle puisse les protéger. Ils finissaient même par douter qu'elle ait jamais existé, réalisant d'un coup ce que la propagande patriotique leur avait soigneusement caché : que malgré Pierre Cot et Jean Moulin, malgré les usines tournant à plein régime depuis des mois, et en dépit des appareils précipitamment achetés aux États-Unis et pour lesquels les pièces détachées n'avaient pas encore été livrées, l'armée de l'air disposait de trois fois moins d'avions que la Luftwaffe et n'avait aucune chance de pouvoir lui résister longtemps, même avec l'engagement de la Royal Air Force à ses côtés. Non pas que la bataille aérienne n'ait pas été livrée, comme on le dirait parfois. Elle l'avait été, les pertes s'équilibrant à peu près dans les deux camps, estimeraient plus tard les historiens établissant le décompte nécessairement approximatif des victoires des uns et des autres. Mais la disproportion des forces en présence était telle que le ciel, dès les premiers jours, avait appartenu à l'aviation allemande, cette dernière occupant méthodiquement celui-ci, profitant de cette supériorité immédiate pour asseoir définitivement son avantage, bombardant les aérodromes, défonçant les pistes, mitraillant les appareils au sol. Si bien que chaque pilote français ou anglais qui malgré tout parvenait, héroïquement si ce mot a un sens, à décoller et à abattre un ou plusieurs appareils ennemis, et cela est arrivé des centaines de fois, ne réalisait jamais qu'un exploit individuel et, du coup, assez inutile au regard de l'affrontement collectif dont l'issue, certainement, se trouvait déjà décidée.

Non, les seuls avions français qu'il avait vus passer dans le ciel de Mâcon avaient croisé à très haute altitude au-dessus de la ville, la veille de ce jour où lui s'assiérait au volant de la vieille Peugeot, le 16 juin 1940 donc, non pas pour s'engager dans un combat aérien avec les six Stuka laissés libres d'accomplir leur très tranquille manège au-dessus du pont ferroviaire de Bioux et sans aucune intention de défendre cette cible à la valeur stratégique désormais très incertaine, pour ne pas dire : tout à fait nulle. Mais filant impavides vers le sud. Car à tout ce qui restait de l'aviation française, pas grand-chose : quelque huit cents appareils et à condition qu'ils soient encore en état de le faire et disposent de l'autonomie suffisante, l'ordre venait d'être donné de traverser la Méditerranée et de rejoindre les bases arrière situées en Afrique du Nord. Lui, donc — et, bien sûr, c'est moi qui imagine cette journée plus improbable encore que celle de mars 1937 —, levant la tête pour observer le passage de ces quelques appareils rescapés, résidus d'escadrilles décimées et recomposées à la hâte, semblables à des oiseaux migrateurs volant en larges formations, répondant instinctivement à l'appel du temps, allant chercher de l'autre côté de la mer l'abri d'un séjour moins hostile. Se demandant de quelle prophétie ces oiseaux pouvaient être les messagers, s'essayant à s'en faire l'augure, lisant le dessin qu'ils formaient dans le ciel, ne pouvant pas savoir qu'ils lui indiquaient la direction que lui-même prendrait quelques mois plus tard, vers l'Algérie où, croyant avoir renoncé à être pilote, il se verrait offrir la chance de le devenir vraiment. Pensant plutôt — à supposer bien sûr, et une fois de plus, ce qui est tout à fait incertain, qu'il ait vu ce spectacle et qu'il ait su ce qu'il signifiait — que cette retraite marquait la fin soudaine de tout ce à quoi il rêvait depuis des années.

Car d'un coup, avec l'avenir, c'était toute une mythologie qui tombait aussi en morceaux. Celle qui avait fait de l'aviation l'instrument d'une coopération raisonnable entre les nations, posant qu'il était possible que celles-ci se trouvent toutes réunies au sein d'une même communauté démocratique et qui avait élu les pilotes français, du moins le pensaient-ils, comme les pionniers, les prophètes d'un tel idéal, confiant aux as de la précédente guerre la mission d'illustrer dans leurs duels au-dessus des tranchées les valeurs galantes et chevaleresques de la liberté et puis aux aviateurs de l'Aéropostale la tâche de tracer des lignes entourant la mappemonde pour mieux démontrer que la terre, désormais, était une. Toute cette légende, en quelques jours, les jours terribles de mai 1940, avait pris un stupéfiant coup de vieux, donnant un air immédiatement désuet à tous ceux qui, comme lui, auraient cru pouvoir se réclamer encore d'elle. Le temps n'étant soudainement plus aux prouesses personnelles par lesquelles un homme, seul aux commandes de son appareil, venait en défier un autre dans les airs, le saluant depuis sa cabine, l'exécutant avec les honneurs et poussant parfois l'élégance jusqu'à revenir le lendemain lui faire l'hommage d'une couronne de fleurs jetée depuis le ciel sur les restes carbonisés de sa carlingue écrasée. Le temps étant passé tout autant des raids solitaires accomplis dans le noir au-dessus des déserts, des océans, des sommets. L'heure étant subitement venue des blindés, des bombardiers, animaux anonymes, caparaçonnés d'acier, caisses de métal fermées sur elles-mêmes et avançant en nombre sur leur objectif comme si elles poussaient simplement droit devant elles une machine à détruire sans défaut ni conscience, livrée à la seule logique de son fonctionnement et exécutant d'elle-même le programme pour lequel on l'avait conçue et fabriquée.

L'épopée s'achevant là, comme devait le penser celui par lequel elle se terminerait en effet quelques années plus tard, connaissant avec lui son dernier sursis, et qui, dans la cabine de son Bloch 150, participait à la grande migration accablée de ce 16 juin 1940 vers le sud, cherchant refuge avec tous les autres, la flotte de ces huit cents appareils rescapés, du côté des bases aériennes d'Algérie ou de Tunisie. Déjà le dernier ou presque puisque, et pour ne pas parler de tous les autres qui connaîtraient un sort semblable, Mermoz manquait depuis longtemps, que Jean Dagnaux, l'as à la jambe de bois, reprenant du service, avait trouvé la mort dans le ciel de l'Aisne le 18 mai précédent et que Henri Guillaumet serait abattu bientôt, le 27 novembre, quelque part au-dessus de la Méditerranée, dans le quadrimoteur Farman à bord duquel il convoyait vers la Syrie Jean Chiappe, le préfet de police pour lequel les Ligues avaient autrefois failli renverser le régime, nouvellement nommé par Pétain haut-commissaire de France au Levant. Si bien que de tous les pionniers qui avaient écrit la légende française de l'aviation, qui y avaient pris part avec assez d'éclat pour que leur nom fût connu d'un jeune homme de dix-huit ans — ce jeune homme ignorant, bien sûr, que l'appareil du pionnier était passé dans le ciel de Mâcon, ou d'ailleurs, parmi tous les autres qu'il avait vus, ou pas, ce 16 juin 1940, mais peut-être était-ce le lendemain ou bien le surlendemain —, Saint-Ex, le capitaine Antoine de Saint-Exupéry, restait le seul au fond à pouvoir se réclamer un peu dignement de tout ce qui avait précédé et qui tournait maintenant au pathétique fiasco d'une débandade sans gloire. L'aviation française, censée avoir pris la part principale dans la conquête de l'air, depuis Blériot et Ader, ayant été proprement anéantie en l'espace de quelques semaines. Et lui, âgé de quarante ans, le crâne dégarni, le corps épaissi, s'imaginait, s'imaginait sûrement, porter le poids symbolique de cette déroute, se disant que l'aventure qu'il avait vécue devait n'avoir été qu'une illusion puisqu'elle aboutissait à un tel résultat et que, lui, il en avait indûment exalté la grandeur dans ses livres car tout ce qu'il avait fait ou écrit n'avait servi à rien, ne changeant pas un iota au roman de la guerre, à l'impitoyable réalisme de celui-ci. Coupable, et même deux fois coupable, comme aviateur et comme écrivain, ayant ajouté à l'impuissance des actes le déshonneur des mots.

Obéissant donc aux ordres de l'état-major, ou de ce qui en faisait encore plus ou moins office, participant à l'évacuation précipitée des appareils du Groupe 2/33 de grande reconnaissance dans lequel lui, Saint-Ex, servait depuis le début de la guerre. Plutôt : de ce qui restait de ces appareils, autant dire presque rien, puisque les trois premières semaines de combat avaient suffi à ce que, des vingt-trois équipages qui le composaient, dix-sept se soient trouvés perdus. Il le raconterait un peu plus tard, dans *Pilote de guerre*, n'ayant donc pas tout à fait renoncé à faire un livre de plus, se disant que si chacun est responsable de tous, alors il lui fallait témoigner de ce qu'il avait vu : les escadrilles sacrifiées comme on verserait depuis le ciel des verres d'eau dans le dessein absurde et pourtant nécessaire d'éteindre un incendie de forêt et lui, envoyé avec ses hommes, sans aucun espoir d'en revenir, effectuer une inutile mission au-dessus d'Arras, le 23 mai, n'ayant d'autre ressource pour échapper à la chasse ennemie que de grimper à dix mille mètres d'altitude, là où l'oxygène est si rare et le froid si intense que les armes et les commandes gèlent et que le moindre effort un peu vif accompli pour les actionner fait perdre conscience au pilote, étourdissant l'avion et menaçant de le précipiter en vrille vers le bas. Passant à dix kilomètres au-dessus d'un paysage illisible, afin d'en récolter les images et de les rapporter à des généraux qui, de toute façon, ne sauraient plus trop quoi en faire car ces informations témoigneraient seulement de leur radicale incapacité à les employer pour organiser la défense du territoire, sans même parler d'envisager l'hypothèse d'une contre-attaque, photographiant au hasard mais ayant plutôt l'impression d'observer au microscope la progression irréversible d'une maladie investissant les tissus d'un organisme agonisant. D'ailleurs, ne voyant rien sinon une fumée immobile recouvrant le sol à la façon d'une gelée blanchâtre et sous laquelle il aurait fallu faire un impossible effort d'imagination pour se représenter le brasier d'un pays en flammes.

Et trois semaines plus tard, le 16 juin, peut-être était-ce le 17 ou le 18, le spectacle devait être identique tandis qu'il fuyait, certainement anéanti de honte, avec les autres survivants de son escadrille, l'incendie ayant maintenant gagné toute la moitié nord du pays. Le feu touchant les provinces les plus méridionales et décidant leurs habitants à partir — mais à le faire à pied, à vélo, en voiture, et sans espoir de franchir la Méditerranée, bien contents s'ils pouvaient simplement s'en approcher assez pour ne pas se laisser rejoindre par la machine à détruire qui se déployait systématiquement et sans résistance dans toute l'épaisseur du pays, poussant devant elle les cohortes de réfugiés et de soldats.

Quand les premiers de ces fuyards arrivent à Mâcon, ils n'ont plus guère que quelque vingt-quatre ou quarante-huit heures d'avance sur les éclaireurs de l'armée allemande. On dit : « l'exode ». Mais le peuple qui marche ainsi ne se croit en route vers aucune terre promise et il n'y a personne à sa tête qui puisse miraculeusement faire que les flots de la mer Rouge, de la Méditerranée, s'ouvrent et puis se referment sur les troupes lancées à sa poursuite. Même les mots de « retraite » ou de « débâcle » ne vont pas. Ce qui règne est plutôt la confusion extrême d'une sorte de sauve-qui-peut général. Venus de Belgique, des Ardennes, de Lorraine, de Paris, les fuyards donnent en Bourgogne, en Franche-Comté le grand signal du départ, poussant en avant, par centaines de milliers, de nouveaux réfugiés dont les colonnes bifurquent vers le Massif central dans l'espoir d'y trouver asile ou bien de pouvoir continuer jusque vers les Pyrénées tandis que le plus grand nombre s'engouffre logiquement dans la vallée du Rhône, croisant surpris les colonnes de ceux qui descendent des Alpes et prennent, eux, le chemin de l'ouest afin d'échapper à l'arrivée annoncée des forces italiennes. De sorte qu'avec tous ces mouvements affolés qui s'ajoutent et se contrarient les uns les autres le pays paraît piétiner sur place, partagé en convois qui tournent en rond au hasard des routes, précipités tour à tour dans une direction et puis dans la direction opposée selon les rumeurs que propagent des individus hagards dont certains errent déjà depuis plus d'un mois, ayant couvert comme ils ont pu la moitié du territoire et survécu à la destruction de leur maison, de leur ville, au bombardement systématique et au mitraillage méthodique.

Eux, ils l'ont décidé, partent pour Nîmes — où ils ont une vague famille. Il n'a pris qu'une toute petite valise, celle qu'il se préparait à ficeler sur le porte-bagages de sa bicyclette. Et, certainement, il se dit qu'il a eu raison de ne pas se charger davantage car la vieille Peugeot n'aurait pas pu en supporter plus. Avec la même politesse un peu cérémonieuse qu'il a mise à se présenter à elle, il salue sa mère, sa grand-mère et leur fait bien sûr une excellente impression. Il s'incline en leur ouvrant les portières pour qu'elles prennent place dans le véhicule. Derrière : la fille, la grand-mère. À leurs pieds : le chien Miraud, le panier d'osier contenant les deux chats de la maison. Devant : la mère qui place entre elle et le conducteur une valise plus petite que toutes les autres qui encombrent le coffre et dont elle lui confie — se disant qu'un jeune homme aussi poli et si bien de sa personne ne peut être malhonnête — qu'elle contient toutes les économies du ménage. Soit une somme très conséquente puisqu'elle correspond au produit de la vente, l'année précédente, de leur librairie de la place de la Barre, capital constitué en vue de leurs vieux jours, qu'instruits par deux décennies de crise économique et de dévaluations successives ils n'ont jamais voulu confier à une banque et qu'ils conservaient, caché quelque part, en liquide, bien sûr : des liasses de billets de banque ou plutôt, on n'est jamais trop prudent, des napoléons et autres pièces d'or susceptibles de garder leur valeur même après l'écroulement de toutes les institutions civilisées qui garantissent la convertibilité du papier-monnaie et la pérennité de l'argent, ce moment impensable étant soudainement venu. Et cette valise — qu'il heurtera du coude à chaque changement de vitesse — ajoute certainement encore au romanesque de l'aventure, lui donnant l'impression qu'il conduit, plutôt qu'une vieille Peugeot, une sorte de diligence lancée à travers les déserts du Far West, cahotant sur des pistes de fortune, chargée d'un formidable trésor, avec à ses trousses toute une troupe hostile de brigands et d'Indiens.

Sur la galerie de toit, de manière à doter l'auto d'un bouclier à l'efficacité très hypothétique contre les tirs des Stuka, il hisse — non sans mal car il met un point d'honneur à le faire seul — le matelas le plus épais qu'ils ont trouvé dans la maison et il l'attache minutieusement avec de la ficelle, comme il le ferait plus tard pour les bagages, à chaque départ en vacances, jusqu'à ce que les Sandow soient inventés et puis que les coffres des voitures deviennent assez spacieux et fonctionnels pour que les galeries se transforment en une chose du passé. Fixant ensuite sa bicyclette — dont il ne veut pas se séparer — par-dessus le matelas, l'automobile se trouvant ainsi surmontée d'une sorte de pyramide de bagages et d'objets à l'équilibre plutôt précaire. En vérité, il n'a aucune idée de la mécanique automobile. Il fait juste les gestes qu'il a vu faire par d'autres, accomplissant une sorte de rituel propitiatoire, se penchant sur chacune des roues du véhicule, lançant un vague coup de pied dans les pneus, se disant que c'est ainsi, sans doute, qu'on s'assure qu'ils sont correctement gonflés. Ouvrant le capot, essayant de s'y retrouver parmi l'entortillement de l'abdomen métallique qu'il a sous les yeux, se disant qu'après tout un moteur d'auto doit fonctionner plus ou moins comme un moteur d'avion, soulagé de reconnaître une ou deux pièces à la forme familière et caractéristique, vérifiant, feignant de vérifier, le niveau d'huile et l'eau du radiateur. Disant que tout paraît en ordre. Faisant très attention à mettre dans sa voix assez de conviction et d'autorité pour donner aux trois femmes assises dans le véhicule le sentiment qu'il sait de quoi il parle et que le chauffeur qu'elles ont choisi, malgré ses dix-huit ans et bien qu'il ne possède pas son permis — ce qu'il ne leur a, bien entendu, toujours pas dit —, est tout à fait en mesure de conduire la voiture, ses passagères, leur chien, leurs deux chats, sans oublier la valise contenant toutes les économies de leur vie, vers le midi, au milieu de la plus grande pagaille de l'Histoire et même, s'il le faut, au travers des lignes ennemies. S'asseyant derrière le volant, mettant le contact, passant la première, pensant que ce n'est certainement pas le moment de caler, sentant le poids énorme de la voiture qui peine à se mettre en mouvement, prenant la route enfin.

Ils s'arrêtent devant le magasin des Fiançailles. La femme au physique de Marianne qui est sa mère sort de la boutique qu'elle se préparait à fermer, en confiant les clés à une employée qui elle n'a pas le désir — ou pas les moyens — de s'enfuir. Elle vient embrasser son fils et lui dire de ne pas être inquiet, qu'elle et son père ont trouvé une voiture également, celle des voisins, dans laquelle on leur a fait deux places et qui doit les emmener vers le sud, qu'ils se retrouveront bientôt tous à Nîmes chez leurs cousins. Plantés sur le trottoir tandis que le moteur tourne, certainement ont-ils tous le sentiment du sublime un peu ridicule de la scène qu'ils jouent. Et elle, la musicienne, la chanteuse aux allures de Damia, la Marianne des patronages, la spectatrice assidue des mélodrames et des opérettes, se dit qu'il manque encore une réplique pour que le rideau puisse tomber et que l'on procède au changement de décor en vue du prochain acte. Mais comme elle n'est pas du genre à laisser à quelqu'un d'autre le privilège du dernier mot et que son rôle de mère magnifique lui paraît naturellement lui valoir la vedette, elle se tourne assez théâtralement, côté cour, vers la femme de son âge dont la distribution hasardeuse de l'Histoire a fait sa partenaire et lui déclare : « Madame, je vous confie mon fils », et puis, côté jardin, vers le jeune premier qui joue son enfant et lui adresse avec un peu d'emphase cette parole qui lui semble tout à fait appropriée au moment le plus dramatique de la représentation : « Jean, je te confie ces dames. »

L'aventure commence vraiment lorsque la Peugeot franchit lourdement le pont Saint-Laurent. Du moins ont-ils le sentiment — sans doute un peu exaltant — qu'elle commence alors et qu'ils sont devenus non pas les acteurs d'un vieux mélodrame patriotique et familial comme celui auquel ils viennent d'échapper mais les personnages d'une sorte de western romanesque, celui du trappeur blanc et de la fille du colonel Munro, ou bien d'un autre qui soit semblable à cette vieille histoire, signée de Maupassant, issue de la précédente débâcle, celle de 1870, et dont un Américain, John Ford, vient tout juste de tirer un grand film épique, *La Chevauchée fantastique*, sorti quelques mois plus tôt sur les écrans français et que lui, certainement, qui gardera toujours le goût de ce cinéma, a dû voir, habitué comme il l'est des séances du samedi soir. À défaut d'avoir été Jean Dagnaux, se prenant donc pour John Wayne, prêt à tenir son rôle dans le remake d'un remake — le mot n'était certainement pas encore passé dans la langue —, rapatriant en France, d'où il était venu, le récit mettant en scène la fuite d'une voiture de fortune tentant d'échapper aux assauts des sauvages. Et elle, à qui l'on n'autorisait sans doute pas de tels spectacles peu faits pour les jeunes filles, s'imaginant plutôt comme la pure Atala sauvant le preux Chactas et le guidant à travers les forêts du Mississippi, persécutés par l'orage qui embrase le monde et transforme les arbres en torches brûlant comme les formidables flambeaux d'un hymen impossible.

Sauf que toute l'histoire, au moment même où elle leur semblait seulement commencer, était déjà sur le point de se terminer. Cela faisait plus d'un mois, depuis le 10 mai, que la « drôle de guerre » avait soudainement pris un visage assez terrible avec l'irrésistible invasion de la Belgique et de la Hollande et presque quinze jours qu'avaient capitulé, le 4 juin, les dernières des troupes prises au piège dans la poche de Dunkerque. Le 14, les forces allemandes étaient entrées dans Paris et, le lendemain, le gouvernement s'était installé à Bordeaux. Si bien que ce 17 juin où la Peugeot traversait lourdement la Saône, la guerre était bel et bien perdue, et perdue au point que quelques heures plus tôt, mais ils ne le savaient pas, à l'instigation du maréchal Pétain, désormais à la tête du pays, l'armistice avait été officiellement demandé aux autorités allemandes.

Ils prennent d'abord la Nationale 6 en direction de Lyon. Car il y a là-bas une autre demoiselle en détresse à secourir, Michelle, la fille aînée des Feyeux, la future pharmacienne dont le fiancé, mobilisé comme médecin auxiliaire, a été capturé quelques jours plus tôt avec tout son régiment. Et le premier miracle est bien que, malgré l'indescriptible désordre dans lequel se trouve la ville vers laquelle convergent les convois de réfugiés venus de l'est et puis du nord, ils parviennent à se frayer un chemin parmi les embouteillages, contournant les routes saturées qu'encombrent les fuyards et accédant au quartier où se situe sa chambre d'étudiante, retrouvant la jeune femme qui embarque à l'arrière de la Peugeot où se serrent un peu plus sa sœur, sa grand-mère, le chien, au point qu'il faut que l'une des passagères mette sur ses genoux le panier d'osier avec les deux chats.

Et l'équipage s'engage alors sur la route de Saint-Étienne, vers les monts du Forez, afin de faire étape à Rive-de-Gier d'où la famille Forest, semble-t-il, est originaire et où elle a conservé une maison, possédée par un certain Michel Gachet et son épouse Lisette, épiciers de leur état, et qui ont pris comme apprenti le jeune Paul, le frère de mon père, celui qui reprendra la boutique des Fiançailles et qui, après guerre, se lancera avec succès dans le commerce des confiseries, des glaces et des surgelés mais qui, à l'époque, se rend utile comme il peut auprès de sa tante et de son parrain. Tout ce petit monde se retrouve dans ce village au milieu de nulle part et se donne rendez-vous à Nîmes, Paul, le cadet, mon oncle, prenant le volant de la belle Rosengart de son parrain afin de remonter par des routes secondaires, à contre-courant des convois de réfugiés, jusqu'au Balmay et d'y procéder au sauvetage du grand-père, le cycliste, le soyeux, comme si celui-ci courait un quelconque danger et qu'un vieillard isolé dans un hameau perdu ait pu constituer la victime désignée et prioritaire des forces allemandes, tandis que Jean, l'aîné, mon père, se remet en route vers le sud avec les quatre femmes, les deux dames et les deux demoiselles, de la famille Feyeux dont le hasard de l'Histoire lui a confié la mission de les soustraire à l'avancée des armées du Reich.

Ils rejoignent la Nationale 7, la route du soleil, comme l'a baptisée depuis quelques années le folklore nouveau des congés payés. Et sans doute s'imaginent-ils très vite en vacances plutôt qu'en guerre, libérés de toutes les obligations de la vie ordinaire, de la routine du commerce et de celle du lycée, avec le sentiment assez absurde qu'ils profitent d'un dimanche ou bien d'un jour férié pour s'autoriser une partie de campagne, comme s'ils avaient pris la voiture pour aller manger la friture sur les bords de la Saône, ainsi qu'ils le faisaient chez la mère Blanc longtemps avant que celle-ci ne laisse son nom à l'un des meilleurs restaurants du pays, ou encore pour déguster, au goûter, le fromage blanc et les myrtilles à la table d'un refuge de montagne. Ou bien même : afin de s'offrir quelques jours de villégiature en Provence et peut-être, après tout, pourquoi pas, sur la Riviera.

Le temps est magnifique. Il faut rouler toutes vitres ouvertes pour laisser entrer un peu d'air dans l'auto. D'autant plus que l'on avance presque constamment au pas, le véhicule le plus lent imposant sa cadence à tout le convoi, les automobiles ayant depuis longtemps renoncé à doubler les charrettes, à se frayer un chemin parmi les piétons, entre les cyclistes, la chaussée tellement encombrée qu'on dirait qu'une seule procession hétéroclite chemine sur toute la longueur de la route, serpentant de façon continue depuis Lyon, depuis Paris peut-être, et jusqu'à Marseille. Mais parfois, lorsque la voie s'élargit, ou bien si le cortège se scinde à l'occasion d'un embranchement et qu'une partie de celui-ci tente sa chance sur une piste de traverse apparemment plus dégagée, alors, il parvient à extraire la Peugeot de l'épaisseur compacte du défilé à l'intérieur duquel elle se trouvait prise depuis des kilomètres. Il passe la deuxième, la troisième, soulagé à l'idée qu'un peu de vitesse parvienne à refroidir le moteur dont il craint — malgré le peu de connaissance qu'il a de la mécanique — qu'il ne supporte pas longtemps le régime auquel il est soumis dans une telle fournaise. Circulant soudain sur une route miraculeusement vide parmi des paysages très calmes et silencieux où aucun signe ne trahit plus la tragédie énorme que comme tous les autres ils sont en train de fuir. Et puis butant bientôt sur un nouvel attroupement constitué à l'entrée d'un village ou bien arrêté sans raison visible à un carrefour ou tout simplement en rase campagne, rejoints par le flot de fuyards qu'ils avaient cru distancer.

Un peu incrédules puisque rien ne se passe de ce qu'on leur avait prédit. Ils ne voient aucun cadavre allongé sur le bord de la route, aucune carcasse calcinée ou fumante gisant sur la chaussée. Ils ne traversent aucun village en ruines. Ils ne rencontrent aucun soldat ennemi. Les seuls avions allemands qu'ils aperçoivent parfois dans le ciel passent très haut et ne se divertissent jamais de leur trajectoire pour piquer sur eux, ayant décidé une bonne fois pour toutes d'ignorer les colonnes de réfugiés qui défilent en bas. Ils en oublieraient presque la menace très réelle qui les a chassés de chez eux, jetés sur les routes, se disant parfois qu'ils ont dû rêver tout cela, Hitler, Dunkerque, Dantzig, Munich et tous les autres faits auxquels il faudrait la conscience scrupuleuse et légèrement délirante d'un futur historien pour dire quel fil invisible les reliait pourtant les uns aux autres. Ils l'oublieraient s'ils ne partageaient la fatigue, l'accablement, la honte, l'angoisse de tous ces gens qui cheminent autour d'eux et dont chacun ignore vers où il va et ce qui reste de sa vie maintenant qu'une catastrophe anonyme et indifférente décide de tout.

D'ailleurs, ils l'oublient presque tant la situation leur paraît soudain comiquement différente de l'horreur à laquelle ils s'attendaient. Si bien qu'ils s'en arrangent, faisant contre mauvaise fortune bon cœur, entreprenant de donner à leur équipée l'allure d'une escapade insouciante. Ils roulent depuis quelques heures et ils songent tous à s'arrêter. Lui, invente le prétexte qu'il faut, celui qu'elles attendent, prétendant qu'il doit vérifier la mécanique, le niveau d'eau et le niveau d'huile puisque c'est tout ce qu'il est capable de faire, et qu'ils en profiteront pour se dégourdir les jambes, improviser le pique-nique pour lequel la grand-mère s'est munie de tout le nécessaire, le pain, le fromage, le saucisson, sans oublier peut-être la bouteille de vin rouge et la nappe à carreaux. Ils quittent la route principale et trouvent un petit village, vide de tous ses habitants, ils ne se rappelleront jamais son nom, et sur la place duquel se tient providentiellement, aux côtés du monument aux morts de la précédente guerre, une fontaine publique à laquelle ils remplissent d'eau les gourdes, le bol pour le chien et les chats, se rafraîchissent. Lui, racontant plus tard que l'eau avec laquelle ils s'étaient désaltérés par cette journée étouffante de soleil avait été le philtre enchanté qui les avait rendus à jamais amoureux l'un de l'autre.

Mais alors, et tandis que les dames, profitant de la proximité des urinoirs municipaux, disparaissent pour satisfaire un besoin pressant trop longtemps réprimé, soulagées de ne pas avoir à le faire en pleine nature, lui, inspecte le véhicule, soulève le capot, jauge l'huile et l'eau, puisque sa science se limite là, entreprend par scrupule de faire le tour de la voiture et constate que l'un des pneus est visiblement à plat — ce qui explique, réalise-t-il tout à coup, le bruit régulier qu'il entend derrière lui depuis déjà un bon moment et le vague tangage de l'auto. Pensant : il ne manquait plus que cela. Se demandant : comment change-t-on une roue ? Vidant le coffre de son amoncellement inouï de bagages, à la recherche du cric. Heureusement doté d'assez d'esprit pratique pour deviner, à défaut de la connaître, la procédure à suivre et accomplir la manœuvre sous l'œil approbateur de ses quatre passagères.

C'est alors, en cette fin d'après-midi du 17 juin, qu'une femme à vélo passe auprès d'eux, qui sans même s'arrêter leur crie de rentrer chez eux, que le Maréchal a annoncé que la guerre était finie, que l'armistice vient d'être officiellement demandé aux Allemands. Apprenant ainsi d'une passante, et sans avoir entendu eux-mêmes l'allocution radiophonique, que l'ordre, donné par le vieil homme à la voix chevrotante et théâtrale comme celle d'un poussiéreux pensionnaire de la Comédie-Française, était de cesser aussitôt le combat puisque le vainqueur de Verdun avait décidé de négocier, entre soldats, et après la lutte dans l'honneur, avait-il dit, les moyens de mettre un terme aux hostilités. Et lui, sans doute, se retrouve alors tout bête son cric à la main, sali de cambouis, plutôt content puisque la roue est changée mais se disant avec ironie que, maintenant que tout est fini, et comme on ne lui a pas permis de s'asseoir aux commandes d'un Dewoitine, son seul exploit, au cours de cette guerre qui, pour lui, n'aura duré qu'une seule journée, belle comme un dimanche de vacances, aura consisté à faire le chauffeur et le garagiste, ayant troqué le matin le guidon de son vélo contre le volant d'une Peugeot, n'ayant abandonné sa pompe de bicyclette que pour se retrouver armé d'une clé à molette. Tous les cinq, lui, les deux dames et les deux demoiselles, soulagés et cependant stupéfaits, réalisant le côté vaguement absurde de leur situation, égarés quelque part, pas très loin de la Nationale 7, sur la place déserte d'un village dont ils n'ont même pas eu la curiosité de connaître le nom, improvisant sur un coin de pelouse où la nappe à carreaux a été étendue une sorte de conseil de guerre, se concertant et décidant qu'après tout le chemin qu'ils ont fait la solution la plus sûre et la plus logique, plutôt que de rebrousser chemin, consiste à continuer sur Nîmes, puisque c'est là que le reste de leur famille doit les retrouver.

Comment ils arrivent le lendemain, 18 juin, à destination, comment ils sont parvenus en si peu de temps et sans véritable difficulté, si ce n'est un pneu crevé, à couvrir les quelques centaines de kilomètres séparant Mâcon de Nîmes, et cela en prenant la route des écoliers et malgré l'encombrement du pays, puisque les déclarations solennelles du vieux vainqueur de Verdun à la voix chevrotante ne semblent avoir convaincu personne de renoncer à fuir plus loin, ils ne sauraient sans doute pas l'expliquer. Toujours est-il qu'en fin d'après-midi ils sont à Nîmes puisque — et personne, non plus, ne pourrait dire par quel miracle quelqu'un, au domicile des cousins éloignés qui les ont accueillis, a allumé la radio afin d'y écouter les programmes de la BBC — c'est là-bas qu'ils entendent, non pas l'allocution officielle du Maréchal appelant à cesser les combats — la veille, ils étaient encore sur les routes quand elle était diffusée —, mais la voix d'un total inconnu, s'exprimant depuis Londres, et déclarant au contraire que la défaite n'est pas définitive, que la guerre n'est pas perdue, qu'elle doit se continuer jusqu'à la victoire sur l'Allemagne de la France et de ses alliés.

Eux donc, exténués par leur périple, soulagés d'avoir trouvé un asile auprès de leur famille, comptant ainsi au nombre des très rares auditeurs de ce que les livres à venir nommeront l'appel du 18 juin. Vivant alors un moment historique dont on ne devrait pas manquer de souligner la solennité et comment, au garde-à-vous dans leur tête, ils ont reçu ce discours à la manière d'un martial message d'espoir portant en lui la promesse d'une revanche prise par le pays sur l'adversité et le serment de la grandeur nationale retrouvée. Une telle vision de l'événement n'étant possible que pour qui sait déjà comment la guerre se terminera quatre ans plus tard, ce qu'eux bien sûr ignoraient alors. La vérité étant que ces propos qu'on leur tient, ils y prêtent à peine attention, se demandant : qui est ce général de Gaulle ? et vraisemblablement : de quoi se mêle-t-il ? Ayant sur la question des avis aussitôt partagés mais se gardant bien de les exprimer. Lui : respectueux comme on l'est dans sa famille du pouvoir en place et des institutions, faisant un principe du respect de la hiérarchie et de la discipline, considérant donc que la position d'un officier esseulé n'a pas de poids quand s'est exprimé le père de la patrie, démocratiquement investi de l'autorité d'agir en son nom. Elle : fidèle au tempérament anarchiste de ses propres parents et sachant que le vainqueur de Verdun — qui fut aussi le fusilleur en chef de 1917, décimant les récalcitrants au massacre — n'avait pas vraiment bonne réputation, se rappelle-t-elle, parmi les anciens combattants, lui confiait, à demi-mot, son père dont, comme toute fille, elle prend naturellement le parti, et se disant que quiconque parle pour la liberté — et même s'il le fait en son seul nom — a forcément raison face à tous les avocats — mieux galonnés que lui — de la servilité et de la soumission. Ni l'un ni l'autre ne faisant état de leurs opinions parce que, bien élevés comme ils le sont, ils estiment qu'à dix-sept ou dix-huit ans ils ne sont pas en âge d'avoir ou de défendre des convictions politiques.

Et puis, peut-être tout cela les ennuie-t-il un peu. Maintenant que la guerre est finie, pensent-ils, ils entendent bien profiter du congé qu'elle leur donne. Ils campent. Chacun dans sa famille. Comme ils camperaient en vacances, dressant leur lit par terre dans la chambre qu'on leur a aménagée au grenier ou bien dans le débarras. Et parce que, dans cette ville, ils ne connaissent personne, ils se retrouvent pour aller traîner et occuper le temps vide que leur laisse l'Histoire provisoirement arrêtée. Comme Valence ou Avignon, Nîmes est devenue une sorte de camp retranché recevant le formidable afflux des réfugiés du nord, la vague venue de Hollande et de Belgique mourant là, épuisée, dans les villes et les villages de la Drôme, du Gard, du Vaucluse, puisque les soldats, les civils qui fuient maintenant depuis des jours et parfois des semaines ne se sentent plus la force de marcher plus loin et que s'ils doivent s'arrêter, ils préfèrent le faire là où le hasard de la débâcle les a conduits plutôt que de pousser jusqu'à Marseille, bien conscients qu'on ne les laissera pas s'embarquer et puis n'étant le plus souvent pas prêts à partir pour une traversée qui les transformerait définitivement en exilés, redoutant aussi de se retrouver pris au piège d'une trop grande ville qui soit encore un enjeu militaire et susceptible, à ce titre, d'être bombardée, prise d'assaut, occupée.

Car, malgré la demande d'armistice, les combats n'ont pas cessé et ils redoublent même parfois d'intensité, les forces françaises n'ayant pas partout renoncé à s'opposer à l'avancée des troupes allemandes. Soit qu'elles aient tenu pour nulles et non avenues les consignes du vieux vainqueur de Verdun, soit qu'elles n'aient pas eu d'autre choix que de continuer à lutter puisque la demande d'armistice formulée par le père de la patrie, le chef du IIIe Reich n'a pas encore daigné l'examiner, décidé à pousser l'avantage que lui donnent les armes, commandant à toutes les divisions sous ses ordres de poursuivre leur percée, de manière à ne rien laisser intact des troupes françaises et à pouvoir dicter à sa guise les conditions de la victoire lorsque le moment lui semblera opportun et que le vaincu se verra privé de toute possibilité de négocier sa défaite. Le 19 juin, tandis qu'eux croient la guerre finie, ayant en quelque sorte signé à Nîmes leur armistice séparé, d'un bout à l'autre du pays, les grandes villes, Rennes ou bien Nancy, tombent encore aux mains de la Wehrmacht et la ligne de front se porte sur la Loire, du côté des beaux pays de Saumur et d'Angers, là où sans qu'ils puissent le savoir le capitaine Gaston Feyeux a dû se replier avec les quelques hommes sous ses ordres, abandonnant la caserne, un peu plus au nord dans la Sarthe, où il avait été affecté à la tête d'une compagnie d'artillerie à cheval, projetant quand la guerre était encore drôle d'y faire venir sa famille afin d'initier ses filles aux joies de l'équitation, se trouvant désormais en situation de devoir procéder au passage du fleuve sur les ponts de la Loire tant que ceux-ci ne sont pas encore pris. Rééditant, a-t-on raconté plus tard, son exploit de la précédente guerre, sortant son revolver, non pas pour abattre un officier allemand, lui sur son cheval fuyant l'arrivée des chars, mais pour faire cesser les violences, les pillages, les déprédations auxquels se livrait une bande de déserteurs. Comme autrefois, du côté de Verdun, quand il avait dû menacer de son arme le médecin qui se refusait à aller porter secours avec lui aux blessés agonisant entre deux tranchées. Si bien qu'ironiquement, ayant fait deux guerres mondiales, il n'aurait jamais tourné son revolver d'ordonnance, le même peut-être, que contre des soldats de son propre camp. N'obtenant pourtant aucune récompense pour ce nouvel acte de bravoure, personne, au sein de ce chaos, n'étant plus là pour compter les points, ne recevant ni la croix de guerre ni la Légion d'honneur, il les avait déjà eues, le goût des médailles lui étant sans doute passé s'il l'avait jamais possédé, totalement dégoûté qu'il était devenu de toute la comédie militaire, lui, le vague anarchiste à l'allure d'un héros vieillissant et dégingandé de la lointaine Belle Époque, devenu malgré lui officier et héros, porté comme tous les autres par la grande vague honteuse qui pousse les forces françaises toujours plus au sud, le faisant s'échouer enfin du côté de Lourdes avec les derniers hommes de sa compagnie, sarthois et bretons, assez scandalisés de voir que le capitaine dont ils ont admiré le courage et l'intégrité puisse très tranquillement leur expliquer qu'il n'a aucunement l'intention de les accompagner à la basilique et d'y prier avec eux la Vierge pour le salut de la Nation.

Pour lui, comme pour des milliers de soldats, le 19 juin, la guerre n'est pas encore terminée. En revanche, elle l'est, à quelques kilomètres de là, pour les cadets du Cadre noir de Saumur et les élèves sous-officiers de Saint-Maixent qui se sacrifient et perdent presque tous la vie en interdisant aux divisions allemandes les ponts qu'ils défendent, forçant simplement celles-ci à un petit détour et à passer un peu plus loin à l'ouest. Vers Angers, du côté des Ponts-de-Cé, que vient juste de franchir, ce même 19 juin, parmi des milliers d'autres soldats défaits au nombre desquels se trouvait le vieux capitaine, un certain Louis Aragon dont l'incroyable périple — que raconteront certaines des pages d'*Aurélien*, des *Communistes*, certains des poèmes des *Yeux d'Elsa* — le conduit ainsi dans ces mêmes parages de mort. Lui, médecin auxiliaire de la Première Guerre, affecté comme chef d'une section de brancardiers au sein du groupe sanitaire divisionnaire 39 de la 3e DLM, refoulé avec l'essentiel des troupes françaises jusque dans la poche de Dunkerque, parvenant sous le feu allemand à évacuer, le 1er juin, à bord du contre-torpilleur anglais *Flore*, débarquant à Plymouth pour repartir dès le lendemain vers

Brest, remontant aussitôt en premières lignes avec les survivants de sa division, prenant position du côté d'Évreux pour en être immédiatement chassé par l'offensive des troupes allemandes, poursuivi par celles-ci jusqu'à la Loire, parvenant, ce 19 juin donc, à proximité d'un paisible patelin situé sur les rives tranquilles du fleuve et dont le nom étrange lui donne l'idée d'un poème pathétique à l'allure de chanson : « J'ai traversé les ponts de Cé / C'est là que tout a commencé / Ô ma France ô ma délaissée / J'ai traversé les ponts de Cé. »

Tous — tous sinon le capitaine Gaston Feyeux refoulé par la retraite jusqu'à Lourdes, accomplissant là-bas comme une sorte de pèlerinage involontaire, ayant cependant gardé la tête assez solide pour ne pas y prier la Vierge et solliciter d'elle un miracle —, tous se retrouvent donc à Nîmes : les deux dames et les deux demoiselles Feyeux, logées chez une tante qui, d'assez mauvaise grâce, leur accorde l'hospitalité, l'aîné des Forest reçu chez des cousins où le rejoignent son frère qui, au volant de sa Rosengart, est parvenu à arracher le grand-père à l'avancée allemande et puis leurs parents, d'abord portés par la débâcle jusqu'à Toulouse, réussissant ensuite, comment ?, à faire la route qui les conduit dans le Gard.

Nîmes a pris toutes les apparences d'une cité encerclée — sauf que l'armée ennemie ne se tient pas aux portes de la ville et qu'elle n'y entrera pas, s'étant arrêtée d'elle-même un peu plus au nord, occupant Mâcon le 19, Lyon le 21, Saint-Étienne le 24, soit la veille de l'entrée en vigueur de l'armistice prononçant la division du pays en deux zones et préservant ainsi très provisoirement les régions du Sud de l'occupation allemande. Si bien que c'est sous la menace immatérielle de forces fantômes que parfois ils n'ont même pas vues et ne verront pas que les réfugiés s'agglomèrent à Nîmes comme dans les autres cités du Midi, cherchant un abri chez de vagues parents ou de lointaines relations s'ils ont la chance d'en posséder sur place, remplissant immédiatement les hôtels à condition de disposer d'assez d'argent pour pouvoir régler — d'avance — la note qu'on leur présente, se pressant dans les écoles, gymnases, salles des fêtes réquisitionnés afin d'en faire des dortoirs improvisés ou bien se résolvant à coucher à la belle étoile, dans les squares, auprès des points d'eau, à même les trottoirs.

Les jardins publics se remplissent de campements de fortune. Les hommes, les femmes, les enfants bivouaquent parmi les ruines romaines, trouvant refuge dans un décor de péplum ou plutôt — mais, sollicités comme ils l'étaient par la nécessité de se procurer de quoi boire, se nourrir, s'abriter pour la nuit, il est douteux qu'il y en ait eu alors beaucoup pour avoir cette image à l'esprit — dans un tableau d'Hubert Robert : de majestueux édifices dont ne restent plus debout que quelques pans de mur, l'arc d'arènes anciennes, la base d'une tour depuis longtemps effondrée, tous ces morceaux d'architecture antique en pièces dispersés parmi la belle élégance classique d'une cité tranquille, vestiges auprès desquels se tiennent des individus égarés, ayant survécu à un désastre qui, à leurs yeux, vaut bien la chute de l'Empire romain, plus spectaculaire encore puisque quelques journées d'été ont suffi à mettre à bas tout un monde quand, autrefois, il avait fallu plusieurs siècles pour parvenir au même résultat, attendant résignés que viennent les barbares, n'en ayant encore aperçu aucun, ne doutant pas cependant que les troupes allemandes, lorsqu'ils les verraient, n'auraient rien à envier aux hordes des Huns ou aux bandes des Vandales.

Dès les premières heures, une société nouvelle s'organise dans ce simulacre de place forte assiégée. Les réfugiés se regroupent selon l'affinité de leurs origines, de leurs professions, de leurs sympathies, émerveillés de retrouver, à plusieurs centaines de kilomètres du lieu de leur domicile qu'ils ont quitté pour certains depuis plus d'un mois, un collègue ou bien un voisin. Quelques officiers entreprennent de rassembler autour d'eux les restes d'une armée en pleine débandade, reconstituant sous leur autorité des compagnies, des pelotons plutôt, disparates qui recueillent des soldats ayant échappé comme ils ont pu, et comment personne ne le leur demande alors, à l'offensive allemande.

Et eux — qui, chanceux et privilégiés, n'ont pas le souci de savoir où dormir — tuent en touristes le temps vide de l'attente, se promenant parmi ce vaste camp retranché qu'est devenue Nîmes. Un matin, ils se rendent sur le mont Cavalier, vont jusqu'à la tour Magne. Comme le temps est toujours aussi beau, ils aperçoivent au loin le Ventoux, les Alpilles, les Cévennes. Et puisqu'ils n'ont rien d'autre à faire, que les grandes vacances ont l'air d'avoir commencé pour de bon, qu'il n'est plus question de baccalauréat cette année, une fois qu'ils ont visité les Arènes, le temple de Diane et la Maison carrée, ils se retrouvent de nouveau vers la fontaine Pradier et prennent le même chemin tournant vers le sommet où se tient la tour tronquée à l'allure de pyramide octogonale. Il a dû y avoir quelqu'un, une tante, un cousin, pour leur apprendre les vers qu'à tort, paraît-il, la tradition prête à Hugo : « Gall, amant de la Reine, alla, tour magnanime, / Galamment de l'arène à la tour Magne, à Nîmes », mais personne pour leur expliquer — car personne ne semble ni le savoir ni s'en soucier — qui était ce Gall, de quelle reine il était amoureux, et en quoi il fut magnanime de faire le même chemin qu'eux deux — qui n'étaient pas rois et pas encore amants — allaient emprunter chaque jour, ou presque, durant les deux ou trois semaines de leur séjour forcé dans la ville.

De Mâcon, elle n'a apporté, dans sa petite valise glissée dans le coffre bondé de la Peugeot, outre un peu de linge et quelques vêtements, qu'une seule chose qui lui appartienne en propre : sa boîte d'aquarelle avec ses affaires de dessin. Retournant dans sa tête l'idée tout à fait romanesque et complètement irréaliste que, profitant du talent qui est le sien et qui est le seul qui vaille à ses yeux, s'il lui faut vraiment fuir et s'exiler, quel que soit le pays où elle aille et la langue qu'on y parle, elle pourra toujours gagner sa vie comme illustratrice. Alors, pour occuper les heures et fuir le logement exigu où s'entasse sa famille, elle s'installe où elle peut dans la nature, cherchant un endroit un peu à l'écart, au pied de la tour ou bien assise sur le sol, adossée à un arbre, et elle peint, avec la sensation très étrange d'être elle-même entrée dans l'un des tableaux qu'elle n'a vus jusqu'ici qu'en reproductions dans les livres d'art, ceux que sa mère disposait dans le Paradis de sa vitrine à l'approche de Noël, et qui, par une hallucination très douce, lui paraissent maintenant avoir été accrochés très haut, quelque part, aux cimaises du ciel, se déployant sur toute la largeur tournante du panorama de montagnes et de garrigues qu'elle contemple depuis le point de vue du Cavalier. Peignant non pas ce paysage lui-même mais recopiant, comme elle l'a appris et en a acquis l'habitude dans les cours du lycée ou ceux de l'Académie, la peinture qui en a été faite autrefois par un autre. Ayant soudain le sentiment de voir celle-ci pour la première fois, avec ses couleurs, ses formes, ses lumières vraies.

De cette époque, gardant le goût entêté du Midi, vers lequel pourtant elle ne retournera pratiquement jamais, exprimant seulement, comme s'il s'agissait de sa dernière et unique volonté, le désir que plus tard soient dispersées parmi la lavande et les oliviers ses cendres afin que les reçoive, plutôt que la terre froide d'un caveau gris, la toile imaginaire et ensoleillée d'un tableau impressionniste. Bien sûr, Nîmes n'est ni Arles ni Aix. D'ailleurs elle a peu de goût pour Cézanne et toute sa dévotion va à Van Gogh : non pas parce qu'elle le prend pour ce « suicidé de la société » dont parlera plus tard un poète, évidemment inconnu d'elle, pour l'artiste maudit à l'oreille coupée dont des livres qu'elle ne lit pas racontent déjà la légende mais parce qu'elle se dit, et elle n'a pas forcément tort, que chacune de ses images constitue l'expression même du bonheur, donnant au spectacle du monde sa splendide et suffisante clarté. Et si cette beauté existe, comme en témoigne le grand tableau qui s'étale sous ses yeux, alors il n'y a rien, pense-t-elle, et pas même l'horreur de la guerre, qui puisse vraiment la faire disparaître, car il suffit de se placer devant la réalité comme si elle était ce tableau pour en laisser émaner une lumière telle que s'absorbe et s'efface en elle toute l'obscurité du temps.

Après plusieurs heures passées à peindre ou à rêver, lorsque le soir commence à tomber, elle redescend vers la ville, traversant l'épaisseur des groupes de plus en plus denses agglutinés autour de la fontaine, sur les places où la vie semble avoir repris d'elle-même : des femmes préparant la tambouille autour d'un feu de camp, des enfants qui courent et qui crient, des vieillards qui se reposent sous des tentes bricolées à l'aide de couvertures tendues entre des piquets, des hommes qui jouent joyeusement aux boules et font les malins, bien décidés à montrer que la guerre ne les concerne pas, que c'est une blague au fond et qu'ils n'y croient pas, d'autres qui parlent politique, refont la campagne de France, entreprennent de démontrer, et ils le font sans mal, à quel point Weygand et Gamelin ont été stupides et incompétents, échangent les informations qu'ils peuvent pour s'enquérir du sort de tel village où sont restés quelques-uns des membres de leur famille, de telle division à laquelle appartenait un frère, un cousin, un fils, discutant sans fin les nouvelles et les rumeurs qui leur parviennent sans aucun moyen de distinguer les unes des autres.

Tous, enfermés dans cette ville aux apparences subites de citadelle mais tout à fait dépourvue de garnison comme de fortification et qui ne tient que parce que l'ennemi s'est déjà désintéressé d'elle, ne savent rien de la guerre qui pourtant continue, sinon ce qu'ils en entendent à la radio et que vient aussitôt relayer et déformer le téléphone arabe. Comme si le seul combat se livrait sur les ondes puisque ce sont elles qui rapportent l'avancée des forces allemandes, les villes qui tombent tour à tour — le 20 : Strasbourg, Brest et Tours ; le 21 : Cholet et Lyon ; le 22 : Saint-Nazaire et La Roche-sur-

Yon. Avec des voix qui bégayent chaque jour le même message. L'une — qui est ce de Gaulle et de quoi se mêle-t-il ? — invitant à ne pas renoncer, à résister, à rejoindre l'Angleterre pour y poursuivre le combat. L'autre — celle de Pétain, à la diction de vieille tragédienne — répétant de plus en plus piteusement que lui, le vainqueur de Verdun, le père de la Patrie, a demandé que l'ennemi accorde à la France l'armistice honorable que sa gloire et sa grandeur méritent mais n'expliquant pas pourquoi, de jour en jour, une telle demande ne rencontre que le silence et une fin de non-recevoir implicite de la part d'une Allemagne que rien ne presse puisqu'elle a conscience d'avoir déjà gagné la partie. Le 20 juin, répétant : « J'ai demandé à nos adversaires de mettre fin aux hostilités. » Ajoutant : « L'esprit de jouissance l'a emporté sur l'esprit de sacrifice... J'ai été avec vous dans les jours glorieux. Chef du gouvernement, je suis et je resterai avec vous dans les jours sombres. »

Le 22 juin, l'armistice — sollicité par le gouvernement français depuis une semaine — est enfin signé et il l'est, dans la clairière de Rethondes, dans le wagon même qui avait servi à l'accord de 1918, de façon à bien signifier que vainqueurs et vaincus ont échangé leurs places et que le cours de l'Histoire s'est désormais inversé. Le traité imposé par l'Allemagne entre en vigueur trois jours plus tard mais des troupes françaises combattent encore dans les Vosges et en Alsace. Il définit le tracé de ce que l'on nomme aussitôt la ligne de démarcation, situant Mâcon à quelques kilomètres de celle-ci, en zone sud, c'est-à-dire du bon côté. Eux tous, les deux dames et les deux demoiselles de la famille Feyeux, les deux fils de la famille Forest, leurs parents et puis le grand-père, maintenant que tout paraît rentré dans l'ordre, cet ordre fût-il celui, honteux, de la défaite, n'ont donc plus de raison de rester à Nîmes et se décident à retourner chez eux. Mais lui, par un scrupule un peu idiot, maintenant que l'apparence de la légalité se trouve rétablie sur le territoire coupé en deux de la République, hésite à reprendre le volant de la Peugeot, dépourvu du permis de conduire qui lui en donnerait le droit. Alors c'est son petit frère, Paul, qui, plus dégourdi et moins timide que lui, l'entraîne, un bouquet de fleurs à la main, dans les bureaux de la préfecture du Gard et entreprend de convaincre la femme derrière le guichet, responsable de la délivrance des documents officiels, qu'il lui faut régulariser la situation du jeune premier assez embarrassé qui se tient devant elle et auquel il convient d'accorder le papier qui lui manque et qu'il a bien mérité puisque avoir conduit une auto à travers le chaos de l'exode est, finalement, autrement plus compliqué que de savoir identifier deux ou trois panneaux de signalisation, de réussir un ou deux créneaux et un démarrage en côte. Déployant une telle verve charmeuse que la fonctionnaire se laisse convaincre et qu'elle attribue — en toute illégalité — au jeune chauffeur le permis avec lequel celui-ci conduira toute sa vie.

Ils refont la route de Nîmes à Mâcon dans les premiers jours de juillet. La date exacte de leur départ, il n'est plus personne qui s'en souvienne. Ce devait être après le 7 puisque c'est ce jour-là que les troupes allemandes, en application des dispositions de l'armistice, se retirent de la ville. À Vichy, où le gouvernement s'est installé, Pierre Laval est en train de préparer et d'imposer la réforme constitutionnelle qui donnera les pleins pouvoirs au maréchal Pétain. À Mers el-Kébir, la flotte française vient d'être coulée par les navires de guerre anglais. Et de tout cela, ils ne connaissent encore que ce qu'ils entendent sur les ondes où s'affrontent les accents de quelques voix fantômes. Rejoindre Mâcon, dans la Peugeot ou dans la Rosengart, n'est pas une entreprise aussi facile qu'ils l'avaient imaginé. Les routes sont vides mais le pays est complètement désorganisé. Il n'y a plus d'essence nulle part. Et c'est le réservoir à sec qu'ils franchissent enfin le pont Saint-Laurent, le cœur serré, s'attendant à entrer dans une cité en ruines, où tout ce qu'ils ont connu aurait été systématiquement rasé par l'armée ennemie, découvrant en réalité et à leur grand étonnement une ville vide mais inchangée dont la familiarité même leur paraît singulièrement inquiétante comme si un charme invisible avait été jeté sur la cité, secrètement métamorphosée sous ses apparences intactes par l'épreuve, la souillure de sa fugitive occupation. La porte de la grande maison que loue la famille Feyeux a été forcée et est restée entrouverte mais, de l'autre côté, ils ne découvrent pas le grandiose spectacle du saccage auquel ils (ou plutôt : elles) s'attendent, les traces du passage de l'envahisseur se révélant aussi discrètes que celle que laisse, dans le conte, la petite Boucle d'Or dans la demeure où, après leur promenade, rentrent les trois ours. Quelqu'un s'est couché dans un lit. Quelqu'un a vidé quelques bouteilles à la cave. L'acte de pillage le plus barbare, c'est elle qui le découvre dans sa chambre. On lui a volé le cartable tout neuf qu'elle s'était acheté avec ses propres économies, poussant l'insolence jusqu'à lui laisser le manuel de mathématique qu'il contenait et dont elle aurait souhaité qu'il disparaisse dans la catastrophe. Quant au magasin des Fiançailles, il a été tout à fait épargné. L'employée, la jeune Mlle Aimée, à qui les clés avaient été confiées, n'a eu à subir aucun des outrages dont la soldatesque nazie est supposée coutumière. Avec beaucoup de sens pratique, quand elle s'est aperçue que le IIIe Reich n'en avait pas après la confiserie française, elle a rouvert la boutique aussitôt qu'elle l'a pu, faisant tourner gentiment le commerce de ses patrons et remplissant fort opportunément leur tiroir-caisse.

En six semaines, il y a eu cent mille soldats français tués et cent mille civils également ont péri sur les routes de l'exode. Mais eux ne comptent pas au nombre de ces morts. De toute cette foule populeuse et déjà insignifiante comme la cendre, plus anonyme encore que celle dont le souvenir s'inscrit aux monuments des communes célébrant la guerre d'avant, la Grande, masse aussitôt poussée vers l'oubli et dont immédiatement rien ne subsiste puisque la honte collective de la défaite commande d'en effacer la mémoire, individus dont chacun est mort de sa mort très concrète et singulière, à Dunkerque, Arras, Saumur ou dans n'importe quel fossé de n'importe quelle route filant vers l'asile illusoire du sud, mais dont chacun se trouve pareillement effacé des registres du temps puisque sa mort n'est nullement susceptible de signifier quoi que ce soit au regard de l'Histoire, celle qui juge et se souvient, de tous ceux-là, crevés comme des bêtes qu'aucune sépulture ne reçoit, ils n'ont rien vu. La guerre s'étant limitée pour eux à une escapade angoissée sous un ciel de vacances, aux comptes rendus qu'en donnait la bouche de la TSF et puis à deux ou trois semaines de villégiature nîmoise.

Dans toute l'aventure, au bout du compte, ils n'ont perdu qu'un chien. Une photo le montre, posé sur les genoux du père, du père de mon père, Fleury Forest, le confiseur des

Fiançailles, un minuscule et assez vilain bâtard, dont la petitesse, sur le cliché, frappe encore davantage en contraste avec les traits et les mains de son maître, ostensiblement agrandis par les symptômes de sa maladie. Il n'y avait pas de place pour lui quand il a fallu quitter Mâcon, embarquant à bord de l'automobile des voisins fuyant vers Toulouse. C'est pourquoi, plutôt que de l'abandonner, il s'est résolu à faire piquer l'animal. Peut-être était-ce poussé par sa femme car lui, finalement, aurait certainement préféré rester chez lui avec son chien. Je l'imagine, dans le chaos de la débâcle et tandis que la ville se vidait, cherchant le vétérinaire qui procéderait à l'opération, se sachant incapable d'exécuter lui-même la sentence, d'étouffer l'animal de ses trop vastes mains, de lui tordre proprement le cou. Trouvant enfin le praticien qui accepterait d'accomplir la chose à sa place. Attendant que la seringue soit prête et puis que le poison fasse son effet, soutenant le regard incompréhensif de la toute petite créature, observant celle-ci en train de résister à la mort qui se répand en elle, gémissant et jappant un peu tandis que le venin diffuse dans les membres et dans les organes, agitée de spasmes et enfin immobile. Se voyant remettre le paquet inerte contenant le corps du petit animal, objet absurde et sans usage, roulé dans une mauvaise couverture, et se demandant qu'en faire, creusant à la va-vite un trou dans le fond du jardin tandis que sa femme et ses voisins le pressent de prendre place dans la voiture dont le moteur tourne déjà et qui n'attend plus que lui pour partir vers Toulouse.

Pleurant, bien sûr, tandis qu'il recouvre de terre la chose déjà froide et raide qu'enveloppe le tissu de laine, s'essuyant les yeux pour ne pas montrer ses larmes avant de monter dans l'auto, mais tout entier occupé par son chagrin pendant que la voiture rejoint le grand embouteillage de l'exode, laissant traîner à travers la vitre de la portière arrière, sur sa caricature comique de visage déformé par la maladie, un regard mélancolique tourné vers le monde, causé moins par le spectacle d'une Nation qui s'effondre que par le souvenir d'un animal injustement abattu d'une simple piqûre d'aiguille et précipitamment abandonné au fond d'un trou. Cette mort-là, dérisoire sans doute au regard des centaines de milliers d'individus déjà tombés et des millions qui allaient suivre, valant tout à coup pour toutes les autres — celles qu'il n'a pas vues et qu'il ne verra pas —, d'autant plus pathétique qu'elle ne signifie rigoureusement rien, d'un poids si infime qu'elle ne pèse pas du tout dans la balance monumentale sur les plateaux de laquelle n'importe qui procéderait un jour, depuis l'impensable confort du futur, à l'évaluation du grand massacre alors en cours de l'Histoire. Et, pour cette raison même, d'autant plus exemplaire : ce cadavre-là, celui d'un très vilain croisement de races canines impossibles à déterminer, transformé en cette chose sans nom, comparable à ce que deviennent tous les corps une fois qu'on les a mis en terre, ou si, oubliés dans un fossé, on les a laissés assez longtemps à l'air libre pour qu'ils prennent au soleil l'apparence exacte d'une charogne, témoignant du coup des effets du grand mécanisme carnivore qui broie entre ses mâchoires impersonnelles toute la substance de ce qui fut vivant et jusqu'à l'étoffe même du temps. Pleurant donc cette mort-là, celle d'un chien, et donnant à ses larmes la valeur d'une prière naïve et scandaleuse — de celles que les enfants, dans le noir de leur lit, secrètement sidérés par l'inintelligibilité du sort, adressent au vide, quand ils prennent le néant à témoin de la formidable iniquité du monde qui bouleverse, dévaste et détruit tout.

Pleurant, comme je verrai mon propre père, son fils, trente ans plus tard, ayant atteint le même âge, cet âge qui, aujourd'hui, est presque le mien, creusant tout seul et loin de nous, ses enfants, au fond d'un autre jardin, le trou où allonger la bâche de plastique dans laquelle le vétérinaire du village voisin avait glissé le cadavre de notre chien. Et je crois bien que c'est la seule fois où je l'ai vu pleurer devant nous. S'autorisant ces larmes, au moins une fois dans son existence, et peut-être en guise d'enseignement silencieux qu'il nous aurait destiné, pleurant ce chien et pleurant sur l'insignifiance pathétique de cette mort comme pour témoigner, un instant et pour l'éternité, du long, amer et inexpiable chagrin de la vie.

CHAPITRE 4

12 juillet 1942

Here he ponders things that were not: what Caesar would have lived to do had he believed the soothsayer: what might have been: possibilities of the possible as possible: things not known: what name Achilles bore when he lived among women.

JAMES JOYCE

C'est sous le même ciel bleu que se passent tous les événements heureux. Comme si la mémoire ne connaissait, au fond, qu'une seule saison, un perpétuel été, au cours duquel les journées s'étirent afin de faire durer le plus longtemps possible le plaisir paisible qu'elles contiennent, emmagasinant la lumière en prévision des heures plus sombres et des moments plus noirs. C'est pourquoi il est tout à fait impossible de se souvenir d'un jour de bonheur sans l'imaginer sous le soleil, prêtant quand il le faut aux ciels gris et plombés, aux paysages de brouillard ou de pluie sous lesquels tout cela est pourtant arrivé, la fausse clarté nécessaire à ce qu'ils rayonnent mensongèrement dans la mémoire.

Mais ce jour-là, il fait vraiment beau. Dès le petit matin, quand l'excitation de l'événement les a réveillés trop tôt, ils ont su que l'on installerait dans le jardin les tables tendues de nappes blanches pour y disposer les plats venus de chez le traiteur, le service des grandes occasions, les bonnes bouteilles sorties de la cave, les verres en cristal. Et que les dames pourraient porter leurs toilettes claires et leurs chapeaux d'apparat sans craindre l'averse. L'été n'est pas encore assez avancé pour que la pelouse ait jauni sous le soleil. Il y a des fleurs aux couleurs magnifiques qui resplendissent et dont les formes se détachent devant le mur de la maison. Les arbres font juste l'ombre légèrement sombre qu'il faut sur le vert de l'herbe. Elle a mis sa robe nouvelle acquise pour l'occasion et qui lui donne un air un peu espagnol. Et lui ajuste encore une fois sa cravate en s'assurant nerveusement que la bague se trouve bien dans la poche du costume qu'il étrenne et dans lequel il ne se sent toujours pas très à l'aise. Sa mère a tout organisé et maintenant que la table est dressée, elle fait la conversation avec le curé, le remerciant d'avoir bien voulu se déplacer pour prononcer la bénédiction. Il n'y a guère que le vieux capitaine à se tenir un peu à l'écart du groupe, feignant de regarder les fleurs, peu désireux de se mêler à de telles mondanités avec l'un des membres du clergé, mais guettant surtout sa fille du coin de l'œil, la trouvant tout à coup exceptionnellement belle, réalisant que les vingt ans de sa vie sont passés sans qu'il s'en soit aperçu, se disant que cela devait arriver un jour ou l'autre et que, quitte à faire, ce jeune homme en vaut bien un autre, qu'elle aurait pu tomber sur pire, après tout. Les convives sont presque tous arrivés, les deux familles — ou plutôt : ce qu'il en reste —, quelques amis, les connaissances qu'il n'aurait pas été convenable de ne pas inviter. Et eux qui, certainement, se sentent un peu embarrassés par la situation et se sourient silencieusement, n'osant pas trop prendre la parole, se disent qu'au fond et à y bien réfléchir — mais sans doute n'ont-ils pas la tête à réfléchir — ce sont les vieilles idées idiotes qui disent vrai, que le monde est beau, malgré tout, que la vie vaut bien la peine d'être vécue, et quelle que soit l'époque où le destin, ou le hasard, vous a fait naître, même en plein milieu d'une guerre, la plus barbare de l'Histoire, puisqu'une journée de soleil suffit à y ouvrir le miracle scandaleux d'une pure parenthèse.

La date est le 12 juillet 1942. C'est le jour où ils se fiancent. Soit : un tout petit peu plus de deux ans après qu'ils se sont vus pour la première fois, « Ce fut comme une apparition », réunis par les circonstances, si l'on peut nommer ainsi l'écroulement de tout un continent, pour une aventure héroïque, qui a tourné court, tandis que le pays s'effondrait et que la grande Histoire, celle des autres, se terminait en catastrophe alors que la leur, si petite, pensaient-ils, commençait. Comme si, finalement, ces deux années-là n'avaient pas vraiment été, rapides comme un claquement de doigts dans l'air, et que l'odyssée assez insignifiante qu'ils avaient vécue — quelques centaines de kilomètres parcourus dans un sens et puis dans l'autre entre Mâcon et Nîmes à bord d'une vieille Peugeot avec ses cinq passagers et la pyramide de bagages ficelés sur le toit sans oublier le chien et les deux chats — n'avait été que le prologue, combiné par une Providence machiavélique ou malicieuse, afin qu'ils se retrouvent enfin dans ce jardin sous un assez doux soleil d'été.

Et maintenant, cela est. Cela devait être. Et que cela soit leur semble si naturel qu'ils n'envisagent même plus que ce jour-là, le 12 juillet 1942, puisse être un autre que celui marqué de toute éternité pour qu'y soit célébré l'engagement de leur prochaine union. Chacun se convainquant pareillement que le chemin qu'il a suivi était le seul puisqu'il menait jusqu'à l'instant présent, le labyrinthe de sentiers ramifiés et divergents du monde à l'intérieur duquel le moindre hasard aurait pu le déporter dans une direction diamétralement opposée, se réduisant progressivement, rétréci à la ligne exclusive qui fut effectivement parcourue et faisant disparaître toutes les autres qui auraient pu l'être aussi bien, et disparaître avec elles les événements éventuels situés sur ces lignes alternatives, les laissant basculer dans un néant pire que celui de l'oubli, le vide absolu et spectral où se tiennent toutes les choses qui n'ont jamais accédé à l'existence.

Tout individu avançant ainsi avec à sa suite, guettant par-dessus son épaule, toute une cohorte de créatures fantomatiques dont il sent la présence mélancolique, jalouse et fraternelle, êtres qui réellement ou virtuellement ont été lui, certains déjà morts, d'autres qui resteront toujours à naître, ceux qu'il fut et dont il ne sait déjà plus rien, ceux qu'il n'a pas été et dont il ne saura jamais rien non plus, créatures sacrifiées dans le massacre des mondes ou avortées dans les fausses couches du temps, avec de l'un à l'autre de ces êtres un vague air de famille, la même voix, les mêmes yeux, tout un peuple de personnages distribués par le hasard pour jouer sur la scène éventuelle d'une collection inouïe de drames, répertoire d'histoires vertigineusement déployées dans toutes les dimensions de la durée et devant lesquelles la raison défaille si elle entreprend de les considérer. Ce qui a été, ce qui aurait pu être, toutes les possibilités du possible en tant que possible, ce que César aurait pu accomplir encore s'il avait écouté l'augure, les choses non connues, le chant que chantaient les sirènes, le nom qu'Achille portait quand il vivait parmi les femmes, poussières du possible sur lesquelles médite un écrivain irlandais décédé l'année précédente, romancier qu'il ne lut pas, dont il ne connut même pas le nom, dont il ne se serait jamais soucié et particulièrement en ce jour de fiançailles où sa tête allait ailleurs, et qui évoque en esprit le lot de toutes les questions, embarrassantes et cependant accessibles à la conjecture, que le temps soulève à seule fin de les laisser aussitôt s'effacer.

Et tandis que les livres d'Histoire disent ce qui a effectivement été, conférant à chaque chose qui fut son intangible place au sein des annales intouchables du monde, et donnant à ces annales leur définitive et inflexible facture, la vérité consisterait à en rêver l'envers à jamais indécis, restituant à chaque moment vécu cette sensation de halo immotivé à l'intérieur duquel flottent, fugitivement visibles à travers la lumière, toutes ces poussières du possible soufflées dans le vent, choses qui ne furent pas ou bien qui furent mais restèrent et resteront inconnues, instantanément irréalisées dès lors qu'elles prennent place dans le songe insistant du passé, poussières qui pleuvent parallèles dans le vide comme des atomes tombant selon la trajectoire verticale de leur chute et tomberaient ainsi à jamais si une infime déclivité ne les faisait parfois se heurter, s'unir et se repousser, ricochant dans l'espace, particules se bousculant et puis dispersant de proche en proche toutes les autres, produisant une catastrophe d'où se déduit le fait que, plutôt que rien, quelque chose a été.

Alors que ce 17 juin 1940, deux ans plus tôt, s'il n'avait pas passé tant de temps à vérifier la mécanique de son vélo, en huilant la chaîne et les freins, en regonflant les pneus, il aurait pu aussi bien avoir déjà franchi le pont Saint-Laurent avant qu'elle ne passe la porte du magasin de son père, et que, si ce dernier avait signé à son fils l'autorisation nécessaire pour qu'il devance l'appel, il aurait été de toute façon ailleurs, mobilisé quelque part, certainement pas aux commandes du Dewoitine dont il rêvait qu'on le lui confie mais plus vraisemblablement en tant que soldat ou aspirant comme le lui permettait la préparation militaire qu'il avait suivie, à battre en retraite avec tous les autres, espérant atteindre la rive opposée de la Loire avant qu'il ne soit trop tard, fait prisonnier, passant plusieurs années captif dans un camp allemand, ou bien mort aussitôt, sur une plage de Dunkerque, dans un champ de betteraves du Nord, au fond d'un fossé longeant l'une des routes de la Sarthe ou de l'Anjou, laissant tomber son jeune cadavre ici ou bien là, et puis pour rien. Ou alors : et en supposant qu'il ait finalement pris le volant de la vieille Peugeot, mitraillé entre Mâcon et Nîmes, si tel ou tel des Stuka croisant dans le ciel avait eu la fantaisie ou bien le scrupule, avant de rentrer à sa base, de décharger consciencieusement le restant de ses munitions sur un dernier convoi de réfugiés, l'impensable loterie du sort décidant seule de qui aurait survécu ou pas, de lui, des deux dames ou des deux demoiselles Feyeux, du chien ou bien de l'un des chats.

Et si leur roman n'avait pas connu de conclusion aussi spectaculaire et dramatique, il aurait pu s'achever dans le néant progressif où se perdent toutes les rêveries ordinaires de la vie : lui l'oubliant, et elle l'oubliant encore plus vite, puisqu'elle prétendait ne pas avoir vraiment prêté attention à son physique de « jeune premier » ténébreux et ne pas avoir remarqué de quoi il avait l'air, les visites de politesse qu'ils se sentaient obligés de se rendre l'un à l'autre à leur retour, car le souvenir d'une aventure commune liait désormais leurs deux familles, s'espaçant au bout de quelques mois et puis cessant tout à fait tant était grande la distance, creusée par l'Histoire, qui séparait les deux mondes mitoyens de leurs milieux et de leurs origines. Si bien que chacun aurait suivi alors son propre chemin, convaincu très vite que celui-ci avait toujours été le seul à s'ouvrir devant lui, le souvenir de la journée qu'ils avaient passée ensemble et des deux ou trois semaines de leur villégiature nîmoise s'effaçant ou bien ne subsistant plus qu'à la façon d'une anecdote insignifiante puisque de cet événement rien n'était, ne serait sorti et que l'existence les avait, les aurait aussitôt requis pour autre chose. Elle : un autre homme qu'elle aurait rencontré et épousé, car il y en avait bien d'autres sans doute et il s'en serait trouvé un, moins beau peut-être mais mieux fait pour elle, qu'elle aurait fini par remarquer. Lui : une autre femme ou bien plusieurs à supposer que les circonstances de la guerre lui en aient laissé le temps, et celui de se soucier d'amour, car dans la confusion où l'époque le plongeait, si l'Histoire n'avait pas décidé pour lui et en quelque sorte à sa place, il aurait certainement pu se retrouver aussi bien du côté de la Résistance que du côté de la collaboration ; ou encore : ni d'un côté ni de l'autre comme ce fut le cas de la plupart, à jouer à la guerre — ou pas — dans l'un de ces deux camps rivaux qui répétaient les affrontements pour de faux de son enfance.

Chacun de ces romans finalement avortés ayant été tout aussi plausible que celui qui avait finalement été, et toutes ces histoires effacées enfantant tellement de figures différentes d'eux-mêmes qu'en dernier ressort, s'ils y avaient réfléchi, ils en seraient venus à penser que des centaines d'autres auraient pu pareillement porter leur nom, habiter leur corps, poursuivre leur histoire, avec de l'un à l'autre de ces personnages tout au plus l'effet d'une vague ressemblance, les mêmes yeux, la même voix. Le passé n'étant pas beaucoup plus réel que le possible, la discontinuité même du temps isolant — comme autant d'avatars dans l'éternité — les moi immédiatement successifs de chacun, les rendant instantanément étrangers les uns aux autres, faisant de celui que l'on fut le jour d'avant un total inconnu pour celui qui s'éveille au matin. Impénétrable comme un être improbable auquel on prête par commodité ses propres pensées afin de ne pas devoir reconnaître que l'on n'a rien à voir avec lui, qu'il constitue tout au plus un mystère indifférent et lointain pour lequel personne — et pas même soi — n'a la clé.

Aux choses qui ne furent pas s'ajoutant celles qui ne sont pas connues et dont on peut tout au plus jouer au jeu assez vain de les imaginer, le faisant arbitrairement, décrivant la table, la nappe, le jardin, détaillant — pourquoi pas ? — les motifs sur les assiettes, le menu servi et jusqu'au cru et au millésime du vin, s'y employant et sans risque d'être détrompé par quiconque. Maintenant que des convives de leurs fiançailles il n'en reste plus que deux ou trois à être encore en vie, certainement plus pour très longtemps, et que dans la mémoire de ces survivants le souvenir s'est presque tout à fait effacé de cette journée de juillet 1942 qu'ils confondent à moitié, sous prétexte que luisait alors une même clarté d'été, avec tel autre moment de bonheur postérieur de plusieurs décennies à celui-ci, le mariage de tel ou tel de leurs propres enfants, petits-enfants ou bien un baptême, qui eurent lieu dans une autre ville, une autre maison, la table du banquet dressée dans un autre jardin, mélangeant comme finissent toujours par le faire les trop vieilles personnes les lieux, les dates et les gens, ne parvenant plus à dire avec certitude lesquels à l'époque étaient morts et lesquels vivants, comme s'il n'y avait jamais eu qu'une seule et unique fête de famille à laquelle tous, ceux déjà disparus ou ceux encore à naître, ils avaient participé, se rappelant que bien sûr, ce jour-là, eux deux étaient là puisqu'il s'agissait de leurs fiançailles mais demeurant un peu incrédules devant l'idée que cette jeune fille et ce jeune homme avaient bien été eux parce que, à part peut-être les yeux et la voix, ils auraient été incapables de dire ce qu'ils partageaient avec ces fantômes d'enfants, et ce que ces deux étrangers avaient en tête alors qu'ils s'apprêtaient à échanger leurs vœux et peut-être, parmi les choses non connues, à échanger également ce jour-là leur premier vrai baiser tandis qu'à quelques pas de là le vieux capitaine, détournant la tête, passait en revue du regard les magnifiques alignements de quelques fleurs rouges et jaunes sous le soleil.

Et si quelqu'un était là aujourd'hui pour se souvenir de cette journée de juillet 1942, ou à défaut pour l'inventer, sans doute lui faudrait-il faire un effort supplémentaire de mémoire ou bien d'imagination pour réaliser qu'une personne manquait pourtant autour de la table avec sa nappe blanche, tellement convaincu que cette personne avait assisté malgré tout aux réjouissances que ce quelqu'un convoquerait spontanément sa silhouette parmi toutes les autres où cependant elle ne se trouvait pas, silhouette immense, exagérément charpentée, terminée de mains énormes, surplombée d'un visage aux allures de masque de carnaval, mélancolique et burlesque à la fois, le faisant avec tant de conviction qu'il croirait la reconnaître sur les vieilles photographies jaunies prises alors et qui auraient presque pu reproduire son image si la pellicule avait été assez sensible pour enregistrer une semblable empreinte spectrale. Comme dans un rêve où les morts côtoient les vivants et viennent reprendre auprès d'eux leur vieille place sans que personne s'en offusque ou s'en étonne, les seconds simplement heureux que les premiers aient obtenu des autorités de l'autre monde la permission provisoire qu'il faut pour se joindre à eux, ne leur demandant rien, inquiets que la moindre question posée ne leur fasse cruellement prendre conscience de leur sort, ne vienne faire cesser le répit dont ils profitent sous la lumière et ne les renvoie aussitôt du côté des ombres.

Car quand ils se fiancent, cela fait presque deux ans que Fleury Forest, le confiseur du quai Lamartine, est mort, subitement décédé à l'âge de cinquante ans, dans la nuit du 11 novembre 1940, ayant choisi cette manière un peu macabre de célébrer la victoire de la précédente guerre, qu'il n'avait pas faite, au moment même où le pays subissait le contrecoup très récent de la défaite dans la guerre nouvelle, qu'il n'avait pas faite davantage, lui, marié à une femme au physique de Marianne — mais personne, cette année-là, n'avait eu le cœur à lui demander d'en tenir le rôle — qui, se réveillant auprès de lui, l'avait trouvé, inexplicablement sans vie, vers les quatre heures du matin, raide et froid dans le lit conjugal. Descendant aussitôt avertir les deux frères de l'événement, surgissant théâtrale dans le noir de la nuit pour leur annoncer d'une voix calme et sépulcrale la mort de leur père, les conduisant jusqu'à la chambre afin qu'ils puissent voir de leurs yeux, se convaincre de la vérité inattendue à laquelle autrement ils n'auraient pas pu croire, posant sur son front déjà glacial un dernier baiser nécessairement solennel.

Mort dans son sommeil — comme c'est le désir de chacun —, versant directement du songe de la nuit dans celui de la mort, s'imaginant peut-être, la conscience assoupie, qu'il n'était pas en train de quitter la vie mais rêvait seulement son agonie et qu'au fond, puisque tout cela n'était qu'un songe, il n'était pas si grave ni si terrible. Mourant de rien, pour rien, rentré la veille d'un repas joyeux et amical pris entre conscrits, pour fêter la Grande Guerre dont ils étaient tous — tous ceux, du moins, qui pouvaient encore célébrer quoi que ce soit autour de la table d'un restaurant — sortis vivants, s'étant mis à suer étrangement dans son lit, se disant que ce n'était certainement pas grand-chose et qu'une bonne nuit de sommeil réparerait tout, puis fermant les yeux pour ne plus jamais les rouvrir. Sans que le médecin venu au matin pour constater le décès ait pu en déterminer avec certitude la cause, l'imputant vaguement à sa maladie, mais sans dire le lien qui pouvait exister entre l'acromégalie et la mort subite, doutant qu'il puisse y avoir un rapport avec le traitement aux rayons X qu'on lui administrait depuis quelque temps, ne sachant rien sans doute, ne se prétendant d'ailleurs pas plus savant qu'il ne l'était, résigné à ce que la science qu'il était censé représenter soit tout à fait désarmée dès lors qu'elle se trouvait devant des affections un peu compliquées comme celle-là et convaincu que la médecine en avait fait assez lorsqu'elle avait un peu soigné et soulagé ceux qui de toute façon finiraient par mourir.

Lui, s'étant ainsi endormi en sueur, définitivement, comme si désormais il ne voulait pas en savoir davantage, ni sur l'issue de la guerre ni sur la suite de la vie, laissant aux autres le soin et l'embarras de son grand corps déjà rigide que des voisins, pour ne pas imposer cette tâche à la famille, avaient bien voulu prendre la peine de glisser comme ils l'avaient pu dans son plus beau costume avant qu'on ne l'installe dans le cercueil qu'il avait fallu, comme la loi l'exigeait, puisqu'il devait être convoyé jusque dans le cimetière de Vieu situé dans un autre département, entourer d'une doublure de zinc, elle-même scellée, sous les yeux des deux frères, avec la flamme bleue d'une lampe à souder.

Les laissant subitement seuls au monde, et ne leur laissant rien de lui, sinon une somme de souvenirs si infimes que ceux-ci disparaîtraient aussitôt s'ils tentaient de s'en saisir, comme du sable qui passe entre les doigts et se perd sur le sol. Si bien que de cet homme ils ne parleraient plus jamais à personne et qu'il n'en subsisterait que l'image la plus vague, celle d'un individu dont on ne pourrait guère évoquer que la conscience professionnelle, l'habileté manuelle, l'extrême gentillesse, cette qualité-là étant certainement la seule qui vaille vraiment chez quelqu'un mais, et pour cette raison même, la moins susceptible d'être racontée puisqu'on ne peut rigoureusement en dire quoi que ce soit. Ne leur léguant rien : aucune vérité, aucun précepte pour guider leur existence. Ou plutôt : leur léguant ce « rien » qui est la seule chose qu'un père puisse transmettre à ses fils. Nul enseignement sinon celui, silencieux, qui oblige ceux-ci à refaire eux-mêmes et pour leur propre compte la vaine et perpétuelle expérience inchangée de la vie. Comme dans cette vieille fable de La Fontaine — la seule que lui, son fils, mon père, n'ait jamais oubliée et ait su réciter jusqu'au bout par cœur — où un homme, sentant sa fin prochaine — mais lui, mort subitement et à seulement cinquante ans, n'en avait pas eu l'occasion —, réunit autour de son lit ses enfants et leur fait la promesse d'un trésor qui, bien sûr, n'existe pas mais à la recherche duquel ils vont consacrer désormais toute l'énergie de leur existence. La morale n'étant pas que le travail est le vrai trésor ainsi que le voudrait une interprétation conventionnelle comme celle qu'on donne à l'école pour édifier les enfants. La vérité étant plutôt qu'il n'y a pas de trésor, que le monde est tout à fait vide, qu'on peut retourner toute la terre sans jamais y trouver quoi que ce soit. Ou plus précisément : que le seul trésor, dès lors qu'on le sait, est le rien dont procède toute vie et avec lequel elle s'achève.

Et c'est bien pourquoi les pères toujours se taisent. Du moins lorsqu'ils en ont l'intelligence et la délicatesse. Non pas qu'ils n'aient rien à dire. Comme tout le monde ils ont leurs opinions et leurs convictions. Mais une sagesse qui leur vient de leurs propres pères, et qui est la seule qu'ils tiennent d'eux, les retient d'exprimer une autre vérité que celle-là, résistant à la tentation illusoire de considérer qu'il y aurait une philosophie à laquelle ils seraient parvenus et dont il leur faudrait imposer le fardeau à ceux qui viennent après eux, les laissant libres de découvrir par eux-mêmes ce secret de Polichinelle qui n'apparaît qu'une fois la terre totalement retournée et dévastée avec son ventre ouvert comme un coffre-fort béant, se contentant donc d'adresser à leurs successeurs un signe qui les prenne à témoin de leur étonnement devant la vitesse et la vacuité de la vie, et dont ceux-ci ne comprendront à leur tour le sens que bien longtemps après et lorsqu'il sera trop tard pour en faire usage. N'ayant consigné d'autre testament que celui, salutaire, qui consiste en une simple feuille blanche, extraite de son enveloppe chez le notaire pour la stupéfaction et la consternation passagères des vivants tandis que le corps repose déjà dans sa double enveloppe de zinc et de bois.

La maison du Balmay se situe à quelques kilomètres du lieu où passe depuis quatre mois la ligne de démarcation. Sans doute au sud de celle-ci, c'est-à-dire en zone libre. Sinon, elle leur aurait été interdite, à la veuve nouvelle et à ses fils, tous trois séparés du grand-père rentré chez lui, et ils n'auraient plus pu s'y rendre au moins jusqu'à ce que, deux ans plus tard, très exactement le 11 novembre 1942, comme pour célébrer de façon cynique et insolente l'anniversaire de l'armistice et afin d'effacer une seconde fois le souvenir de celui-ci, les armées allemandes réunissent le territoire de la République française en l'occupant tout entier. Et dans ce cas, il faudrait imaginer encore que le corbillard contenant le cercueil de bois doublé de zinc, suivi du car loué pour l'occasion afin de conduire la famille et les amis du défunt vers le cimetière voisin de Vieu, devant le même caveau où un demi-siècle plus tard serait déposée l'urne contenant ses cendres, avait dû passer les postes de contrôle séparés de quelques centaines de mètres où des soldats, sous deux uniformes différents, avaient successivement inspecté le convoi, vérifiant les documents officiels attestant du décès et de l'identité du trépassé, de la destination de sa dépouille, de l'autorisation d'inhumer et des conditions dans lesquelles elle avait été délivrée, s'assurant que ne se cachait pas, parmi les membres du cortège funéraire, tel ou tel réfugié cherchant, pour quelle raison ?, et en infraction avec la réglementation désormais en vigueur, à regagner la zone nord.

Mâcon est devenue une ville frontière où s'entassent des populations chassées de chez elles par la guerre et mises dans l'impossibilité d'y retourner. La vraie limite se situe un peu plus haut, à Chalon dont la gare sert de lieu de triage policier entre les deux moitiés du pays. Mais pour cette raison même c'est à Mâcon — puisque cette ville est la première en zone libre — que s'amassent tous ceux dont le sort hésite, attendant l'autorisation de refaire à l'envers le chemin de l'exode et se voyant refuser l'autorisation nécessaire sous prétexte qu'ils sont soudain devenus suspects, indésirables, et puis les autres, tout juste parvenus à s'échapper dans l'autre sens, passant au travers du piège avant que celui-ci ne se referme, fuyant les persécutions prévisibles que leur réserve l'occupant nazi et s'imaginant naïvement que le régime de Vichy leur sera plus clément, n'ayant plus d'endroit où aller, s'arrêtant là comme ils auraient pu s'arrêter n'importe où, poussés parfois dans ce coin de campagne française par une vague ayant traversé toute l'Europe : réfugiés venus d'Allemagne, de Hollande, de Belgique, d'Espagne aussi, Juifs ou communistes ayant miraculeusement réussi, parfois depuis des années, à échapper à la menace de l'internement, de la déportation et ayant donc de bonnes raisons de ne pas laisser aux autorités l'occasion de leur mettre maintenant la main dessus. Ou bien : apatrides égarés cherchant simplement un domicile où ils puissent reposer la longue fatigue de leur fuite droit devant eux durant des mois.

La ville s'organise vite pour ce nouveau rôle dont, certainement, elle aurait préféré se dispenser, hébergeant quelques milliers de fuyards brutalement pris au piège, à présent que la ligne de démarcation a installé en plein milieu du pays une sorte de muraille immatérielle mais très réelle, faite des patrouilles parcourant la campagne et des sentinelles postées partout sur les routes, individus empêchés de rentrer chez eux, frappés par une arbitraire mesure de bannissement qui leur interdit de retrouver leur famille, de regagner leur maison, de reprendre leur travail, fatiguant les autorités pour obtenir un très improbable laissez-passer, ne voulant pas comprendre qu'il n'y a plus d'État dont ils puissent réclamer un peu d'équité ou de compréhension, et s'installant malgré eux dans le refuge de moins en moins provisoire des casernes, des écoles, des salles de théâtre transformées en dortoirs par la municipalité. Cette dernière se trouvant dès le début de l'automne 1940 contrainte de créer une gigantesque soupe populaire pour servir des repas chauds aux populations qui, remplissant des trains bondés, transitent par la gare hâtivement remise en service après le bombardement du 16 juin, les services de la mairie se voyant bientôt obligés d'ouvrir ces cantines de fortune à certains des habitants de la ville frappés par une pauvreté imprévue qui les prive même des moyens de s'alimenter comme il faut. Car l'économie du pays est soudainement devenue folle, les prix multipliés par deux en raison de la très mécanique loi de l'offre et de la demande produisant ses effets prévisibles sur un marché où, sans même parler du prélèvement forcé qu'opèrent les troupes de l'occupant, chacun cherche à acheter de quoi subvenir à ses besoins immédiats tandis que plus rien ne reste à vendre puisque la plupart des activités ont dû cesser à cause de l'absence des hommes, morts au combat, captifs en Allemagne, en attente de leur démobilisation, qui auraient permis à la machine économique de continuer à tourner normalement.

La guerre prenant pour eux ce visage-là, beaucoup moins barbare bien sûr que celui que doivent considérer en face les habitants du Nord, ceux-ci ayant survécu aux affrontements dans des villes parfois dévastées et soumises désormais à la discipline humiliante de l'Occupation. Eux n'ayant sous les yeux que ce spectacle de misère soudaine qui serre certainement le cœur, celui au sein duquel toutes les valeurs évidentes de la vie se voient soudainement démonétisées, et qui oblige chacun à reconsidérer le cours qu'il entendait donner à son existence, mais se trouvant une nouvelle fois épargnés, étant rentrés chez eux au bout de trois semaines de vacances nîmoises pour découvrir une maison négligée par les pillards, dont les seuls forfaits s'étaient réduits au vol d'un cartable neuf et à une visite à la cave, ayant mis assez de côté dans leur vie de commerçants relativement aisés pour ne pas avoir à prendre leur tour à la soupe populaire, comme si une injustifiable Providence continuait à veiller sur leur sort, le seul parmi eux à avoir péri n'ayant pas été abattu du côté de Dunkerque, d'Arras ou de Saumur, mais s'étant définitivement et calmement assoupi un soir dans son lit.

Le vieux capitaine, je l'appelle ainsi mais il ne devait pas avoir alors beaucoup plus que les cinquante ans qui seront bientôt les miens, revenu de Lourdes où l'avait poussé la débâcle, parce qu'il était le plus gradé des officiers de réserve et en l'absence de tous les autres, a été nommé commandant en chef du centre de démobilisation de Mâcon — vers lequel convergent ceux des soldats de l'armée française qui ont échappé par chance ou par astuce à leur destin de prisonniers et viennent régulariser leur situation auprès des autorités militaires, rendant leurs armes, à supposer qu'ils les aient conservées jusque-là et ne les aient pas abandonnées dans un fossé, leur paquetage, se voyant remettre les papiers en bonne et due forme qui leur permettront de regagner leur domicile. Ils se sont installés dans la grande maison de La Coupée, que le chef d'escale d'Imperial Airways a depuis longtemps quittée, maison achetée en prévision de leur retraite, après avoir renoncé à leur métier de libraires. L'heure, en revanche, dans sa famille à lui, n'est certainement pas à fermer le magasin des Fiançailles. Afin de remplacer le patron décédé, un vieux confiseur des environs a accepté de reprendre du service et, avec l'aide d'un apprenti, il fait fonctionner les turbines, les broyeuses, le torréfacteur et la sorbetière de telle sorte que les affaires repartent aussitôt et même de plus belle dans un contexte où, et cela n'a pas échappé à la maîtresse du lieu, le prix du chocolat se met à grimper encore plus vite que celui du pain.

Puisque, et ce n'est certainement pas sa faute, les épreuves du baccalauréat n'ont pas pu se dérouler, plutôt contente et soulagée, elle décide de ne pas reprendre le lycée et de s'inscrire, comme elle l'avait toujours souhaité, aux beaux-arts. Quant à lui, même muni de son brevet de pilote, il doit renoncer à préparer le concours de l'École de l'air car, tout simplement, celle-ci n'existe plus, fermée au même titre que tous les établissements militaires du pays. Devant dès lors s'inventer une autre vocation et trouver assez vite un métier car, son père mort et même si le commerce semble pour l'instant plutôt lucrativement reparti, en tant que fils aîné, à dix-neuf ans, il est devenu le principal soutien de la famille. Et puisque toutes les professions lui sont indifférentes maintenant que celle d'aviateur lui est interdite, il s'en remet à sa mère pour choisir à sa place celle qui lui conviendra le mieux. Celle-ci interrogeant le seul oracle auquel croit encore le pays, adressant ainsi au maréchal Pétain en personne, comme si celui-ci n'avait pas d'autres chats à fouetter, une lettre dont elle a dû peser chaque mot et où, toujours théâtrale, elle décrit la situation pathétique d'une patriotique famille bien française menacée par la misère et sollicitant de lui une aide sans doute, ou du moins un avis. Recevant en réponse, sinon du Maréchal lui-même, du moins de l'un de ses secrétaires, non pas la proposition — et cela est heureux pour la suite — de faire venir à Vichy le fils aîné des Forest pour lui confier un quelconque emploi mais le conseil, puisque la terre ne ment pas et que c'est d'elle que doit sortir l'avenir du pays, de faire du jeune homme éduqué et sérieux qu'est son enfant un vétérinaire ou encore un ingénieur agronome. Lui, se retrouvant donc, du coup, au lycée de Grenoble à préparer, passer et obtenir le concours qui lui donne accès, plutôt qu'à une école plus prestigieuse dont il n'aurait d'ailleurs peut-être pas réussi les épreuves, à la formation que dispense, de l'autre côté de la Méditerranée, l'école de Maison-Carrée près d'Alger.

Sur le pont du bateau qui traverse la Méditerranée, debout à la proue, accoudé au bastingage, face au feu que réfléchit l'intense bleu des eaux sous le ciel limpide et le soleil brûlant, alors qu'il voit progressivement apparaître au loin le célèbre et splendide spectacle de la ville blanche d'Alger disposée en amphithéâtre sur la baie et dont les façades luisent comme les facettes éclatantes d'une seule longue mosaïque aux morceaux miroitant dans la clarté, il médite encore les infinies possibilités du possible, se demandant qui il est et s'il est bien ce jeune homme qu'on dit, quittant son pays pour poser très prochainement le pied sur un sol dont il ne sait rien — rien sinon ce que la propagande républicaine de son enfance lui en a faussement enseigné, représentant sur les grandes cartes pendues aux murs des classes à l'heure du cours de géographie le monde, avec en son centre, dans sa partie supérieure, la France comme une tête minuscule au visage familier d'hexagone dominant le gigantesque corps de l'Empire dont les formes remplissent l'essentiel des terres émergées, se déployant dans l'amplitude impensable et populeuse de l'Afrique, de l'Orient, de l'Asie, s'éparpillant jusque dans la poussière d'îles de l'Atlantique et du Pacifique. Se disant donc, s'il a bien retenu sa leçon, et c'est le cas, qu'il ne quitte pas vraiment son pays natal mais qu'il aborde simplement au rivage de la moins lointaine de ses provinces exotiques. Et tout disposé à croire, puisque c'est le discours que tiennent ceux qui se disputent alors le sort des colonies, que c'est là-bas désormais que bat le cœur vrai d'une patrie à demi décapitée par une défaite bouleversant toutes les images soudainement vétustes du planisphère puisqu'une frontière immatérielle passant dans la campagne française a mis tout à coup plus de distance entre Chalon et Mâcon que la mer n'en étend de Marseille à Alger.

Repassant dans sa tête l'enchaînement très simple et pourtant follement arbitraire des causes et des effets qui ont fait de lui celui qu'il semble devenu — et auquel, cependant, même lui, il ne parvient pas tout à fait à croire, doutant qu'il s'agisse là d'autre chose que d'un rôle dans lequel on l'a distribué sans lui demander son avis et qu'il joue malgré lui et sans véritable conviction. Lui, destiné désormais à ne pas devenir l'un des prochains pilotes de la chasse française, installé dans la cabine du Dewoitine dont on lui avait refusé deux ans plus tôt l'occasion de prendre les commandes, puisqu'il n'y a plus d'École de l'air et donc plus de concours qui permette d'y accéder si bien qu'on ne l'a pas autorisé à s'asseoir non plus derrière le bureau d'écolier où il lui aurait fallu résoudre les très complexes problèmes d'algèbre et de trigonométrie sur la foi desquels on recrute les jeunes gens de son âge pour leur mettre sur le dos l'uniforme des aspirants aviateurs. Se disant que cela n'aurait certainement rien changé, convaincu qu'il aurait échoué, peu doué comme il l'est pour les exercices où excelle l'intelligence abstraite, étant moins à son aise avec les mathématiques qu'avec le latin, sachant bien que même si la science des sinus et des tangentes n'est pas beaucoup plus utile que celle du datif et de l'ablatif absolu lorsqu'il s'agit de sortir d'une vrille ou de négocier un piqué, il en a fait l'expérience puisqu'il a son brevet, on n'a jamais vu d'état-major sérieux choisir ses officiers au vu d'une version de Cicéron ou de Virgile. Si bien que l'école d'ingénieurs qu'il a intégrée était sans doute tout ce à quoi il pouvait prétendre.

Ou alors : il aurait fallu qu'il ait assez d'audace et de chance pour prendre un raccourci semblable à ceux qui, au temps de la Révolution et de l'Empire, faisaient de vous un général de vingt ans ou presque, le héros d'une de ces édifiantes histoires patriotiques illustrées d'images elles aussi accrochées aux murs des classes sur lesquelles un total inconnu, sorti du rang, accomplit des prouesses telles, s'emparant à lui seul d'un pont, d'un bastion, prenant à revers les troupes ennemies et les faisant prisonnières, armé du seul drapeau en loques de son régiment ramassé sur le champ de bataille, qu'on le propulse aussitôt au sommet de la hiérarchie militaire, bardé de médailles et déguisé de tous les galons qu'il faut. Mais c'était une autre époque, bien sûr. Et lui, était-ce ou non sa faute ?, il n'avait pas pu devancer l'appel, n'ayant connu de la guerre qu'une escapade ensoleillée sur les routes de l'exode sans même le fantôme au loin d'un éclaireur ennemi qu'il ait pu vaguement apercevoir.

Toutes les infinies possibilités du possible, il les médite : sa vie qu'il laisse, son père mort, sa mère, son frère et puis la jeune fille qu'il n'a pas encore eu le courage de demander en mariage, de l'autre côté de la mer, toutes les autres vies qu'il aurait pu mener aussi bien et qui auraient eu autant de signification, ni plus ni moins, que celle qui l'attend maintenant sur cette terre dont il sait juste la forme de département sur l'atlas, ou bien sur la carte du calendrier des Postes affichée au mur de la cuisine. Tous les si de sa vie, il les tourne dans sa tête. Réfléchissant à ce qui se serait passé au cas où, deux ans plus tôt, il se serait retrouvé les armes à la main plutôt que derrière le volant de l'une des voitures de l'exode. Ou encore : s'imaginant maintenant enrôlé quelque part, dans une caserne de la campagne anglaise, sous le drapeau des Forces de la France libre comme cela a dû fugitivement lui traverser l'esprit, se disant certainement que là-bas on lui confierait bien, tant la pénurie de pilotes est forte et rapide le rythme auquel ils meurent, le manche à balai d'un Spitfire et qu'il parviendrait peut-être à accomplir quelques missions victorieuses avant d'être à son tour abattu en flammes au-dessus de la Manche. Et s'il n'avait pas pris cette décision, respectueux de l'autorité comme il l'était, sans doute était-ce parce que son tempérament le rendait réfractaire à l'idée de se ranger sous les ordres d'un général félon et qu'il se voyait mal voler sous les couleurs de l'aviation qui venait d'envoyer par le fond la flotte française à Mers el-Kébir. Ou bien peut-être manquait-il simplement du courage pour le faire. Ou encore : la nature ne l'avait pas pourvu du sens pratique nécessaire pour trouver la combine indispensable qui l'aurait conduit jusqu'en Grande-Bretagne au prix d'un long détour par l'Espagne ou la Suisse, détour dont il n'avait certainement pas la moindre idée. Ce qui n'est certainement pas une excuse. À moins, bien sûr, que son intention n'ait plutôt été de servir la Révolution nationale à laquelle le Maréchal avait appelé et qu'il ne se soit rangé de ce côté-là comme l'y incitait toute la culture de son milieu, de son époque. Si bien qu'il aurait pris fait et cause pour le régime de Vichy, on disait alors : l'État français, emporté par les circonstances, une cause entraînant la suivante, et nul ne peut plus dire vers quelle extrémité il aurait été alors poussé. Car cela, personne ne peut plus le savoir. Et même lui, s'il était encore vivant, serait incapable de le dire tant le jeune homme de vingt ans qu'il avait été lui serait apparu comme un total étranger. Et puisque les choses qui n'ont pas été — toutes les infinies possibilités du possible — n'ont pas plus de consistance qu'un rêve à peine remémoré dès l'instant du réveil.

Il l'a lu dans le gros atlas descendu avant son départ du rayon le plus haut de la bibliothèque familiale : Maison-Carrée est un quartier d'Alger, situé à quelques lieues de la ville, sur les rives de l'Harrach, ancienne cité sentinelle édifiée par les Turcs parce que l'un des plus anciens ponts du pays s'y trouve et qu'une telle position militaire commande le contrôle de toute la région et en fait la base idéale pour tenir tête aux expéditions des tribus hostiles. Les Français prennent possession du fort en 1830 et y installent une garnison perpétuellement assiégée dont les soldats, s'ils ne succombent pas aux combats, tombent les uns après les autres victimes des fièvres venues des marais insalubres de l'oued jusqu'à ce que les travaux d'assainissement rendent la place enfin propre à l'exploitation coloniale et que Bugeaud transforme le cantonnement en une vraie ville, celle-ci devenant alors l'un des symboles les plus éloquents de la politique de développement voulue par les gouvernements successifs de l'Empire et de la République.

Les terres sèches, incultes et broussailleuses sur lesquelles paissaient quelques vagues troupeaux constituent le champ d'expérimentation où la science et la technique de l'Occident apportent la preuve de leur supériorité civilisatrice, démontrant qu'à force de travail et de discipline on peut faire jaillir des jardins, des vergers, des vignes parmi la poussière et les cailloux à condition toutefois que le pays et ceux qui y vivent se soumettent à la loi nouvelle qui leur vient de France et qu'incarnent, sous la protection de l'armée et avec le soutien de l'administration, quelques fermiers entreprenants, d'énergiques ingénieurs et autres esprits astucieux. Ainsi le Révérend

Père Clément donnant son nom au fruit qu'il invente, la « clémentine ». Et dont certains prétendent qu'il le découvrit par hasard dans le jardin d'un orphelinat d'Oran tandis que d'autres affirment qu'il le créa à partir de savants croisements d'agrumes essayés dans le verger du noviciat de Maison-Carrée. L'essentiel étant que soit né de nulle part, aux frontières d'un désert infertile, un fruit inconnu à l'allure merveilleuse de minuscule soleil orange vif témoignant de la faculté de l'Homme blanc à métamorphoser en une immense oasis la terre la plus stérile. À moins bien sûr que ce miracle n'ait été qu'un mirage.

Car tout cela, ce miracle, ce mirage, ce mensonge : que la colonisation de l'Afrique a été une chance, au fond, pour le continent et pour ceux qui y vivent, il le croit certainement, comment pourrait-il en être autrement ?, tandis qu'un autobus bondé le conduit, lui et sa grosse valise trop pleine, sous un soleil dont il n'a pas encore l'habitude et dont il n'avait même pas idée, roulant depuis le port d'Alger à travers la banlieue de Maison-Carrée, vers l'Institut agricole et vers son internat. Incapable de concevoir la sauvagerie sourde qui sévit depuis un siècle sur ce sol qu'il découvre et dont la pacification a été acquise au prix de guerres perpétuelles, de massacres répétés, d'une entreprise systématique d'expropriation, autant dire : de vol. Incrédule — il l'aurait certainement été — devant le fait nu et brutal qui veut — comme l'établiraient plus tard des historiens, faisant leurs comptes approximatifs depuis le confort de leur impensable futur — que la colonisation de l'Algérie ait, directement ou indirectement, coûté la vie à un tiers des habitants du pays. S'imaginant, sur la foi de quelques romans lus, épopées de papier écrites à la gloire des spahis et de leurs semblables, que le désert n'avait été que le théâtre exotique de quelques rares escarmouches où s'affrontaient, comme en d'anciens tournois, des officiers en uniforme clair chargeant, sabre au vent et en gants blancs, contre des seigneurs nomades enturbannés chevauchant leurs chameaux, tous pareils aux paladins des vieilles croisades sur leurs montures médiévales et se livrant, au fond, une guerre assez fraternelle avant que ne soient négociées les conditions d'une paix juste et honorable pour tous puisqu'elle assurait le triomphe des seules valeurs de la civilisation et opérerait le prodige de faire s'épanouir sur le sable la prospérité d'un nouvel Éden.

Lui, pensant cela si fort et si tranquillement, que même la réalité sous ses yeux ne parviendrait à démentir en rien les croyances qui l'avaient escorté depuis l'école de son enfance. Tombant immédiatement et sincèrement amoureux de ce pays dès que, accoudé au bastingage, il en avait aperçu les côtes éclatantes de lumière. Tellement ébloui par ce spectacle de carte postale qu'il n'avait rien vu ensuite de l'injustice organisée d'un système tout entier fondé sur la fiction d'une égalité entre les individus mais ne fonctionnant que grâce à la stricte ségrégation qu'il organisait entre eux. Tellement convaincu d'une semblable utopie qu'il ne voudrait jamais en démordre, gardant dans son cœur jusqu'au bout la certitude que là-bas s'était trouvée une terre prouvant que les hommes de toutes races et de toutes religions pouvaient travailler de concert à faire croître sur la pierre brûlée du passé un paradis calme de feuilles, de fleurs et de fruits. Et bien plus tard, conforté dans sa vieille méfiance à l'égard du général félon de ses vingt ans lorsque le premier président de la Ve République, élu pour sauver l'Algérie française, aurait abandonné celle-ci par calcul et par sagesse, laissant à leur sort de solitude et de souffrance des hommes, disait-il, qu'il se rappelait avoir connus alors, colons ou indigènes, devenus pour certains pareillement ses amis car entre eux il n'établissait aucune forme de discrimination, et dont il ne doutait pas qu'ils étaient faits pour vivre ensemble et qu'ils y seraient parvenus, insis-tait-il, si la malveillance de quelques-uns n'avait fait grandir entre eux un même et insurmontable malentendu.

Lui, si naïf, mais comment ne pas l'être à vingt ans ?, abso-lument confiant dans sa propre absence de préjugés et n'ima-ginant pas qu'elle ne puisse pas être partagée par tous et, en conséquence, ne voyant aucune différence entre les gens dont il fait alors la connaissance : Arabes, Juifs ou Français de la métropole. Tellement peu averti de l'hostilité qui les sépare qu'il part une fois se promener seul dans les ruelles étroites de la casbah, sans doute en souvenir du film récent où Gabin y règne, et peu conscient du risque très réel auquel il s'expose ainsi, parcourant l'ancienne citadelle construite à flanc de colline dont les rues sont semblables à d'étroits et tortueux escaliers et dont les maisons aux fenêtres aveugles s'entassent les unes sur les autres en de très précaires assemblages, passant protégé par son innocence parmi des femmes voilées et des hommes en djellaba tout à fait pareils à ceux qu'il a vus au cinéma et qui s'étonnent à peine de la présence parmi eux de ce grand garçon insouciant.

L'Institut de Maison-Carrée lorsque, descendant de son autobus, il le découvre a toutes les apparences d'une grande colonie de vacances autour des bâtiments blancs de laquelle s'étend une immense propriété avec sa ferme, son jardin maraîcher, son verger et ses vignes. Pendant toute une année, il y apprend les principes de l'agronomie et comment on les met en pratique, étudiant dans des salles de classe où des professeurs exposent au tableau noir les rudiments de la botanique, de la génétique, de la phytopathologie, de la zootechnie et puis partant prêter la main, en guise d'exercice, aux travaux que des ouvriers arabes accomplissent sur l'exploitation, dépensant le reste de son temps à faire le touriste parmi des paysages de montagne magnifiques ou sur les plages ensoleillées de la Méditerranée, visitant la casbah, allant déjeuner le dimanche chez de lointains cousins de la famille, pharmaciens installés à Alger, se baignant dans la mer, apprenant à faire du cheval comme il sied à un digne colon inspectant ses terres jusqu'à ce qu'une monture un peu irascible lui fasse renoncer à cette pose, l'entraîne au galop sur plusieurs kilomètres avant de l'abandonner d'une ruade au beau milieu d'une cour de ferme. Ne perdant pourtant pas de vue en élève sérieux qu'il était le pourquoi de sa présence. Convaincu, endoctriné par le discours que l'on tient à tous les élèves et qui leur parle de la grande mission civilisatrice à laquelle ceux-ci sont appelés à contribuer et de la nécessité de transformer l'Afrique du Nord en une terre susceptible de nourrir non seulement ses habitants mais également ceux de la métropole, la prospérité étant le meilleur garant de la paix retrouvée.

Et c'est ainsi qu'il passe toute une année à gentiment jardiner sous le soleil, se découvrant pour la terre et un peu malgré lui un goût qu'il ne soupçonnait pas et qui ne le quittera plus, sa passion allant aux arbres dont il gardera jusqu'au bout en mémoire les noms savants aux sonorités pédantes et un peu ridicules, systématiquement soucieux de nous enseigner comment en reconnaître les espèces, à nous ses enfants qui n'y attachions aucune importance et le laissions donner dans le vide ses explications, résignés devant ce que nous considérions comme la simple manifestation d'une manie assez inoffensive et riant stupidement, sans qu'il comprenne pourquoi, à l'idée qu'un chêne puisse être « pédonculé ». Trente ans plus tard, pointant de sa canne de montagnard, au cours des rituelles promenades en forêt qui suivaient le dîner lors des vacances dans la maison du Balmay, les feuilles poussant sur les minuscules tiges vertes qui grandissaient dans les fossés ou bien situées très haut dans la ramure d'un individu centenaire, racontant, pour personne sinon pour lui-même, puisque nous ne l'écoutions pas, et comme s'il avait ainsi révisé ses anciennes leçons, comment la moindre de ces feuilles permettait d'identifier sans erreur la famille de l'arbre auquel elle appartenait, versant dans le vide tout ce savoir appris autrefois comme s'il était la seule chose digne de nous être léguée par lui. Et certainement dans le vrai. Nous laissant, sinon ce savoir, du moins le regret de celui-ci, et le sentiment très bête de ne pas pouvoir sans lui distinguer les variétés de pins, de peupliers, de platanes ou de hêtres qui nous entouraient.

Nommant ainsi pour nous la forêt et les arbres qui la forment. Et comme le fait l'augure avec son bâton divisant le ciel pour y lire les lignes prophétiques qu'y trace le passage des oiseaux, il pointait de sa canne de promeneur les pousses sortant de terre dans le fouillis vert des mauvaises herbes ou bien les pommes de pin, les glands, les marrons tombés des branches, rendant ainsi pour nous leurs noms aux arbres sur la foi d'aussi minuscules pièces à conviction dispersées à nos pieds. Semblable ainsi moins au laboureur de la fable qu'au bûcheron du conte qui entraîne sa progéniture au plus profond des bois et qui, se sachant incapable de faire grand-chose pour elle, a conscience qu'il lui faudra bien, un jour ou l'autre, l'abandonner dans une épaisseur obscure et inintelligible, laissant ses enfants inventer seuls leur propre chemin improbable en suivant non pas la piste de petits cailloux blancs retournant vers la maison mais celle conduisant au loin, dans le vide, vers nulle part et que balisent, en guise d'indices très douteux, de vagues vestiges de végétation, ceux qu'ils nous apprenaient à reconnaître, signes semés en désordre et par personne sur le sol, que chacun assemble comme il le peut sur le sentier, pareils à des lettres éparpillées et qui si elles étaient épelées dans l'ordre juste énonceraient son propre nom et, avec lui, celui du monde.

Il disait : Forest, sans faire entendre le *s* — expliquant, lorsqu'on lui posait la question, que ce nom venait de celui du Forez — dont notre famille était originaire, racontait-il sans en savoir davantage et sans s'en soucier vraiment — ou bien — et plus vraisemblablement — du mot « forêt », et qu'il fallait donc imaginer que nos ancêtres à tous avaient été, à leur manière très lointaine, des sortes d'hommes des bois, des Indiens, pour tout dire, tirant leur totem du monde d'ombre et de feuillages où ils vivaient, issus d'une tribu promise à une extinction aussi certaine que celle des vieux Mohicans puisque partout la civilisation des villes faisait sauvagement reculer les lisières, dévastait des populations entières de pins ou de chênes, et que bientôt tous les arbres du monde tomberaient sous la tronçonneuse et, débités à la scie mécanique, finiraient en planches entassées ou bien en pâte à papier. Et que le nom propre vienne du nom commun, continuait-il, justifiait assez que le *s* — et même s'il n'avait pas pris la forme d'un circonflexe — soit muet. Mais si la leçon étymologique nous paraissait plausible, nous, ses enfants ou, en tout cas, ses garçons, ne renoncions pourtant pas à faire siffler ce *s*, comme si ainsi nous avions marqué notre différence avec lui par le son de cette seule lettre. Tout comme, adolescent, j'ajouterais sur ma signature au *p* de mon prénom le *h* qui distinguerait mon initiale de celles de mes deux frères, l'aîné et le cadet, je veux dire : Patrick et puis Pierre.

Lui n'ayant, semble-t-il, jamais pris conscience du lien qui pouvait unir sa passion des arbres au patronyme qu'il portait, n'y faisant en tout cas jamais allusion, et moi-même c'est simplement maintenant que j'y pense, n'étant pas du genre à se demander ce qu'il y a dans un nom, n'ayant jamais entendu parler du grand romancier irlandais décédé l'année d'avant son départ pour Alger et qui, dans un livre supposé illisible, soulève la question, n'ayant pas même lu la phrase de Shakespeare que celui-ci citait, *What's in a name ?*, tout à fait insoucieux de son nom comme on l'est de son propre visage puisque pour soi-même l'un comme l'autre ne signifient rien, que ce sont les autres qui l'entendent ou le voient et s'imaginent qu'ils sont ce que vous êtes, alors qu'un nom, un visage sont au fond les choses les moins personnelles qui soient puisque tous les individus d'une même famille, le même nom, les mêmes yeux, la même voix, les partagent — comme je me le dis toujours chaque fois que je revois l'un ou l'autre de mes frères.

Gardant jusqu'au bout ce goût des arbres, en faisant le hobby du commandant de bord très aisé qu'il allait devenir, insistant pour que sa femme, notre mère, conserve les hectares de forêts hérités de sa famille dans le Morvan et qui constituaient le moins lucratif des placements possible, cette propriété exigeant l'entretien d'un débroussaillage régulier et produisant, avec les tempêtes d'hiver et les incendies d'été, un rendement pour le moins hypothétique. Comme si, suggérait-il ainsi, chacun d'entre nous avait contracté une dette à l'égard de la terre, dette dont nous ne pourrions nous acquitter qu'à la condition de veiller quelque part sur la croissance de quelques bosquets plantés de rangées régulières d'arbres destinés à survivre à ceux qui les avaient vus pousser. Si bien que lorsqu'il finirait par acquérir sa propre maison de campagne, située sur les bords de l'Yonne, c'était peu de temps après ma naissance, il entreprendrait de coloniser systématiquement l'espace du grand jardin conduisant à la rivière, appliquant très méthodiquement les principes qu'on lui avait enseignés vingt ans auparavant, passant le peu de temps libre dont il disposait entre deux rotations d'équipages, revenu d'un bout du monde et sur le point de repartir pour un autre, à tondre la pelouse, à faire brûler l'herbe ramassée et entassée par ses soins, à bêcher les orties toujours renaissantes, à sortir du sol les silex pour en faire des bordures d'allée, à planter des poiriers, des pommiers, des groseilliers, à les assujettir à leurs tuteurs comme en Algérie, du temps où l'Algérie était un département français, on lui avait appris à le faire, transformant l'espace libre derrière sa résidence secondaire en une exploitation miniature à la conception très symétrique et rationnelle — contre l'avis de sa femme qui, plus romantique que lui, aurait préféré qu'on laisse un peu de désordre dans tout cela.

Tous ces efforts pour rien puisque, comme j'ai pu le constater il y a quelques années, me trouvant dans la région, tout près de cette maison désormais vendue depuis longtemps, où j'avais autrefois passé toutes mes vacances d'enfant et où je n'étais pas revenu depuis vingt ans, il n'y avait plus rien du tout de ce qu'il avait mis tant d'énergie à faire pousser. Si bien que ce jour-là, prenant le long de l'Yonne le chemin de halage que j'avais emprunté si souvent, j'étais d'abord passé devant la maison sans même la reconnaître, réalisant en rebroussant chemin que pourtant elle se trouvait bien là, inchangée, mais que tous les arbres du verger — et même le vieux cerisier, le noisetier, le noyer qui dataient d'avant lui — avaient été arrachés, que les étangs avaient été comblés, qu'un gazon uniforme et impeccable, semblable à celui qu'on voit dans les lotissements de banlieue, ou autour des luxueuses et interchangeables demeures des quartiers résidentiels d'Amérique, avait pris la place du vieux jardin avec en son centre un ridicule bassin où, à peine moins pathétique ou peut-être même davantage qu'une bande de nains en plastique posés sur une pelouse, se dressait la forme pitoyable d'une Vénus en plâtre installée là, avec tout le reste, par les nouveaux propriétaires. Tous les arbres disparus, arrachés de terre, les cratères ayant été eux-mêmes soigneusement comblés si bien que non seulement il n'y avait plus rien mais que manquaient même sur le sol les marques signalant qu'autrefois il y avait eu là quelque chose, car l'oubli doit lui aussi à son tour avoir été oublié pour que son œuvre se trouve totalement accomplie. Tout le verger ainsi évacué comme une forêt enfin effacée. Et même les marronniers que nous avions plantés auprès de l'étang alors que, mon frère et moi, nous n'avions pas encore dix ans et que nous avions vus pousser assez pour qu'ils prennent le double de notre taille s'étaient évanouis, ne marquant plus l'endroit où lui, notre père, avait enseveli, seul et en larmes, le sac plastique dans lequel le vétérinaire du village voisin avait glissé la dépouille de notre chien dont les restes décomposés, sous la pelouse qu'un inconnu a semée, doivent être là-bas les seuls encore à veiller un peu sur notre passé.

Tout cela appartenant à l'époque au futur impensable tandis qu'il jardinait gentiment sous un soleil dont quelques mois auparavant il n'avait encore ni l'habitude ni même l'idée. Ayant sans doute renoncé à son vieux rêve de jeune homme maintenant qu'il vivait une autre vie, ne concevant plus du tout comment il aurait pu renouer le fil défait de ce songe ancien, se mettant nécessairement à laisser tourner dans sa tête d'autres projets, se disant qu'après tout il pourrait très bien ne pas rentrer, ne pas franchir la Méditerranée dans l'autre sens lorsque ses études seraient finies. Alors, pense-t-il, il s'installera quelque part un peu plus au sud, là où une terre stérile attend encore que viennent quelques individus semblables à lui et qui sauront accomplir le miracle de faire s'épanouir un paradis de palmes sur un sol de sable, s'arrangeant pour que le rejoigne celle qu'il considère déjà comme sa fiancée, et bien qu'il n'ait pas encore formulé aux parents de celle-ci sa demande en bonne et due forme. N'ayant pour cela pas même à quitter la France puisque l'Algérie est la France, qu'elle est désormais, croit-il, la partie la plus vive et la plus vraie du pays dès lors que le territoire de la métropole est coupé en deux, soumis pour moitié aux forces ennemies, si bien que c'est depuis sa province méridionale, devenue la tête nouvelle du grand corps impérial dont les formes remplissent tout l'espace éparpillé du monde, depuis cette contrée de soleil et de sable où le hasard l'a conduit, que la patrie, c'est le mot exact qu'il aurait certainement choisi, pourra reprendre vie.

Ses cours terminés, les travaux pratiques accomplis du côté des vignobles, des vergers de Maison-Carrée, le soir ou bien le dimanche, il part se promener dans la campagne, ou alors il prend le bus qui le conduit jusque vers les plages d'Alger, éprouvant le sentiment singulier que le temps des grandes vacances s'étire pour lui interminablement depuis ces journées de juin, il y a presque deux ans, où il a pris la route de Nîmes et maintenant qu'il poursuit, de l'autre côté de la mer, une existence assez tranquille d'estivant vaguement studieux, ayant traversé en touriste toute l'épaisseur récente de l'Histoire et de ses événements, préservé du bruit et de la fureur comme si une enveloppe providentielle de calme et de silence l'en avait protégé depuis le début, n'ayant pas véritablement fui la guerre mais l'ayant plutôt manquée, comme on passe à côté d'une occasion ou d'une rencontre, et n'ayant certainement pas eu en lui la volonté — l'énergie, le courage, la conviction ou plus simplement l'idée — qui aurait suffi pour qu'il se retrouve, malgré tout, à combattre dans l'un ou l'autre des camps répétant pour de vrai les affrontements de son enfance.

Averti de la guerre bien entendu, en suivant quotidiennement le déroulement à la radio ou bien dans les journaux, en recevant le récit déformé qu'en fournit la propagande de Vichy relayée par les autorités d'Algérie, échouant bien sûr à comprendre la signification d'ensemble des milliers d'épisodes simultanés de ce feuilleton sans queue ni tête des actualités, roman décousu à l'intérieur duquel se combinent, s'ajoutent, se chevauchent, s'oblitèrent et finalement s'annulent les unes les autres des informations incohérentes et contradictoires auxquelles manque le fil bien lisible d'une intrigue claire qui, les réunissant, les rendrait aussi intelligibles que les affirmations paisibles et pontifiantes d'un manuel scolaire destiné à l'éducation des enfants.

Arrivant vaguement à se représenter le cours que prennent les événements les plus lointains, le front de l'Est ouvert depuis le mois de juin 1941, la Wehrmacht lançant son offensive contre l'Union soviétique, les deux quasi-alliés d'hier jetés ainsi l'un contre l'autre en une guerre fratricide où s'opposent les deux monumentales moitiés du grand matérialisme athée que l'Église, se rappelle-t-il, avait si justement condamné. Et puis, en décembre, avec le bombardement de Pearl Harbor, et l'aviation japonaise coulant par surprise la flotte américaine du Pacifique, la guerre qui devient vraiment mondiale comme par un phénomène irréfléchi et spontané de contagion où la volonté raisonnée des Nations compte moins que le pur mécanisme d'entraînement réciproque auquel elles succombent les unes après les autres, comme des dominos qui tombent ou bien des taches d'encre qui s'élargissent et se rejoignent jusqu'à recouvrir tout le buvard de l'espace. Et cela, il peut se le figurer un peu, envisageant de haut, et tel que le représentent les unes des journaux cartographiant l'extension du conflit, le planisphère, comme une sorte de gigantesque échiquier sur lequel se déplacent des pièces dont les mouvements expriment les règles compliquées qui régissent la partie et permettent de comprendre sinon d'anticiper chacun des coups successivement joués.

Mais pour ce qui se passe en France, déjà il n'est plus trop sûr de savoir quel crédit accorder vraiment aux nouvelles qui lui parviennent, et particulièrement à celles qui exaltent la grandeur de la Révolution nationale et la pathétique figure du pieux Maréchal, ne demandant sans doute pas mieux que de croire à cette sentimentale légende mais n'y parvenant pas tout à fait, préférant exonérer le vieux vainqueur de Verdun de tous ses torts et supposer qu'une conspiration malveillante oblige celui-ci à pactiser avec l'adversaire pour mieux préserver en secret l'intérêt supérieur du pays. S'en remettant, faute de mieux, à cette fiction fausse qui dissimule l'intraitable réalité à laquelle le pays qu'il a quitté se retrouve livré, pays qu'il préfère imaginer endurant héroïquement l'épreuve de la défaite plutôt que de devoir réaliser l'ignoble acquiescement à l'horreur, l'empressement servile à l'aggraver dont se rendent alors coupables tous ceux qui — et d'une certaine manière, ne pouvant pas, ne voulant pas voir à quoi ceux-ci s'emploient, il se range alors à leurs côtés — par conviction, par calcul ou par confort, et il est difficile de dire lequel de ces mobiles est le plus ignominieux, considèrent que la résignation à l'ordre nouveau imposé par la capitulation est la moins mauvaise des solutions qui s'offrent à la Nation.

S'étant fait sa religion. Considérant que le mieux est de se fier à la volonté du vieillard qui préside à la destinée du pays, de la moitié de celui-ci. Manquant totalement de lucidité, cela est entendu et lui-même en serait finalement convenu, tout en faisant valoir — et sans avoir totalement tort — que la situation était beaucoup moins simple — elle l'est toujours — que ne l'affirment les donneurs de leçons de l'Histoire. Ayant plus ou moins accepté l'invraisemblable thèse qui fait de Pétain — comme le dit la chanson — le sauveur de la France, celui qui lui a redonné l'espérance, alors qu'il est l'homme qui non seulement a consenti à la défaite du pays mais qui, fort de son pouvoir imprévu, met en place les conditions d'une collaboration exemplaire avec l'occupant, devançant ses désirs, renchérissant sur ceux-ci, laissant appliquer, ou bien faisant appliquer, sur le territoire coupé en deux de la défunte République les principes mêmes de l'ordre inhumain voulu par les nazis. Accomplissant, lui, l'officier presque sénile à la diction de tragédienne, l'un des plus formidables tours de passe-passe idéologiques du siècle, sachant bien que seul le mensonge le plus énorme a des chances d'être pris pour une vérité, parvenant donc à prétendre au titre de héros et de chef tout en organisant une politique systématique de servilité et de soumission, illusionniste expert en son art, faisant sortir du képi étoilé renversé à Rethondes sur la table solennelle de l'armistice tout un bric-à-brac clinquant de foulards tricolores pavoisant les clochers, de colombes s'envolant au-dessus des champs de blé, de fleurs en bouquets offertes à lui par de petits enfants de France en costumes traditionnels, toute une panoplie bucolique et guerrière d'insignes et de symboles, bateleur dérisoire battant la campagne et se donnant en spectacle sur toutes les scènes de province afin de mieux dissimuler comment, derrière le rideau de théâtre tendu par ses soins, on surveille, on emprisonne, on torture et l'on déporte.

Et lui, depuis l'autre rive de la Méditerranée où le hasard l'a mené, confond très certainement ce trompe-l'œil au loin avec la réalité, fabriquant dans sa tête une fiction facile où se concilient les convictions les plus contradictoires puisque, comme l'explique le discours de la propagande recyclant très cyniquement celui de la religion, c'est le salut même de la France qui impose l'assentiment apparent à la défaite et à l'asservissement, et qu'il faut se résoudre au sacrifice afin que s'accomplisse le miracle promis de la rédemption. Celui-ci exigeant que la Patrie subisse sa Passion en la personne d'un vieux père, humilié, vaincu, souffrant et sublime, crucifié sur la place publique de chacun des villages qu'il visite dans son élégant uniforme d'opérette, prenant sur lui les péchés de son peuple, les expiant en son nom de telle sorte que puisse avoir lieu enfin le prodige d'une résurrection. Si bien que, selon le tour très paradoxal et totalement vicié d'un tel raisonnement, la défaite finit par apparaître comme la condition même de la vraie victoire, l'épreuve providentielle par laquelle la Nation doit se résoudre à passer pour renaître à elle-même.

L'imposture d'une semblable légende faisant à peu près l'affaire dans une situation de désarroi telle que n'importe quelle croyance — même la plus stupide, la plus inique, la mieux mensongère — semble à la plupart préférable au vide absolu devant lequel vacillent toutes les vieilles vérités. Un tel mirage administré ne parvenant pourtant pas tout à fait à recouvrir la réalité entêtée où saillent par centaines, par milliers, les exemples d'une souffrance, d'une injustice certaines, le voile tiré de son képi par le prestidigitateur en chef du pays et étendu par lui sur le monde se déchirant en tellement d'endroits à la fois qu'il prend aussitôt l'apparence d'une sorte de torchon en charpie dont les accrocs s'élargissent au point de laisser apercevoir à travers des trous béants l'innommable visage du présent. Et même lui, malgré la religion qu'il s'est faite et le lieu lointain où il se trouve, s'en aperçoit certainement : comprenant sans mal les grands mouvements bien lisibles de la stratégie qui font s'affronter des troupes énormes comme des pièces sur un échiquier planétaire, peinant davantage à donner sens à ce qui se passe de l'autre côté de la Méditerranée et où ce qu'il apprend, ce qu'il devine, ce qu'il suppose de la terreur très concrète que dissimulent les discours sentimentaux du vieux Maréchal vient contredire la fiction fragile qu'il s'est inventée, et puis échouant tout à fait à s'y retrouver dans la réalité quotidienne d'une Algérie à peu près épargnée par la guerre mais dont la situation bascule dans la plus inextricable confusion si bien qu'il ne parvient plus du tout à savoir ce qu'il lui faut penser des choses qui se passent pourtant sous ses yeux.

Aveugle, alors ? Pas tout à fait. Presbyte plutôt que myope, comme le sont en réalité tous les hommes dès lors qu'ils plongent leur regard dans le temps, distinguant en général très bien dans le lointain les monumentaux mouvements de l'Histoire, la distance où s'accomplissent ceux-ci aidant à en laisser se dessiner les contours simplifiés, mais incapables de débrouiller le fouillis que fait, au premier plan, le présent de leur vie, avec tous ses détails enchevêtrés dont chacun réclame une attention exclusive et exige que ce soit à partir de lui que se raconte tout le récit encore à inventer de leur existence, chacun de ces détails faisant valoir ses droits et ayant des arguments très sérieux à produire en faveur de sa cause puisque, comme le dit un film de l'époque et qu'il a dû voir, le problème est bien que chacun, toujours, a ses raisons ; si bien que la poussière d'événements minuscules éparpillée juste devant soi résiste davantage à l'interprétation que ne le font les grandes et fuyantes perspectives de l'Histoire, considérées depuis la plate-forme hautaine d'un point de vue détaché.

Et lui, certainement, ne doute nullement que le Bien exige la victoire de la démocratie, celle des valeurs de la vieille République, sur la barbarie nazie à l'égard de laquelle il n'éprouve aucune complaisance. Mais qu'une telle victoire passe peut-être par l'acceptation provisoire de la défaite, par le consentement au grand sacrifice auquel appelle alors le larmoyant et hypocrite plaidoyer d'une tragédienne chevrotante déguisée en père de la Patrie, il lui arrive parfois de le penser et ainsi il se convainc lui-même qu'il faut le croire. Plongé dans une perplexité telle que tous les partis opposés autour de lui, il les considère à la fois, les partage et les comprend de sorte que finalement il n'en prend aucun.

Je ne l'excuse pas. Comment le pourrais-je ? Je ne le condamne pas non plus. Qu'est-ce qui m'y autoriserait ? Je laisse ce soin à ceux qui en ont acquis le droit car, à l'époque, ils firent preuve de davantage de perspicacité que lui n'en montra. Et, comme déjà presque tous ils sont morts, je l'abandonne, ce soin, aux autres qui aujourd'hui jugent le passé depuis le confort de leur impensable présent, se prévalant à bon compte d'une clairvoyance qui ne leur coûte rien, n'imaginant rien de ce que fut l'obscurité confuse du temps sur lequel ils prononcent une sentence sans appel, jouissant en toute bonne conscience du privilège d'être venus après, et cela sans même soupçonner qu'une heure viendra où à leur tour, aveugles à leur propre époque comme eux l'étaient à la leur, ils seront jugés tout comme ils ont jugé.

Ce fut sa faute : avoir acquiescé à un mensonge meurtrier sans pourtant y prendre d'autre part que celle qui consiste à ne pas parler ni agir contre lui quand il aurait certainement fallu le faire. Ce fut sa chance aussi : avoir été envoyé, sans l'avoir vraiment voulu, assez loin du lieu où ce mensonge sévissait le plus pour ne pas se trouver directement mêlé au meurtre que servait celui-ci. Ni tout à fait innocent ni complètement coupable. Semblable aux héros des épopées anciennes que favorisent les dieux lorsque, pour les soustraire au champ de bataille et leur sauver la vie, ils les enveloppent d'un manteau de brume et les dépêchent à l'abri du combat, ou bien lorsqu'une ruse ou un charme les tient un temps opportunément à l'écart de celui-ci, Achille réfugié chez Lycomède, quel était le nom qu'il portait parmi les femmes alors que s'armait la flotte achéenne ?, ou bien Ulysse retenu chez Calypso, à se laisser aimer par elle tandis que les prétendants occupaient avec arrogance son foyer, tous deux méditant les infinies possibilités du possible, jusqu'à ce qu'un signe les rappelle à leur devoir et que, ce qui doit être fait, ils l'accomplissent enfin.

La première année après la débâcle, il la passe dans un lycée de Grenoble à résoudre des problèmes de mathématiques, de physique, de sciences naturelles et de chimie, préparant sinon celui de l'École de l'air toute une série de concours aux épreuves exténuantes et aux programmes abrutissants. La deuxième, près d'Alger, il jardine gentiment au soleil tout en apprenant les noms latins des plantes, des arbres et en s'initiant aux rudiments de l'agronomie, de la viticulture. Un brouillard irréel l'entoure sous la pleine et éclatante lumière du midi et le distrait du monde, le tient à l'écart du temps. Brouillard plus pernicieux que celui dans l'épaisseur duquel disparaissent franchement les formes de la réalité puisque ce voile est lui-même invisible à la conscience au point que le regard ne le remarque pas et qu'il efface le spectacle des choses sans même laisser deviner le tour d'illusionniste ainsi accompli et qu'il y aurait quelque chose d'autre à voir derrière lui, l'horreur simplement, que l'horizon vide et calme alentour.

Un jour, peut-être, tandis qu'il travaille avec quelques ouvriers arabes parmi les vignobles plantés sur l'une des hauteurs près de Maison-Carrée, un bruit lui fait lever la tête et il aperçoit dans le ciel le passage d'un avion militaire, l'un de ceux que l'armée française conserve, sauvés de la débâcle au cours de ces journées de juin 1940 où l'ordre fut donné à tous les pilotes d'évacuer les appareils encore en état de voler et disposant d'une autonomie suffisante pour rejoindre les terrains d'Afrique du Nord, chasseurs rafistolés ou flambant neufs pour n'avoir pas servi qui assurent désormais la sécurité du territoire, le protégeant non pas contre les attaques de la Luftwaffe qui a maintenant d'autres cibles en vue mais contre la perspective bien plus plausible d'un débarquement anglo-américain destiné à ouvrir un nouveau front en Méditerranée. Alors, la forme en croix de la carlingue qu'il aperçoit dans le ciel limpide lui apparaît comme celle de l'épée glissée par Ulysse parmi la verroterie et les fanfreluches et qui, à la cour de Lycomède, quel nom portait-il déjà ?, rappelle Achille à la conscience de son devoir, le tirant de son sommeil stupéfié, lui indiquant que l'heure est venue de prendre les armes.

Du moins c'est ce qu'un roman raconterait, aux allures d'épopée, relatant comment, à la vue de cet avion, il décide alors de saisir sa chance pour devenir enfin celui qu'il a toujours voulu être, le pilote s'installant pour de bon aux commandes d'un Dewoitine, d'un Spitfire, d'un Curtiss ou de n'importe quelle autre machine volante qu'on lui aurait confiée afin de livrer combat dans le ciel. Et, n'étant plus à une invention près, cette scène, fabriquée de toutes pièces, passerait pour l'exacte vérité. Mais le plus vraisemblable est que ce signe, il lui donne plutôt un autre sens, se contentant de rêver nostalgiquement à ce qui n'a pas eu lieu, méditant lui aussi les infinies possibilités du possible, convaincu que toute cette aventure est désormais derrière lui : non pas comme quelque chose qui a été mais à la manière du mirage dissipé d'une existence avortée. Se disant : l'aviation, c'est fini, et que l'aventure s'est terminée ce jour de 1936, c'était il y a seulement six ans, autant dire un clignement de cils à l'échelle de l'Histoire, où l'appareil de Mermoz s'est perdu en mer et que s'est achevé alors le temps des pionniers, ceux pour qui voler signifiait : passer dans l'obscurité d'un ciel d'orage parmi l'éclair et la pluie, sans aucun adversaire sinon l'hostilité des éléments, contourner les pointes et les crêtes d'un relief inouï en se glissant dans l'interstice d'air laissé vacant entre le plancher des sommets et le plafond des nuages, enjamber l'espace sans clarté des déserts et celui des océans, déployer de tels efforts gracieux dans la nuit pour livrer à sa destination le simple et insignifiant chargement de mots du courrier. Cela et non pas : précipiter le feu sur la terre, faisant tomber depuis en haut le colis de plusieurs tonnes de bombes, vidant sur un convoi de civils en fuite les munitions de ses mitrailleuses. Ou bien : montant prendre sa place dans le cirque, plus vertigineux que celui de Judée dans le roman oublié de son héros d'enfance, où se poursuivent en cercle quelques chasseurs, tournant si vite dans le vide qu'ils accomplissent seulement et presque à l'aveuglette quelques passes, deux ou trois virages, un tonneau, un piqué, avant de tomber en vrille et en flammes vers le sol ou bien de rentrer à la base pour ajouter le dérisoire trophée d'une cocarde à la carlingue de leur appareil.

Car, en l'espace de quelques années, celles qui se sont écoulées en un battement de paupières depuis Ader et Blériot, l'aviation est devenue cela : cette entreprise anonyme de dévastation qui s'étend méthodiquement sur toute la surface des continents, faisant passer sur ceux-ci des formations d'appareils par centaines qui accomplissent leur métier de mort, larguant leurs bombes à l'aplomb des villes, lâchant leurs rafales sur des objectifs à peine aperçus dans le cadre du viseur, lancés dans l'air à une allure si formidable que le spectacle du monde autour d'eux prend l'apparence d'un inintelligible chaos qu'ils traversent en trombe et sans avoir du tout le temps de réaliser ce qu'il représente. Et même muni de son brevet de tourisme, reconnu apte à toutes les manœuvres qui permettent de faire aller un aéroplane d'un point à un autre, lui, ne peut se faire qu'une idée assez vague de cet exercice plutôt sauvage en quoi consiste désormais l'art du pilotage. Aussi démuni si on l'avait placé, comme il en rêvait, aux commandes d'un Dewoitine que Wilbur Wright lui-même ou Nungesser, ou n'importe quel autre héros de l'ancienne épopée si, d'un seul coup, on leur avait mis entre les mains le manche à balai d'un avion à réaction. Prenant soudainement conscience qu'une autre époque vient de commencer où toutes les rêveries de son adolescence ont pris un assez radical coup de vieux, faisant de lui, à vingt et un ans, le survivant nostalgique d'un âge d'or déjà révolu, celui auquel il s'était mis à croire en traînant du côté des bureaux d'Imperial Airways ou bien sur le terrain de Charnay, dans les rangs de l'Aviation populaire, celle de Pierre Cot et de Jean Moulin, convaincu qu'une grande aventure débutait, à laquelle il participerait de plein droit, et qui confirmerait l'aéronautique dans sa seule mission civilisatrice.

Tout cela, donc, évanoui, aussi sûrement que la légende vétuste des premiers hommes volants s'affrontant en tournois lors de la précédente guerre, depuis que les avions sont devenus des machines de guerre manufacturées par dizaines de milliers en vue d'acquérir et de conserver le contrôle du ciel d'où se décide le sort des combats comme l'ont démontré, en 1940, en faveur d'un camp puis du camp contraire, les batailles de France et d'Angleterre, et plus encore maintenant que se systématise le principe du bombardement stratégique, au Blitz allemand sur les villes du Royaume-Uni répondant l'entreprise de destruction méthodique des cités allemandes par la RAF. Quant à l'aviation française qui se targuait d'être la première du monde, il n'en reste littéralement rien, les escadrilles rescapées d'Afrique du Nord ou du Moyen-Orient immobilisées par la politique de neutralité voulue par Vichy et affectées à l'exclusive et absurde mission de sauvegarder le statu quo issu de l'armistice si bien que les seuls combats qu'elles livrent les opposent à la chasse britannique, laissant aux pilotes français le choix d'affronter leurs alliés d'hier ou bien de les rejoindre, devenant hors-la-loi dans leur propre armée.

Et certains, dès 1941, font ce choix-là comme ces quelques officiers qui profitent d'un vol d'entraînement ou d'essai au départ de Rabat, d'une autre base du Maroc ou d'Algérie pour mettre le cap avec leur appareil volé sur la plus proche piste d'atterrissage sous contrôle anglais, à Gibraltar par exemple qui devient le refuge de quelques rescapés, tandis que se constituent, un peu plus tard, la même année, sous le commandement du colonel Martial Valin les premières des Forces aériennes françaises libres, formées de pilotes venus d'un peu partout pour répondre à l'appel de De Gaulle et dotées d'avions et de matériels dérobés à l'armée de l'air de Vichy ou bien récupérés sur les bases de la Syrie ou du Liban conquis. Combien sont-ils ? Quelques centaines, sans doute pas davantage. Dont l'oublieuse Histoire a laissé s'effacer tous les noms sinon quelques-uns, celui de Pierre Clostermann certainement, quittant en 1940 le Brésil où il vivait pour gagner l'Angleterre, rejoignant deux ans plus tard les escadrilles de la Royal Air Force, devenant le plus fameux des as français, accédant d'ailleurs à la célébrité moins pour les exploits indubitables qu'il accomplit que pour le récit qu'en fait son livre, *Le Grand Cirque*. Et puis, peut-être, celui d'André Moynet, engagé à dix-huit ans dans l'armée de l'air, s'évadant pour gagner l'Angleterre, combattant du groupe de chasse Île-de-France puis se portant volontaire pour rejoindre en Russie les équipages du Normandie-Niémen, et qu'il dut connaître — ou du moins croiser au détour de quelque commémoration officielle — puisqu'il devint député de la Saône-et-Loire au retour de la guerre et à ce titre, à Mâcon, le plus légitime des héritiers de Lacrouze, de Romanet, de Dagnaux. Tous deux, Clostermann, Moynet, nés comme lui en 1921 mais ayant fait preuve de davantage de perspicacité et de témérité, empruntant un raccourci plus rapide et plus glorieux que lui vers le ciel de la guerre.

Ou bien : cet avion vers lequel il lève la tête, alerté par le bruit du moteur, tandis qu'il examine l'état des vignes parmi lesquelles travaillent avec lui quelques ouvriers arabes, il s'étonne d'abord de ne pas en identifier aussitôt la silhouette, se disant qu'il s'agit là d'un modèle inconnu et dont il ignorait que l'aviation française en fût équipée. Ébloui par le soleil du matin, gardant cependant les yeux fixés sur l'engin pendant que celui-ci tourne longuement en l'air comme s'il cherchait à repérer au sol un objectif qui lui échappe et autour de la situation supposée duquel il enroule la spirale de sa trajectoire. Bientôt rejoint par deux appareils dont cette fois il reconnaît immédiatement le profil caractéristique, sachant qu'ils ont certainement décollé de la base voisine de Blida ou de celle de Maison-Blanche comme ils le font chaque jour pour leurs missions de reconnaissance, vaines et régulières, au-dessus des côtes. Les trois chasseurs, l'avion inconnu et les deux autres, adoptant, alors qu'il les observe, une allure inattendue, paraissant virer au loin à toute vitesse comme s'ils improvisaient une manœuvre assez désordonnée ou bien accomplissaient ensemble un numéro de voltige un peu approximatif, esquissant, il le réalise alors, les figures propres au combat aérien avant de se séparer dans le ciel et que le premier appareil ne disparaisse en direction de la mer.

C'est ainsi qu'il assiste aux débuts de l'opération Torch — ne sachant bien entendu pas quel nom de code elle porte ni même en quoi elle consiste puisque tout ce qu'il en a vu se limite au passage de trois avions se croisant si haut et si vite dans le ciel qu'il n'avait aucune chance d'apercevoir l'étoile sur la cocarde américaine du chasseur, un Hurricane, et d'en déduire que celui-ci annonçait l'arrivée imminente d'une véritable armada, deux cents bâtiments de guerre, une centaine de navires de transport, se préparant à faire débarquer sur les rivages de l'Algérie et du Maroc un contingent de plus de cent mille soldats. Et bien sûr j'imagine aussi cette scène, ni plus ni moins vraisemblable que la précédente. Scène en vérité tout à fait improbable pour ne pas dire impossible car c'est à l'aube du 8 novembre 1942, en réalité, que les forces anglo-américaines abordent aux plages d'Afrique et qu'il n'y eut sans doute pas d'engagement entre chasseurs américains et français à l'heure plus tardive de la matinée où il était susceptible, lui, de se trouver parmi les vignes de Maison-Carrée pour la simple et bonne raison qu'à ce moment de la journée les appareils de l'armée de l'air affectés à la protection d'Alger, trente-neuf bombardiers et cinquante chasseurs, avaient été neutralisés, la base de Blida prise par les tirailleurs sénégalais du général de Monsabert et celle de Maison-Blanche enlevée sans résistance par le 39e d'infanterie de l'armée américaine.

L'essentiel de l'opération avait eu lieu pendant la nuit et selon un scénario si peu prévisible que même ceux qui y avaient participé et en avaient assuré le succès devaient rester incrédules devant la victoire obtenue par eux en quelques heures, Alger étant tombée aux mains de plusieurs petites centaines de résistants, s'emparant de tous les sites stratégiques de la ville et parvenant même à capturer le général Juin, commandant en chef des forces françaises en Afrique du Nord, et l'amiral Darlan lui-même, qui par une invraisemblable et providentielle circonstance se trouvait alors de passage. Un putsch plutôt que le débarquement — mais, bien sûr, le premier n'avait été possible que grâce au second — ayant décidé de l'issue de l'une des principales batailles de la guerre. Car en raison de l'état de la mer, cette nuit-là, et de l'inexpérience de ceux qui les pilotaient pour la première fois, les barges alliées avaient approché des côtes dans un tel désordre qu'un grand nombre d'entre elles s'étaient retournées et avaient coulé. Si bien que le général Ryder, qui dirigeait la manœuvre, soucieux de permettre à ses hommes de reprendre leurs esprits après une telle épreuve et ne parvenant pas à croire que la ville dont il devait s'emparer avait déjà été libérée par les résistants, allait différer de toute une journée le moment de lancer l'assaut contre elle, laissant aux forces de Vichy le temps nécessaire pour commencer à y réprimer l'insurrection, sans pourtant que celles-ci y parviennent tout à fait, un peu tétanisées par le coup d'éclat accompli dans la nuit et surestimant pour cette raison l'importance du soulèvement, concentrant toute leur énergie à écraser celui-ci, négligeant tout à fait de se porter au-devant des divisions américaines et anglaises au point de les laisser entrer sans opposition dans Alger en fin d'après-midi.

Alors, plutôt : au beau milieu de la nuit, il est trois heures du matin, des détonations le réveillent dans son lit d'interne, bruits de tambours, à supposer qu'ils aient été audibles jusqu'à

Maison-Carrée, résonnant vaguement depuis le port où l'artillerie de l'amirauté a commencé à canonner les deux destroyers alliés qui se sont introduits dans la rade tandis que les marines du colonel Swenson se heurtent aux gendarmes. Ou bien : c'est un camarade qui entre dans sa chambre un peu plus tard et qui le tire du sommeil car la nouvelle du débarquement a atteint l'école dont les jeunes ingénieurs se sont rassemblés dans l'une des salles de classe ou dans le réfectoire pour discuter de la conduite à adopter et improviser en pyjama une sorte de conseil de guerre. Et il s'en trouve quelques-uns parmi eux pour tenter de convaincre les autres de prendre les armes. Non pas pour se joindre aux insurgés. Mais, au contraire, pour aller combattre en partisans sur les plages d'Alger afin de rejeter à la mer les troupes alliées, repousser les forces d'invasion, arguant de la légendaire félonie anglaise, invoquant le souvenir de Mers el-Kébir et, pourquoi pas ?, les fantômes de Fachoda et l'ombre sainte de Jeanne d'Arc, pour soutenir qu'il est du devoir de tout jeune patriote de défendre, comme le Maréchal en donnerait certainement l'ordre, l'Afrique du Nord, puisque l'Algérie c'est la France, contre les ennemis héréditaires qui prétendent en conquérir le territoire. Et lui, il s'y refuse, prenant la parole devant tous ceux de sa promotion, développant une thèse un peu hypocrite puisqu'elle consiste à ne prendre parti ni pour ni contre le débarquement mais à soutenir — toujours par souci de ne pas désobéir à l'autorité légitime — que combattre ne serait possible qu'à la condition de le faire en uniforme et sous l'autorité du drapeau.

Spontanément et sincèrement acquis à la cause des Alliés, n'exprimant jamais à leur égard la moindre réserve ou la plus petite hostilité, manifestant même une sympathie presque naïve pour les premiers soldats américains aperçus. N'envisageant donc aucunement d'aller les combattre. Et pourtant, ne s'accordant pas l'autorisation de se ranger dans leur camp tant qu'il ne pourrait pas se figurer qu'il le faisait avec l'assentiment du gouvernement de son pays — ou du moins de ce qui en tenait lieu. Ayant besoin d'un tel acquiescement pour suivre la pente de ses propres convictions. En ce sens, exemplairement victime du dilemme dont sont alors la proie les Français d'Afrique du Nord. Si bien que, pour un rien, ils ont pu basculer alors d'un côté ou de l'autre : Alger rendant les armes en quelques heures comme si les habitants, et même, au fond, les autorités, avaient été unanimement acquis aux Alliés, tout disposés à leur livrer la ville, alors que le Maroc et Oran allaient s'opposer à l'invasion avec la plus grande énergie, lançant les troupes françaises à l'assaut des divisions débarquées, l'affrontement durant trois jours et faisant de part et d'autre plusieurs centaines de morts. Cette bataille prenant peu de place dans les livres d'Histoire — moi-même, j'en ai appris très tardivement l'existence dans un film hollywoodien à la gloire du général Patton — car quel sens, quel intérêt y aurait-il à rappeler qu'en novembre 1942 les soldats français étaient prêts à combattre l'armée anglo-américaine plutôt que les troupes encore triomphantes du IIIe Reich ?

Et lui ne sait alors pas trop quel parti adopter. C'est pourquoi il prend enfin connaissance avec le plus grand soulagement du message par lequel Darlan, quelques jours plus tard, se proclame « haut-commissaire en Afrique », engage les forces françaises aux côtés des Alliés et le fait « au nom du Maréchal empêché », puisqu'en représailles au débarquement l'armée allemande vient, le 11 novembre, d'envahir le sud du pays, mettant fin à la fiction d'une zone libre. Cette déclaration portant à son comble le comique de l'un des épisodes les plus singuliers de la Seconde Guerre mondiale : l'homme, l'amiral Darlan, incarnant au plus haut point la politique de collaboration prônée par le régime de Vichy, le dauphin de Pétain, désigné par lui comme son seul successeur légitime, celui qui pousse le zèle jusqu'à proposer à Hitler de faire entrer la France en guerre contre l'Angleterre, devenant soudainement le partisan de l'engagement des forces d'Afrique du Nord dans le camp des Alliés, exécutant ainsi l'un des plus spectaculaires numéros de volte-face idéologiques et stratégiques dont on puisse trouver l'exemple, et même en cette période où de tels retournements furent fréquents.

N'ayant été conduit à une telle décision que par un invraisemblable enchaînement de circonstances digne d'un roman-feuilleton : informé le 4 novembre que son fils, Alain, qu'il avait dépêché en mission à Alger, malade de la poliomyélite depuis l'enfance, victime d'une crise soudaine, avait dû être placé de toute urgence dans un poumon d'acier de l'hôpital Maillot et qu'il était à l'article de la mort. Quittant donc Vichy pour Alger — où il n'avait aucune autre raison de se trouver sinon pour veiller l'agonie de son enfant —, le faisant alors même — et sans qu'il le sache ou l'imagine — que le débarquement se prépare dans le plus grand secret, puis pris au piège au beau milieu de la nuit du 7 au 8 novembre. Ignorant que la maison du général Juin où il se rend vient d'être encerclée par la Résistance et se voyant ainsi, incrédule et furieux, aux mains d'une poignée d'adolescents en armes, quelques lycéens d'une classe de terminale du lycée de Ben-

Aknoun, réussissant le rocambolesque exploit de faire prisonniers les deux plus hauts officiers de l'État français et de les conserver captifs le temps de quelques heures cruciales et décisives pour l'issue du combat.

Et, lui, Darlan, libéré un peu plus tard dans la nuit, prenant d'abord le parti de tout mettre en œuvre pour écraser l'insurrection et s'opposer à l'invasion, ne consentant à accepter sa défaite que trois jours plus tard, se rangeant alors dans le camp des Alliés. Ne le faisant aucunement par la grâce d'une conversion sincère, ses convictions restant tout à fait inchangées et identiques à celles qui le poussaient à vouloir mettre la France occupée au service de l'Allemagne hitlérienne, mais agissant sous l'effet d'un calcul très cynique et opportuniste, se disant que la situation lui permettra peut-être de jouer le rôle de premier plan auquel il aspire depuis longtemps, auquel il a la certitude d'avoir droit — et peu importe au fond que ce soit d'un côté ou de l'autre. Retournant donc sa veste mais le faisant avec un aplomb inouï. Fidèle en cela à son maître, le vieux prestidigitateur galonné de Vichy. Ayant médité les tours de passe-passe de celui-ci avec un incontestable profit et capable de les exécuter avec plus d'assurance et de dextérité encore. Se proclamant seule autorité légitime d'Afrique du Nord, décidant d'engager l'Algérie, le Maroc et ce qui reste de la Tunisie, et bientôt toutes les autres colonies passées sous son commandement, dans la guerre contre les puissances de l'Axe. Mais proclamant contre toute vraisemblance que, prenant une telle décision, et se prévalant de la confiance placée en lui par le vieux vainqueur de Verdun, il le fait au nom du maréchal Pétain, manifestant la volonté secrète de ce dernier maintenant que l'occupation de la zone sud lui interdit d'exprimer celle-ci à voix haute et intelligible. Mieux (ou pis) : allant jusqu'à affirmer que s'il faut désormais sortir de la neutralité imposée par les conditions de l'armistice, c'est afin de sauver l'homme qui a signé celui-ci, le sublime et quasi sénile chef de l'État français, présenté comme l'otage pathétique d'un pays tout à fait tombé aux mains barbares de l'ennemi, et déguisant le combat auquel il invite les troupes d'Afrique du Nord en une sorte de médiévale croisade destinée à libérer le vieux soldat enfermé dans quelque sinistre cachot sur l'autre rive de la Méditerranée. Réussissant le tour de force qui vise à travestir le virage complet qu'en l'espace de quelques jours il négocie en un geste de complète et absolue fidélité à ses convictions et à ses engagements de toujours. Improvisant de toutes pièces cette fiction qui consiste désormais à confondre l'obéissance à la pseudo-légitimité dont se prévaut le régime de Vichy, la dévotion à l'égard du vieillard qui incarne celle-ci, et l'injonction adressée à tous les Français afin qu'ils reprennent les armes contre les troupes du IIIe Reich.

Et si cynique et ahurissante qu'elle soit, la proclamation de Darlan produit certainement l'effet escompté sur les esprits, le sophisme qu'elle propose permettant de dénouer le dilemme dans lequel se trouvent pris alors certains des Français d'Afrique du Nord. Et lui est de ceux-là, méditant depuis deux ans toutes les infinies possibilités du possible tandis qu'il résout des problèmes de mathématiques ou qu'il jardine au soleil, considérant tous les partis sans en prendre aucun, mais soudainement faisant sien ce sophisme sans être dupe peut-être du calcul opportuniste qu'il couvre, s'accordant l'autorisation qui lui manquait jusque-là pour entrer dans la guerre, puisque ses convictions intouchées de démocrate et de patriote, il peut désormais faire comme si elles servaient la cause même de ce qu'il aurait sûrement nommé la France éternelle, la fille aînée de l'Église et l'héritière de la Révolution.

Mais, en vérité, et même s'il l'avait souhaité, il n'aurait pas eu le choix de rester en dehors de la guerre maintenant que celle-ci l'avait rejoint sur l'autre rive de la Méditerranée. Les universités et les Écoles d'ingénieurs suspendent leurs cours ou ferment leurs portes. Tous les jeunes gens en âge de l'être se trouvent instantanément mobilisés et envoyés faire leurs classes dans des chantiers de jeunesse reconvertis précipitamment en centres de préparation militaire — ceux-ci conservant leur nom et continuant à propager l'idéologie au nom de laquelle ils avaient été fondés mais servant désormais l'objectif inverse de celui pour lequel le régime de Vichy les avait inventés. Cette métamorphose soudaine s'opérant dans la plus parfaite confusion et paraissant pourtant aller de soi pour tous ceux qui y participent. Car les chantiers de jeunesse avaient été créés en 1940 pour se substituer aux casernes dès lors que le service militaire avait été supprimé et pour recevoir les jeunes Français, privés du droit de porter l'uniforme, encadrés par des officiers désœuvrés par la défaite qui devaient leur inculquer les valeurs prônées par la propagande de Pétain, le culte de l'effort, du travail, de la patrie, de la terre, de manière à permettre de régénérer pacifiquement et servilement la Nation vaincue. Et, dès les jours qui suivent le débarquement allié et le retournement de Darlan, ils sont transformés en camps d'entraînement destinés à fournir aux futures recrues les rudiments de la formation militaire et à sélectionner celles-ci en vue de leur prochaine affectation dans telle ou telle des forces promises à reprendre le combat contre les troupes allemandes.

C'est ainsi qu'il part passer les deux derniers mois de l'année 1942 dans les gorges de la Chiffa, un site austère et superbe dans la direction de Blida et d'Oued-el-Alleug, ravin encaissé conduisant vers le désert, les hauts plateaux et au fond duquel coule le ruisseau des singes qui lui donne son nom. Il découvre ce paysage de carte postale dont les Algérois font traditionnellement l'un des buts de leurs promenades dominicales. Se disant sans doute que, décidément, après la route de Nîmes et les plages de la Méditerranée, ses grandes vacances forcées n'auront pas de fin et qu'il est encore comme un enfant qu'on envoie en colonie s'amuser loin des grands. Car les chantiers de jeunesse — tels qu'il les découvre — ont tout d'un camp scout avec leurs baraquements perdus dans la montagne et la vie collective qui s'organise autour des corvées, d'eau, de bois, des randonnées, des interminables exercices de gymnastique, à l'époque, on appelait cela « hébertisme », des veillées autour du feu et des cérémonies à l'aube pour le lever des couleurs, la part proprement militaire du programme consistant dans les mêmes exercices abrutissants et stupides auxquels tous les appelés de toutes les armées ont été soumis : apprendre à marcher au pas, à saluer, à faire la manœuvre, être réveillé en plein milieu de la nuit pour une expédition de somnambules destinée à rejoindre un objectif désigné sur une carte d'état-major et puis simuler sans armes des combats au cours desquels s'affrontent deux camps en une sorte de jeu de cache-cache puéril dont l'enjeu est un étendard, comme le font les enfants qui jouent aux cow-boys et aux Indiens et comme lui-même l'avait fait autrefois avec les petits garçons de son âge dans la forêt du Balmay — qui, peut-être, ressemblait à celle de la Chiffa.

Sauf que, pour lui rendre justice, l'époque est plus dure et les officiers auxquels on confie ces jeunes recrues ont toute latitude pour éprouver leur endurance et leur prétendue virilité, leur vertu morale et leur sens du commandement, selon les expressions alors les plus en vogue dans le discours de Vichy, les soumettant aux exercices les plus exténuants de manière à mesurer jusqu'à quel point elles pourront les supporter, profitant pour cela de l'extrême inconfort de l'environnement où tous ces jeunes gens se retrouvent forcés à vivre : dans une montagne d'hiver où la température tombe très bas, où les ressources de l'hygiène se limitent à l'eau des cascades, où les rations alimentaires sont strictement contingentées si bien que le bol de soupe du soir, la couverture pour la nuit et la paire de chaussures pour les marches de la journée deviennent vite les seules vraies réalités de l'existence. Avec, en plus, la ligne de partage assez inquiète du présent où se mélangent les croyances d'hier et les convictions de demain, la fidélité absurdement réaffirmée aux principes de la Révolution nationale et l'engagement pris de libérer la Patrie de l'occupant allemand.

Car il est douteux que la grande confusion des précédents mois se soit pour lui aussitôt dissipée comme par magie — et même sous le charme illusoire des mots prononcés par Darlan. Puisque l'on ne se délivre pas en quelques jours des mensonges avec lesquels on a longtemps confondu — forcé ou bien de son plein gré — la vérité et qu'il faut l'épreuve de la réalité amère pour y parvenir. Si bien que dans le décor exotique où il se retrouve, totalement coupé du monde extérieur, à devoir subir le discours constant d'une douteuse propagande patriotique, passant son temps à jouer au petit soldat, il n'est pas trop certain qu'il ait découvert un climat propice à lui éclaircir les idées et à lui ouvrir les yeux. Toujours convaincu, certainement, de la bonne foi du vieux vainqueur de Verdun et s'imaginant que c'est combattre pour lui que de contribuer à la libération du pays. Confondant les causes antagonistes pour lesquelles il s'est enfin décidé à lutter, chaque matin, tandis qu'il se tient au garde-à-vous dans une clairière resplendissant de la lumière de l'aube où l'on fait grimper à un mât le drapeau tricolore flottant dans le ciel bleu. Arrivant même à se convaincre qu'au fond il a toujours vu juste et depuis le début, que la France est une, en fait, qu'elle est désormais rassemblée sous une seule bannière et que c'est pour elle qu'il se prépare à se battre. Et je ne serais pas trop étonné d'apprendre — s'il se trouvait encore quelqu'un pour le dire — que lui et ses camarades, alors qu'ils marchent en colonne par deux entre les parois escarpées de la Chiffa, entonnent tour à tour *La Marseillaise*, le *Maréchal, nous voilà !* et le chant du corps des Africains (« C'est nous les Africains / Qui revenons de loin / Nous venons des colonies / Pour sauver la Patrie / Et nous avons au cœur / Une invincible ardeur… »), rengaine militaire qu'ils partagent avec ces soldats arabes, dont eux, les fils de colons, sont très sincèrement convaincus, lui l'était en tout cas, d'être devenus les frères d'armes mais qui iront se faire tuer, bien plus vite, bien plus sûrement et plus héroïquement qu'eux, de l'autre côté de la Méditerranée.

Distingué parmi les autres recrues au bout de ses deux mois de classes. Et là encore, plus personne ne saurait dire si ce fut en raison de sa soumission exemplaire à la discipline du chantier, de sa popularité chez ses camarades ou bien, plus simplement, pour ses qualités intellectuelles et physiques, dont il n'avait pas spécialement lieu d'être fier puisqu'elles tenaient au milieu dont il était issu, à l'éducation qu'il avait reçue, au corps en bonne santé de grand garçon solide et bien nourri dont il avait hérité, ces raisons étant celles qui expliquent que c'est toujours aux enfants de la bourgeoisie qu'on propose de devenir aspirants dans l'armée. Nommé en tout cas chef d'équipe et figurant parmi les quelques recrues à qui on offre la possibilité de suivre la formation indispensable pour rejoindre les commandos parachutistes.

Et alors, il se porte volontaire, sachant très bien à quoi il s'engage ainsi et que se trouver incorporé dans cette arme-là — plutôt que de continuer, comme il l'aurait pu, à jouer au boy-scout dans les montagnes d'Algérie — revient à prendre le raccourci le plus rapide qui s'ouvre à lui vers l'une ou l'autre des scènes du théâtre planétaire des opérations et la possibilité de combattre effectivement, les armes à la main, quelque part — et peut-être un jour en France — contre l'occupant allemand. Cette décision étant finalement la seule de toute sa guerre. Puisque, jusqu'à ce moment de décembre 1942, et malgré lui, en dépit du brevet de pilote qu'il avait passé dans l'espoir de se retrouver à temps aux commandes d'un Dewoitine, n'ayant pas pu obtenir de son père l'autorisation de devancer l'appel, l'enchaînement hasardeux des circonstances de sa vie, le concours d'ingénieur agronome qu'il avait finalement obtenu, et celui de l'Histoire, l'opération Torch, avaient décidé du cours de son existence et qu'il n'avait eu ni la perspicacité ni la témérité nécessaires pour donner lui-même une autre forme à son destin. Et ensuite, après ce moment de décembre 1942 où il se déclare volontaire, sa seule décision, il n'aura plus à nouveau qu'à se soumettre à ce même enchaînement sans pouvoir imaginer alors qu'au lieu de devenir parachutiste largué au-dessus de la campagne normande, à supposer qu'il ait participé à un débarquement dont ni lui ni même aucun des généraux en chef des forces alliées, de toute façon, n'avaient à l'époque seulement l'idée, il traversera l'Atlantique après la Méditerranée pour devenir pilote d'un P-47 Thunderbolt dans les rangs de l'Army Air Force.

Quelques semaines plus tard, sa formation précipitamment achevée car le temps presse, ce doit être en janvier ou en février 1943, il se retrouve donc à bord d'un avion à voler dans le ciel d'Algérie, non pas aux commandes du vieil appareil dans lequel il vogue, mais à devoir accomplir avec ses camarades son premier saut. Et ce sera le seul de sa vie. Car, visiblement, il n'a jamais été tenté de renouveler l'expérience. Penché dans le vacarme du vent et parmi le bruit énorme des moteurs, surplombant le spectacle passant du monde a plusieurs centaines de mètres au-dessous de lui, peu désireux d'y aller sans doute, mais n'ayant plus d'autre choix que de le faire, ne pouvant plus se dédire de la seule décision qu'il a prise — décision qui suffit peut-être à justifier sa jeunesse, à en effacer les atermoiements et les erreurs. Se jetant donc dans le vide — celui de l'Histoire et celui de sa vie —, tombant pour de bon à travers le ciel.

Mais ce jour-là, ce 12 juillet 1942, qui est de quelques mois antérieur au précédent, le vieux capitaine contemple les fleurs rouges et jaunes qui brillent sous le soleil aux parterres de son jardin. Il laisse les femmes, les mères assurer l'intendance et faire la conversation avec le curé — auquel il n'a pas voulu adresser la parole davantage que ne l'exige la politesse la plus protocolaire. Ils sont rentrés de l'église où a eu lieu la bénédiction — à laquelle, bien sûr, il n'a pas eu le cœur de ne pas assister, voulant ne pas causer de scandale, et surtout éviter les reproches de son épouse, ne pas attrister sa fille pour rien. Après tout, lui-même s'est marié devant un prêtre. Il n'en est pas fier mais n'en a pas honte pour autant. Se disant sans doute que les hommes consentent toujours à de semblables concessions par amour, ou du moins : par égard, pour celles avec lesquelles ils vivent. Il tourne de telles pensées dans sa tête. Le déjeuner n'a pas commencé. On en est encore au moment de l'apéritif. Pourtant, il a déjà un peu trop bu. Et s'il retourne vers la table blanche du buffet, c'est afin de remplir une nouvelle fois son verre. L'alcool et le beau temps le rendent léger. Il veut boire davantage — l'habitude du vin le prémunit contre l'ivresse. Il désire juste laisser tomber sur son esprit un rideau suffisant de vague hébétude qui le préserve, pour cette seule journée d'été, de tout l'accablement, de toute la tristesse du tracas.

Il se dit qu'il pensera plus tard à tout le reste — dont il est le seul, sans doute, à se soucier parmi les convives. Se demandant pourtant ce qu'il doit faire et s'il est bien raisonnable de mettre en péril sa sûreté et celle de sa famille en fournissant à quelques égarés les faux papiers qui leur permettront de se protéger au plus vite du sort probable qui les guette. Ne parvenant pas à chasser de son esprit le souvenir de l'homme à qui, la veille, après le couvre-feu, il a remis les documents qui attestent de son état civil inventé et qui lui laisseront peut-être une chance d'embarquer pour l'Afrique du Nord pendant qu'il en est encore temps et puis de gagner une terre plus sûre : cette ombre d'homme aperçue dans l'obscurité, fuyant dans le noir, dont il ne sait rien sinon les informations qui ont été nécessaires afin de falsifier son identité, qu'il a aidé non pas par sympathie pour cet individu qu'il ne connaît pas, dont il a à peine aperçu le visage, avec lequel il a tout juste échangé quelques mots, mais plutôt parce que quelque chose en lui murmure à son oreille qu'il ne pouvait pas faire autrement.

Il sait qu'il n'agit pas même par conviction. On ne pourrait pas donner un tel nom à la répugnance presque instinctive qu'il éprouve pour toute forme d'autorité et qui, chez lui, se concilie étrangement avec le souci de la légalité et le respect de la hiérarchie. Comme si, devenu officier malgré lui et pour la solde qu'exigeait l'entretien de sa famille, médaillé sans l'avoir cherché, passant depuis pour un héros, il avait adhéré à son insu à certaines croyances qui vont avec les gants, les guêtres, le képi et les galons mais sans pourtant partager vraiment la foi qui aurait complètement donné un sens à cet accoutrement et en adoptant à l'égard de celle-ci le même esprit un peu cynique avec lequel il considère la religion. Immunisé par quatre années de guerre contre le danger de ce que ses camarades et lui nommaient le « bourrage de crâne », peu disposé à prendre pour argent comptant les tirades sentimentales et larmoyantes du Maréchal, développant même à l'endroit de celui-ci une aversion de plus en plus franche et qu'il se retient d'exprimer à haute voix, non par crainte des représailles, que risquerait-il vraiment ?, pense-t-il, mais tout simplement parce qu'il sait bien qu'il n'y aurait personne autour de lui qui puisse le comprendre. Préservé du mensonge et également de la peur depuis que, près de trente ans auparavant, il y avait été exposé avec une violence après laquelle plus aucune autre ne pouvait compter. Ayant perdu ensemble la faculté de craindre et celle de croire, considérant avec un détachement presque amusé la façon dont on s'agite et s'exalte autour de lui, la même fièvre imbécile s'emparant toujours des esprits — et même chez certains des amis de son âge, les fameux « anciens combattants », qu'il fréquente de moins en moins, étonné de voir combien l'expérience qu'ils ont vécue ensemble ne les a pas prémunis contre une rechute pitoyable de patriotisme idiot et le culte crétin qu'ils vouent au vieux cabotin de Vichy. Pensant par instants qu'il ferait mieux de ne pas s'occuper de cela qui ne le regarde plus, qu'à son âge, avec les deux guerres qu'il a traversées, maintenant qu'il a pris sa retraite de libraire et qu'on doit bientôt le décharger du commandement du centre de démobilisation de Mâcon, il a bien gagné le droit de considérer qu'il est libre de toute obligation envers la comédie dans laquelle ce sont les autres désormais qui jouent leur rôle comme ils le peuvent.

Alors, il retourne se servir à boire, regrettant qu'il n'y ait aucun homme de son âge avec qui il puisse vraiment trinquer, se disant toutefois que même si le père de son futur gendre était encore en vie, il n'aurait sans doute rien eu à lui dire tant il était différent de lui : un brave homme, pense-t-il avec sincérité et peut-être aussi un peu de cette condescendance que peut se permettre, estime-t-il, un libraire médaillé à l'égard d'un confiseur réformé. Et pendant qu'avec le plus de discrétion possible il verse à nouveau du vin dans son verre, un cousin dans son dos l'interpelle et lui demande de prononcer un toast à l'intention des fiancés, la requête se trouvant aussitôt reprise par tous les convives qui, en chœur, exigent de lui un discours, un discours ! Et le vieux capitaine, pris sur le fait, son verre plein à la main mais ayant désormais la meilleure excuse pour le vider d'un trait, sait qu'il ne peut pas se dérober : en tant que père de la future mariée, avec son âge et le prestige de ses décorations, il n'y a que lui qui puisse prendre la parole en une telle occasion. D'ailleurs, il ne déteste pas s'exprimer en public. Il a l'éducation et l'aisance qu'il faut pour ce genre d'exercice — et puis, il faut bien le dire, il dispose aussi d'une longue habitude des banquets.

Alors, pour faire le silence, le cousin frappe de la lame d'un couteau le cristal d'une coupe. L'assistance forme un cercle autour de lui qui lève son verre, prend sa respiration, s'éclaircit la voix, redresse son grand corps longiligne de jeune athlète auquel l'âge a juste attaché la protubérance d'un peu de ventre, conscient d'avoir encore fière allure, sûr de son charme, avec ce que l'expérience donne à un homme à la fois de confiance en soi et d'ironie à l'égard du petit personnage qu'il est forcément devenu. En prenant garde à son élocution, mais il n'est pas soûl, à peine gai, il déclame les belles banalités qu'on attend de lui, les considérations convenues propres à de telles circonstances, mettant un peu de coquetterie à donner à ses propos improvisés l'allure d'un vrai discours, cependant léger et charmant, où il peut faire l'étalage de sa faconde et de sa prestance d'ancien maître d'école, allant même peut-être jusqu'à citer un poète, Lamartine à coup sûr puisqu'il sait que c'est l'auteur préféré de sa fille. Il prend bien soin d'avoir un mot gentil pour chacun des convives, et même pour le curé qu'il complimente d'avoir su accueillir dans son église un vieux mécréant comme lui, il évoque dignement la mémoire des disparus, le père et le grand-père de la famille Forest qui, dit-il, manquent si cruellement en un tel jour de réjouissances, et puis passant à des sujets moins graves : félicitant la maîtresse de maison pour la belle réception qu'elle leur offre, remerciant tous les invités pour leur présence et pour leurs cadeaux, complimentant les dames pour l'élégance de leurs toilettes, s'enchantant du soleil qui brille sur les fleurs de son jardin. Se lançant enfin dans l'éloge des fiancés — qui un peu gênés regardent le bout de leurs souliers neufs — et d'abord dans celui de son futur gendre dont il dit tout le bien qu'il pense et comment il ne pouvait que lui accorder la main de sa fille lorsque celui-ci lui en avait cérémonieusement et dans les formes fait la demande puisque après tout c'était à ce jeune homme très sérieux qu'il devait au fond, il exagérait un peu et il le savait, le salut de toutes les femmes de sa famille, son épouse, sa belle-mère, ses deux filles, auxquelles, deux ans auparavant, prenant le volant de sa Peugeot qu'il lui avait rendu sans une éraflure mais avec le réservoir à sec, il avait permis d'échapper à l'arrivée des troupes allemandes. Se tournant ensuite vers sa cadette pour lui adresser tous ses vœux de bonheur, taisant ce qu'il pense en son cœur et à quel point, sans l'avoir vue grandir, il est troublé de la trouver tout à coup si étonnamment belle. Et lancé comme il l'est maintenant, avec l'alcool qui, malgré tout, commence à produire ses effets, il se met à parler de la vie, de l'amour, de la jeunesse. Si bien que, parce qu'elle le connaît, c'est son épouse qui, profitant de la respiration qu'il prend entre deux phrases, déclenche les applaudissements qui lui signifient qu'il est temps d'en finir avec son discours.

Il a bien parlé. Peut-être, du côté des Forest, regrette-t-on juste un peu que le capitaine n'ait pas mentionné les circonstances tragiques que traverse alors le pays et comment l'union de deux jeunes gens issus de bonnes familles bien françaises est, en ces temps si sombres, un signe d'espoir pour une patrie qui, sous l'autorité du Maréchal, ayant renoué avec les vraies valeurs d'autrefois, se prépare à renaître de ses cendres. Alors, cela aurait été aussi émouvant que dans la dernière scène du récent mélodrame de Marcel Pagnol, *La Fille du puisatier*, lorsque, autour de la radio qui diffuse le discours du vieux vainqueur de Verdun, les deux familles se réunissent pour célébrer les retrouvailles de leurs enfants, la fille modeste dont le père creuse la terre qui ne ment pas afin que la vérité sorte de son puits sous l'apparence un peu démodée d'une vedette d'autrefois, et puis le garçon très aisé, au physique de « jeune premier », aviateur de son état, qui reçoit d'elle le sens retrouvé de la vie. Et si le vieux capitaine avait accepté, mais il ne fallait pas compter sur lui pour cela, de dire un mot dans ce sens, le film de cette belle journée de juillet 1942 aurait été si parfait que l'on aurait pu faire tomber le rideau, envoyer le générique et rallumer la lumière sous les applaudissements d'une salle en larmes.

Il vide sa deuxième ou sa troisième coupe de suite mais il ne parvient pas à effacer tout à fait de son esprit le souvenir de l'homme qui est venu frapper la veille au soir au volet fermé de la vieille maison de La Coupée, dans le jardin de laquelle, ce matin, parce que le temps était beau, ils ont fait installer les tables tendues de nappes blanches du banquet. Le souvenir de cet homme et celui de quelques autres à qui il a délivré les faux papiers que lui permet d'établir son commandement à la tête du centre de démobilisation de Mâcon — oh, ils n'ont pas été nombreux, pas aussi nombreux qu'il aurait fallu, ainsi que sans doute, lorsqu'il saura, il le pensera plus tard —, l'image de ces presque fantômes ne le quitte pas. Ou plutôt si — puisque c'est la vérité qu'il faut dire — ce souvenir le quitte mais, à intervalles irréguliers, il lui revient tandis que se succède sur la table la théorie excessive des plats en sauce et en crème prévus au menu du repas — et dont il se demande, parce qu'il n'a rien mangé de tel depuis très longtemps, comment la mère de son futur gendre a bien pu se débrouiller pour trouver un traiteur qui puisse se procurer les ingrédients nécessaires à les préparer.

Préférant en fin de compte ne pas trop se le demander tandis qu'il finit son assiette et se verse un nouveau verre, se disant qu'il va être temps d'aller chercher à la cave encore une demi-douzaine des bouteilles que la Wehrmacht a épargnées, que cela en fera autant, dit-il en plaisantant, que la prochaine fois les soldats allemands, il dit : les Boches, n'auront pas. Allongeant ses pieds sous la table, fatigué et assez ivre pour ne plus penser à quoi que ce soit et se contenter d'épier du coin de l'œil le couple des fiancés, posant sur eux le regard avec lequel les hommes qui ont vécu, et il était certainement de ceux-là, considèrent les très jeunes gens, essayant de se rappeler ce que fut pour lui cette période de la vie, avant la guerre, la « Belle Époque » comme l'on dit si justement maintenant, cet âge où toute sensation est encore nouvelle et où deux mains qui se touchent, un baiser sur le coin des lèvres, l'odeur des cheveux dans lesquels on glisse ses doigts paraissent plus intenses que la plus longue des nuits passées plus tard dans un lit. Préférant ne pas trop y réfléchir — puisqu'il s'agit de sa fille et qu'il est comme tous les pères.

Peut-être a-t-il entendu dire, puisque telle est la version officielle, que, si on les envoie vers l'est, c'est parce qu'un État juif doit être créé pour eux, quelque part en Pologne. Et il ne se fait pas trop d'illusions sur ce dont il s'agit. Se représentant qu'on les destine à des sortes de camps de prisonniers comparables à ceux auxquels, puisqu'il a fait deux fois la guerre, il a échappé. Se disant que les attendent là-bas des conditions très dures et tout à fait injustes, que des hommes, des militaires et non des civils, pourtant peuvent supporter comme lui a enduré ses quatre années sur le front, mais auxquelles il serait inhumain de vouloir soumettre aussi des femmes, des enfants, des vieillards. Ne pouvant imaginer la vérité — ne le pouvant puisque même ceux qui descendraient du train pour entrer dans les camps et pénétrer dans les chambres à gaz, jusqu'au dernier moment parfois, n'y parviendraient pas.

Ne sachant pas. Et si certains savaient déjà, ni lui ni aucun des autres autour de lui n'était alors dans ce cas — malgré ce que prétendent ceux qui jugent aujourd'hui depuis le confort de leur impensable futur. Et certainement cela ne suffit pas pourtant à les exonérer tous du crime dont ils ont été les contemporains, victimes, témoins et coupables à la fois, et dont ils n'auraient pas dû permettre qu'il advînt. Connaissant les mesures de discrimination extrême dont ils sont frappés depuis deux ans que leur a été réservé un statut qui les prive de leurs droits les plus élémentaires et qu'en Algérie on leur a même retiré leur citoyenneté, bien conscient qu'en zone libre tout cela s'accomplit non pas pour complaire aux Allemands mais sur ordre de l'État français, selon le projet officiel et avoué de la Révolution nationale. Mais ignorant avec tous les autres que, quelques mois plus tôt, la décision a été prise par les nazis de mettre en œuvre « la solution finale de la question juive », ne pouvant deviner qu'en ces jours de juillet 1942 où il fiance sa fille, l'avant-veille même de la cérémonie, le Conseil des ministres de Vichy, à l'instigation de Pierre Laval, étudie les modalités concrètes des grandes rafles qui se préparent alors à Paris et à Bordeaux, et puis des opérations plus discrètes et modestes comme celle que la police de Mâcon ne va pas tarder à effectuer, avec lesquelles commence la déportation massive des Juifs de France.

Ayant, en vérité, cessé de penser à tout cela alors qu'il ouvre une nouvelle bouteille de champagne dont la mousse se répand sur la nappe blanche et qu'on finit de servir la pièce montée. L'après-midi très avancé maintenant et les convives les plus âgés ayant quitté la table pour aller chercher le refuge d'un peu d'ombre sous les arbres fruitiers, les plus jeunes sur une idée du frère du fiancé demandant l'autorisation de partir du côté de Saint-Laurent où, à deux jours du grand bal du 14 Juillet, se tient la fête foraine avec les manèges, les montagnes russes, le tir à la carabine et toutes les autres attractions. Et, comme le disent les anciens, c'est bien de leur âge, il est normal qu'ils aillent ainsi s'amuser. Lui, se versant le fond de la bouteille et regardant la petite troupe de ces enfants de vingt ans se diriger vers la porte du jardin, apercevant les fiancés côte à côte parmi eux et comment ils se tiennent par la main, pensant qu'on a toujours raison d'être heureux, leur donnant ainsi pour finir sa bénédiction silencieuse.

CHAPITRE 5

22 décembre 1943

A lonely impulse of delight
Drove to this tumult in the clouds ;
I balanced all, brought all to mind,
The years to come seemed waste of breath,
A waste of breath the years behind
In balance with this life, this death.

WILLIAM BUTLER YEATS

C'est comme se jeter dans le vide, pense-t-il, tirant sur le manche pour que le nez monte au-dessus de l'horizon et pointe vers le ciel, l'avion cabré décélérant doucement au point de donner l'impression qu'il va s'immobiliser au milieu de nulle part, coincé parmi les nuages comme un ascenseur entre deux étages, suspendu à un millier de mètres au-dessus du sol, parvenant à s'établir en un point où tout paraît s'arrêter autour de lui jusqu'à ce que le soutien de l'air lui manque et qu'il s'abatte d'un seul coup. Décrochant, puisque c'est le mot juste, comme si l'appareil se trouvait jusque-là pendu à une sorte d'hameçon attaché lui-même quelque part en altitude, le tractant vers le haut, vers l'avant, et que le fil le reliant aux cintres invisibles du ciel avait subitement rompu. Et l'engin dégringole alors aussi sûrement qu'un homme sautant du bord d'une falaise ou bien passant par la fenêtre du sommet d'un immeuble.

Plongeant mais pas droit devant lui car ce serait encore trop facile. S'effondrant sur le côté, le pied du pilote appuyé à fond sur l'une des pédales qui commandent à la dérive, l'équilibre perdu, avec la même sensation que si l'une de ses ailes manquait soudain au chasseur et que la moitié du monde au-dessous lui faisait défaut, une crevasse s'ouvrant dans le vent et avalant l'avion qui bascule dans le bleu en tournoyant. Avec, vue de loin, l'allure très exacte et très belle d'un dauphin qui surgit à la surface de l'eau, dresse sa tête et son corps comme pour saluer et puis se laisse tomber sur le flanc avant de filer vers le fond.

Tirant de la main sur le manche, enfonçant le palonnier d'un pied, sentant l'instant qui vient où il va culbuter vers le bas et sur le côté, exactement comme lorsque sur les montagnes russes la petite voiture a laborieusement fini de grimper et que, parvenue au point le plus haut du circuit, elle s'arrête un instant avant de commencer sa descente — sauf que, bien sûr, il n'y a pas de rails auxquels rester accroché dans le ciel. Se jetant dans le vertige volontaire de la vrille, l'avion piquant vers le sol, tiré par son poids énorme et par la puissance de son moteur, virant sur lui-même comme une toupie ou bien telle une vis forant à toute vitesse l'épaisseur immatérielle de l'air. Alors : la terre qui tourne et se rapproche à une allure insensée. Sans qu'il y ait aucune image qui puisse vraiment rendre compte d'un tel phénomène si l'on n'en a jamais fait soi-même l'expérience : l'impression d'être tombé dans le tube d'un kaléidoscope où éclate sous soi et s'éparpille le spectacle du sol ou bien d'être pris dans le siphon du ciel, comme si quelqu'un avait stupidement retiré la bonde au fond de l'univers et que l'atmosphère, avec ce bruit de plomberie que fait l'air sifflant et vibrant sur la carlingue, était en train de se vider dans un long mouvement de spirale entraînant en dégoulinant toutes les choses du monde avec soi.

Sans qu'il y ait de quoi en faire toute une affaire, cependant. Puisque la procédure à suivre est simple, qu'elle consiste à laisser l'avion accomplir un ou deux tours sur lui-même et puis à appuyer du pied afin de contrarier sa rotation avant de tirer de la main pour redresser l'appareil. Les commandes des avions ayant été conçues avec assez de bon sens pour que le pilote n'ait pas même besoin de réfléchir vraiment et qu'il puisse réagir par une sorte de réflexe puisqu'il s'agit de peser de tout son poids en sens inverse du mouvement de feuille morte où l'avion est engagé de telle sorte que ce mouvement cesse. Le principal danger consistant à agir trop tôt ou avec trop de brutalité, avant que l'appareil n'ait acquis l'allure suffisante pour rétablir son assiette, le faisant basculer dans une nouvelle vrille sans qu'il soit complètement sorti de la précédente, et il est alors trop tard pour éviter l'impact avec la terre.

Et tout cela il le sait, parce que cette manœuvre est l'une des premières que l'on apprend dans n'importe quelle école de pilotage et que cela fait donc longtemps qu'on la lui a enseignée. Sauf que l'appareil qu'il commande — même s'il s'agit encore d'un engin destiné à l'entraînement des novices — n'est plus l'un de ces avions de tourisme à bord desquels il a obtenu son brevet et dont les performances sont si limitées qu'on ne court aucun risque avec eux, si stables et si sûrs qu'ils ressemblent aux vieux chevaux qui, même montés par un cavalier assoupi, retrouvent d'eux-mêmes le chemin de l'écurie. Et lui, pour la première fois, il est seul aux commandes de ce nouvel avion qu'il a fait décoller de la piste de Craig Field. Jugé depuis le sol par l'instructeur américain qui considère les quelques figures obligées au regard desquelles va se décider tout son avenir d'aviateur.

Son premier vol seul, « *Today you fly solo* », sur un appareil de l'Army Air Force, vraisemblablement un monoplan Fairchild PT-19, il l'accomplit le 22 décembre 1943. Seule la date est certaine puisqu'elle figure sur le billet vert qu'il a conservé jusqu'au dernier jour, la coupure de un dollar sur laquelle, comme le veut la tradition de l'aviation militaire américaine, on célèbre pour un pilote le jour de son « lâché » et que, afin d'attester de l'événement, son instructeur signe où il peut, au dos du portrait du père de la patrie, George Washington, à la place de la devise de celle-ci, « *In God we trust* », de manière à marquer que de cette journée-là commence l'expérience d'une vie nouvelle et que le futur pilote a ainsi contracté une dette, symbolique, un tout petit dollar, le plus minime montant possible, et donc insusceptible d'être jamais remboursée par lui, le faisant pour toujours débiteur de quelqu'un — Dieu ou bien le Président, là-bas, c'est pareil — qui lui a offert le privilège de son premier vrai vol vers le ciel. Devant produire cette preuve chaque fois qu'il rencontre l'un de ses pareils, sortant de sa poche la coupure — vieille, au bout de son existence à lui, de plus d'un demi-siècle — et sinon mis à l'amende d'une somme équivalant à celle figurant sur le billet, exhibant ce signe de reconnaissance à l'intention de tous les autres, membres comme lui d'une secte très peu secrète, formée de tous les anciens pilotes passés par la chasse américaine.

Ce bout de papier-monnaie ne le quittant plus, bien à l'abri dans l'un des compartiments de son portefeuille — ou bien : de ses portefeuilles successifs, remplacés lorsque le cuir en devenait trop usé, jusqu'au tout dernier restitué à son épouse, sa veuve, avec ses autres affaires, une fois son décès prononcé au service des urgences d'un hôpital parisien ce jour de novembre 1998 où il était tombé subitement inanimé sur le trottoir de la rue de la Procession. Pareil au morceau de parchemin qu'on nomme le « Mémorial » et dont l'histoire raconte comment Blaise Pascal prit soin de le coudre dans la doublure de chacun de ses vêtements à mesure qu'il en changeait, afin qu'il n'en soit jamais séparé, et qu'un domestique, surpris par l'épaisseur du tissu, découvrit quelques jours après son trépas alors qu'il rangeait les habits de son maître. Quelques lignes semblables à une signature de feu laissée par la foudre et dans lesquelles, avec la précision d'un pilote tenant le carnet de ses sorties en l'air — le 23 novembre de l'an de grâce 1654, depuis environ dix heures et demie du soir jusqu'à environ minuit et demi —, l'auteur des *Pensées*, du livre auquel après lui on a donné ce titre, consigne sa première expérience du ciel. Faisant confiance pour garder le souvenir de ce moment à son corps plutôt qu'à son esprit, à l'inconfort de ce bourrelet qu'il devait sentir dans l'épaisseur de son manteau, de son pourpoint?, et qui lui rappelait le feu, les pleurs, la paix éprouvés par lui autrefois et à jamais. Sans que la comparaison n'ait rien d'irrévérencieux puisque, d'un penseur à un pilote, et surtout s'ils sont tous les deux chrétiens, l'extase éprouvée, au fond, n'est peut-être pas sans rapport et que chacun a droit à la révélation qui lui va afin de se « trouver éternellement en joie pour un jour d'exercice sur la terre ».

Et la sienne, de révélation, il l'avait probablement connue dans la cabine de ce Fairchild où une invraisemblable série de circonstances lui avait enfin permis de s'installer, aspirant aviateur auquel il avait fallu que le monde soit mis sens dessus dessous, avec deux invasions, depuis la débâcle de France jusqu'au débarquement d'Afrique, le hasard d'un concours d'ingénieur réussi, celui de Maison-Carrée, la caution crapuleuse et imprévue d'un haut dignitaire de Vichy, l'amiral Darlan, la décision de se porter volontaire comme parachutiste, pour se retrouver au bout du compte, après avoir traversé la Méditerranée et puis l'Atlantique, de l'autre côté de la planète et pourtant à sa place, ressentant la certitude paisible et joyeuse d'être enfin là où il le devait.

Son vieux rêve enfin réalisé. Non pas le rêve de faire la guerre — et même pour la plus juste des causes — car, pour être honnête, et même s'il ne l'aurait certainement pas reconnu, collectionnant les galons jusqu'au grade de colonel de réserve, je crois qu'il avait le tempérament le moins belliqueux qu'on puisse imaginer. Mais le rêve de voler. Ne se résignant à faire le soldat que par sens du devoir, et il avait mis, c'est vrai, un certain temps à savoir où se situait celui-ci. Peut-être, au fond : ne volant pas pour pouvoir combattre mais combattant afin de pouvoir voler. Tout à fait pareil à ce jeune aviateur irlandais mort au cours du précédent conflit et dont parle un poème, *An Irish Airman Foresees His Death*, qu'il n'avait certainement jamais lu. Car, ayant légitimement autre chose en tête, s'il devait malgré tout vaguement savoir qui étaient Flaubert et Pascal, et avoir mis le nez dans leurs livres au lycée, il est tout à fait exclu qu'il ait jamais seulement entendu le nom de Yeats pas plus que celui de Joyce. Pilote, disait le poète, tombé du ciel sans haine pour ceux contre lesquels il luttait, sans amour pour ceux pour lesquels il luttait, simplement appelé vers le ciel et l'extase pure de passer parmi les nuages.

Naissant ce jour-là, à cet instant précis, plutôt qu'à la date — figurant sur son état civil — du 17 septembre 1921 ou même à celle du 17 juin 1940 — « ce fut comme une apparition » — ou bien du 12 juillet 1942 — lorsque le vieux capitaine leur avait donné sa bénédiction silencieuse parmi les fleurs. Ou bien : né à l'histoire de sa vie en chacun de ces moments de son existence et peut-être également en toute une série d'autres dont son esprit ne gardait aucun souvenir, qui avaient peut-être pourtant autant compté — l'après-midi où il était allé assister à l'arrivée du premier hydravion d'Imperial Airways se posant sur la Saône et peut-être même la poussière luisante d'événements minuscules venus d'un passé encore plus lointain — mais qu'il avait parfaitement oubliés puisque, tous les objets de son enfance relégués au fond d'un grenier, l'unique témoignage matériel de son histoire, qu'il avait conservé jusqu'au bout et dont il ne se serait jamais séparé, consistait en cette seule coupure de un dollar.

Celle-ci constituant à ses yeux une sorte d'acte de baptême, celui de son vrai baptême de l'air, conservé afin de signifier le sacrement que, ce jour-là, il avait reçu, signe descendu du ciel auquel contribuent tous les éléments, l'eau en suspension des nuages dans l'air avec le feu du moteur arrachant à la terre, et par lequel se marque l'entrée singulière de quelqu'un à l'intérieur d'une communauté unie dans la même croyance. Ayant tout reçu ce jour-là une seconde fois et — comme il se doit — un nouveau nom dont l'initiale, pour satisfaire aux usages américains, s'inscrivait depuis au milieu de sa signature, petite lettre ajoutée pour faire césure au sein du patronyme qu'il tenait de ses parent : un V, non pas pour Victoire mais comme Victor, selon le surnom que lui avait trouvé un camarade québécois, assez impressionné, ou peut-être amusé, par l'imperturbable sérieux de ce « jeune premier » ténébreux, un peu sauvage et à l'allure hautaine de garçon trop timide, tellement absorbé dans ses réflexions — semblait-il — qu'il l'avait pris pour un penseur, pour un poète, ou plutôt : l'avait traité de penseur, de poète car, dans sa bouche, ce n'était probablement pas un compliment, et lui avait donc donné le prénom du seul écrivain français, le vieux Hugo à la barbe blanche des manuels scolaires, dont il avait jamais entendu parler.

Et lui, connu depuis lors par le nom de Jean V. Forest et obtenant sous cette identité, ce 22 décembre 1943, l'autorisation de prendre seul les commandes de son Fairchild afin d'aller montrer un peu ce dont il était capable, sortant impeccablement de sa vrille — laisser tourner l'avion une ou deux fois, mettre du pied à gauche, tirer sur le manche —, enchaînant avec un *lazy eight*, une série de virages, quelques figures simples, tellement en confiance et euphorique qu'il avait été tenté de continuer mais s'était sagement dit qu'il en avait fait assez et qu'en rajouter risquerait de lui nuire en le faisant passer pour un pilote un peu présomptueux, « *Don't show off, boy*», et que le mieux était maintenant de négocier modestement sa descente, de se placer dans l'axe de la piste, de s'appliquer et de réaliser l'atterrissage d'école qu'on attendait de lui.

Quant à savoir comment il en était arrivé là et par quel nouvel enchaînement de circonstances, en novembre 1943, soit un an après l'exécution de l'opération Torch, il avait débarqué sur le sol américain pour y suivre la formation de pilote dispensée à quelques centaines de jeunes Français, je vois mal qui le pourrait maintenant. Car il n'y a plus guère de moyens de dire et de comprendre pourquoi, s'étant porté volontaire pour combattre comme parachutiste, il avait été finalement choisi quelques mois plus tard pour une tout autre mission et qu'on lui avait accordé alors la possibilité, réalisant son rêve, de s'installer aux commandes du plus moderne des appareils de l'aviation militaire : non plus un vieux Dewoitine depuis longtemps déjà démodé mais, après avoir fait ses preuves sur un modeste Fairchild, un P-47 Thunderbolt flambant neuf. Les notices biographiques qui le concernent, celles qui figurèrent un demi-siècle plus tard à la rubrique nécrologique de quelques revues spécialisées, les quelques lignes de l'article que lui consacre le dictionnaire des personnalités du monde aéronautique précisant de surcroît — et pour compliquer encore l'idée de l'itinéraire qu'il suivit — que cette année-là il fut admissible au concours de l'École de l'air — qu'il avait donc finalement passé et auquel, comme il s'y attendait, il avait échoué, butant sur les épreuves de l'oral après avoir réussi celles de l'écrit. Ce qui prouve ainsi au passage que l'établissement destiné à recruter les futurs aviateurs de la nouvelle armée française avait été probablement reconstitué quelque part en Afrique du Nord et permet du même coup de supposer que l'on avait offert aux candidats recalés comme lui la chance d'un repêchage sur les bases aériennes des États-Unis.

Et la seule chose certaine, puisqu'il embarquera de là pour l'Amérique, est qu'à l'automne 1943 il se retrouve à Casablanca, devenue l'une des principales bases de la région, dans la ville rebâtie en studio l'année précédente par les producteurs d'Hollywood pour servir de décor au mélodrame magnifique qu'il avait dû voir — car ce cinéma de propagande était également destiné aux soldats — et dans lequel il reconnut certainement son histoire en découvrant celle de ces deux amants, Bogart et Bergman, fuyant ensemble l'invasion allemande, séparés par la défaite, réunis puis contraints de renoncer encore l'un à l'autre puisque le devoir le leur commandait. Lui, sans nouvelles depuis plus d'un an de celle à laquelle il était fiancé, se demandant certainement si elle lui était restée fidèle ou si un autre homme avait pris sa place auprès d'elle, prisonnier d'une Afrique où il distrayait comme il le pouvait son ennui et tout à fait susceptible de se prendre pour le Rick Blaine interprété par Humphrey Bogart, plus sobre que lui mais tout aussi triste et amer alors qu'il comptait les jours de la guerre passant longuement sur lui et, s'imaginait-il, les éloignant l'un de l'autre, même si les choses fondamentales, comme le prétend la chanson, ne changent pas avec le temps qui va, «*As time goes by*». Et sentimental comme il l'était, il ne fait aucun doute qu'il avait été ému par cette aventure d'amour et de guerre, que devant l'écran et dans l'obscurité de la salle il avait essuyé plus d'une larme au moment où, comme dans la scène semblable d'un autre film à peine plus ancien, *La Grande Illusion*, *La Marseillaise* se met à retentir, jouée par un minuscule orchestre de boîte de nuit qui, au bout de quelques mesures, fait entendre la vieille rengaine patriotique et révolutionnaire comme si elle était interprétée par la fanfare militaire d'un régiment tout entier, cuivres, cordes et chœurs surgis de nulle part, exprimant la voix unanime d'un monde en lutte pour la liberté et au combat duquel il avait désormais décidé de prendre part avec ses nouveaux camarades, « *Louis, I think this is the beginning of a beautiful friendship* ».

Homme de son temps puisque le vingtième siècle de ses vingt ans fut finalement celui de l'aviation et celui du cinéma, ces deux inventions contenant en elles toute la mythologie de cet âge aujourd'hui révolu et appartenant à la même et indissociable histoire — ainsi que l'avait bien compris ce vieux flambeur fou d'Howard Hughes établissant son empire sur les plateaux de tournage et les terrains d'aviation, dandy dément décidant de se retirer dans la cellule monacale et malsaine d'une chambre d'hôtel pour expier la faute d'avoir vu agoniser ce double rêve, assassiné par la médiocrité marchande dont il avait été lui-même le complice ou l'artisan, trouvant enfin la mort à l'époque de la télévision triomphante et des avions de ligne à réaction tandis que lui, dans les années soixante-dix, il terminerait sa carrière à Air France comme commandant de bord sur 747, ayant depuis longtemps cessé de faire le spectateur au cinéma et se contentant de s'endormir en ronflant dans le fauteuil du salon devant le flot régulier et familier des feuilletons d'autrefois que le petit écran lui déversait en images régulières et sans vie. Ayant alors perdu la foi de sa jeunesse. Et ayant presque oublié comment il avait autrefois confondu son existence avec un film fait de toute une série de séquences empruntées à d'autres, depuis *Ben Hur*, *Pépé le Moko*, *La Grande Illusion*, *La Chevauchée fantastique* ou *Casablanca*, et même *La Fille du puisatier*, ému pareillement par toutes ces histoires disparates et contradictoires qui lui paraissaient contenir la promesse exacte de ce qu'il allait vivre à cette époque où les années du temps se trouvaient encore devant lui.

Et pourtant il se rappelait bien à quel point, lorsqu'il avait découvert la ville en 1943, il avait été déçu, car Casablanca ne ressemblait en rien à la représentation qu'en avait inventée Hollywood et qu'il n'avait aucunement eu le loisir d'y fréquenter les boîtes de nuit pour y écouter du jazz un verre de whisky à la main, ni même d'y faire un peu de tourisme, rééditant l'exploit puéril de son imprudente visite dans la forteresse blanche de la casbah d'Alger. Installé comme il l'était avec quelques centaines de jeunes gens dans les baraquements vétustes du centre Cazes, des bâtiments en bois datant de la précédente guerre, tout à fait insalubres et infestés par la vermine, transformés précipitamment en casernes malcommodes. Le nouveau Centre de formation du personnel navigant en Amérique (CFPNA), destiné à constituer les détachements en partance vers les États-Unis, ayant été implanté au sud de la ville dans cette ancienne base aérienne qui autrefois, à l'époque de Mermoz, de Daurat et de Latécoère, avait servi d'étape aux équipages glorieux de l'Aéropostale et qu'on avait vite reconvertie pour servir de site aux armées de l'air française et américaine, devenant l'une de leurs principales plaques tournantes, l'Air Transport Command y acheminant en pièces détachées les P-39 et P-47 pour approvisionner en appareils neufs les unités combattantes tandis que les aspirants pilotes français — desquels il était — s'y retrouvaient avant de traverser — comme il allait le faire — l'Atlantique dans l'autre sens.

Soit : quelques centaines de jeunes hommes ayant pour la plupart à peine dépassé l'âge de vingt ans. Certains, comme lui, providentiellement « libérés » — « mobilisés » serait plus juste — par le contingent anglo-américain débarqué en Afrique du Nord lors de l'opération Torch, ayant été sélectionnés dans telle ou telle garnison du Maroc ou de l'Algérie. Mais il en était d'autres qui, pour rejoindre Casablanca, avaient dû accomplir un périple bien plus périlleux, les plus téméraires dérobant des avions sur les terrains encore soumis à l'autorité de Vichy — jusqu'à ce que, pour éviter que de tels incidents ne se multiplient, la précaution soit prise de leur enlever leurs hélices — tandis que certains tentaient leur chance sur la mer, traversant la Méditerranée sur des navires de fortune. Et les plus nombreux, c'est une façon de parler car ils ne furent jamais qu'une poignée, passaient à pied les Pyrénées, aussitôt accueillis par la police espagnole de Franco et internés par celle-ci dans les camps sinistres de Pampelune ou de Miranda, y croupissant pendant des mois dans le dénuement le plus extrême, attendant l'arbitraire décision qui, leur rendant parfois la liberté, leur permettrait de rejoindre enfin l'Afrique du Nord.

C'est au centre Cazes que se retrouvent ainsi tous ceux qui ont quelque argument à faire valoir, un grade déjà acquis dans l'aviation, un vague brevet de tourisme, un diplôme d'observateur, le fait d'avoir été comme lui recalé de peu au concours de l'École de l'air, afin de convaincre les autorités de leur plus grande aptitude que la moyenne des autres à devenir des pilotes et d'obtenir de ces autorités d'être soumis à l'entraînement le plus intensif afin d'éprouver leur détermination, retrouvant alors la routine imbécile d'une vraie préparation militaire, les épuisantes manœuvres dans le désert, les marches de nuit, les séances de tir au vieux fusil lebel, la soumission constante à la discipline qui, rétrospectivement, lui avait certainement mieux fait sentir à quel point l'entraînement subi par lui dans les chantiers de jeunesse de la Chiffa n'avait été que jeux d'enfants et divertissements de boy-scouts. Sans, bien sûr, qu'il soit encore jamais question de confier à ces soldats les commandes du moindre avion. La part proprement aéronautique de la formation se limitant aux exercices accomplis sur le « link-trainer », l'ancêtre du simulateur de vol, baptisé du nom de son inventeur, l'ingénieur Edwin Link, une minuscule cabine de bois dotée de deux ailes factices, assez semblable aux petits avions qui, sur les manèges, tournent parmi les chevaux de bois et comme eux munie d'un rudimentaire mécanisme pneumatique donnant l'illusion très approximative de pouvoir diriger l'appareil.

Comment, donc, personne ne pourrait plus le dire avec certitude mais il se trouve qu'il compte au nombre des soldats ayant donné assez satisfaction pour qu'on leur propose de figurer parmi le contingent de recrues à qui la chance serait offerte de suivre une formation de pilote. Et il semble même que le choix était laissé alors à ces jeunes gens de rejoindre soit les bases anglaises, soit les bases américaines en vue d'intégrer à leur convenance — et à supposer qu'ils franchissent ensuite les épreuves de sélection — les rangs de la Royal Air Force ou ceux de l'US Army. Et s'il opte pour les États-Unis plutôt que pour la Grande-Bretagne, peut-être est-ce parce que la rumeur racontait que l'entraînement était plus rapide de l'autre côté de l'Atlantique et permettait ainsi de rejoindre au plus vite une unité combattante dans le ciel d'Europe. Ou bien ce fut par souci de ne pas passer dans le camp anglais, au fond de lui-même toujours un peu hostile à l'égard du général rebelle et de la flotte félonne de Mers el-Kébir, se disant que le meilleur moyen de rester fidèle à ses convictions de toujours consistait, avec l'assentiment du très douteux général Giraud et du plus coupable amiral Darlan, à voler sous les couleurs de Roosevelt plutôt que sous celles de Churchill.

Le bateau appareille le 6 novembre 1943. Cela fait six mois que de grands navires de croisière réquisitionnés par la marine anglaise ou américaine, assurant la liaison entre l'Afrique du Nord et les États-Unis, acceptent à leur bord, parmi bien d'autres passagers, les détachements de cent ou cent vingt soldats sélectionnés au camp Cazes par le Centre de formation du personnel navigant : de luxueux paquebots modifiés à la hâte pour servir comme transports de troupes. Et l'*Empress of Scotland* compte certainement parmi les plus splendides « fleurons » de cette flotte ancienne mobilisée avec les Liberty Ships pour convoyer d'un rivage à l'autre de l'Atlantique les hommes et les matériels indispensables à la grande machinerie mondiale de la guerre.

Sous le nom d'*Empress of Japan*, car il a été rebaptisé *Empress of Scotland* après Pearl Harbor sur ordre de Churchill, le navire est sorti en décembre 1929 des chantiers navals écossais et a été, pendant dix ans, affecté aux traversées commerciales du Pacifique, reliant Vancouver à Yokohama ou bien à Shanghai *via* Honolulu, battant de vitesse tous les autres paquebots des compagnies concurrentes et manifestant ainsi sa suprématie sur les eaux dans cette partie du globe. Dès les premiers mois de la guerre, il est réquisitionné afin de prendre sa place dans la marine militaire britannique : l'intérieur de ce palace flottant réaménagé de fond en comble, les cabines, les suites, les cales transformées en vastes dortoirs, le bâtiment repeint en gris pour porter sa réglementaire livrée discrète et uniforme, quelques canons fixés sur le pont supérieur moins pour assurer la sécurité des passagers que pour les rassurer un peu tant cette force de feu aurait été dérisoire en cas d'affrontement avec un torpilleur ou un sous-marin allemands. Remplissant alors des missions sur toutes les mers du monde, faisant la navette entre les continents, survivant à plusieurs attaques aériennes et notamment alors qu'il procédait à l'évacuation des populations civiles fuyant Singapour, affecté enfin aux traversées de l'Atlantique.

Ils sont donc une centaine de jeunes soldats français, sortis de Cazes, à embarquer à leur tour ce 6 novembre, perdus parmi la foule des permissionnaires américains retournant passer quelques semaines de congés mérités dans leur famille, auprès de leur fiancée, avec à bord également un petit contingent de prisonniers allemands ou italiens, ces derniers apparemment soulagés à l'idée que la guerre se termine pour eux par un tel voyage d'agrément vers l'autre moitié du monde. Au total, mille cinq cents passagers cohabitant dans le décor hétéroclite d'un navire de guerre où subsistent les vestiges d'un grand hôtel international de prestige désaffecté : des fumoirs aux vastes fauteuils de cuir entourant des tables de bridge, une gigantesque salle de réception avec miroirs, boiseries, la piste de danse surplombée de la coupole d'un plafond excessivement décoré, un cinéma, une piscine, un gymnase, la cale étant devenue ce ventre énorme du navire où dorment les soldats dans des hamacs et des couchettes régulièrement disposés les uns à côté des autres par centaines.

S'il n'y avait l'inconfort de ce dortoir de fortune — bien plus agréable cependant que les baraquements insalubres de Cazes, sans parler des prisons espagnoles — ils pourraient tous avoir parfois le sentiment d'être en croisière. Lui, pensant certainement que ses grandes vacances n'en finiront jamais et que, volontaire désormais pour faire la guerre, la même fatalité ironique le poursuit qui l'éloigne toujours davantage du théâtre des opérations et le dépêche à chaque fois vers une destination nouvelle au soleil. Il n'a toujours pas vu un seul soldat allemand. Ou plutôt les seuls qu'il a vus sont les prisonniers de guerre qui sont devenus ses compagnons de traversée. Et les rares combats dont il a été le lointain témoin ont été ceux, livrés pour la forme et sans beaucoup de conviction, par les troupes de Vichy résistant quelques heures au débarquement anglo-américain d'Alger.

Sous un ciel bleu, ils quittent le port de Casablanca et, une fois leurs affaires installées près de leur couchette ou de leur hamac, ils vont visiter le paquebot, repérant d'abord les commodités et le réfectoire puis entreprenant d'explorer les recoins auxquels on leur a laissé l'accès. Très vite — et malgré ses dimensions — ayant fait le tour du bateau, parcouru tous ses ponts, toutes ses coursives et se retrouvant tout à fait désœuvrés, éprouvant l'ennui immédiat des voyages en mer, s'essayant à distraire celui-ci, sans pouvoir profiter de la piscine vide ou du gymnase transformé en magasin, mais se disputant les fauteuils de cuir du fumoir ou les places autour des tables de bridge où se jouent plutôt, et selon les nationalités, des parties de poker, de belote ou de tarot, partant prendre l'air longtemps sur les promenades des ponts supérieurs, passant les heures du côté de la proue à regarder l'horizon comme s'il était déjà possible d'apercevoir les côtes américaines ou bien soucieux de voir si autre chose ne surgit pas sous leurs yeux, ne pouvant s'empêcher de scruter anxieusement le lointain, alternativement à tribord et à bâbord.

Ils savent, puisque c'est la première chose qu'on leur a dite au moment de l'embarquement, que l'*Empress of Scotland* est dépourvu de tout armement véritable hormis quelques canons strictement décoratifs et qu'en conséquence il ne peut se défendre en cas d'attaque ennemie, comptant sur sa seule vitesse pour distancer les sous-marins allemands et sur son radar pour les repérer. Il s'agit donc de passer à toute allure à travers l'océan pour avoir une chance d'échapper à un accrochage fatal avec les bâtiments adverses qui sillonnent l'Atlantique à l'affût de proies vulnérables comme celle-ci. Le paquebot change de cap toutes les heures, suivant une trajectoire aberrante, afin de dérouter d'éventuels poursuivants. On les a avertis que si l'un d'entre eux tombait par-dessus bord, l'ordre était de l'oublier dans la mer. Immobiliser, même un instant, le bateau pour dépêcher des secours le transformerait en une cible trop facile.

Un homme, d'ailleurs, est passé par le bastingage, imprudemment assis trop près du bord pour jouir du spectacle de l'horizon et perdant l'équilibre par maladresse, distraction ou bien parce que le roulis régulier s'était fait tout à coup imprévisiblement plus violent. Quelqu'un sur le pont lui jetant une bouée, moins dans l'espoir qu'il puisse l'agripper qu'afin de soulager sa conscience, un peu comme en mer on expédie à la volée une couronne funéraire, d'ailleurs la forme est la même, à l'endroit approximatif où un corps a piqué à la verticale. Cet homme — dont personne n'a su le nom jusqu'à ce que l'appel du soir identifie le seul passager manquant — disparaissant immédiatement sous la surface des flots, aspiré vers le bas ou bien happé par le mouvement tournant des puissantes hélices dispersant ensuite dans le sillage les morceaux hachés de son corps sanglant.

Le deuxième jour de la traversée — et c'était encore un jour de grand beau temps et de soleil lucide —, ils sont passés à quelques encablures de deux canots de sauvetage, suffisamment près pour apercevoir les visages des rescapés, plus d'une centaine sans doute, survivants d'un désastre tout à fait semblable à celui qui les guette, leur navire ayant été probablement coulé la veille, l'avant-veille ou il y a plus longtemps encore par un U-boat, leurs silhouettes s'entassant sur des embarcations lourdes au point de donner l'impression qu'elles allaient chavirer. Eux, depuis le pont de leur paquebot, assez proches donc pour voir les gestes d'appel à l'aide qu'ils leur adressaient, emphatiques et comme imités des scènes de naufrage du fameux tableau du Louvre où une pyramide de corps cannibales agite un morceau de tissu à l'intention d'un navire indifférent, lisant même, sur leurs traits, une expression — moins de colère que de désespoir incrédule — alors que l'*Empress of Scotland* continuait sur sa lancée imperturbable sans paraître leur prêter la moindre attention.

Les avions, les escorteurs qui les accompagnaient pendant la première partie de la traversée ont rebroussé chemin et sont retournés vers leurs bases africaines, laissant le bâtiment poursuivre tout seul sa traversée vers l'Amérique. Plusieurs fois par jour, un puissant bruit de sirènes se fait entendre, une sorte de mugissement interminable paraissant monter des flancs du navire et résonnant en lui, pour donner le signal de l'évacuation, les hommes se rendant aussitôt auprès du canot qui leur a été désigné, grimpant à bord, enfilant leur gilet de sauvetage, sans qu'il y ait jamais moyen de savoir s'il s'agit d'un simple exercice ou bien si un sous-marin a effectivement été repéré et s'apprête à envoyer le paquebot par le fond.

Ils doivent se trouver au milieu de l'océan maintenant, quand le temps se met à changer, que le ciel se remplit de nuages noirs et que la mer commence à être agitée d'un mouvement lourd. Une pluie violente et régulière, sombre au point de paraître violette, tombe sur le pont supérieur, balayé par des bourrasques de vent si puissantes qu'elles dissuadent toute velléité d'aller prendre un peu l'air. Et comme, malgré la tempête, l'*Empress of Scotland* ne peut courir le risque de réduire son allure, la vitesse du bateau glissant sur le sommet de vagues hautes de dix mètres démultiplie les effets du roulis et du tangage. Seuls ceux qui ont le cœur assez bien accroché se retrouvent encore dans le salon aux fauteuils de cuir et aux tables de bridge. Lui, dégoûté à tout jamais de la navigation par cette seule croisière — comme un seul saut avait suffi à le fâcher avec le parachutisme — parmi tous les autres qui sont allés se coucher dans le vaste ventre du navire où le grand dortoir est installé, étendus sur leur couchette, allongés dans leur hamac, sans qu'il n'y ait plus de vraie différence entre les unes et les autres car c'est le bateau tout entier qui se balance désormais, d'avant en arrière, d'un côté à l'autre. Couchés sur le dos, les yeux fermés, dans l'espoir de pouvoir atténuer ainsi l'interminable vertige dont ils sont victimes ou bien s'astreignant à n'importe quelle activité mentale, chantonner, lire, écrire, s'efforçant de fixer leur attention sur quelque chose qui ne bouge pas et à quoi ils puissent se tenir, s'accrocher. Livides, suant des sueurs froides, ne se levant que pour chercher le chemin des toilettes qui, saturées, dégorgent des souillures, dégageant une odeur si forte d'excréments, d'urine et de dégueulis qu'il est impossible de s'en approcher sans vomir à son tour. Retournant donc à leur place, pris par une inépuisable nausée, avec la sensation qu'il n'y a plus rien d'immobile ni de fixe dans le monde, que tout se défait et se dérobe autour d'eux, et qu'ils sont comme les victimes chahutées d'un grand désastre transformant la mer en une fosse abjecte où flottent tels des immondices les débris naufragés de l'univers.

L'*Empress of Scotland* touche enfin aux rivages de l'Amérique dans la journée du 13 novembre, après une semaine de traversée. Le paquebot pénètre dans la baie de Newport News, quelque part en Virginie, et reste en rade toute une nuit avant que l'autorisation soit donnée aux passagers de descendre sur la terre ferme et qu'on dirige les soldats du contingent français vers la gare la plus proche. Ils se croient arrivés. Un train les attend qui les conduit vers le lieu de leur affectation, une base aérienne située près de la ville de Selma dont aucun d'entre eux, bien sûr, ne connaît le nom, soit dans l'État de l'Alabama — et les plus cultivés ou les mieux informés savent que celui-ci se trouve dans le Sud profond sans pourtant mesurer, n'ayant aucune idée des proportions exactes de ce continent qui dépassent tout ce qu'ils peuvent en imaginer, qu'il leur reste à parcourir une distance sensiblement supérieure à celle qui sépare les deux points les plus éloignés de leur propre pays, soit environ mille trois cents kilomètres, et qu'il leur faudra encore deux jours et deux nuits, vu l'état des chemins de fer locaux, pour parvenir à destination, passant par la Caroline, la Géorgie, faisant étape à Richmond et puis à Atlanta.

C'est là qu'il découvre l'Amérique. Et pour lui, comme pour tous ceux qui l'accompagnent, c'est une véritable révélation, qui les laisse au moins aussi incrédules qu'ont dû l'être les matelots de la *Pinta*, de la *Niña* ou de la *Santa María*, ceux-ci débarquant comme eux, mais au terme d'une traversée bien plus longue, agitée et anxieuse, sur une terre à l'existence de laquelle, au fond, ils n'avaient jamais vraiment cru. Un pays qu'ils se représentaient selon les images lues dans les livres ou vues dans les films : terre de colons et de pionniers affrontant des Indiens, ou bien de gangsters réglant leurs comptes dans la jungle des villes, mais dont ils ne soupçonnaient pas à quel point elle réalisait une certaine conception de la modernité rigoureusement impensable depuis les contrées désormais devenues lointaines des dormantes communes provinciales de l'Ain, de la Saône-et-Loire ou même depuis les quartiers prestigieux et pittoresques du vieux Paris. Un pays de prospérité et d'abondance où, pensent-ils, s'accomplit soudain l'évidence inquestionnée d'une idée exacte de la liberté et de l'égalité.

Son Amérique à lui est celle-là. Sans qu'il ait eu besoin pour le comprendre de lire Tocqueville — dont les essais devaient lui être aussi peu familiers que les romans de Flaubert ou les poèmes de Yeats. Cette Amérique-là et pas une autre : celle de Roosevelt et celle du New Deal, car il devait certainement s'en faire une conception un peu sentimentale venue de *Monsieur Smith au Sénat* ou plutôt des *Raisins de la colère* et de sa dernière et sublime scène, vue plutôt que lue, lorsque la voix d'Henry Fonda paraît prophétiser comme à l'époque de la Bible, puisque le nom de Ford signifiait forcément pour lui davantage que celui de Steinbeck. Étant dans le vrai. Car il avait intuitivement compris que se ranger dans le camp des États-Unis voulait dire aussi rejoindre celui de la liberté et que la haine de l'Amérique ne sert toujours qu'à masquer celle de la démocratie. En dépit de tout — et même du pire. Ne consentant jamais à se dédire de la conviction de ses vingt ans. Et même aux moments les plus sombres — comme lorsque les bombardements des pilotes de l'US Air Force, ses cadets de vingt ans, en âge d'être ses fils, déverseraient l'atroce feu du napalm et l'ignominieux poison de l'agent orange sur les populations du Vietnam. Incessamment fidèle à cette foi-là puisque dans son portefeuille se trouvait le billet vert avec le portrait du président, George Washington, et la devise de la patrie, « *In God we trust* », et que cette coupure de papier-monnaie qu'il portait en permanence dans sa poche était la marque d'une dette contractée par lui, dette dont il savait qu'il ne lui serait jamais possible de s'acquitter.

En dette à l'égard des États-Unis puisque c'est là-bas qu'on lui avait enfin permis de devenir celui qu'il voulait être depuis ce jour ensoleillé d'été où il avait vu l'un des hydravions d'Imperial Airways se poser sur les eaux de la Saône alors que, dans son propre pays, malgré l'Aviation populaire de Cot et de Moulin, en dépit du brevet de tourisme qu'il avait pourtant obtenu juste à temps, on lui en avait refusé les moyens. L'Amérique apparaissant à ses yeux, selon la légende vraie des premiers pionniers, comme ce « pays d'opportunités », « *land of opportunities* », où, sans avoir ni à résoudre d'inutiles problèmes de trigonométrie ni à solliciter l'autorisation d'un père, les seules qualités morales dont il était indubitablement pourvu, la bonne volonté, le sérieux, l'honnêteté, suffisaient à ce qu'on lui fasse assez confiance pour qu'il se retrouve enfin aux commandes du plus vif et du plus puissant des appareils de la chasse moderne.

Et la dette qui était la sienne, il ne douterait jamais qu'elle restait également celle de son pays tout entier et de chacun de ceux qui y vivaient puisque la Nation où il était né ne recouvrerait sa liberté que grâce à l'entrée en guerre des forces américaines débarquant en Normandie comme il les avait vues débarquer en Algérie. N'ayant pas oublié, jusqu'à la fin de ses jours, comment certains des pilotes, des soldats qu'il avait côtoyés pendant deux ans, sur les ponts ou dans les soutes de l'*Empress of Scotland* puis du côté des terrains d'aviation de l'Alabama et de l'Illinois, avaient perdu la vie dans les circonstances les plus atroces, marines jetés, vulnérables, sur une plage, soutenant le feu inévitable des mortiers, des mitrailleuses ennemies et avançant quand même, puisque c'étaient les ordres, fût-ce de quelques pas, ou alors bombardiers tombant en flammes sous les tirs de la Flak, tandis que lui, bien que volontaire pour combattre auprès d'eux, avait finalement été épargné, leur survivant, si bien qu'en un sens, estimait-il, ils étaient morts à sa place et pour lui. Ayant ainsi pris son parti et décidé une bonne fois pour toutes que, quoi qu'il arrive, il serait désormais du côté des Américains puisque cela revenait à se trouver, pensait-il, dans le camp de la liberté. S'étant fait alors la religion qui lui convenait et où se mêlaient sentimentalement des bribes d'histoires sorties des manuels scolaires ou descendues des écrans de cinéma et à l'aide desquelles il se racontait à lui-même comment la seule véritable alliance sur laquelle le monde pourrait jamais compter était celle qui unissait la patrie de Mermoz et celle de Lindbergh, les deux nations sœurs de la Révolution luttant ensemble pour l'indépendance, les droits de l'homme et contre toutes les tyrannies, associant dans son panthéon portatif Washington, Jefferson, Franklin, avec La Fayette bien sûr mais également Danton, Robespierre et Bonaparte.

Presque convaincu d'être devenu un Américain à son tour puisque c'est de l'autre côté de l'Atlantique qu'il allait recevoir son nouveau nom, Victor, et le document, un rectangle de papier vert, faisant pour lui office d'acte de baptême. Et d'ailleurs, Américain pourquoi pas puisque les Américains eux-mêmes avaient été des exilés semblables à lui, qui avaient fui autrefois l'oppression du Vieux Monde avec pour point de ralliement l'horizon chimérique d'une terre de justice et d'équité s'étalant de l'autre côté du globe. Prenant dès lors ce parti-là et ne le quittant plus. Considérant, envers et contre tout, que la bannière étoilée et le billet vert, loin d'être les emblèmes méprisables d'un impérialisme imbécile, symbolisaient, au même titre que le drapeau tricolore défendu en son temps par le vieux Lamartine, l'attachement entêté à un certain idéal de liberté. Envisageant, de ce fait, les intérêts des États-Unis comme étant les siens aussi bien, donnant systématiquement raison à la cohorte assez douteuse des hommes se succédant au bureau ovale de la Maison Blanche pour la simple et suffisante raison qu'ils étaient assis dans le fauteuil de George Washington.

Plus patriote — et ce n'est pas peu dire — que le plus patriote des citoyens américains. Effondré, je m'en souviens, lorsque, à la fin de sa vie, la navette spatiale Challenger avait explosé en plein vol — comme si cette catastrophe signait la fin exacte de l'épopée céleste à laquelle il avait cru assez pour y associer le sens de sa vie. Mort assez tôt — et d'une certaine manière, cela fut heureux — pour ne pas assister — sur l'écran de sa télévision qu'il ne quittait plus des yeux — aux attentats du 11-Septembre et au choc en direct des avions percutant les tours jumelles de Manhattan. Car il n'aurait pas compris la honteuse jouissance de tous ceux qui dénonçaient hypocritement les méfaits spectaculaires du terrorisme pour mieux se féliciter de leurs effets, laissant entendre qu'après tout l'Amérique l'avait bien cherché et qu'enfin elle récoltait seulement ce qu'elle avait semé.

Politiquement, il s'était trompé — et même lourdement trompé — en donnant raison au vieux vainqueur de Verdun lorsque celui-ci avait décidé de l'arrêt des combats et surtout en acceptant d'être la dupe du piteux numéro de prestidigitateur par lequel il avait fait sortir de son képi étoilé l'illusion de la Révolution nationale, escamotant la réalité du régime raciste et répressif systématiquement mis en place au nom de l'État français. Et il s'était trompé encore en conservant sa confiance aux officiers qui, comme Darlan ou Giraud, n'avaient changé de camp que par un calcul tout à fait opportuniste et en ne cessant pas, au fond d'eux-mêmes, d'être les plus fidèles disciples de la philosophie ignominieuse de Vichy. Si bien que, pour avoir enfin raison, il lui avait fallu la chance de passer ainsi de l'autre côté de la terre, découvrant un Nouveau Monde où il avait reçu en prime avec son baptême la confirmation de celui-ci. Ayant dû traverser la moitié de la planète pour occuper enfin sa juste place — aux commandes d'un P-47 — et se retrouver en accord avec ses convictions les plus vraies — la foi naïve, dont il est certainement possible de sourire avec le cynisme qui convient, et qui dit qu'il est toujours nécessaire de ne pas désespérer de la liberté et de la justice. Idéaliste ? Oui, certainement. *And so what ?*

Surgie de nulle part au milieu des champs de coton et des prairies où paissait le bétail, Craig Field est l'une des plus récentes bases construites pour servir de centre d'accueil aux cadets de l'aviation, une vraie ville moderne avec ses quartiers, ses magasins, son cinéma, ses terrains de sport où, aux côtés des pilotes américains, les jeunes Français, tout juste arrivés d'Afrique, reçoivent une formation initiale d'un mois avant d'être affectés dans la petite cité voisine de Tuscaloosa, site de l'Université de l'État, où l'entraînement au pilotage commence proprement pour eux sur la piste de Van de Graaff.

On leur enseigne l'anglais. Ou du moins : une sorte d'anglais qui n'est pas celui d'Oxford et d'autant plus approximatif que ceux qui sont chargés de le leur apprendre parlent eux-mêmes un français assez douteux ou bien, lorsqu'il s'agit de soldats canadiens servant comme interprètes, trop éloigné du leur pour qu'ils puissent le comprendre sans mal. Une langue de formules destinées à communiquer en vol ou bien à parcourir la check-list avant le décollage. Sans trop de souci pour la syntaxe, sans aucun respect de l'orthographe, où « vol de nuit » s'écrit « *nite flite* » — et sans les deux « gh » qu'il faut, il est certain que ces mots ne veulent plus dire la même chose que ce qu'ils signifient chez Shakespeare. Lui qui, au lycée, a choisi l'allemand avec l'idée naïve de pouvoir ainsi fraterniser avec les enfants des ennemis d'hier et qui a réalisé assez vite que la langue de Goethe ne servait plus qu'à exprimer les idées de Hitler, acquiert en quelques mois ce qu'il lui faudra d'anglais pour converser toute sa carrière avec les tours de contrôle, se faire comprendre dans les aéroports et les hôtels de la planète, dispenser aux passagers des long-courriers, « *Captain Forest speaking* », les informations sur le vol, la vitesse, l'altitude, la température extérieure et les sites remarquables qu'un commandant de bord signale rituellement, « *On your right, you can see now...* », aux voyageurs et qui les font se tourner tous ensemble vers un côté ou l'autre de la carlingue dans l'espoir vague — et le plus souvent vain — d'apercevoir quoi que ce soit de ce qu'on leur désigne ainsi.

En arrivant, une fois passé la visite médicale et les nouveaux examens de sélection, on leur donne leur paquetage : l'uniforme, les sous-vêtements, les chaussettes, les chaussures, les chemises qui leur permettent de jeter aux ordures les loques qui, depuis des mois, leur servent de tenue plus ou moins réglementaire. Avec en prime la paire de Ray-Ban réservée aux aviateurs pour les protéger en altitude de la lumière du ciel et qu'ils portent même par temps couvert puisqu'elle est l'accessoire le plus distinctif de leur déguisement nouveau. Ils touchent aussi leur première solde qui les rend tout à coup plus riches qu'ils ne l'ont parfois jamais été.

Ils sont de retour à l'école. Et comme ils ne l'ont pas quittée depuis longtemps, ils ne s'en étonnent pas. Enfermés pendant des heures d'affilée dans de grands amphithéâtres où des hommes en uniforme leur inculquent, de façon intensive et dans une langue étrangère, tout le savoir théorique et pratique nécessaire à un possible pilote — les rudiments de l'astronomie, de l'aérodynamique, de la mécanique — et qui les entraînent — ce sont les exercices de *recognition* — à reconnaître sur la seule foi d'une silhouette entraperçue tous les modèles d'avions militaires en service, de manière qu'ils puissent en une seconde distinguer un appareil allié d'un appareil ennemi, les instructeurs projetant sur un écran toutes ces images et y intercalant parfois la photographie d'une pin-up de magazine à l'allure d'entraîneuse de saloon pour, sous les sifflets excités, signaler aux élèves qu'ils ont gagné le droit de faire une pause et de se détendre un instant avant la reprise du cours.

Et le cours reprend. Il n'en finit pas. On leur distribue des manuels épais de plusieurs centaines de pages avec des sortes de polycopiés qui les accompagnent et dont ils doivent savoir le contenu par cœur. D'abord, avant que l'entraînement ne les confronte à la réalité du combat et que les premiers d'entre eux, s'écrasant au sol, perdent la vie pour avoir mal exécuté la manœuvre qu'on attendait d'eux, ils ont le sentiment d'être moins des soldats que des étudiants assez favorisés qu'on a envoyés parfaire leur éducation dans une de ces universités américaines qui ressemblent si peu à celles qu'ils ont parfois fréquentées à Paris, à Lyon ou ailleurs : de véritables villes où les dortoirs et les salles de cours occupent des bâtiments modernes et à l'hygiène impeccable, géométriquement disposés parmi des pelouses et des jardins. Lorsque la classe est enfin terminée, ils se retrouvent pour le PT, le *physical training*, dans les gymnases, sur des terrains conçus pour des sports qu'ils ne connaissent pas, qu'ils n'ont aucunement l'intention d'apprendre, observant leurs camarades américains et se demandant quel intérêt il y a à attendre en cercle pendant des heures tandis que quelqu'un tente de frapper dans une balle avec une sorte de bâton en bois ou bien à pratiquer un rugby dont les règles sont tellement obscures et absurdes qu'on dirait qu'il se joue à l'envers, découvrant que ce rugby s'appelle ici le football et que le vrai football, pour lequel ils se mettent à éprouver une soudaine et profonde nostalgie, quand on en a entendu parler, on le nomme « soccer » dans ce pays où ils sont.

Ils ont le sentiment d'avoir tout à apprendre, faisant leur première expérience des self-services et des supermarchés. Lorsqu'ils prennent leur premier repas au réfectoire et qu'ils s'installent autour des tables, s'attendant qu'on vienne les y servir, il faut leur expliquer qu'ils doivent se munir d'un plateau et aller chercher eux-mêmes leur repas derrière une espèce de grand buffet où les attendent des plats composés d'une nourriture surabondante et fade, et il leur faut renoncer à l'espoir de les accompagner d'un vin rouge qui, visiblement, n'existe pas et qu'ils prennent l'habitude de remplacer par une boisson noire au goût étrange qu'ils se procurent au PX, « Post Exchange », le grand magasin de la base où ils dépensent leur solde et découvrent les usages du commerce moderne.

Tout est organisé avec la plus extrême précision et sous l'apparence de la plus parfaite décontraction. Jusqu'à la vie sociale, aux divertissements, aux loisirs : les séances de cinéma, les soirées où ceux qui disposent de tel ou tel talent de musicien, de chanteur ou de comédien — et, malgré sa belle voix juste de basse, ce n'est pas son cas car il est trop timide pour se donner en spectacle — peuvent l'exprimer en proposant à leurs camarades des numéros de cabaret. Des dames de la bonne bourgeoisie des environs, aux noms français quand elles descendent de vieilles familles de colons, se sont portées volontaires pour servir de marraines à ces jeunes gens exilés. Elles les reçoivent à dîner afin qu'ils rencontrent des demoiselles de la meilleure société, choisies parmi les nombreuses étudiantes de l'université voisine de Tuscaloosa, des jeunes filles très américaines au physique d'ingénues d'Hollywood et qui assaillent les soldats français de questions auxquelles ceux-ci tentent de répondre aimablement avec le peu d'anglais qu'ils possèdent, un peu vexés malgré tout de constater que ces belles blondes à la peau blanche s'imaginent que le pays dont ils viennent n'a pas changé depuis la Belle Époque dont elles ont vu les images dans l'une ou l'autre des comédies sentimentales avec Charles Boyer ou Maurice

Chevalier, et oui, aussi invraisemblable que cela puisse paraître, on y connaît le téléphone et l'électricité, les automobiles, les trains et même les avions. Les marraines poussent la sollicitude jusqu'à se faire un peu marieuses, arrangeant et assortissant les couples, trouvant à chaque pilote sa cavalière, sa fiancée, sa *girlfriend*, décidant des rendez-vous, des *dates*, avec le même sens de l'organisation que celui avec lequel les instructeurs fixent les programmes d'entraînement au vol. Sans que tout cela dépasse jamais, ou presque jamais — car il y a forcément eu des exceptions —, les frontières de la plus pudique convenance, étant entendu qu'un jeune homme qui raccompagne une jeune fille chez elle a droit, sur le pas de la porte, à un baiser sur les lèvres, et peut-être même à un *french kiss* si les demoiselles, excitées par l'accent exotique de leur partenaire, l'acceptent, mais qu'il est tout à fait exclu de pousser l'affaire jusqu'au lit.

De l'Amérique, comme du reste, il paraissait ne rien se rappeler. Rien, sinon un seul souvenir qui devait lui revenir souvent en mémoire puisqu'il en ferait plusieurs fois le récit.

Comment, un jour, se rendant dans la ville voisine, Selma ou Tuscaloosa, peut-être pour y faire une course ou bien pour échapper à l'enfermement des cantonnements de Craig Field, entraîné par le même désir de voir qui l'avait conduit jusque dans la forteresse blanche de la casbah, il avait pris le bus et avait voulu céder la place assise qu'il occupait, comme l'exigeait sa bonne éducation, à une vieille dame noire restée debout. Et comment celle-ci l'avait écarté d'un geste un peu brutal de la main, refusant de s'asseoir, détournant les yeux, mais le fixant malgré tout un instant avec un regard qui n'était pas de reconnaissance pour l'attention qu'il avait eue mais bien au contraire de haine, de panique et de honte mêlées, comme si elle lui en voulait de l'avoir ainsi mise dans une situation qui non seulement l'embarrassait mais l'exposait au jugement hostile de tous les voyageurs des deux races. Et peut-être, sans comprendre, il avait dû insister, s'inclinant cérémonieusement devant la dame âgée, la priant dans son anglais affecté et avec son accent à la Charles Boyer de bien vouloir accepter la place qu'il lui abandonnait de bonne grâce. Si bien qu'elle avait sûrement pensé que ce garçon trop poli se moquait d'elle, qu'il avait préparé avec quelques camarades une farce de mauvais goût afin de lui causer les ennuis très certains auxquels elle s'exposerait si elle acceptait sa proposition scandaleuse.

C'est ainsi qu'il découvre la ségrégation très stricte qui règne alors dans les États du Sud et particulièrement en Alabama, du côté de Selma, dans la cité même à laquelle est attaché le souvenir légendaire de son presque homonyme, Nathan Bedford Forrest, le lieutenant général de la cavalerie confédérée, défendant héroïquement et en vain la ville lors de l'une des toutes dernières batailles de la guerre de Sécession avant qu'elle ne soit prise et mise à sac par les armées du Nord, combattant d'exception et personnage assez contradictoire puisque, la paix revenue, alors que le Ku Klux Klan saluait en lui son premier *Grand Wizard*, il se ferait l'avocat inattendu de la réconciliation et de l'égalité entre les races. Honoré presque à la façon d'un mythe comme en témoignent les nombreux monuments érigés un peu partout à sa mémoire et notamment celui qui se dresse dans le Old Live Oak Cemetery et dont l'épitaphe le salue ainsi : « *Defender of Selma, Wizard of the Saddle, Untutored Genius. The first with the most.* » Au point qu'en cette même année 1943, depuis sa propriété de Rowan Oak dans l'État voisin du Mississippi, alors qu'il pense déjà au roman, *Intruder in the Dust*, qu'il compte consacrer bientôt à la question noire, William Faulkner fait du vieux soldat sudiste le héros de l'une de ses innombrables histoires, réinventant la guerre de ses aïeux tout comme autrefois il avait rêvé la sienne.

Si toute sa vie, au point d'en parler plusieurs fois, il s'était souvenu du regard de cette vieille dame noire, c'est parce que celui-ci avait fini par signifier tout ce qu'il avait vu par la suite : la ségrégation régnant dans les transports et dans les lieux publics, interdisant l'accès des bibliothèques, des restaurants, des jardins aux gens de couleur, rétablissant l'esclavage sous couvert d'une hypocrite fiction juridique astucieusement fabriquée un demi-siècle auparavant par la Cour suprême du pays qui posait que les Noirs, s'ils étaient égaux aux Blancs, pouvaient légitimement être séparés de ceux-ci. « *Separate but equal.* » Et d'un tel principe tout se déduisait aussitôt. Ce qu'il constaterait de ses propres yeux : des hommes et des femmes considérés avec mépris et suffisance comme s'ils n'appartenaient pas tout à fait à l'espèce humaine et qu'ils devaient être tenus à l'écart de celle-ci, si indignes que le seul contact physique avec eux, le moindre regard échangé passaient pour une souillure, des individus relégués dans les emplois les plus subalternes, confinés dans la misère, réduits à une sorte de servage sournois. Cela qu'il verrait, et puis le reste, dont il ne serait pas le témoin direct mais que malgré sa naïveté il finirait pourtant par deviner : la violence extrême et quotidienne à laquelle n'importe quel homme noir pouvait être exposé si la fantaisie en passait par la tête d'un homme blanc, les lynchages avec les corps mutilés pendant aux arbres, semblables aux étranges fruits dont parle la chanson, le tout cautionné par un discours arrogant tenant pour acquis que les Noirs, mais aussi les Juifs et les catholiques, n'existaient qu'afin de servir les desseins d'une Providence favorable aux seuls vrais représentants de la race choisie par Dieu pour dominer le monde et jouir de celui-ci.

Il était moins scandalisé par le spectacle de la ségrégation qu'incrédule devant cet état de fait qui paraissait aller de soi pour tous et qu'il ne comprenait pas. Partageant probablement — pourquoi et comment y aurait-il échappé ? — certains des préjugés de son milieu et de son temps, sans doute convaincu que la civilisation à laquelle il appartenait précédait les autres, naturellement acquis à la certitude que c'était elle qui devait guider les moins avancées sur le chemin du progrès, ne concevant donc pas en quoi le colonialisme serait intrinsèquement coupable s'il était respectueux des peuples indigènes et s'accomplissait pour leur bien. Se trompant encore. Mais profondément réfractaire à l'idée qu'un être humain puisse être injustement traité en raison de sa race. Et ayant ainsi raison.

Fidèle au fond à une certaine conception qui lui venait à la fois des enseignements de l'Église et de ceux de la République qui toutes deux — et même s'il leur arrivait très souvent de l'oublier ou de l'ignorer — affirmaient que l'espèce humaine est une et qu'il est inacceptable de tracer en son sein des frontières de race. Ayant donc décidé, en ce qui le concerne et une fois pour toutes, qu'il ne ferait aucune différence entre les hommes au vu de la couleur de leur peau. Se conformant à une telle conviction avec la plus totale ingénuité, sans même se demander si celle-ci s'accordait ou non avec la réalité autour de lui. Car il ne suffit pas qu'un acte soit juste dans l'absolu pour qu'il faille l'accomplir sans souci de ses conséquences immédiates. Et, même s'il n'avait pas eu du tout conscience de ce qu'il faisait alors, proposer en 1943 à une vieille dame noire une place assise réservée aux passagers blancs dans un bus de l'Alabama n'était certainement pas l'initiative la plus intelligente qu'il ait eue, lui donnant à lui, qui ne risquait rien ou presque, la satisfaction d'avoir fait un « beau geste » bien chevaleresque tandis qu'elle, qui savait bien mieux que lui l'amertume de l'humiliation quotidienne, ne pouvait nullement s'offrir le luxe de défendre un tel principe en exerçant un droit que personne, sinon un jeune homme blanc venu d'un pays étranger et promis à y retourner prochainement, ne lui reconnaissait encore.

Idéaliste, oui, considérant comme allant de soi que puisque lui n'éprouvait aucun sentiment hostile à l'égard des autres, la réciproque devait être nécessairement vraie. N'imaginant pas que parce qu'il était blanc sa couleur suffisait à le ranger du côté des esclavagistes, des colons, des oppresseurs et l'exposait à répondre des crimes que ceux-ci avaient commis. Ou bien : peut-être le savait-il. Mais il avait décidé de faire comme s'il n'en allait pas ainsi. Prenant l'habitude de fréquenter — comme autrefois les ruelles interdites de la casbah d'Alger — les quartiers noirs des grandes cités d'Amérique où son futur métier de pilote de ligne le conduirait souvent. S'étant retrouvé un jour, bien plus tard, dans les années soixante-dix, il le racontait aussi, un peu perdu à force d'avoir erré dans New York ou bien dans Chicago, à marcher au hasard dans des rues où depuis longtemps il ne croisait plus que des gens de couleur, ceux-ci le dévisageant avec beaucoup de stupéfaction et parfois d'hostilité. Jusqu'à ce qu'une voiture de police en patrouille, toutes sirènes hurlantes, se gare devant lui et que deux fonctionnaires en uniforme, pistolet au poing, à la manière musclée qu'affectionnent les autorités de là-bas, l'appréhendent, lui demandant quelle folie l'avait pris pour qu'il parte ainsi en promenade dans un secteur où tout homme blanc met sa sécurité et parfois sa vie en péril, l'interrogeant pour savoir s'il était un idiot ou un communiste, optant pour la première hypothèse et renonçant à le menotter mais le forçant à prendre place à leur côté dans le véhicule et le raccompagnant jusqu'à la porte de son luxueux hôtel international.

Pour lui, l'Amérique avait été aussi le lieu de cette révélation-là. Ce que ni l'Algérie ni la France de Vichy ne lui avaient permis de comprendre, il le saisissait là-bas et quelle injustice il y avait — quels que soient les préjugés que peut-être il entretenait aussi à leur égard — à priver des hommes — Arabes, Juifs ou Noirs — des droits auxquels ils pouvaient prétendre autant que tous les autres. Recevant aussi des États-Unis cette leçon de démocratie, paradoxale puisqu'elle lui était offerte a contrario et que l'ignominie de la ségrégation manifestait à quel point étaient justes, pensait-il sans trop savoir, les principes des premiers pionniers, des héros de l'Indépendance et du leader du New Deal que démentait pourtant la réalité du pays. Se faisant sur ce point une idée assez fausse des États-Unis et des convictions de ceux qui avaient fondé puis gouverné le pays mais tirant pourtant de ces convictions qu'il leur prêtait le principe selon lequel, comme le disent les anciennes déclarations des deux Révolutions, les hommes sont égaux et disposent tous du même droit au bonheur. Ce qui crevait les yeux à Mâcon ou à Maison-Carrée et que, pour cette raison même, il ne parvenait pas à voir, lui revenait en plein visage du côté de l'Alabama, le gagnant alors à la cause noire et au combat de l'émancipation, qu'il jugeait pourtant sans espoir, ne pouvant se figurer que ce serait précisément de Selma que, vingt ans plus tard, partirait le mouvement magnifique des militants des *civil rights*.

Et à en juger par les quelques témoignages qui restent de ses camarades de l'époque, sa prise de conscience fut celle de tous les autres, également indignés — malgré leurs préjugés — par ce qu'ils découvraient de l'injustice du système régissant la grande démocratie dans les rangs de laquelle ils avaient gagné le droit de combattre, relatant semblablement dans leurs rares souvenirs leur ahurissement triste devant l'inadmissible réalité de la ségrégation dont personne — ni les pudiques *girlfriends* aux cheveux blonds et à la peau laiteuse qu'ils fréquentaient ni les impeccables instructeurs en uniforme qui les commandaient — ne paraissait se formaliser autour d'eux. Si bien qu'ils auraient très vraisemblablement fini par se résoudre à cette injustice si celle-ci ne s'était manifestée parmi eux.

Car il y avait un second souvenir qu'il avait aussi raconté. Anecdote invérifiable désormais puisque l'on n'en trouve la confirmation nulle part — mais je vois mal pourquoi il aurait rapporté cette histoire et d'où il l'aurait tirée si elle n'avait pas eu lieu; et je ne vois pas comment j'aurais pu l'inventer à partir de rien s'il ne l'avait pas lui-même racontée. Parmi les soldats venus de Casablanca se trouvait un jeune homme noir issu de telle ou telle des colonies françaises d'Afrique. À son arrivée à Craig Field, il avait été naturellement dirigé par les examinateurs sur une autre base destinée à la formation des pilotes de couleur, et sans doute sur celle de Tuskegee dans le comté voisin de Macon — car, et il y avait certainement vu le signe qu'il était bien chez lui, dans cet État de l'Alabama dont le héros se nommait Forrest se trouvait une ville baptisée Macon. Là, depuis deux ans, avec la plus mauvaise volonté du monde, l'armée de l'air américaine s'était résolue à former une escadrille réservée aux aviateurs noirs qu'elle acceptait dans ses rangs pour la première fois de son histoire et qui, sous le surnom des « Red Tails », en raison de la bande rouge qui ornait la queue de leurs appareils et les distinguait de ceux des Blancs, allait écrire l'une des pages les plus singulières et les plus méconnues de l'épopée militaire de l'Air Force. Car la plus stricte ségrégation prévalait également au sein de l'armée où l'on considérait comme normal que les soldats noirs versent aussi leur sang pour la liberté, mais à la seule condition que ce sang qui coulait, ils aient soin qu'il ne se mélange pas avec celui des autres.

Qu'un Français d'Afrique, s'il était noir, soit séparé de ses camarades pour être affecté seul sur la base de Tuskegee constituait la décision la plus naturelle pour les officiers américains chargés de la sélection à Craig Field. Mais tous les jeunes apprentis pilotes arrivés de Casablanca avaient considéré qu'une telle décision était complètement injuste, qu'il s'agissait d'un acte de discrimination inacceptable. Si bien qu'afin de protester ils s'étaient immédiatement mis en grève, refusant de reprendre le chemin des amphithéâtres, des hangars, des pistes, exigeant la réintégration immédiate de leur camarade parmi eux. Et lorsque les instructeurs avaient trouvé les salles de cours vides et avaient réalisé que les quelque cinq cents Français du contingent de Craig Field se refuseraient à y retourner, leur tour à eux était venu de rester incrédules devant une attitude qu'ils ne comprenaient pas du tout car c'était la première fois, de mémoire de soldat, qu'on assistait à un mouvement de grève dans les rangs de l'armée américaine en guerre. Assez amusés, d'abord, par l'énormité de la situation, « *It must be a joke !* », et par le spectacle de ces emmerdeurs de Français, « *A real pain in the ass !* », à qui le gouvernement des États-Unis avait accordé le privilège de rejoindre l'Air Force par pure générosité mêlée d'un peu de calcul politique et qui, à peine arrivés, pour une raison absurde, n'avaient rien de plus pressé que de mettre un sacré bordel, « *a total mess* », sur la base.

Car l'accord en vertu duquel ils avaient fait le voyage depuis Casablanca était d'un intérêt stratégique plutôt faible, voire assez douteux tant il était évident que plutôt que de faire venir d'Afrique ces soldats inexpérimentés, de les former, avec l'obligation en prime de leur enseigner une langue que pas un seul d'entre eux n'était capable de parler correctement, il aurait été plus rationnel et économique de recruter des pilotes, et les volontaires ne manquaient pas, parmi les jeunes gens d'Amérique. Et si la décision avait été prise, c'était simplement afin de donner satisfaction pour une fois, et sur ordre explicite de Roosevelt, au grand emmerdeur en chef de la France libre puisque celui-ci, insistant, hautain et péremptoire comme à son habitude, avait cru bon d'expliquer en personne au général Marshall que, depuis Blériot et Guynemer, l'aviation était une affaire strictement française où se manifestait dans toute sa grandeur le génie national — de telle sorte que, à l'écouter, c'était en vérité l'Army Air Force qui aurait dû être reconnaissante aux pilotes français qui acceptaient de voler sous ses couleurs. Et lorsque les officiers américains avaient constaté qu'user d'autorité ou de persuasion ne servait à rien, l'amusement s'était certainement changé en énervement à l'idée que de vagues troufions dont la plupart n'avaient jamais porté les armes puissent refuser d'exécuter les ordres, se mettant en grève comme de vrais communistes. Excédés aussi par le fait que les soldats d'une armée vaincue, ressortissants d'un pays défait dont les gouvernants avaient très vite pactisé avec l'ennemi nazi, se permettent ainsi de donner aux États-Unis sur leur propre sol des leçons de justice et de démocratie.

Mais eux, semble-t-il, n'avaient pas cédé. Obtenant, je crois, gain de cause. Les autorités militaires acceptant avec pragmatisme la solution qui mettrait un terme au conflit. Se disant peut-être qu'après tout, entre un Français et un Noir, il n'y avait pas tant de différence que cela et que tous ces gens-là, puisqu'ils le désiraient, pouvaient bien vivre et combattre ensemble si cela leur chantait, appartenant au fond à la même espèce exotique et lointaine. D'ailleurs, paraît-il, un précédent existait : un certain Eugene J. Bullard, métis de Noir et d'Indienne, ayant fui sa Géorgie natale pour se soustraire aux persécutions raciales, arrivé en France où il s'était enrôlé, comme Gary Cooper au cinéma, dans la Légion étrangère, héros de la Première Guerre mondiale et obtenant à ce titre de rejoindre la mythique escadrille Lafayette, devenant ainsi le premier pilote de chasse américain de race noire de l'Histoire.

Et si cette histoire est vraie, il n'y a pas de raison qu'elle ne le soit pas sinon qu'elle est trop belle, elle mériterait de figurer au palmarès des exploits les plus édifiants dont est faite la légende des deux grandes guerres du vingtième siècle. Au même titre que ces récits qui racontent comment, un soir d'hiver, les soldats français et allemands fraternisèrent entre les tranchées. Avec une touche de comédie en plus. Car bien sûr les réfractaires de Craig Field ne couraient aucunement le risque de passer devant le peloton d'exécution. Au pis : on leur aurait donné leur billet de retour pour l'Afrique à bord de l'*Empress of Scotland*. Si bien que l'audace dont ils firent preuve en désobéissant à leur hiérarchie n'exprimait malgré tout qu'un courage relatif. Et il y avait évidemment quelque chose d'un peu dérisoire dans la protestation minuscule qu'ils faisaient entendre et qui concernait un seul individu, dont la vie et l'avenir n'étaient pas même en cause, en un temps où la terre entière était le théâtre des exactions les plus inouïes et des massacres les plus massifs.

Disons que c'était une question de principe. Depuis qu'ils avaient mis le pied sur le sol des États-Unis et avaient revêtu l'uniforme de l'Air Force, ils se considéraient tous un peu comme des citoyens américains et, l'habit avec ses Ray Ban faisant le moine, ils avaient acquis l'attitude et les réflexes avec lesquels, de l'autre côté de l'Atlantique, on invoque les préceptes de la Bible et les principes de la Constitution pour exiger *justice for all*. En même temps, ils se voyaient encore comme des fils de France avec dans la tête des idées à la Victor Hugo, son saint patron ainsi que l'avait voulu son ironique camarade québécois. Ou plutôt, selon les mots de leur hymne, *C'est nous les Africains*, comme des enfants d'Afrique. Si bien que le sort d'un seul d'entre eux issu du continent qui les avait d'abord accueillis — le sort, c'est trop dire, puisque sa vie n'était pas en jeu et qu'il s'agissait seulement de savoir s'il serait affecté sur la base de Tuscaloosa ou bien sur celle de Tuskegee — leur paraissait concerner tout l'avenir de l'humanité comme si le sens de leur engagement dans la guerre en avait dépendu.

Et, au fond, aussi dérisoire et déplacée qu'ait pu paraître leur protestation, ils n'avaient pas tort. Tandis que partout on assassinait par millions des individus en raison de leur race, ils défendaient l'idée qu'aucune forme de discrimination n'est jamais légitime. La plupart de ces jeunes pilotes n'auraient pas l'occasion de combattre au-dessus de l'Europe et de contribuer à la libération du continent où, tandis qu'ils s'amusaient et faisaient les fiers aux commandes de leurs gros jouets à hélice, l'on déportait, gazait et brûlait. Si bien que se mettre unanimement en grève afin d'empêcher qu'il puisse être dit qu'un soldat noir valait moins qu'un soldat blanc aura été leur seule vraie profession de foi politique. Et certainement, au regard de l'Histoire qui juge de tout, celui-ci n'a pas moins de signification qu'un autre.

Ils se croiraient presque en vacances si l'entraînement très strict auquel ils sont soumis ne leur rappelait à chaque instant qu'ils doivent acquérir en quelques semaines les compétences qui font un pilote de chasse et qui demanderaient raisonnablement beaucoup plus de temps. Avec des épreuves presque quotidiennes qui visent à mesurer s'ils suivent ou non le rythme de leur formation et qui, s'ils ne les réussissent pas, les disqualifient immédiatement, les obligeant alors à abandonner les commandes de leur avion, passant par les *transition schools* pour devenir navigateurs, radios ou mécaniciens, à renoncer au rêve pour lequel ils avaient parfois tout abandonné, devenant hors-la-loi dans leur propre patrie, et avant même que ce rêve n'ait pris forme.

Le *primary training* se déroule à Van de Graaff près de Tuscaloosa, sur un aérodrome de plaisance où ce sont des civils qui sont leurs premiers professeurs. Après neuf petites heures de vol à bord d'un Stearman ou d'un Fairchild, soit beaucoup moins de temps qu'on n'en donne aujourd'hui à un candidat au permis de conduire pour tenir seul un volant, les cadets, comme on les appelle, doivent être en mesure de piloter l'appareil et si, au bout de quinze heures de pratique en double leur instructeur ne les en juge pas capables, ils sont éliminés. Lui, est donc « lâché » le 22 décembre 1943. La deuxième étape de la formation l'envoie avec les rescapés des épreuves de sélection à Gunter Field, une base militaire voisine de l'Alabama où on lui confie les commandes d'un Vultee Valiant et l'initie à la navigation aux instruments et au vol de nuit. Enfin, avec les rescapés des rescapés, il retourne à Craig Field pour y accomplir le programme de l'*advanced training* dans la cabine d'un North American AT-6, l'appareil sur lequel la plupart des aviateurs alliés ont eu leur première idée de ce qu'est le combat aérien, se formant à l'art dangereux de la voltige, du bombardement en piqué, du mitraillage sur cibles fixes ou mobiles. Au total, l'entraînement dure un peu plus de six mois et suppose près de trois cents heures de vol — du moins pour ceux qui arrivent au bout, les autres se trouvant successivement écartés pour telle ou telle faute vénielle de pilotage ou pour n'avoir pas donné assez satisfaction lors des différents examens auxquels ils sont quotidiennement soumis.

Un cadet sur trois, seulement, obtient de devenir pilote. C'est son cas à lui et, miraculeusement, celui de presque tous ses camarades les plus proches, les membres du 6e détachement, surnommé avec un peu de flagornerie mais par une prémonition assez sûre : le « Grand Chelem », une section d'une douzaine de pilotes constituée autour du sous-lieutenant Jacques Noetinger, l'un de ces jeunes gens qui franchirent les Pyrénées à pied avant d'être internés dans les camps de Franco, qu'il connaît depuis Casablanca et qui, au jour où j'écris, est peut-être le dernier témoin vivant de toute cette histoire qu'il a racontée plusieurs fois dans ses livres, ses romans, ses Mémoires et tous ses autres ouvrages puisqu'il est devenu l'un des plus prolifiques et des plus renommés historiographes de l'aviation française.

On les voit sur les photographies officielles qui les montrent en uniforme, rangés comme des écoliers sur un portrait de classe ou bien des footballeurs avant le début d'un match, se tenant devant un avion dont seule l'hélice dépasse au-dessus de la ligne de leurs têtes couvertes du calot réglementaire. Je vois leurs visages de jeunes gens souriants qui affectent, comme on le fait à cet âge, un air viril et martial et j'écris leurs noms dans l'ordre où ils se tiennent sur l'image : Georges Capron, Jean Forest, Joseph Pécouil, Jacques Noetinger, Guy Saint-Jours, Jean-Paul Drougnon, Jean Chaperon, Jean-Gabriel Friang, Paul Caron, François Rousseau, Jean-Marie Pontabry, Guy Faivre, Jean Tronca, Jacques Brossard.

De cette époque, il se fait ses seules amitiés. Avec Georges Capron, rencontré à l'Institut agricole de Maison-Carrée, parti comme lui pour les chantiers de jeunesse de la Chiffa et l'ayant suivi aux États-Unis, à moins que ce ne fût l'inverse car nul ne saurait plus dire lequel des deux avait suivi l'autre, entré un peu avant lui à Air France à la fin de la guerre et mort presque aussitôt, son appareil s'écrasant pour une raison inconnue dans un champ de coquelicots au bout de la piste du Bourget. Avec Julien Ogier, du 9e détachement, auquel il demanderait d'être le parrain de son plus jeune fils, Pierre, mon petit frère, et qui, ayant dû renoncer à devenir commandant de bord, allait faire carrière dans la compagnie comme chef d'escale à Tokyo puis à Rome. Avec Pierre Goube, le père Goube, l'aumônier des aviateurs français d'Amérique, un jeune ingénieur ordonné prêtre chez les jésuites, à l'allure de baroudeur très distingué, et dont la vie fut le plus extraordinaire des romans d'aventures, emprisonné par les Allemands pour acte de résistance, incarcéré en Belgique, passant successivement par les prisons de Loos-lez-Lille, de Saint-Gilles, enfermé dans la forteresse de Breendonk, déporté ensuite dans le camp de concentration de Merxplas, réussissant à s'en évader et rejoignant enfin Alger d'où il partirait pour l'Amérique, devenant le mentor discret de tous ces jeunes pilotes de vingt ans plus jeunes que lui et qu'il accompagnerait très longtemps puisque, nommé plus tard curé de la paroisse de l'aéroport d'Orly, il fut en somme, et pendant plus de trente ans, le seul vrai conseiller spirituel, l'unique directeur de conscience de l'aviation civile française.

C'est lorsqu'ils reviennent à Craig Field pour y finir leur formation que les cadets ont pour la première fois le sentiment d'être aussi des soldats et que l'avion qu'ils dirigent est autre chose qu'un moyen de transport parfois périlleux mais qu'il constitue un véritable engin de destruction, capable de donner la mort à autrui, conçu à cette fin et si puissant que la moindre approximation est aussitôt fatale à son pilote. Quatre-vingts pilotes français perdent ainsi la vie, victimes d'accidents en vol dont la relative régularité rythme la routine des entraînements : une figure de voltige qui tourne mal et l'avion qui chute en vrille sur le sol, un incident technique, le train d'atterrissage qui ne veut pas sortir et qui oblige à un atterrissage sur le ventre avec l'appareil qui fait la culbute sur la piste. Ou bien : les exercices de tir ou de bombardement qui s'achèvent lorsque le chasseur lancé sur sa cible tracée au sol, piquant vers la terre, sa vitesse formidablement démultipliée, avec le souci de toucher dans le mille pour satisfaire aux exigences des instructeurs, tarde trop à redresser sa trajectoire et s'abat lui-même au beau milieu du cercle de couleur dessiné sous lui. Avec, au moment où l'appareil remonte vers le ciel, le « voile noir » tombant quelques secondes sur le pilote et lui faisant perdre passagèrement conscience — mais si le mouvement sur le manche a été trop brutal, alors l'absence de lucidité dure quelques instants de plus au point de donner le sentiment de s'éterniser et cela suffit pour que l'avion, laissé à lui-même, aille se perdre n'importe où.

Les tombes se trouvent au cimetière de Montgomery dans le carré des aviateurs français : une soixantaine de stèles ou de croix blanches régulièrement disposées sur une pelouse impeccable et parmi lesquelles le même cérémonial s'est chaque fois répété, le drapeau tricolore aux côtés de la bannière étoilée, le sermon prononcé dans le recueillement par le père Goube, la sonnerie aux morts puisque, à ces pilotes, sont dus tous les honneurs réservés à ceux qui sont tombés pour la France. Eux, ironiquement victimes d'une guerre qu'ils n'ont parfois jamais vue et qu'ils n'auront pas eu l'occasion de faire. Et morts cependant tout autant que s'ils avaient effectivement combattu dans le ciel d'Europe — comme, quelques mois plus tard, ce serait le cas de certains de leurs camarades. Davantage encore peut-être, si cela est possible, leurs corps de vingt ans allongés sous le gazon trop vert d'un jardin de l'Alabama, en un lieu dont le nom n'aurait rien dit à ceux qui les aimaient, qui alors ignoraient tout de ce qu'ils étaient devenus et ne seraient avertis que bien plus tard de la nouvelle de leur décès. Victimes inglorieuses de la maladresse, de la négligence, de l'imprudence ou de la fatalité, ne pouvant pas même se prévaloir d'avoir été abattus en mission, captifs à tout jamais des limbes indécis où dort la foule inconsolée et innombrable de tous ceux qui ne savent ni à quoi servirent ni même ce que signifièrent leur mort et leur vie.

CHAPITRE 6

31 juillet 1944

Some dim and threatful apotheosis of the race seen for an instant in the glare of a thunderclap and then forever gone.

WILLIAM FAULKNER

Car ils jouent à la guerre mais ils ne la font pas. Accomplissant tous les gestes du combat aérien mais n'affrontant jamais que des adversaires fantômes, mimant dans le ciel des duels où chacun interprète pour l'autre le rôle de l'ennemi, cherchant à se placer dans le sillage de celui-ci après une série de virages serrés, de tonneaux, de loopings, pour enfin l'aligner dans sa mire et au moment où il devrait faire feu se contentant de dire : « pan ! », dans sa tête, comme en vacances les enfants qui dans la forêt jouent aux cow-boys et aux Indiens avec leurs carabines à bouchons. Ou bien : essayant leur adresse sur des cibles qu'ils criblent des balles de leurs mitrailleuses embarquées ou pulvérisent d'une bombe larguée en piqué, semblables en cela aux jeunes gens faisant un carton pour la frime au stand de quelque fête foraine. Et tout est pour de faux dans la guerre qu'ils font — sauf la mort qui parfois vient plus tôt qu'ils ne l'avaient prévu si une manœuvre maladroite les précipite contre le sol où leur appareil se fracasse et s'embrase.

Car, tandis qu'ils jouent, d'autres font déjà la guerre. Voilà quatre ans maintenant que le ciel est devenu la seule scène du combat essentiel. Depuis mai 1940 et le déclenchement de la Blitzkrieg en Europe : les Stuka de la Luftwaffe dévastant les villes de Hollande, de Belgique, poussant sur les routes les longs convois de réfugiés qu'ils poursuivent ensuite, anéantissent ou bien dispersent, piquant sur eux en faisant entendre le sifflement d'épouvante de leurs sirènes. En quelques jours, la preuve est faite que les vieilles règles du Kriegspiel ne valent plus et même les officiers d'état-major les plus bornés doivent en convenir — mais il est déjà trop tard pour qu'ils tirent les conséquences de leur aveuglement, constatant simplement la faillite immédiate de toutes les conceptions désuètes à l'aide desquelles ils pensaient la guerre, hésitant pour savoir si cette fois elle serait de mouvement ou de position, supputant le site le plus probable de la prochaine ligne de front, sans réaliser à quel point une autre forme de sauvagerie militaire venait de voir le jour : le déferlement d'éclairs et de foudre de milliers de machines de métal détruisant tout sur leur passage. Si bien que le contrôle du ciel devient le préalable de toute opération d'envergure, la condition à laquelle peuvent vraiment entrer à leur tour en action les navires de guerre, les divisions blindées, les détachements d'infanterie observant d'en bas le mouvement des avions décidant seuls — ou presque — de l'issue du combat.

L'avantage aérien détermine de quel côté penchera la balance où, comme dans les épopées anciennes, les dieux pèsent le sort des héros qui s'affrontent au sein de la mêlée céleste et se distinguent en duel. À l'été 1940, afin que se déroule l'opération Seelöwe voulue par Hitler, le maréchal Hermann Göring, commandant de la Luftwaffe, lance l'aviation allemande à la conquête de l'Angleterre, prévoyant d'anéantir en quelques jours la Royal Air Force afin de dégager la mer pour le passage des troupes de débarquement, projetant ainsi d'accomplir un exploit qu'aucun conquérant, hormis le vieux Guillaume à Hastings, n'a jamais réalisé : détruisant la chasse, bombardant les aéroports, les stations radar, les usines. Et échouant puisque, malgré les pertes et les destructions, les escadrilles britanniques parviennent à conserver la supériorité dans le ciel jusqu'à l'automne et le retour de la mauvaise saison qui hypothèque toute perspective sérieuse d'invasion. C'est le mot fameux de Churchill devant les Communes le 20 août 1940, « *Never in the field of human conflict was so much owed by so many to so few* », citant presque littéralement les paroles de Shakespeare mises autrefois dans la bouche de Henry V à la veille d'Azincourt, « *From this day to the ending of the world, But we in it shall be remembered; We few, we happy few, we band of brothers* ».

Alors Göring, puisque ses chasseurs n'ont pas su avoir le dessus, pousse la flotte de ses bombardiers sur la mer du Nord, profitant de la nuit pour s'insinuer au-dessus des villes anglaises avec le pur projet de les raser, semant la panique parmi les populations civiles, amplifiant et systématisant la stratégie de terreur qui a si bien réussi du côté du continent. Le 14 novembre 1940, la cité de Coventry part en fumée,

« *coventrised* » selon l'adjectif lugubre inventé alors. L'opération porte le poétique nom de code « *Mondscheinsonate* », sonate au clair de lune. De ce jour, de cette nuit plutôt, date l'invention de la guerre moderne dont se souviennent encore de par le monde — et même s'ils n'en parlent pas — des millions d'enfants aujourd'hui très âgés : le bourdonnement des moteurs dans le noir avec les silhouettes d'oiseaux sombres des bombardiers passant en formations parmi l'encre des nuages, l'appel pathétique des sirènes d'alerte commandant de trouver n'importe où sous terre un abri, le ciel qui réfléchit le feu et se teinte d'un rouge inconnu comme s'il s'était mis à pleuvoir des flammes, l'émerveillement sidéré devant un monde éclairé à la manière d'une scène de théâtre où se jouerait le splendide spectacle de l'Apocalypse, la température qui grimpe sous la pire et la plus inexplicable des canicules, avec les bâtiments devenus des torches qui s'embrasent d'elles-mêmes dans l'air de la nuit, et la cendre au matin, encore chaude, comme un épais et impossible tapis de neige grise recouvrant les formes effacées de la veille.

Et lorsque la supériorité aérienne passe dans le camp des Alliés, c'est dans l'autre sens que les mêmes flottilles meurtrières de bombardiers traversent la mer pour accomplir leur indifférente besogne de destruction sur le continent. « Les Allemands ont semé le vent, ils récolteront la tempête », déclare le maréchal Arthur Harris, le chef du Bomber Command, qui reprend à son homologue Göring le principe du bombardement stratégique dont il va faire une application suffisante pour gagner le sinistre surnom de « Bomber Harris ». Des escadrilles comptant parfois jusqu'à un millier d'appareils, Halifax ou Lancaster, anéantissent des objectifs que leur désignent de nuit les *pathfinders*, des bombes lumineuses, frayeuses de chemin dans le noir, que larguent à basse altitude des avions éclaireurs, les Mosquito. Et lorsque le jour succède à la nuit, c'est au tour des B-17 et B-24 américains, escortés de leurs chasseurs, qui déversent à très haute altitude leurs tonnes d'explosifs avec la précision la plus approximative, confondant sous le feu qu'ils font pleuvoir les cibles militaires et industrielles avec les cités où vivent les civils.

La guerre aérienne prend cette apparence d'effroi, si insoutenable qu'il semble qu'aucun survivant n'ait eu le cœur ou la capacité de porter concrètement témoignage pour ce qu'il avait vu et vécu. Telle est du moins la thèse — et elle paraît juste — que défend W. G. Sebald dans son petit et magnifique ouvrage, *De la destruction comme élément de l'histoire naturelle*, où il rassemble la plus épouvantable collection de faits vrais. Car les statistiques ne suffisent pas et il ne sert à rien de compter les morts, d'évaluer les dégâts, comme s'y emploient les historiens, quand la réalité se manifeste sous une forme si singulière que chaque événement, chaque détail a l'allure monstrueuse et unique d'un prodige vain.

Ainsi lors de ce raid sur Hambourg opéré par la Royal Air Force dans la nuit du 28 juillet 1943, baptisé d'après la biblique cité sacrifiée à la colère de Dieu : « Gomorrah », ce nom signifiant assez explicitement que l'objectif consistait à effacer toute trace de la ville. Sebald le raconte. Pour autant qu'il est possible de raconter une telle chose. Les équipages des bombardiers anglais, aussitôt leur mission exécutée, ayant été tout à fait aveuglés par le cataclysme qu'ils venaient de déclencher, observant seulement une magnifique mer de flammes inondant en quelques instants la terre où s'était tenue la cité, et brillant d'un éclat intense illuminant tout l'espace, pareille à une gigantesque tache cramoisie s'élargissant dans toutes les directions à la fois et dont montait le souffle d'un orage brûlant, secouant les appareils comme s'ils étaient passés à travers une tempête tropicale portant jusqu'en altitude une chaleur extrême d'étuve. Quant aux habitants, imaginer seulement ce qu'ils connurent supposerait que l'on partage avec eux une expérience vaguement comparable. Et ce qui s'est alors passé, seuls les cadavres le surent. Car s'il y eut des survivants, ceux-ci furent aussi mutiques que des morts. L'enfer ? Oui, mais ce n'est qu'un mot de prêtre ou de poète.

D'abord, comme un coup frappé avant tous les autres, la première salve faisant sauter de leurs cadres toutes les portes et toutes les fenêtres. Puis les charges incendiaires, toute la gamme des projectiles de puissances variables, astucieusement conçue dans les arsenaux britanniques de façon à se trouver adaptée aux caractéristiques différenciées des cibles au sol et de telle sorte que rien ne reste intact de celles-ci et que le feu se répande partout. Aussitôt : des flammes hautes comme des tours, investissant les appartements, les greniers, les caves, les cages d'escalier, se déployant dans les rues entre les façades encore debout derrière lesquelles les immeubles s'effondraient en fracas, la température grimpant jusqu'à faire fondre les vitres, porter les pierres à incandescence, faire brûler même la surface des canaux, des bassins, des plans d'eau. Ensuite : une averse de braises trouant tout. Enfin : l'épaisse fumée s'agglomérant en un nuage monumental pesant longtemps sur le sol au point d'interdire au soleil de se lever sur la cité et sur ses milliers de morts. Les corps intacts de ceux qui avaient eu la chance de périr instantanément asphyxiés dans leur sommeil et tous les autres, directement et brutalement exposés à la flamme, réduits parfois au tiers de leur taille par le feu, adultes ayant pris dans la mort l'allure et les proportions d'enfants momifiés et noircis. Ou bien : débris de chair carbonisée ne ressemblant plus à rien, trempant dans leur propre graisse à demi figée et répandue parmi les cendres autour de leur silhouette effacée.

L'aviation est devenue cet instrument de destruction massive à l'aide duquel, tour à tour, chaque camp entreprend de mettre l'autre à genoux en lui infligeant l'épreuve, jour et nuit répétée, d'une horreur dépassant l'entendement. En convois continus si larges et si longs qu'ils couvrent et obscurcissent le ciel, des appareils énormes, forteresses volantes hérissées de mitrailleuses pointées dans toutes les directions à la fois, font la chaîne et déversent au-dessus de leurs objectifs la charge sans cesse renouvelée de leurs soutes s'ouvrant sous leur ventre d'acier. Lourds au point de ne pas pouvoir vraiment manœuvrer, avançant sur la ligne inflexible voulue par leur plan de vol aussi sûrement que s'ils roulaient sur des rails immatériels reliant les bases militaires du sud de l'Angleterre aux grandes cités industrielles du nord du continent. Comptant sur leur nombre et sur leur puissance afin de franchir le rideau que tend depuis le sol l'artillerie, celle-ci tirant au hasard des projectiles qui, le plus souvent, se perdent dans les airs, faisant éclore un peu partout dans le ciel de sonores et fatales fleurs de fumée blanche parmi lesquelles passe la migration meurtrière des appareils.

Ceux-ci constamment harcelés par l'aviation adverse et espérant que leur propre escorte leur permettra de ne pas être mis en joue, fixés dans la mire, criblés de balles et transformés, avant que l'équipage n'ait eu le temps d'abandonner la carlingue, en épaves incontrôlables et tournoyantes. Avec autour du monumental et rectiligne sillage que tracent en altitude les centaines de bombardiers, la partie de cache-cache à laquelle se livrent les chasseurs, se repérant au loin dans le soleil, cherchant à se garantir les conditions d'engagement les moins défavorables et puis se jetant à toute vitesse à la rencontre les uns des autres, poussés par la formidable puissance de leur moteur, tout cela allant à une telle allure que les avions se croisent dans la plus grande confusion et que chaque pilote n'a le temps d'accomplir qu'une ou deux manœuvres en espérant que la rafale qu'il a lâchée a bien atteint sa cible et que lui-même n'a pas été touché, versant volontairement dans le vertigineux vortex où tout tourne autour de soi et dont le talent et la chance, seuls, vous expulsent encore vivant.

Telle est la guerre qui se fait tandis qu'eux ils jouent encore dans le ciel.

Au jour du débarquement, le 6 juin 1944, onze mille avions anglais et américains volent dans le ciel de la Manche dont la Luftwaffe, avec ce qu'il lui reste de ses chasseurs à n'avoir pas été envoyés sur le front russe, privée de ses radars, a renoncé à disputer la maîtrise aux Alliés. L'opération Overlord commence cinq minutes après minuit par le bombardement intensif des positions allemandes — et des cités françaises qui les abritent —, entre Le Havre et Cherbourg. Un quart d'heure plus tard, déposés par des planeurs, les premiers soldats britanniques mettent le pied sur le sol de Normandie. Puis un millier d'appareils, des Douglas, des Dakota, procèdent au largage des divisions aéroportées, dix-sept mille hommes parachutés du côté de Vierville, de Sainte-Mère-Église et jusqu'en Bretagne. Avant que, sur les plages, pièges d'eau et de sable placés sous le feu de forteresses quasi inexpugnables, ne débute à l'aube la vraie bataille à laquelle les pilotes n'ont plus leur part et que doivent livrer seules les troupes de débarquement.

La nouvelle, ils l'apprennent par la radio alors que touche à son terme le programme de leur *advanced training*, à Craig Field. Enthousiastes, bien sûr, à l'idée que débute l'épreuve de force à laquelle ils se préparent depuis des mois et qui va très vraisemblablement décider de l'issue du conflit. Amers également, et sans oser tout à fait se l'avouer, puisque le débarquement intervient trop tôt et sans qu'ils puissent y participer, relégués au rang de lointains spectateurs, devant compter sur les bulletins d'informations pour se faire dans leur tête une vague représentation du plus grand événement militaire de tous les temps. Se disant, désabusés, que la guerre après tout n'est peut-être rien de plus qu'un mirage qui recule sur l'horizon à mesure qu'ils croient s'en approcher, s'exténuant à avancer dans le vide, combattants fantômes dont la mission concerne des objectifs aussi inconsistants que des reflets fictifs dans le ciel.

Et leur déception est d'autant plus grande que, ni sur les ondes de la radio américaine ni même dans l'enceinte de Craig Field, personne ne semble considérer que les forces françaises puissent être partie prenante des combats livrés afin de libérer le pays, que les informations officielles filtrées et transmises par la propagande militaire évoquent à peine le rôle joué par les partisans, les opérations spéciales accomplies par les commandos à la croix de Lorraine et qu'il n'y est jamais question des aviateurs français dont certains, pourtant, combattent déjà depuis longtemps dans le ciel d'Angleterre et participent aux meurtrières expéditions de bombardements dépêchées au-dessus des cités d'Allemagne. Et il est vrai — ils le savent bien — que cela compte peu auprès des dizaines de milliers de soldats américains, britanniques ou canadiens jetés sur les plages de Normandie à l'assaut des rivages fortifiés depuis lesquels un ennemi invisible et presque invulnérable les décime.

Mais c'est cette vérité même qui les rend un peu amers et honteux quand l'ordre est donné à tout le personnel de la base de se réunir et que le commandant en chef leur délivre le discours qu'ils écoutent au garde-à-vous et qui explique en quelques mots que la grande bataille est en train de se livrer à l'autre bout du monde, décidant une minute de silence pour honorer ceux qui sont en train de tomber là-bas au champ d'honneur. Lorsque, après avoir écouté les hymnes américain et britannique, on leur enjoint de rompre les rangs, ils réalisent qu'il n'y aura pas de *Marseillaise*, que la vieille rengaine révolutionnaire est assez bonne pour servir de pittoresque musique d'accompagnement au cinéma de propagande, comme dans *Casablanca* ou bien dans *Why We Fight*, où de Gaulle est filmé comme un improbable héros hollywoodien, mais qu'il n'est nullement question de la faire entendre lorsque commencent enfin les choses sérieuses.

Trois semaines plus tard, le 27 juin 1944, a lieu la cérémonie de la *graduation* au cours de laquelle on leur remet solennellement leur brevet de pilote militaire et leurs « ailes », c'est-à-dire le macaron qui officialise leur statut d'aviateur de l'Army Air Force. Et eux — les rescapés des rescapés, qui ne se sont pas écrasés aux commandes de leur appareil, qui constituent cette minorité de cadets à être passés avec succès au travers de toutes les épreuves de sélection qu'on leur impose depuis six mois, ayant eu la chance chaque jour d'éviter l'erreur éliminatoire —, reprenant courage, se disent que finalement il n'est peut-être pas tout à fait trop tard. Car la guerre n'est pas encore gagnée. Cherbourg vient seulement d'être libérée et les combats font toujours rage en Normandie, autour de Caen, de Falaise, d'Avranches et d'Alençon — puisque les forces anglo-américaines n'ont pas réalisé la percée décisive prévue. Au moment où ils reçoivent leur brevet, personne ne peut dire avec certitude combien de temps il faudra aux Alliés pour remporter la victoire — ni même si l'offensive lancée sur les plages françaises sera ou non fatale aux troupes allemandes. Si bien qu'ils peuvent ne pas perdre l'espoir de participer à la libération du pays — à laquelle, ils ont fini par l'apprendre, contribuent maintenant les troupes blindées de Leclerc enfin débarquées en Normandie, et bientôt celles de De Lattre de Tassigny qui se préparent à mettre le pied sur le sol de Provence.

Désormais pilote, il s'imagine certainement toucher au but et que, s'il parvient à franchir l'ultime étape qui lui donnera sa qualification sur l'un ou l'autre des appareils de l'Army Air Force, dans quelques semaines, il accomplira pour de vrai tous les gestes auxquels il s'est entraîné et qu'il sait désormais par cœur. Et sans doute aurait-il fini par être affecté dans l'une des escadrilles qui combattirent dans les tout derniers mois de la guerre au-dessus de la France ou de l'Allemagne, s'il n'avait reçu alors l'ordre inattendu qui, pour lui et quelques-uns de ses camarades, allait décider différemment de la suite. Choisi, parce qu'il avait fait la preuve qu'il était l'un des meilleurs pilotes de Craig Field, pour servir sur le sol américain comme moniteur et destiné à y instruire à son tour les cadets fraîchement arrivés de France, leur enseignant ce qu'il venait tout juste d'apprendre. Et, pour cette raison même, se voyant refuser la possibilité de rejoindre immédiatement une unité combattante. Frustré une nouvelle fois de sa guerre, autorisé à prendre bientôt les commandes d'un Curtiss P-40 ou d'un P-47 Thunderbolt mais afin de se retrouver assis presque aussitôt sur le siège arrière d'un avion-école à surveiller et évaluer les performances d'un novice. Protestant bien sûr contre une telle décision tout en sachant qu'il n'avait aucunement son mot à dire, puisque les ordres sont les ordres et que, légaliste comme il l'était, il ne concevait pas, même s'il l'avait pu, d'y désobéir, obtenant simplement la promesse qu'une fois son service d'instructeur effectué, il recevrait l'autorisation de rejoindre une escadrille engagée sur le front européen.

Victime de la même Providence ironique et bienveillante qui, depuis quatre ans, le tient à l'écart des combats au point que les seuls avions allemands qu'il avait vus étaient ceux qui étaient passés indifférents dans le ciel de juin 1940 entre Mâcon et Nîmes ou bien ceux dont les exercices de *recognition* lui avaient appris à identifier immédiatement la silhouette projetée sur l'écran d'une salle de classe. Ayant employé toutes ses qualités de sérieux, de travail, de persévérance pour devenir un pilote irréprochable. Y étant parvenu puisqu'il comptait au nombre des rares jeunes gens issus des CFPNA à avoir été brevetés comme chasseurs. Finalement, sortant major de sa promotion — c'est le genre d'information que mentionnent les notices biographiques et les rubriques nécrologiques. Et, pour cette raison même, malicieusement privé de la rétribution qu'il méritait plus que tous les autres et à laquelle il aspirait sincèrement. Sauvant ainsi sa vie, peut-être, mais conservant tout au long de celle-ci la déception de n'être pas devenu complètement et jusqu'au bout le pilote de guerre qu'il avait voulu être.

Il a le sentiment de vivre éveillé une sorte de mauvais rêve absurde où l'on se joue de lui et où le temps tourne en boucle, lui faisant revivre sans fin la même épreuve un peu risible, marchant à grands pas — et pourtant immobile — vers le lieu lointain de la vie sans jamais parvenir à s'en approcher, et juste au moment où il croit arriver, contraint de tout recommencer depuis le début. Comme si un charme — ou un sort — opérait à chaque fois et, malgré sa bonne volonté, le rejetait loin de la réalité du combat, le condamnant systématiquement à en être simplement le spectateur ébahi et désœuvré. Remontant donc à bord du vieil AT-6 qu'il pensait ne plus jamais avoir à faire décoller, ayant juste changé de place, assis désormais à l'arrière, pour enseigner à un nouveau venu qui, moins doué et plus chanceux, serait peut-être affecté avant lui dans une unité combattante, les mêmes et sempiternels exercices usés par lesquels, dans toutes les écoles, commence l'apprentissage d'un pilote.

Mâcon est libérée le 4 septembre 1944 par la Ire armée française de De Lattre de Tassigny, débarquée le 15 août en Provence, entre Toulon et Cannes, et remontant le long du Rhône. Aucun combat n'est livré dans la ville que les troupes allemandes ont évacuée après avoir fait sauter la gare et rendu impraticables les ponts routiers et ferroviaires. Les derniers soldats de la Wehrmacht sont en train de partir quand arrivent les maquisards qui, depuis une quinzaine de jours, ont lancé une campagne systématique de sabotages, de coups de main, harcelant la retraite des occupants, entreprenant de soulever la région. Si bien que lorsque les blindés français parviennent à Mâcon, la ville est déjà investie par plus d'un millier de partisans en armes. Le Gouvernement provisoire de la République vient de s'installer dans Paris libéré. Elle, elle est dans la rue, bien sûr, avec tous les autres qui pavoisent le chemin sur lequel passent les chars venus du sud. Sans rien comprendre à la grande confusion qui commence mais réalisant juste — et c'est l'essentiel — que les Allemands, comme par enchantement, ont subitement disparu et que, du coup, sa guerre s'achève.

Car, davantage que lui, en somme, depuis deux ans, elle sait ce qu'est la guerre. À l'aube du 11 novembre 1942 — deux jours auparavant elle a fêté son vingtième anniversaire —, un bruit formidable la tire du sommeil et réveille en même temps tous les autres habitants du quartier. Bruit cadencé résonnant régulièrement dans la rue et si puissant qu'il fait tout vibrer dans les maisons, des bibelots sur les étagères jusqu'aux murs eux-mêmes. Défilant et faisant sonner leurs bottes sur le pavé, les troupes allemandes prennent possession de Mâcon, la zone libre envahie sur ordre de Hitler afin de répondre au débarquement allié d'Afrique du Nord. Depuis la fenêtre de sa chambre, à travers les volets, elle observe ce spectacle sinistre de formes fantômes avançant dans l'obscurité du tout petit matin, sans réussir à y croire encore, comme s'il s'agissait d'un cauchemar angoissant et irréel, sorti de sa nuit à elle, forçant indûment les portes du jour, et s'installant pour de bon dans le temps de la vie. Quelques centaines d'hommes suffisent à administrer et contrôler la ville. Place de la Barre, à quelques pas de l'ancienne librairie de ses parents, la Kommandantur a réquisitionné l'Hôtel des Champs-Élysées tandis que la Gestapo s'est attribué l'Hôtel de Genève et que, mais c'est une chose qu'une jeune fille comme elle est censée ne pas savoir, l'Hôtel Terminus a été transformé en un bordel destiné à la distraction des forces d'occupation.

Une magie maligne a métamorphosé la ville depuis cette nuit où les forces allemandes l'ont investie, sans rencontrer aucune résistance et comme si elles exerçaient avec le plus grand naturel les droits abusifs que leur donne l'avantage des armes. Toute autorité est passée en un instant entre les mains des troupes d'occupation. Et cela n'a bien sûr rien d'étonnant puisque tel est le lot commun de toutes les villes françaises désormais placées sous le commandement direct des soldats ennemis. Et pourtant elle a du mal à réaliser que cela puisse être vrai, extraordinairement incrédule devant une situation si évidemment injuste, naïvement scandalisée par un état de fait que tout le cours irréversible de l'Histoire récente préparait et rendait certainement inévitable, ne pouvant cependant s'empêcher d'éprouver un sentiment semblable à celui que suscite le spectacle d'une catastrophe imprévisible, brutale et quotidiennement répétée chaque fois que, sortant faire une course, allant voir des amis ou se rendant à l'école de dessin, elle aperçoit les hommes en uniformes ennemis qui montent la garde, règlent la circulation, patrouillent ou bien, après leur service, prennent un verre à la terrasse des cafés, plaisantant dans une langue qu'elle ne comprend pas et qu'elle prend en horreur, en regardant passer dans la rue les jolies filles. Humiliée moins par leur comportement que par leur simple présence.

Chaque fois qu'elle doit franchir le pont Saint-Laurent pour aller chercher chez le crémier sur l'autre rive les quelques œufs que permettent encore de se procurer, une fois par semaine, les tickets de ravitaillement — car du beurre, du lait, on n'en trouve plus depuis longtemps mais des œufs, il en reste parfois —, elle a le cœur qui bat malgré elle quand elle passe devant les soldats allemands en faction, la regardant venir de loin, décidant par jeu d'attendre le dernier moment pour l'arrêter ou non, inspecter son panier, examiner longuement ses papiers comme s'ils mettaient en doute leur authenticité, la considérer avec un air méfiant ou en lui faisant un sourire qui lui déplaît encore davantage. Comme si elle était suspecte — ou même coupable — de quelque chose dont ils avaient connaissance mais qu'ils avaient la gentillesse, la générosité — puisqu'elle était une jeune et jolie fille — de ne pas retenir, cette fois, contre elle. Et de fait, coupable elle l'est puisqu'elle appartient à une Nation défaite qui ne survit que par la grâce de ses vainqueurs. Soumise à ce traitement systématique pendant tout le temps de leur présence à Mâcon et sans pourtant qu'il lui arrive jamais quoi que ce soit de pire.

Protégée comme elle l'est, également, par le hasard et par la chance, n'ayant rien eu à subir au cours de ces quatre ans de guerre, de ces deux années d'Occupation dont elle puisse vraiment se plaindre — à part, bien sûr, le vol de son cartable neuf — si ce n'est l'inconfort d'une vie rendue pénible par le couvre-feu, le rationnement, la quasi-impossibilité de trouver de quoi se nourrir ou se chauffer normalement. Rien sinon, précisément, la honte d'avoir à endurer une loi inique et étrangère dont d'autres qu'elle sont les vraies victimes.

Les régiments français basés à Mâcon, le 5e dragons et le 65e d'infanterie, ont été dissous. Atteint par la limite d'âge, son père est démis de son commandement au centre de démobilisation. Et, pour lui, cela est certainement heureux car l'officier plus jeune nommé pour le remplacer, à peine en poste, est aussitôt assassiné : non pas par les Allemands, fusillé dans les formes, attaché au poteau d'exécution, les yeux bandés, avec le temps d'accomplir quelque geste flamboyant et vaguement consolateur de fanfaron patriotique, crier : Vive la France ! ou bien entonner le refrain de *La Marseillaise* sans avoir l'occasion de chanter les couplets que, de toute façon, personne ne connaît, mais abattu, à son bureau et sans explication, d'un coup de feu, levant le nez de ses papiers, se mettant debout — moins par déférence que par surprise — à la vue du milicien qui vient de pousser la porte, qui sort son revolver, le liquide proprement d'une seule balle dans la poitrine et ne prend même pas la peine de lui dire pourquoi. Tué ainsi peut-être parce qu'à son tour, comme le vieux capitaine, il avait délivré quelques certificats falsifiés permettant à une poignée d'hommes et de femmes d'échapper au prochain contrôle d'identité et de survivre quelques semaines de plus au terrible jeu de cache-cache auquel se réduit désormais leur existence. Mais ce ne fut même pas le cas, semble-t-il : lui, le capitaine André Bouquet, simplement choisi au hasard, en raison des galons qu'il portait et des responsabilités qu'il exerçait, pour servir de victime et, afin d'intimider la population, sacrifié pour l'exemple en guise de représailles et d'avertissement.

Du temps où il était encore en fonction, le vieux capitaine a entrepris de détourner une petite partie du matériel militaire récupéré sous ses ordres par le centre de démobilisation. Réquisitionné et non volé : il y tient. Et quand sa fille a suggéré qu'ils pourraient peut-être garder pour eux deux ou trois couvertures en vue de l'hiver prochain qui s'annonce particulièrement froid maintenant que tout le combustible de chauffage est introuvable, il l'a très sévèrement rappelée à l'ordre, lui expliquant que le pillage, en temps de guerre, est passible de la cour martiale. De nuit, sous les yeux de sa famille, il a creusé une fosse au fond du grand jardin de La Coupée afin d'y enfouir quelques caisses contenant un lot de fournitures mises de côté dans la perspective très improbable d'équiper l'armée régulière française lorsque celle-ci serait en mesure de reprendre le combat : le paquetage réglementaire pour une poignée d'hommes, les rations de survie, quelques armes aussi. Le tout enseveli sous la terre, près des arbres fruitiers, entre les rangées de tulipes et de géraniums. Comme s'il s'agissait de planter quelque chose qui soit susceptible de fleurir au printemps suivant. Et l'initiative est tout à fait imprudente car même un arsenal aussi ridicule suffirait, s'il était découvert sur la foi d'une délation ordinaire, à faire passer par les armes tous ceux qui le dissimulent ou à les envoyer en déportation immédiate.

La participation du vieux capitaine à la libération du pays se limite à ce geste. D'autant plus dérisoire que lorsque, à l'annonce du débarquement de Normandie, il entreprend de déterrer son butin, c'est pour s'apercevoir que tout a pourri et rouillé, devenu une masse informe de ferraille et de charpie, sans aucun usage possible. Ou peut-être a-t-il fait davantage. Mais ni à elle ni à personne d'autre il n'en a jamais parlé. Elle se souvient de l'avoir vu enterrer puis déterrer les caisses au fond du jardin. Elle se rappelle comment il guettait certains soirs près de la fenêtre de la cuisine, celle qui donnait sur la rue, et l'enveloppe qu'il glissait sans un mot à l'ombre qui venait toquer aux persiennes entrouvertes et qui disparaissait aussitôt dans la nuit — sans jamais savoir qui était cet homme, ce qu'il devenait et s'il avait ou non réussi à s'échapper et à sauver sa vie. Sauf une fois puisque, la paix revenue, l'un de ces fugitifs avait retrouvé le chemin de la maison et avait laissé pour son père une bouteille de champagne en guise de remerciement pour ce service ancien.

Parfois, il quitte La Coupée sans dire où il va. Prétextant qu'il part en promenade avec l'un de ses plus anciens amis, le colonel sous les ordres duquel il a servi durant la précédente guerre, un officier à l'anglophilie notoire et insolemment affichée, dont les sympathies pour la Résistance sont de notoriété publique. C'est lui qui, faisant valoir les états de service du vieux capitaine, a obtenu qu'il commande le centre de démobilisation. Et sans doute avait-il une idée derrière la tête. Ils disparaissent tous les deux. Et sa femme le suspecte bien sûr de partir, comme il en a gardé l'habitude, faire la tournée des bistrots de la région. D'ailleurs peut-être est-ce le cas aussi. Un jour, il ramène à sa fille — qui le baptise du nom de Ricky — un chien d'une race assez peu ordinaire, venue du Nouveau Monde et qui fait l'étonnement de tous les enfants du quartier. C'est un cadeau, explique-t-il, d'une riche Américaine un peu excentrique qui, pour se distraire, élève des caniches dans le château qu'elle a acheté autrefois près de Bourg-en-Bresse et où elle s'est installée — une femme qui sera peu après fusillée par les Allemands puisqu'il semble bien que la manie innocente des petits chiens n'occupait pas tout son temps.

Mâcon mime en miniature le drame qui se joue partout ailleurs dans le pays. D'après les calculs, insuffisants mais très instructifs, que font les historiens, la ville compte à l'époque vingt mille habitants dont seule une minuscule minorité prend parti pour un camp ou pour l'autre. La section locale de la Milice regroupe une petite cinquantaine de membres. Ce qui est très peu. Mais il est vrai aussi que lorsque, à l'invitation de celle-ci, le principal propagandiste de la collaboration, Philippe Henriot, surnommé avec un peu d'exagération le Goebbels français, se rend dans la ville en mai 1943 pour y tenir un meeting où il exalte haineusement toutes les valeurs de Vichy, ce sont mille quatre cents personnes qui l'acclament. Recenser les résistants est une tâche un peu plus compliquée car il est certain que sur les mille cinq cents maquisards qui prirent possession de la ville le 4 septembre de l'année suivante, une fois celle-ci abandonnée par les forces allemandes, une proportion non négligeable était constituée de partisans qui, pour rallier les Forces françaises de l'intérieur, avaient eu la prudence d'attendre qu'il n'y ait plus aucun vrai risque à le faire. Les cadavres sont toujours plus faciles à dénombrer : ceux des cinquante-neuf hommes et femmes assassinés par la Milice ou par les Allemands parce qu'ils appartenaient à la Résistance ou étaient suspectés de venir en aide à celle-ci, ceux des cent un déportés arrêtés à Mâcon, morts sous la torture ou qui ne revinrent jamais des camps où ils avaient été envoyés.

Il y eut le docteur Léon Israël, né en 1906 en Moselle, mobilisé comme médecin major lors de la déclaration de guerre, fait prisonnier en juin 1940, expulsé de chez lui à son retour et ayant alors trouvé avec sa famille refuge à Mâcon, encore en zone libre mais où, dès août 1942, sur ordre des autorités de Vichy, sont arrêtées les premières familles juives de nationalité étrangère afin d'être envoyées vers Vénissieux puis vers Drancy. S'installant là où, comme partout en France, se met en marche la machine féroce de la déportation mais où celle-ci semble avoir fonctionné non pas avec plus de mansuétude, car un tel sentiment était inconnu de ceux qui étaient aux commandes de cette machine ou qui en exécutaient le programme inhumain, mais de manière, disons, plus maladroite, plus désinvolte ou moins systématique qu'ailleurs, les grandes rafles organisées dans la ville en septembre 1943 par la Gestapo et la Milice ayant donné lieu à un fiasco assez pitoyable, les Juifs visés par l'opération étant pour la plupart prévenus à temps et réussissant à échapper à ce coup de filet et aux opérations de police qui le suivirent. Comme lui. Si bien que cet homme traqué, et malgré l'interdiction d'exercer qui le frappe, continue de pratiquer la médecine au vu et au su de tous dans son cabinet de la rue de Saône où il soigne les indigents et les nécessiteux. Jusqu'à ce jour du 27 avril 1944 où il est abattu par les hommes de la Milice. Ce meurtre suscitant une telle indignation parmi la population de Mâcon que, deux jours plus tard, ce sont trois mille personnes qui composent le cortège funèbre accompagnant la dépouille du docteur jusqu'au cimetière, lui rendant un hommage unanime et invraisemblable étant donné la situation en pays occupé — invraisemblable mais qui pourtant eut lieu.

Ou encore Jean Bouvet, professeur d'histoire à l'école normale, militant socialiste, ancien conseiller municipal déchu par Vichy, dont la fille avait été sa camarade d'école à elle, assassiné dans des circonstances semblables et par les mêmes meurtriers sans doute lorsque, le 28 juin 1944, afin de venger la mort de leur maître à penser Philippe Henriot, sous les ordres d'un certain Johanès Clavier, les miliciens de Mâcon — comptant parmi eux deux de ses anciens amis à lui — conduisent une opération punitive dans la ville, abattant afin de faire un exemple sept hommes choisis comme victimes par hasard ou bien en raison de ce qu'ils représentaient. Outre Bouvet, j'écris leurs noms : le capitaine André Bouquet, celui-là même qui, quelque temps auparavant, avait donc succédé au vieux capitaine à la tête du centre de démobilisation, Effime Dick, un artisan juif, Raymond Papet, membre du cabinet de la préfecture de Saône-et-Loire, Robert Sourieau, un jeune homme avec la famille duquel Clavier avait un différend personnel qu'il régla ainsi en passant, et enfin Josserand et Rigolet, deux étudiants des Arts et Métiers de Cluny qui eurent seulement la malchance de croiser ce jour-là le chemin des assassins. Et la liste aurait été plus longue encore si le maire n'était intervenu auprès des autorités allemandes pour qu'elles modèrent le zèle de la Milice et fassent aussitôt cesser de force le massacre.

Le 4 septembre 1944, la ville est déserte, semble-t-il, étonnée de se retrouver ainsi libre. Ils ont sorti de la naphtaline le vieux drapeau tricolore qui n'a plus servi depuis l'armistice de novembre 1918, elle n'était pas née, et l'ont accroché en évidence à la principale fenêtre de leur domicile. Ils attendent, comme pour un défilé du 14 Juillet, le passage des troupes. Mais c'est le maire de Charnay-lès-Mâcon qu'ils aperçoivent tout d'abord et qui vient leur transmettre, essoufflé et en sueur parce qu'il court de maison en maison, la consigne de tempérer un peu leur empressement patriotique car toutes les forces d'occupation ne sont pas parties et que dans la banlieue de la ville on assiste encore à des escarmouches entre la Résistance et l'arrière-garde allemande. Si bien qu'ils ne sont pas à l'abri de prendre une balle perdue ou bien tirée — par énervement et en guise de présent d'adieu — par l'un des fuyards de la Wehrmacht.

Devant la maison de La Coupée où ils vivent, des hommes très jeunes — ce sont presque des enfants — se sont regroupés. Ils portent le costume improvisé et approximatif des FFI avec le brassard bien visible et sont munis de fusils de fortune — pris à l'ennemi ou récupérés lors d'un parachutage. Tout en lui hurlant dessus en une langue qu'il ne comprend pas, lui ordonnant de se rendre, ils tiennent en joue un individu affalé sur le trottoir, visiblement épuisé pour avoir couru toute la nuit. Il a enfin décidé de se laisser tomber n'importe où parce qu'il ne sait plus très bien où il pourrait encore aller : un soldat allemand ou plutôt ce qu'il en reste, tête nue dans son uniforme débraillé, ayant depuis longtemps abandonné son casque et son arme, laissé-pour-compte de l'évacuation de la veille, totalement seul et vulnérable et, à ce titre, une cible de choix puisqu'il est l'un des derniers représentants des troupes d'occupation à s'être assez attardé dans la ville pour que son corps puisse servir de trophée à ceux qui vont l'abattre. L'un de ceux qui depuis deux ans, ici même, arrêtent et fusillent de bon cœur, avec la grandiose certitude de servir la gloire du Reich et de son Führer. Ou peut-être pas. Juste un conscrit comme n'importe quel autre, envoyé faire de la figuration forcée dans une guerre pour laquelle il n'avait pas de goût. Ou encore ni l'un ni l'autre. Mais maintenant que cet homme est devenu la victime désignée d'un crime commis en commun et que c'est pour rien qu'on va lui ôter la vie, exerçant sur lui la même sauvagerie arbitraire que celle dont les siens ont fait preuve partout, quoi qu'il ait été, quoi qu'il ait cru et fait, pense-t-elle en dépit d'elle-même, cela n'a plus vraiment d'importance.

Il s'est relevé sur ses jambes chancelantes parce qu'un reste absurde de dignité fait qu'il ne veut pas mourir affalé sur le sol. Il bafouille des mots que les autres devant lui ne comprennent pas. Disant qu'il se rend, qu'il n'est pas armé, cela se voit assez dans l'état où il est, levant les bras, cherchant dans sa tête obscurcie par la peur et la fatigue les quelques phrases de français qu'il sait. Pour ne pas tomber, il tremble tellement, il s'est adossé au cylindre de bois d'un poteau électrique — comme s'il avait pris de lui-même sa place au poteau d'exécution.

Elle le voit depuis la fenêtre d'où elle vient de retirer la vieille bannière tricolore qu'elle tient un peu embarrassée contre elle, toute froissée, comme s'il s'agissait d'un drap à étendre sur un fil après la lessive. Elle se trouve à quelques mètres de lui, de ce visage — dont elle se souvient encore maintenant que soixante ans ont passé. On n'oublie pas le regard de quelqu'un qui va mourir, et qui — les mauvais romans disent vrai — ressemble à l'expression pathétique de la bête chassée qui renonce à se défendre, à s'enfuir et qui n'attend plus qu'une chose : qu'on lui administre proprement le coup de grâce. Un regard de chien, incrédule devant la cruauté du monde et ne parvenant pas, cependant, à renoncer tout à fait à l'espoir de respirer une minute de plus sous le soleil qui brille maintenant assez haut dans le ciel de septembre.

Elle se tient imprudemment dans l'embrasure, à la merci d'une balle perdue, avec son caniche américain qui vient de sauter sur le rebord de la fenêtre ouverte, et qu'elle essaie de calmer puisqu'il aboie un peu hystériquement sans qu'on puisse savoir après qui il en a. Elle se dit qu'elle n'a jamais vu un homme qu'on assassine. Et elle se fait à elle-même la réflexion qu'il est étrange d'avoir attendu jusqu'au dernier jour de sa guerre pour assister à ce spectacle. Elle n'a rencontré aucun cadavre sur la route de l'exode qui la conduisait jusqu'à Nîmes. Elle n'a été témoin d'aucune des exécutions sommaires qui ont eu lieu à Mâcon — et même si elle connaissait certains de ceux qui en furent les victimes, le docteur Léon Israël, le professeur Jean Bouvet, le capitaine André Bouquet. Quant à ceux qui ont été déportés, comment pourrait-elle seulement imaginer l'horreur de ce que fut leur sort ? De la grande bataille qui se livre d'un bout à l'autre du pays, elle n'a devant les yeux que cette seule scène : un homme désarmé sur qui d'autres hommes sont sur le point de faire feu. Et c'est à lui, alors, que va toute sa pitié, irraisonnée et stupidement sentimentale, comme si cet homme-là valait soudain pour tous les autres, morts par millions depuis quatre ans. Se disant qu'en ce jour où la guerre s'achève, s'achève pour elle car pour les autres elle continue encore, il faudrait qu'ils l'épargnent maintenant — quoi qu'il ait fait, quelle que soit l'ignominie dont, par faiblesse ou par conviction, il a été le complice.

Parce que cela se passe juste devant chez lui, le vieux capitaine sort sur le pas de sa porte. Sans doute est-il en chaussons et en chemise. Il n'a même pas pris la peine de passer son veston et sa cravate. Et il n'a pas voulu faire à quiconque l'honneur de sortir du placard son uniforme sur lequel pend la breloque de toutes ses décorations anciennes. D'ailleurs, il a l'air assez martial pour pouvoir se dispenser de son déguisement d'apparat. Sans un regard pour le soldat allemand, il croise la ligne qui passe entre celui-ci et la bouche des fusils pointés par les FFI et dit quelques mots, confiant dans sa vieille faconde éprouvée d'instituteur et d'officier. Causant avec ces jeunes gens qui ont l'âge d'être ses enfants et leur demandant ce qu'ils comptent faire et s'ils pensent que cela a vraiment un sens d'abattre le pauvre type perdu qui, adossé à son poteau, tremble devant eux comme une feuille. Disant qu'ils feraient mieux, les gars, de le laisser déguerpir. Parlementant, l'air de rien, avec tout le sens de la diplomatie et de la dialectique que donnent à un homme de plus de cinquante ans l'art et la pratique de la conversation de comptoir. Jusqu'à ce qu'ils baissent leurs armes, convaincus de n'avoir pas obéi à ce monsieur sorti de sa maison et qu'ils prennent sans doute pour un notable et un planqué mais certains d'avoir eux-mêmes décidé de laisser la vie et la liberté au tout dernier des occupants de la ville, s'attribuant plus tard tout le mérite superbe de leur geste de générosité.

Les maquisards partis, le soldat allemand disparu, le vieux capitaine se dit qu'au fond, en deux guerres mondiales, il n'aura jamais eu affaire qu'à des combattants de son propre camp, que cette fois il n'a même pas eu besoin de sortir son revolver d'ordonnance — comme lorsqu'il lui avait fallu contraindre un médecin militaire à l'accompagner dans le trou d'obus où agonisaient ses hommes ou bien quand il avait dû menacer les déserteurs de l'exode pour les empêcher de poursuivre leurs pillages et leurs exactions. Quelques paroles un peu habiles adressées à de tout petits garçons en armes ont suffi, paroles pour lesquelles personne ne songera à lui donner de nouvelle médaille — et d'ailleurs il n'y a plus de place où on pourrait l'accrocher sur sa poitrine. Et comme il n'est pas trop sûr que les quelques faux papiers qu'il a faits aient effectivement permis à quiconque d'échapper longtemps à la déportation, que les armes qu'il avait enterrées entre ses tulipes et ses géraniums n'ont pas tiré un seul coup de feu, il se dit que, de toute la durée de cette guerre un peu dérisoire qui s'achève, la seule vie qu'il aura véritablement sauvée est sans doute celle de ce fuyard de la Wehrmacht.

La Résistance a investi la ville, tous les partisans désormais sortis des maquis, venus pour certains des monts voisins de l'Ain et du Haut-Jura où la guérilla la plus violente les a opposés durant des mois aux troupes régulières allemandes.

Ceux qui depuis deux ans organisent et animent la lutte clandestine, distribuent des tracts et des journaux, préparent les parachutages dans les plaines de la Bresse, récupèrent et répartissent les armements, sabotent les voies de chemin de fer et s'engagent parfois dans des opérations plus risquées encore, assassinant des membres de la Milice, faisant exploser à Mâcon les locaux de la Ligue française et de la Légion des volontaires français contre le bolchevisme, tendant des embuscades aux soldats ennemis sur les routes de campagne. Ceux qu'on torture, qu'on déporte, qu'on fusille ou qu'on laisse morts dans un fossé, une balle tirée dans la tête. Quelques centaines d'hommes seulement, opposants de la première heure ou le plus souvent ralliés à la Résistance après avoir désespéré de Pétain et de ses mensonges. Ce sont des communistes, parfois des soldats, issus des régiments dissous lors de l'invasion de la zone libre, ou bien des officiers dont le patriotisme les a conduits à ne pas consentir à la défaite dès le moment de l'armistice. Ainsi le capitaine Henri Romans-Petit, un aviateur de la Grande Guerre, qui commande aux maquisards de l'Ain, du côté de la vieille maison du Balmay, dans le Cerdon ou bien entre Nantua et Oyonnax, où il organise en 1943 la plus symbolique et la plus flamboyante des opérations de la Résistance, un exploit bien inutile, à la Cyrano, accompli pour le plaisir assez vain de faire étalage de son panache, s'emparant de la ville dans le seul dessein d'y célébrer devant le monument aux morts la cérémonie du 11 Novembre, au nez et à la barbe, comme on dit, des nazis. Et puis tous les autres, les plus nombreux, si c'est la vérité qu'il faut écrire, devenus des hors-la-loi non pas pour libérer le pays ou protester contre son occupation mais simplement afin d'échapper à la menace que fait alors peser sur tous les jeunes gens le Service du travail obligatoire. Et plutôt que de partir pour l'Allemagne décidant de disparaître dans la nature, allant se cacher dans la forêt, y fabriquant des campements de fortune, se logeant dans des abris de montagne en ruine, s'essayant à survivre comme ils peuvent, en attendant que la guerre veuille bien finir sans eux.

Si aujourd'hui elle se rappelle cette journée-là, celle du 4 septembre 1944, sans doute a-t-elle du mal à ne pas confondre ses souvenirs d'alors avec les images de la Libération, cent fois vues depuis aux actualités ou à la télévision, et qui montrent le même spectacle se répétant dans chaque ville, en Normandie, en Provence et puis à Paris, Marseille, Lyon, enfin jusque dans les plus petites communes de la campagne française : les partisans descendant d'une vieille voiture, type traction avant, sur le toit de laquelle ils ont peint une grande croix de Lorraine, donnant l'assaut aux casernes allemandes, tirant quelques coups de feu sur des silhouettes lointaines, la reddition immédiate, les soldats ennemis qui se constituent prisonniers les mains sur la tête et, tout de suite après, par la grâce d'un montage habile, le héros en chef, de Gaulle, Leclerc ou de Lattre, selon les cas, qui avance, souverain, marchant devant ses hommes, fendant la foule en liesse pour aller prendre possession de l'hôtel de ville ou de n'importe quel autre lieu assez symbolique pour qu'il puisse y affirmer l'autorité rétablie de la République. Avec les plans de coupe qui s'arrêtent sur des visages si bien choisis qu'on les dirait appartenant à un échantillon représentatif établi par un moderne institut de sondage, non pas pour réfléchir la réalité mais pour se conformer à l'idée stéréotypée que s'en font les politologues et les publicitaires. Toutes les générations réunies : depuis le vétéran de la Grande Guerre qui fait prendre l'air à ses décorations jusqu'à l'adorable petite fille en robe du dimanche, retenue sur sa bonne mine, qu'on a chargée de remettre le bouquet de la victoire au Général et dont, avec un peu du mauvais esprit qui n'est certainement pas de mise en la circonstance, on pourrait se demander si ce n'est pas la même, un peu plus petite bien entendu, à qui, deux ans auparavant, on avait confié une mission identique lors de la visite du vieux vainqueur de Verdun. Toutes les classes de la population aussi : des ouvriers avec de bons visages d'ouvriers, des paysans plus vrais que nature avec leurs traits grossiers et leurs faces avinées, des curés en soutane et des instituteurs avec leur blouse, un *casting*, mais le mot n'existait pas, si parfait qu'on le dirait fait pour un film hollywoodien. Avec, par un pédagogique souci du contraste, pour édifier le spectateur, et puisqu'un *happy ending* exige aussi que les méchants soient punis, des traîtres à la figure de traîtres arrêtés par les mêmes maquisards qui viennent de prendre d'assaut la mairie. Et puis : les visages accablés de quelques femmes sur les crânes desquelles la tondeuse est en train de passer, faisant tomber à terre leur chevelure épaisse. Et c'est seulement à la fin du film, comme s'ils arrivaient après la bataille, qu'apparaissent sur leurs blindés les soldats américains, décontractés et souriants, distribuant à la ronde des chewing-gums, des bouteilles de Coca-Cola et des bas Nylon, clignant de l'œil et sifflant à l'adresse des jeunes filles qui se disputent pour grimper sur leurs chars et obtenir d'eux un baiser sur la joue. Comme s'ils revenaient d'un séjour balnéaire sur les plages du débarquement et que, dans cette guerre qu'ils ont pourtant gagnée, ils n'avaient eu en réalité pour mission que d'assurer, après coup, l'intendance des glorieuses forces françaises libérant seules le territoire à bord de leurs tractions avant.

Toutes ces images en noir et blanc, bien sûr. Et même à ceux qui ont vécu ces journées mais sont devenus incapables de s'en souvenir autrement que sous la forme que leur en fournissent désormais les actualités d'autrefois — donnant l'impression que l'événement dont ils ont été les contemporains appartient à un âge presque aussi ancien que celui des fresques de Lascaux, des frises du Parthénon, des bas-reliefs de n'importe quelle cathédrale ou, en tout cas, date d'une époque si lointaine que la couleur n'y existait pas encore, et où les vivants avaient tous l'allure pâle des personnages des gravures, comme celles qu'on trouve par exemple sur les pages jaunies des anciennes éditions de Hugo illustrées par Doré. Non pas des individus de chair et d'os avec du sang rouge susceptible de couler de leurs veines mais des silhouettes en deux dimensions auxquelles seul le contraste artificiel de l'encre confère l'illusion d'une certaine épaisseur. Aussi peu réels ainsi que Jean Valjean, Cosette, Gavroche ou Javert, accomplissant d'ailleurs des gestes vaguement comparables sur des barricades éternelles. Comme eux des marionnettes pathétiques s'agitant sur la scène d'un théâtre. Jouant pareillement dans la même et sempiternelle pièce : une histoire identique, fabriquée par un auteur anonyme à l'imagination débile, tirant sur la ficelle de son inspiration fatiguée, usant sans scrupule des mêmes ressorts pour relancer son intrigue. se reposant sur le régisseur afin que celui-ci dissimule derrière des costumes et des décors nouveaux les deux ou trois situations dramatiques auxquelles se réduisent tous les événements de la vie. Le même feuilleton s'écrivant de livre en livre sous tous les titres que lui trouve la bibliothèque, *Les Misérables*, *Guerre et Paix*, et puis tous les autres, et qui raconte, comme la leur, l'histoire d'amants séparés mais voués à se retrouver enfin, le mélancolique attachement d'un père pour sa fille, la punition atroce du traître et puis le sacrifice splendide de quelques innocents, rachetant tous les autres de leur sang versé. Ainsi : le vieux et long roman se déroulant depuis l'origine et passant pour la réalité puisqu'il est le seul à savoir la raconter.

Avec ces ombres déjà, vouées à leur destin d'ombres puisque, depuis toujours, elles en avaient l'apparence livide, exsangues et prodigieusement pâles, faisant de la figuration dans un vieux film, semblables à des spectres convoqués par anticipation pour jouer leur rôle au moment arrêté du Grand Jugement dernier de l'Histoire. Des gens d'avant, la seule frontière à l'intérieur du temps étant devenue celle qui sépare ces deux époques, aussi clairement que la ligne qui passe entre le monde des vivants et celui des morts : l'autrefois du noir et blanc et le présent de la couleur. Deux univers totalement étrangers l'un à l'autre et à l'intérieur desquels règne le même air de famille. Si bien qu'un individu photographié en noir et blanc à la date du 4 septembre 1944 paraît le contemporain d'un autre semblablement photographié par Daguerre ou par Nadar un siècle auparavant tandis qu'il semble impossible qu'il puisse avoir vécu en même temps que ceux qui viendront quelques années seulement après, et au nombre desquels il figure pourtant, avec leurs vrais visages de vivants en couleurs.

Et elle, aujourd'hui, fatiguée de tous ces documentaires et de toutes ces fictions, recyclant sans fin les mêmes images. Disant devant son écran : « Ce n'était pas du tout comme ça. »

Connaissant l'histoire par cœur maintenant que cela fait soixante ans qu'on la lui raconte. Changeant de chaîne. Préférant regarder le plus stupide feuilleton télévisé car le trouvant finalement moins mensonger que toutes les archives trafiquées qui passent pour la vérité. Agacée à l'idée qu'on puisse s'imaginer que la réalité d'alors ressemblait, même vaguement, au spectacle permanent qu'on en donne depuis. Se rappelant malgré tout que, quand elle avait vingt ans, l'herbe était déjà verte, la mer grise et le ciel bleu, se souvenant de la couleur des robes qu'elle portait, des teintes exactes des fleurs poussant dans le jardin de son père, de la formidable lumière qu'elle tentait de peindre au cours de l'été 1940, assise avec ses aquarelles, ses pinceaux, à Nîmes, auprès de la tour Magne. Se souvenant bien que ce fut sous le bleu du ciel, sur le vert de l'herbe ou le gris de la mer qu'en ces journées de la Libération, dont ne restent plus que des gravures édifiantes, périrent par dizaines de milliers des jeunes gens aux visages de vivants.

Mais, bien sûr, se rappelant aussi quelle journée de joie fut ce 4 septembre 1944 avec lequel sa guerre s'achève et dont même la longue falsification de la mémoire collective n'arrive pas tout à fait à lui arracher le souvenir. Au fond, de toute sa vie, c'est le seul miracle auquel elle ait assisté : un événement impossible dont l'évidence soudaine et incalculable suscite irrésistiblement, et en même temps, le rire et les larmes, avec ce sentiment très étrange et unique d'une effusion collective aux effets contagieux. Quelque chose comme une fête où chacun célébrerait avec tous les autres le prodige impensable d'être encore en vie. Tout comme les rescapés d'une catastrophe réalisant subitement qu'ils viennent d'échapper au péril auquel ils étaient convaincus de succomber.

Les cloches des églises se sont mises à sonner maintenant et les rues se remplissent des gens sortis de leurs maisons, des partisans — en nombre inattendu — descendus des monts de leur maquis, reprenant possession d'une ville où, en un instant, les forces ennemies semblent n'avoir jamais eu davantage d'existence que des fantômes lorsque ceux-ci se sont évanouis sous la lumière du matin. Avec l'énergie longtemps réprimée qui éclate au hasard et presque indifféremment en manifestations incontrôlables d'affection ou de haine. Un milicien — qui, sans doute, comptait au nombre des assassins du professeur Bouvet et du docteur Israël — est lynché par la foule. Les résistants arrêtent et enferment dans les locaux de la vieille caserne Joubert une trentaine de civils compromis dans la collaboration. Et surtout, comme si la cité comptait accomplir ainsi un rite barbare de purification, commence, sous les rires et les insultes, le spectacle amer de la tonte à laquelle sont livrées les femmes : les pensionnaires de l'Hôtel Terminus, les maîtresses en titre des officiers nazis, les épouses qui ont été infidèles à leurs maris prisonniers en Allemagne, et puis quelques autres encore dont personne ne saurait dire vraiment de quoi elles sont coupables.

Elle a ressorti son drapeau tricolore et l'a étendu à la fenêtre devant laquelle ce sont les troupes américaines qui passent. Les principales maisons de la ville sont réquisitionnées pour loger les officiers. Chez eux, à La Coupée, ils reçoivent ainsi un médecin et un pharmacien de l'US Army qui profitent du répit que leur donne l'avancée des forces alliées pour prendre quelques jours de vacances dans le Mâconnais, visitant la campagne environnante dans leur Jeep, guidés par le vieux capitaine qui s'offre un tour à bord de ce tout nouveau véhicule qui l'épate — et saisit l'occasion pour faire faire à ses hôtes la tournée des caves et des vignobles du Beaujolais. Elle, elle scrute tous les visages avec l'espoir un peu idiot de retrouver le sien parmi ces jeunes soldats, ignorant totalement ce qu'il est devenu, se disant pourtant qu'il est forcément parmi eux, entretenant le rêve romantique qu'il a dû s'enrôler en Algérie et que, avec le secours de la Providence, il n'est pas impossible qu'il ait été affecté justement dans l'un des régiments qui viennent de libérer leur ville natale, qu'il va venir frapper à la porte, en uniforme, que tout se passera comme au cinéma, lorsque le film est sur le point de se terminer, se disant que puisque la guerre, « sa » guerre, est finie, il est normal qu'ils soient aussitôt réunis, échangeant leur premier baiser depuis deux ans au milieu d'une foule où tout le monde s'embrasse, où les cloches des églises sonnent comme si le pays célébrait leur mariage longtemps différé en même temps que sa libération. Ne pouvant alors seulement imaginer que leurs retrouvailles vont encore tarder plus d'un an.

Les dernières vraies nouvelles qu'elle a reçues de lui datent de la fin 1942 ou du début 1943. Le jour de son vingtième anniversaire, la poste lui a apporté le cadeau de son fiancé, envoyé depuis Alger : une belle édition illustrée du *Tristan et Iseut* dans la version de Bédier, qu'elle a aussitôt recouvert d'un beau papier brun et sur la page de titre de laquelle il a écrit quelques lignes qu'elle ne cessera de relire et dans lesquelles il évoque l'histoire de leur rencontre, comparant l'eau qu'ils ont bue ensemble à la fontaine d'un village inconnu, fuyant sur les routes de l'exode, au philtre fée qui unit pour toujours les amants de la vieille légende, exprimant son désir de la retrouver prochainement et de partager avec elle tout le temps à venir de leur vie. Et quand le paquet lui parvient, elle apprend juste la nouvelle du débarquement allié en Algérie, avant que ne survienne deux jours plus tard l'invasion de la zone sud par les troupes allemandes, faisant tomber dès lors un rideau invisible mais presque infranchissable entre eux. Par la Croix-Rouge, et grâce à la mère de l'un de ses amis, il a pu lui faire passer encore un mot cependant, malgré l'interruption de toutes les relations entre la France, désormais entièrement occupée par les Allemands, et l'Afrique du Nord, libérée par les Alliés. Il lui disait qu'il partait pour sa préparation militaire dans les chantiers de jeunesse de la Chiffa. Et depuis, il n'y a eu qu'un seul signe, l'un de ces innombrables messages personnels diffusés par la radio et presque inaudibles en raison du brouillage, qu'elle n'a d'ailleurs pas entendu elle-même mais qu'un voisin lui a rapporté, tous les noms de famille omis par souci de sécurité mais les autres informations suffisamment précises pour qu'il n'y ait aucune incertitude concernant l'identité : Jean, de Mâcon, annonçant à Yvonne sa fiancée, à sa mère Isabelle, à son frère Paul, qu'il était en bonne santé et qu'il allait bien. Une sorte de moderne bouteille à la mer, flottant sur les ondes de la radiodiffusion et parvenant miraculeusement à destination. Sans que celui qui l'a envoyée ait aucun moyen de savoir si c'est ou non le cas.

Car lui est dans une ignorance aussi totale de ce qu'elle, elle devient. Réduit à supposer quel sort est le sien à partir des rares nouvelles que la radio et les journaux américains fournissent concernant la situation en France sous l'Occupation et puis les progrès des troupes libérant le pays, suivant avec une attention particulière les opérations du débarquement en Provence et puis l'avancée des blindés de De Lattre. Apprenant certainement ainsi l'entrée des forces alliées à Mâcon, le 4 septembre 1944, donc, alors qu'il est en train de terminer sa formation d'instructeur à Craig Field. Et quelques jours plus tard, on lui confie ses premiers élèves, des Français de son âge, issus des sélections à Tuscaloosa et auxquels il doit faire découvrir les rudiments du pilotage, les emmenant pour un premier vol à bord du vieil AT-6 dont il occupe désormais la place arrière, celle du moniteur. Eux, les anciens du 6e détachement prenant en charge les nouveaux du 9e, parmi lesquels un certain Jean-Jacques Servan-Schreiber, et puis les suivants encore puisque le 21 novembre une nouvelle promotion de cadets arrive sur la base, avec laquelle il faut tout reprendre depuis le début tandis qu'en France la guerre n'est pas tout à fait finie et qu'on se bat encore du côté de Mulhouse et de Strasbourg.

Sans doute, et malgré son désir que la victoire vienne le plus vite possible, n'a-t-il pas tout à fait renoncé à l'espoir de pouvoir rejoindre une unité combattante. Car, en janvier 1945, quand il est enfin déchargé de son affectation d'aviateur enseignant, la guerre n'est toujours pas gagnée et prend même un tour inquiétant avec la contre-offensive dans les Ardennes qui met à nouveau Strasbourg à la merci des blindés allemands. Ainsi, retenu en Alabama pour y remplir sa mission d'instructeur, il ne quitte Craig Field que six mois après y avoir été breveté, envoyé enfin à l'autre bout des États-Unis afin d'y mener à son terme sa formation de pilote de chasse. Il part pour le Michigan, dans la région des Grands Lacs, près de Detroit, où Oscoda et Selfridge Field accueillent les pilotes de la chasse et des bombardiers pour les soumettre aux tout derniers exercices destinés à leur donner l'expérience nécessaire en vue d'affronter dans les moins mauvaises conditions l'épreuve réelle du combat aérien. Oscoda, en hiver, ressemble à une sorte de camp de trappeurs, perdu dans la forêt, avec des baraques en bois sous la neige. Selfridge est une base beaucoup plus moderne, bien que l'une des plus anciennes de l'armée de l'air américaine, fondée en 1917, baptisée du nom du lieutenant Thomas Selfridge, la première victime militaire du pays, mort en septembre 1908, lors d'un accident à bord d'une des antiquités issues de l'atelier des frères Wright.

C'est là qu'on les « transforme » sur P-40 Tomahawk puis sur P-47 Thunderbolt, leur confiant enfin les commandes de ce dernier appareil, non plus un engin d'écolier mais un vrai chasseur, celui-là même qui combat alors un peu partout dans le monde et que les pilotes ont surnommé *the Jug* — sans que personne ne puisse dire s'il s'agit d'une allusion à sa forme ronde de cruche ou bien de l'abréviation du mot « juggernaut » emprunté à la mythologie indienne où Jagannâtha, Seigneur de l'Univers, est l'un des sobriquets de Krishna, le fléau à la force irrésistible. Les Français, eux, l'appellent plus trivialement « le tonneau », impressionnés par sa grande taille et son allure massive qui le distinguent des graciles Spitfire ou des Stuka aux airs d'échassier : une sorte de taureau volant fait pour les cow-boys et le rodéo, à l'encolure si large que le capot moteur masque au sol toute visibilité et qu'une fois lancé rien ne paraît pouvoir l'arrêter, un vrai bulldozer qui, en cas d'atterrissage forcé, passe intact à travers à peu près tous les obstacles. Il est sorti des usines de la Seversky Aircraft Corporation pour équiper, à partir de 1942, les escadrilles de l'Army Air Force : une masse de sept tonnes tirée par un moteur de deux mille trois cents chevaux, avec huit mitrailleuses Browning et la faculté d'embarquer un gros arsenal de bombes et de roquettes.

Et il faut au moins dix semaines pour apprendre à maîtriser une telle bête, refaisant à son bord tous les exercices déjà exécutés sur d'autres avions mais auxquels la puissance du Thunderbolt donne une dimension tout à coup nouvelle, rendant chaque fausse manœuvre encore plus périlleuse : les vols en patrouille à quelques mètres au-dessus des eaux du lac Michigan et les expéditions en haute altitude, là où sévit le froid le plus intense, la voltige, les tirs sur cibles remorquées, l'entraînement au bombardement en piqué et puis les combats simulés où les chasseurs s'affrontent ou attaquent les formations de B-29 que pilotent leurs camarades bombardiers, les mitrailleuses remplacées par des caméras qui permettent de garder une trace des manœuvres effectuées dans le ciel et, une fois rentré à la base, de compter les points pour désigner, à l'issue de la partie, les gagnants et les perdants.

On le déclare enfin opérationnel — puisqu'une fois de plus il a passé avec succès toutes les épreuves de sélection. Il en a la confirmation officielle dans les derniers jours d'avril 1945 — c'est-à-dire au moment où tombe la capitale allemande et où s'effondre le IIIe Reich. Peut-être la chance ou la malchance qui l'accompagnent ironiquement depuis le tout début de la guerre font-elles qu'il reçoit sa qualification définitive sur P-47 Thunderbolt le jour même où la nouvelle parvient aux États-Unis de la mort de Hitler, suicidé le

30 avril dans son bunker de Berlin, ou bien un tout petit peu plus tard lorsque, le 8 mai, l'armistice entre en vigueur sur le front de l'Ouest.

Si forte que soit sa frustration, il se dit avec soulagement que c'est « sa » guerre à lui qui s'achève alors, qu'il est heureux que le carnage s'arrête, que la victoire soit du bon côté. Passant en revue dans sa tête tous les épisodes de cette histoire maintenant qu'elle est finie, se racontant cela avec des mots forcément un peu abstraits car quels que soient le courage dont il a fait preuve, les risques qu'il a pris et auxquels des dizaines de ses camarades n'ont pas survécu, de la guerre, il n'a jamais été que le spectateur un peu lointain, n'en sachant presque rien, n'ayant pas eu l'autorisation de devancer l'appel au moment de la débâcle, son seul fait d'armes d'alors consistant à avoir su convoyer deux dames et deux demoiselles, sans compter le chien et les chats, sur les routes de l'exode, reconduisant dans son garage, le réservoir vide mais sans une éraflure, la vieille Peugeot qu'on lui avait confiée. Éloigné ensuite de son pays par une mer, la Méditerranée, puis un océan, l'Atlantique. S'étant porté plusieurs fois volontaire pour combattre comme simple soldat, puis comme parachutiste et enfin comme pilote de chasse si bien que, sans qu'il y soit pour rien, seules les circonstances l'avaient tenu à l'écart de l'affrontement auquel sincèrement il avait voulu prendre part. Exposant sa vie, sans doute, mais n'ayant jamais fait l'expérience de ce moment très étrange où il s'agit de se jeter dans le feu de l'incendie qui fait rage autour de soi et où c'est la vie d'un autre qu'il faut prendre pour préserver la sienne. Épargné même par le dilemme qu'il aurait certainement connu s'il avait vécu dans la France occupée et qu'il lui avait fallu choisir entre ses convictions anciennes, sa fidélité au vieux vainqueur de Verdun, et la certitude inverse, qu'il éprouvait également, de devoir s'engager au service des valeurs de la démocratie et de la patrie que lui avaient enseignées les manuels scolaires de son enfance, quitte à prêter allégeance à la croix de Lorraine du général félon. De telle sorte que personne, et pas même lui à la fin de sa vie, n'aurait pu dire si, restant en France, il aurait rejoint les rangs de la Résistance ou ceux de la Milice.

N'ayant rien vu. Rien du déferlement des divisions allemandes détruisant tout sur leur passage du côté d'Arras, de Dunkerque ou d'Angers. Rien non plus des kilomètres de sable conquis pas à pas sous le feu des forteresses inexpugnables sur les plages du débarquement. Sans même évoquer l'horreur sans nom que découvrirent, à l'époque où il achevait son entraînement dans une base du Michigan, les soldats russes ou américains ouvrant les portes des camps d'extermination de Dachau, d'Auschwitz, de Buchenwald, pour découvrir incrédules les amoncellements de cadavres et les survivants aux allures de spectres. Ignorant tout cela. N'ayant pas connu, comme elle, l'humiliation quotidienne de devoir vivre sous une loi inique et étrangère.

Et finalement, il est heureux, certainement, que la guerre ait été gagnée — et même si elle l'a été sans lui. D'autant plus pressé de retrouver la France qu'il sait maintenant qu'elle l'attend là-bas, que deux ans d'absence n'ont rien changé, elle le lui a écrit, à la promesse qu'ils s'étaient faite l'un à l'autre ce jour, le 12 juillet 1942, de leurs fiançailles. Le courrier acheminé à nouveau entre la France et les États-Unis dès les premières semaines qui ont suivi la libération du pays, lui apprenant que miraculeusement ils sont sains et saufs, elle et sa famille, sa mère, son frère, tous passés au travers de la guerre.

Du jour au lendemain, tout s'arrête pour les pilotes français en formation dont l'entraînement intensif et accéléré semble maintenant sans objet et qui n'ont désormais plus qu'une chose en tête : être démobilisés et rapatriés au plus vite. Mais comme cette priorité n'est pas celle de l'état-major américain qui doit organiser le retour à la paix en Europe et gérer l'énorme et chaotique situation qui s'ensuit de l'autre côté de l'Atlantique, on les oublie un peu, les laissant désœuvrés sur leurs bases de l'Alabama ou du Michigan, dans l'attente de l'ordre de mission qui leur permettra d'embarquer à bord des bateaux en partance vers le Vieux Continent.

Les uns après les autres, on les autorise à rentrer chez eux. Sauf quelques-uns. Dont lui. Une partie du contingent des pilotes français retenue pour servir encore dans les rangs de l'Army Air Force : les plus malchanceux si le choix fut fait au hasard, les moins débrouillards si l'autorisation dépendait des démarches faites auprès de la hiérarchie administrative et militaire, ou peut-être ceux qui passaient pour les meilleurs aviateurs aux yeux de leurs supérieurs — et, sans doute, sorti major de sa promotion, il était de ceux-là. Car, contrairement à ce qu'ils voulaient croire, la guerre a beau être finie en Europe, elle continue du côté du Pacifique. Au printemps 1945, tandis qu'il exécute les derniers exercices à bord de son Thunderbolt, les forces américaines prennent d'assaut Iwo Jima. Lorsque, le 21 juin, la nouvelle arrive de la reddition d'Okinawa et qu'il devient de plus en plus évident que la prochaine grande opération consistera en l'invasion du Japon, tandis que la plupart de ses camarades sont déjà de retour dans leurs familles, lui, il attend l'affectation très probable qui l'enverra servir dans une escadrille chargée de l'appui au sol des troupes du prochain débarquement sur les plages de Kyushu ou de Honshu.

Et, si c'est la vérité qu'il faut dire, si peu glorieuse qu'elle soit, la perspective d'aller combattre dans le Pacifique ne paraît réjouir aucun des jeunes pilotes français auxquels l'autorisation de rentrer chez eux est refusée — ou disons : n'est provisoirement pas accordée. Sans qu'ils aient, bien entendu, quoi que ce soit à objecter à l'ordre qui va leur être donné. Depuis un an et parfois davantage encore, ils ont tout fait pour obtenir le droit de devenir des pilotes au sein de l'une ou l'autre des escadrilles alliées combattant dans le ciel : quittant leur pays, hors-la-loi, traversant littéralement des montagnes, les Pyrénées, des mers, la Manche ou la Méditerranée, un océan, l'Atlantique, afin d'intégrer l'aviation américaine, subissant l'entraînement le plus éprouvant, se livrant aux exercices les plus dangereux pour faire la preuve de leurs aptitudes, obtenant enfin, du moins pour une minorité d'entre eux, leur qualification. Et lorsque leur rêve est sur le point d'être réalisé, s'ils doivent se l'avouer, ils ne sont plus trop sûrs de vouloir encore de cette guerre qu'ils croyaient terminée. Sachant bien qu'ils ont tort et que, s'il est juste qu'un pilote américain trouve la mort dans le ciel de Normandie, de Provence ou d'Allemagne, il n'est pas moins juste qu'un pilote français connaisse un sort semblable du côté des îles du Pacifique ou à proximité des rivages du Japon. N'oubliant pas qu'ils ont contracté une dette à l'égard des États-Unis, de la valeur symbolique du dollar signé qui ne quitte plus leur portefeuille, et que la seule manière de l'acquitter consiste à aller combattre à leur tour et à faire en sorte que la guerre finisse pour de bon.

Ils ont conscience de tout cela. Mais la fatigue qu'ils éprouvent après leur longue formation, la frustration qu'ils ressentent de n'avoir pas pu partir à temps pour le front européen font qu'ils voudraient maintenant pouvoir aussitôt tourner la page, passer à autre chose, se refaire une idée d'un pays en paix, d'une vie sans uniforme. Et puis, ils ont le sentiment que cette guerre qui se déroule en Asie n'est pas la leur, qu'elle se livre contre des ennemis trop différents de ceux qu'ils se préparaient à affronter, s'imaginant les pilotes allemands comme les aristocratiques héritiers des as de la Grande Guerre, ne sachant rien de la réalité du nazisme dont ils n'ont eu le plus souvent aucune expérience directe mais voyant les aviateurs japonais comme des fanatiques et des fous, inouïs de cruauté, monstrueux de barbarie — puisque c'est ainsi que la propagande américaine les a présentés à l'opinion, ranimant dans leur esprit toutes les vieilles frayeurs racistes dans lesquelles l'idéologie coloniale les a fait grandir. Alors, franchement, cette folie-là, ils se dispenseraient volontiers de voir à quoi elle ressemble de plus près.

Car, de la guerre dans le Pacifique, ils ne savent que ce qu'en rapportent les actualités américaines et qui suffit à les dissuader d'en apprendre davantage : les îlots perdus dans l'océan qu'une poignée de soldats, terrés dans des grottes, défend jusqu'à la mort sous le bombardement des mortiers et le feu du napalm, où les populations civiles préfèrent se suicider en masse quand elles tombent enfin aux mains des marines américains, les pilotes précipitant volontairement leurs appareils sur les porte-avions de l'US Navy. Ayant peur, oui, s'il faut employer ce mot, non pas de mourir car à cela ils se sont préparés depuis longtemps mais de périr dans des conditions aussi atroces et absurdes, à l'issue d'un duel aérien livré en dépit de toutes les règles de l'art telles qu'ils ont passé des mois à les apprendre, dérogeant à l'idée même qu'ils se font du combat dans le ciel.

Dès octobre 1944 se constituent les premières unités-suicides de l'aviation japonaise, les kamikazes, baptisés d'après le nom donné au « vent divin » qui, en 1274, anéantit la flotte mongole sur le point d'envahir le Japon, des commandos composés de tout jeunes pilotes, le plus souvent des étudiants, hâtivement formés, n'ayant pas eu besoin d'en passer par le long *training* imposé par l'Army Air Force puisque leur seule consigne consiste à abattre leur appareil, des Mitsubishi Zero, sur la première cible venue, selon une stratégie assez efficace puisqu'elle envoya par le fond des dizaines de navires américains. Des jeunes gens de son âge, dont tous n'étaient pas des fous ou des fanatiques mais qui se trouvaient parfois obligés à ce geste dont ils percevaient bien, sans doute, le caractère inhumain et pathétique.

Bien plus tard, en 1974, il a fait la connaissance de l'un d'eux, un certain Ryuji Nagatsuka, auteur d'un témoignage à succès, *J'étais un kamikaze*, à la traduction française préfacée par Pierre Clostermann, et qui se rendait à Paris pour en faire la promotion, passager dans le long-courrier qu'il pilotait. Demandant à visiter le commandant du vol d'Air France, dans la cabine du Jumbo Jet qui venait de décoller de Narita, et lui dédicaçant l'édition toute fraîche de son livre. Les deux hommes parlant un instant ensemble. Ayant tous deux dépassé depuis peu la cinquantaine. Sympathisant en évoquant leurs souvenirs. Deux anciens pilotes ayant pareillement survécu à la guerre où, comme beaucoup de leurs camarades, ils auraient dû mourir — et simplement parce qu'ils avaient eu la chance scandaleuse que l'armistice vienne juste à temps et que la grande bataille pour l'invasion du Japon — à laquelle ils auraient tous deux participé — n'ait jamais lieu.

Car, dans les derniers jours de juillet 1945, il est dans une disposition d'esprit tout à fait comparable à celle des derniers kamikazes. Attendant son affectation dans l'une ou l'autre des escadrilles prévues pour accompagner les opérations du débarquement américain sur l'archipel du Japon. Et, comme les jeunes pilotes japonais, persuadé d'avoir été désigné pour une opération-suicide, au fond, tout à fait réticent à l'idée de perdre la vie mais ne voyant pas pourquoi ni comment il se soustrairait à l'ordre qu'il s'apprête à recevoir. Convaincu que l'invasion du pays va se solder par un immense et écœurant bain de sang, pire encore que celui dont la Normandie a été le théâtre, les derniers appareils de la chasse japonaise surclassés par les Thunderbolt, les Corsair, les Mustang de l'Army Air Force mais fonçant de plein fouet à leur rencontre, les percutant pour rien dans le ciel, chaque pouce du territoire défendu jusqu'au bout par une population unanime, prête à mourir par fidélité à l'Empereur, et si la défaite est inévitable, disposée à s'ouvrir le ventre, à se jeter du haut des falaises, à se laisser brûler vive en guise de protestation solennelle. Ne sachant rien de la situation politique et militaire véritable, ignorant que le Japon est à bout de forces, que ses habitants sont aussi fatigués de la guerre qu'il l'est lui-même et qu'ils attendent qu'on leur procure le plus petit prétexte pour déposer les armes, que la diplomatie nippone est en train de multiplier les démarches afin qu'on lui consente la grâce de capituler dans les formes. Et que ce sont les conseillers du président Truman, contre l'avis des principaux membres de l'état-major américain, Eisenhower, MacArthur et la plupart des autres, qui sont avides de faire l'essai de l'arme nucléaire dont ils disposent depuis peu et dont ils se disent que le Japon défait leur fournira le plus approprié des champs d'expérimentation.

Désœuvré, sur la base où il guette l'arrivée de sa feuille de route, certainement a-t-il le sentiment d'être un homme en sursis. Ignorant bien entendu le détail des délibérations à la Maison Blanche, que l'opération Downfall prévoyant le débarquement des forces américaines sur l'île de Kyushu a en fait été repoussée à l'automne puis suspendue puisque la décision vient d'être prise de procéder au bombardement atomique. S'imaginant donc que l'invasion du Japon est imminente. Et sentimental comme il l'est, une idée lui vient. Il pense que s'il doit mourir sans la revoir, au moins il veut jouir encore de quelques jours, ceux de la permission exceptionnelle à laquelle il aura droit, au cours desquels se dire que, malgré tout, en dépit de la guerre qui les sépare, il aura été marié à elle et même si c'est pour la laisser veuve à vingt-deux ans, accomplissant toutes les démarches pour que la cérémonie puisse avoir lieu malgré les milliers de kilomètres qui les séparent. Et elle, même si l'idée lui paraît un peu étrange, elle accepte cette proposition d'épousailles singulière. C'est ainsi qu'ils se marient le 5 août 1945, chacun de son côté. Lui, dans la chapelle de la base aérienne de Selfridge où officie le père Goube. Elle, à Mâcon, devant un maire incrédule face à une procédure dont il ne savait pas l'existence et qui lui confie, sur le ton de la plaisanterie un peu leste, qu'il lui est souvent arrivé de marier trois personnes, lorsque la fiancée attend déjà un heureux événement, mais une seule, non, il n'a jamais vu cela.

Ils passent alors la nuit de noces la plus chaste qui soit, séparés l'un de l'autre par un océan plus infranchissable que l'épée dont parle le livre qu'il lui a offert naguère en guise de cadeau d'anniversaire, celle que Tristan allonge sur le lit de feuilles qu'il partage avec Iseut. Avec le décalage, lorsque au soir elle rejoint toute seule sa chambre après la petite fête intime qu'ont organisée à Mâcon les deux familles et où son beau-frère Paul a, par procuration, échangé avec elle le consentement rituel, lui, sur son fuseau horaire de l'autre bout du monde qui marque le milieu d'après-midi, se prépare à dire « oui », entouré de quelques camarades de son détachement. Tandis que, un peu plus loin encore vers l'ouest, d'autres pilotes de l'Army Air Force accomplissent, dans le plus grand secret, la mission qui leur a été confiée du côté du Japon, leur formation de trois bombardiers s'approchant de l'une des villes les plus méridionales du pays, larguant sur elle, alors que commence juste le jour suivant, la bombe unique, libérant la puissance insensée d'un explosif inconnu qui, en un seul éclair, foudroie cent mille victimes sans doute, rase tout sur le sol et fait se former dans le ciel le plus immense nuage du siècle, énorme bulle de gaz incandescent, grosse comme un ballon de quatre cents mètres de diamètre, épanouissant son panache dans l'air et retombant sur la terre en une lourde poussière de pluie noire. Car c'est au même moment que se lève au Japon le soleil du lendemain, le terrible soleil du 6 août 1945, dont l'aube bénit, sans qu'ils le sachent, leur union, dévastant Hiroshima, en attendant Nagasaki, et mettant son vrai point final à la guerre, accomplissant son horreur et peut-être, après tout, lui sauvant la vie — et du même coup rendant celle de mes frères et sœurs, la mienne aussi, possible.

« Quelque vague apothéose d'humanité entrevue un instant dans la lueur éclatante d'un coup de tonnerre et disparue pour toujours », écrit Faulkner, parlant des pilotes, avec cette formidable emphase que seul un romancier de sa race peut se permettre, l'imposteur en uniforme d'officier et à la démarche faussement claudicante, qui, de la guerre, en a su encore moins que lui, également séparé d'elle par l'Atlantique mais pas même autorisé à prendre une seule fois les commandes d'un avion de chasse, inventant l'épopée dont il avait été tenu éloigné et posant majestueusement le point d'encre avec lequel, dit-il, elle s'achève, ajoutant simplement en guise d'épitaphe : « Car ils sont morts, tous les anciens pilotes, morts le 11 novembre 1918. »

Se trompant. Et pas seulement sur la date. Comme s'il suffisait de rectifier celle-ci, de lui substituer celle du 8 mai ou du 6 août 1945, afin de dire vrai et d'actualiser la chronique. Une telle correction ne changeant rien à l'essentiel puisque la mort d'un pilote n'a rien à voir avec l'image que s'en fait, depuis le sol, un poète — fût-il le plus génial — qui adresse un adieu assez mélodramatique à l'époque prétendument héroïque des chevaliers s'affrontant dans le ciel à bord de leurs biplans de toile comme s'ils livraient, pour la gloire, un assez vain tournoi. Confondant dans ce même adieu, sous prétexte de chanter la romance fausse d'un âge révolu, ceux qui, effectivement, moururent et les autres, ceux qui survécurent et qui, pour la guerre qu'ils avaient faite, éprouvèrent sans doute beaucoup moins de nostalgie que lui, qui s'était contenté d'en rêver le songe envieux. Considérant, eux, que la chance qu'ils avaient eue et qui les avait laissés en vie les obligeait précisément à faire comme si l'histoire ne s'était pas finie et qu'ils avaient été chargés de la perpétuer.

Des pilotes morts, vraiment morts, concrètement morts, il faudrait demander aux historiens qui font leurs comptes combien il y en eut au cours des cinq ans que dura la Seconde Guerre mondiale. Parmi les Français d'Amérique, on en dénombre environ quatre-vingts dont la plupart perdirent la vie à l'occasion d'un exercice d'entraînement et dont, bientôt, il ne restera plus personne pour se souvenir. Ainsi, j'écris ces deux noms après Jacques Noetinger qui les rappelle pour avoir été le témoin de leur disparition, Marcel Oulès, décédé le 26 mars 1945, au cours d'une opération de bombardement en piqué, près de Selfridge, à bord de son Thunderbolt, mort pour avoir « trop serré sa ressource ». Cela signifie, je crois, en langage de pilote : pour avoir perdu conscience, le « voile noir » descendant sur lui après qu'il a redressé avec trop de violence la course de son appareil précipité sur sa cible au sortir d'un quart de looping, son avion laissé alors à lui-même, soudainement sans pilote, disparu et manquant à la patrouille lorsqu'en altitude s'en reforme la file indienne, invisible quelle que soit la direction vers laquelle on le cherche, silencieux à tous les appels radio, perdu dans le nulle part du paysage d'où finit par monter la fumée qui tourne depuis le brasier où se consument les débris calcinés de son P-47. Ou encore Serge Lazarevitch, mort la même semaine et alors qu'il accomplissait son ultime vol d'entraînement avant la qualification, échouant à sortir d'une vrille et percutant la terre.

Et puis, parmi eux, il y en eut aussi dont l'engagement précoce et la formation accélérée firent qu'ils furent envoyés assez tôt sur le front pour y trouver la mort. Ainsi Charles Baills, né la même année que lui, engagé volontaire en 1941, rejoignant aussitôt Oran, partant ainsi plus tôt que lui pour l'Amérique, incorporé dans le tout premier détachement des CFPNA et, dès l'été 1944, sa formation accomplie, envoyé en Corse pour y rejoindre une unité de combat, participant à des opérations au-dessus du Vercors et en appui du débarquement de Provence. Jusqu'à ce que le 26 août il disparaisse alors que les Thunderbolt des groupes Navarre, Lafayette et Dauphiné traquaient la retraite des divisions allemandes fuyant l'avancée alliée en remontant vers le nord les routes de la vallée du Rhône.

Et parmi les noms de ces pilotes français d'Amérique morts aux derniers mois de la guerre, il faudrait compter aussi celui du plus légendaire d'entre eux : Saint-Ex, ce nom avec ces deux syllabes aux sonorités de silex, certainement à ses yeux le premier, le seul écrivain de son siècle, m'offrant pour un Noël ses œuvres complètes, mon premier Pléiade dans la vieille édition en un seul tome, l'admirant non pas pour ses livres, dont je ne suis pas certain, au fond, qu'il les ait jamais lus, mais pour ce qu'il représentait, consterné ainsi, comme on l'est devant la bêtise et l'arrogance, de découvrir dans la grande encyclopédie Bordas, à laquelle il avait souscrit comme le font les gens qui ne lisent pas mais que rassurent les collections de référence rangées dans leur bibliothèque, les quelques lignes que l'auteur, un certain Roger Caratini, après avoir exalté pendant des pages et des pages le génie d'écrivains, Joyce, Proust ou Faulkner, dont le nom ne lui disait rien, consacrait à l'auteur de *Vol de nuit*, et dont il ressortait qu'il s'agissait d'un romancier à la réputation très surfaite dont les récits illustraient une conception désuète et indigente de la littérature, à peine bonne pour les patronages et les camps de boy-scouts.

Lui, Saint-Ex, « *a man after his heart* », comme on dit en anglais : un pilote de ligne égaré dans une guerre qu'il avait faite sans la vouloir ni l'aimer, restant fidèle au vieux rêve déjà démodé selon lequel un avion ne devrait servir que pour le courrier et puis pour les passagers. Un homme dont les convictions avaient été assez semblables aux siennes, mais je ne suis pas certain qu'il l'ait su plus tard autrement que par intuition car tous les livres sur l'histoire de l'aviation dont il faisait l'acquisition, il ne les lisait pas davantage que les autres volumes de sa bibliothèque. Prisonnier des mêmes scrupules, hésitant entre les mêmes croyances. Assez célèbre au titre de propagandiste de l'Aéropostale et d'écrivain à succès pour avoir été courtisé par tous les camps : refusant sa nomination au Conseil national de Vichy et sanctionné aussitôt par l'interdiction dont fut frappé son *Pilote de guerre*, approché par les Français de Londres et refusant de se rallier à eux, passant dès lors pour un gaulliste auprès des pétainistes et pour un pétainiste auprès des gaullistes. D'abord favorable à l'armistice qu'il prenait pour un moindre mal mais aussitôt hostile à l'esprit de la Révolution nationale, à son antisémitisme, dédiant plus tard *Le Petit Prince* à son ami juif, Léon Werth, et très tôt convaincu de la nécessité de reprendre le combat mais de le faire aux côtés des Américains.

Le 31 décembre 1940, il arrive à New York, bien décidé à tout mettre en œuvre pour que sa notoriété naissante parvienne à convaincre l'opinion américaine de la justesse de sa cause. Assez crédible dans ce rôle pour que les services secrets de Roosevelt — avec une naïveté au moins égale à la sienne — s'imaginent un moment faire de lui, à la place de De Gaulle, le porte-parole de la France libre avant de réaliser assez vite qu'il n'y a aucune chance de transformer un pilote et un écrivain tel que lui en politicien et en chef de guerre. Déprimé, l'exil le mettant à la merci de sa vieille mélancolie, excédé par l'esprit de clocher qui, parmi les Français, règne autour de lui, fatigué que dans ce monde minuscule chacun se croie autorisé à lui faire la leçon, gaullistes, pétainistes et même les surréalistes qui s'y mettent à leur tour — de quoi se mêlent-ils ? Et oh, l'impayable assurance d'André Breton ! S'obstinant sur le papier dans l'entreprise exténuante de la hautaine parabole sans vie de sa *Citadelle*. Se distrayant à faire un conte pour les enfants, *Le Petit Prince*, sans que l'idée le traverse qu'il est en train d'écrire le plus universel des romans du siècle. Trop las de tout pour s'en apercevoir. Parce que autre chose l'occupe, pris au piège de vieilles intrigues sentimentales sans issue certaine et sans joie assurée. Et parce que les livres comptent peu auprès des femmes, et qu'on n'écrit jamais qu'à défaut d'aimer.

N'oubliant pas la guerre, cependant. Dédaignant toujours d'apprendre un seul mot d'anglais mais entreprenant de faire entendre partout où il le peut sa voix qui appelle les Américains à partir libérer l'Europe et la France. Sans bien sûr aucun effet. Et si son vœu est finalement exaucé, il n'y a été pour rien, pesant d'un poids de plume sur les lourdes balances de plomb où se décide le sort du monde. Nourrissant les rêves les moins réalistes, faisant parvenir à l'état-major américain un plan très rocambolesque qui prévoit de gagner le général Giraud à la cause des Alliés, se proposant — lui, Saint-Ex — d'aller le chercher en personne afin de le persuader de prendre la tête des opérations du débarquement en Afrique du Nord. Et lorsque l'invasion a lieu, et même si son plan fantaisiste a été ignoré, il reprend courage, certain que pour la première fois depuis deux ans, la zone libre envahie, tous les Français de bonne volonté se retrouveront dans le même camp et combattront ensemble pour la libération du pays.

Depuis le début, il a choisi l'Amérique. Par haine de Vichy. Et par méfiance envers les Français de Londres, prenant peu au sérieux, semble-t-il, le personnage du grand Général, immédiatement incrédule devant ses rodomontades, suspicieux à l'égard de ses manifestations de susceptibilité patriotique qui lui paraissent trahir l'avidité infantile d'une gloriole dérisoire et intéressée. Et puis, sans dégoût aucun pour une Angleterre qu'il admire, séduit davantage par les États-Unis et, si malheureux qu'il y ait été, convaincu que l'avenir vrai de la démocratie se situe là-bas.

Le 20 avril 1943, il quitte New York pour Alger et rejoint son ancienne escadrille où il obtient d'être affecté aux commandes d'un des nouveaux Lightning P-38 qui l'équipent : pilote de reconnaissance, ce qui lui permet de participer aux opérations militaires, mettant sa vie en danger comme il l'avait fait en 1940 volant vers Arras, mais à bord d'un appareil désarmé, incapable d'en abattre un autre et, a fortiori, de déverser un flot de bombes sur des cibles civiles. Et il est certain que, s'il n'y avait eu que des pilotes comme lui dans l'aviation américaine, les chasseurs de la Luftwaffe auraient volé en toute sécurité au-dessus de l'Europe et que les habitants de Hambourg, de Dresde et de Berlin auraient dormi en paix dans leurs lits.

Du reste, et il le sait bien, on ne le laisse encore piloter que par faveur. Il a depuis longtemps dépassé la limite d'âge et, à la faute la plus vénielle aux commandes de son appareil, sa hiérarchie le lui rappelle. Lui-même, avec ses quarante-quatre ans, se sent vieux : le crâne dégarni, le corps épaissi qui peine à entrer dans la combinaison et à se glisser dans la carlingue, les vieilles douleurs des anciennes fractures qui se réveillent à chaque mouvement effectué en altitude, toute la mémoire physique de ce qu'il a vécu et qui lui revient sous forme d'inconfort et de souffrance. C'est vrai : sur les dernières photographies, il a l'air d'avoir le double de son âge, comme si pesait sur lui deux fois le poids du demi-siècle qu'il a connu et auquel il est le seul à avoir survécu. Une fatigue l'accable. Et puis sa légende l'ennuie. On le prend pour un autre que celui qu'il est : un héros et un poète. Sans doute finit-il par avoir en horreur cette réputation qui le poursuit, qui lui paraît dérisoire et en laquelle il ne se reconnaît pas. Il confie que si sa vie était à refaire, il se voudrait plutôt jardinier.

Au retour de la deuxième opération qui lui est confiée, il manque un peu son atterrissage et, pendant six mois, on le met en réserve, le laissant se morfondre à Alger dans la compagnie de quelques écrivains exilés. Il faut l'appui d'un colonel ami pour qu'on l'autorise provisoirement à reprendre du service. Le 31 juillet 1944, on le charge ainsi de sa dixième mission de guerre, dont il soupçonne un peu qu'elle sera la dernière, une expédition de repérage photographique, destinée sans doute, mais il ne le sait pas, à préparer le débarquement prochain de Provence. À bord de son Lightning, il quitte la base corse de Borgo, près de Bastia, et prend la direction de Grenoble et d'Ambérieu, puisque la région qu'on lui a demandé de « reconnaître » est celle-là, la plus familière pour lui, celle où il a grandi, où se trouvent la maison de son enfance et le terrain d'aviation duquel il a décollé pour la première fois, tournant au-dessus de ce paysage, se rappelant peut-être ce qu'il en a écrit, le souvenir de ces phrases si lointaines qu'elles paraissent presque effacées maintenant, « Je suis de mon enfance comme d'un pays », survolant le dessin très abstrait qu'en fixe à haute altitude l'objectif de ses appareils photographiques.

C'est au retour de cette mission-là qu'il disparaît, sans que personne n'ait jamais su ni où ni comment, son avion évanoui dans le vide, vraisemblablement victime d'un accident ou bien abattu par un appareil ennemi quelque part au-dessus de la Méditerranée, ayant parfaitement disparu au point de laisser presque bredouilles les fouilleurs d'épaves et les chasseurs de reliques. Mort ce 31 juillet 1944, et s'il faut une date, tous les autres pilotes morts avec lui en ce jour, puisqu'il était le dernier d'entre eux, le seul à témoigner encore de l'épopée ancienne d'avant le fer et le feu, du temps où l'avion n'était pas devenu une mécanique à détruire mais demeurait un instrument fait pour aimer le ciel. Pourtant : non pas mort mais disparu. S'étant arrangé à sa manière pour finir exactement comme Mermoz et Guillaumet : volatilisé en plein vol, dissous dans l'air, avec les eaux pour linceul, interdisant du coup qu'on n'érige nulle part aucune stèle, laissant, comme tous les aviateurs, un tombeau vide, la pierre roulée sur le côté par un ange, afin qu'en sorte peut-être la forme ressuscitée d'un jardinier.

CHAPITRE 7

24 décembre 1952

« L'aviation fut le résultat d'une œuvre de foi.
C'est pourquoi elle a sa mystique, son apostolat, son martyrologe.
C'est pourquoi elle va prendre de plus en plus dans l'avenir la forme et la puissance d'une sorte de religion sociale, laquelle va servir de base à l'évolution profonde de l'esprit des générations nouvelles. »

JEAN MERMOZ

Par courrier, puisque depuis la Libération ils peuvent correspondre à nouveau, ils se sont donné rendez-vous à la gare Saint-Charles car c'est à Marseille que doit aborder, avec son contingent de soldats en instance de démobilisation, d'exilés regagnant leur pays, le bateau qui le reconduit, parmi des centaines d'autres passagers, vers la France. Au terme d'une traversée dont, à la différence de la première, avec l'Atlantique démonté et les sous-marins invisibles que ses camarades et lui guettaient suivant le sillage de l'*Empress of Scotland*, il n'a jamais rien raconté. Débarquant là-bas le 29 janvier 1946. Pensant certainement accoster du côté de la Canebière et se disant que c'est le lieu qu'il faut pour que

Marius y retrouve Fanny. Sans savoir que du Vieux-Port il ne reste plus rien, que la grande rafle de janvier 1943, exécutée par l'armée allemande et la police française, visant la population juive, a vidé cette partie de la ville de ses trente mille habitants avant qu'il ne soit procédé au dynamitage méthodique de tous les immeubles du quartier. Ou bien le sachant pour l'avoir lu dans les journaux américains, appris aux actualités cinématographiques, mais ne pouvant se représenter quel exact et sinistre champ de ruines remplace désormais le pittoresque décor phocéen qu'il a vu de ses yeux plusieurs fois en passant, lorsqu'il partait pour Alger, mais dont il réalise qu'il ne s'en souvient pourtant plus qu'à travers les images fausses des mélodrames chantants du larmoyant Marcel Pagnol.

La guerre a officiellement pris fin le 2 septembre 1945. Cependant il lui a fallu attendre encore presque six mois pour se voir délivrer le bout de papier dûment signé et tamponné qui lui permet enfin de rentrer dans son pays, trois ans et demi après l'avoir quitté. Et pour lui, qui est né le 17 septembre 1921, à l'âge qu'il a, vingt-quatre ans, le temps de son absence doit lui paraître presque aussi long que celui de toute sa jeune vie, valant bien les vingt ans au bout desquels se revoient Marius et Fanny, ou bien : Ulysse et Pénélope.

Un temps si vaste — large autant que long car il lui semble s'être étiré dans toutes les dimensions à la fois, avec des profondeurs inouïes à l'intérieur desquelles il se perd s'il y plonge le regard de sa mémoire toute fraîche —, durée si épaisse qu'elle absorbe en elle tous les événements qu'il sait avoir vécus mais dont il peine à comprendre le lien qui les unit les uns aux autres et qui fait que tous ceux qu'il a été sont malgré tout un seul et même individu. Qui ? Un jeune homme juste sorti de l'enfance, déguisé dans la panoplie du plus prestigieux uniforme qui soit à l'époque, celui de l'aviation américaine, portant le blouson, les galons et même la paire de Ray-Ban que n'exige pourtant pas le temps couvert qui pèse en cette journée d'hiver sur le sud du pays, revêtu du costume qu'il faut afin de passer pour un héros mais sachant bien, au fond de lui-même, qu'il aurait pu être n'importe qui d'autre. Convaincu qu'un tel accoutrement ne signifie rien. Ou du moins : pas grand-chose. Qu'il signale simplement la chance qu'il a eue de se trouver, par hasard et presque malgré lui, du bon côté de la ligne de part et d'autre de laquelle la conscience péremptoire et aussitôt oublieuse des vainqueurs distribue désormais les gens bien et les autres, les héros et puis les salauds.

Devenu personne comme les voyageurs des vieux livres qu'il lisait enfant, revenant enfin chez eux sous une identité d'emprunt afin d'y affronter les fantômes effacés de leur vie. Sans nom ou bien pourvus d'un nom nouveau qui ne dit rien à quiconque autour d'eux, tellement changés par les épreuves que seul un chien les reconnaît encore et qu'il leur faut exhiber la marque d'une ancienne cicatrice, c'est-à-dire d'une souffrance indélébile, pour établir qui ils sont sous leur déguisement de fuyard, leur défroque de vagabond ou leur uniforme d'une armée étrangère. Transformé en un autre que lui dont lui-même ne sait plus rien, autant que si les années de sa guerre et de son périple avaient compté comme celles de l'Iliade et de l'Odyssée, poursuivi par la rancune ironique d'un dieu soufflant à chaque fois son vaisseau au plus loin des lieux du combat et retardant assez son retour pour que, débarquant à Marseille, il trouve tout le travail déjà accompli par d'autres, le pays libéré et depuis longtemps épuré de la pègre des prétendants. Comme si un sort — ou bien un charme — lui avait été jeté qui l'avait fait sortir du temps et l'avait tenu écarté du monde, enfermé dans une sorte de prison de verre et de vent dont les parois réfléchissent tels des mirages miroitants les paysages splendides d'un spectacle vide : les sables et les vergers d'Algérie, les eaux hérissées d'écume de l'Atlantique, les géométries survolées des champs de l'Alabama ou du Michigan, avec partout au-dessus le ciel bleu et blanc, l'azur maculé de nuages. Éprouvant alors le sentiment que plusieurs siècles ont passé d'un coup en l'espace d'un seul battement de ses paupières, mesurant dès le moment de son retour l'ampleur du changement qu'ont opéré le passage du temps et la révolution des jours, frappé par cette évidence en un instant, n'ayant pas assisté comme les autres au processus continu par lequel quotidiennement les apparences se modifient, imperceptiblement, de telle sorte que leurs transformations restent invisibles à ceux qui les observent, toute image nouvelle se substituant aussitôt à la précédente et l'effaçant à mesure qu'elle s'imprime sur la rétine.

Mais lui, absent et soudain revenu, réalisant quel monde en ruines a laissé la guerre et où même les choses inchangées qui paraissent intactes prennent l'allure de décors de cinéma, de trompe-l'œil derrière lesquels, se déplaçant de quelques pas, il suffit de jeter un regard en biais pour s'apercevoir qu'il n'y a rien et que ce qui subsiste du monde est devenu pareil aux façades de ces immeubles écroulés qui résistent parfois à l'incendie ou au bombardement et qui se tiennent droites au milieu de nulle part, découvrant à travers le cadre désossé des fenêtres le ciel vide au-dessus de l'accumulation des cendres et des gravats. Comme si une catastrophe — et c'est le cas — avait eu lieu, vidant l'univers de toute sa substance et ne laissant de lui que les débris d'une enveloppe sans contenu.

Elle a pris le train à Mâcon pour Marseille. Se demandant forcément qui est ce jeune homme qui s'en revient vers elle, et dont elle a dû penser cent fois qu'il avait péri, auquel elle imagine l'allure un peu inquiétante d'un naufragé revenant à contretemps parmi les vivants. Un étranger, en somme. Ou presque. Puisque ce ne sont pas les quelques moments qu'ils ont vécus ensemble, depuis leur escapade estivale sur les routes de l'exode jusqu'aux visites très protocolaires qu'il lui rendait tandis qu'il lui faisait la cour en vue de demander sa main dans les formes au vieux capitaine, qui ont pu permettre que s'établisse entre eux l'intimité qui existe, pense-t-elle, entre des amants et dont les lectures très romantiques de son adolescence lui ont donné, sans doute, l'idée la plus vague qui soit. Tant que le courrier pouvait passer entre la France et l'Algérie, dès qu'il a été rétabli avec les États-Unis, ils se sont écrit des dizaines, peut-être des centaines de lettres. Mais chacun sait bien — et elle aussi — qu'une lettre d'amour, on ne l'adresse jamais qu'à soi-même, prenant simplement l'autre à témoin du roman qu'on se fabrique tout seul pour soi, et qu'elle crée de celui à qui l'on écrit une image rêvée dont personne n'est assez dupe pour croire qu'elle existe autrement et ailleurs que dans la fiction songeuse de ses propres illusions. Certainement, elle a été folle — sa mère le lui a dit — de se marier ainsi, avec quelqu'un qu'elle connaissait à peine, qu'elle n'a pas revu depuis plus de trois ans et qui, sûrement, est devenu très différent de celui dont elle se souvient si peu et dont elle se demande, dans le train qui la conduit de Mâcon à Marseille, si dans la foule de Saint-Charles elle saura seulement le reconnaître.

Ils doivent se retrouver sur l'escalier monumental qui mène à la gare et de part et d'autre duquel un architecte a disposé les cohortes symétriques de sculptures allégoriques exaltant, comme sur les grandes images pendues aux murs des classes, la grandeur de l'Empire colonial français — celui-ci sur le point de tomber en morceaux partout de par le monde. Avec la silhouette de Notre-Dame-de-la-Garde au-dessus, tandis qu'elle marche à sa rencontre, le cœur battant, épiant tous les visages des garçons de son âge, se confiant mentalement et par stricte superstition sentimentale aux soins de la Bonne Mère. Et lorsqu'elle l'aperçoit, identifiable malgré l'uniforme, le blouson, les Ray-Ban, n'ayant finalement pas tant changé que cela en trois ans, avec un air d'homme pourtant qu'il n'avait pas autrefois et qui lui plaît et l'inquiète à la fois, elle constate que se tiennent en sa compagnie sa belle-mère et son beau-frère qui l'ont précédée au rendez-vous. Un peu vexée — blessée plutôt — de n'avoir pas été la première à le revoir.

Leur nuit de noces, ils la passent ainsi dans un hôtel de second ordre situé dans un quelconque quartier de Marseille et dont sa solde rapportée des États-Unis lui permet de régler la note. Plus de trois ans s'étant écoulés depuis le jour de leurs fiançailles, le 12 juillet 1942, six mois, à peu près, depuis celui de leur mariage, le 5 août 1945, sans qu'ils aient jamais connu l'intimité d'un vrai tête-à-tête. Se retrouvant enfin, du jour au lendemain, mari et femme, ainsi qu'il l'a noté, « Monsieur et Madame », sur le registre que le réceptionniste lui a fait remplir à leur arrivée, disant « mon épouse et moi-même » comme s'il éprouvait le besoin de se justifier devant un homme qui leur prête à peine attention, habitué qu'il est à ce que défilent dans son établissement des couples illégitimes qui ne s'obligent pas à autant de précautions et dont certains ne passent chez lui qu'une nuit voire une heure, leur montrant la chambre à l'étage : le lit, les tables de nuit, le lavabo, les toilettes sur le palier, le papier peint défraîchi, les rideaux sales sur les voilages jaunis, la grande armoire un peu bancale où il loge l'énorme paquetage de ses affaires d'Amérique et la petite valise qu'elle a prise avec elle.

Avec le sentiment qu'ils ne peuvent s'avouer — ni à eux-mêmes ni l'un à l'autre — mais qu'ils éprouvent tous deux que cela arrive enfin mais trop tôt, avant qu'ils aient eu le temps de se réhabituer vraiment, lui à elle et elle à lui, ou bien trop tard, quand tout aurait été plus naturel si la journée ensoleillée de leurs lointaines fiançailles avait été aussi celle de leur mariage immédiat. Assis aux deux extrémités du lit, ne parvenant pas à se donner longtemps du « tu », retombant toujours au bout d'une phrase ou deux sur le « vous », disant malgré tout (elle) que cela fait étrange de se retrouver ainsi après tant de temps et acquiesçant (lui) de la tête. Chacun, d'après les conseils et les confidences dont ils tirent toute leur science assez approximative de l'expérience banale et insolite qu'ils s'apprêtent à vivre dans cette chambre trop triste, convaincu d'avoir un rôle à tenir devant l'autre, ayant à cœur d'être à la hauteur de celui-ci, se faisant toutes sortes d'idées fausses sur ce qui doit se passer entre eux, sur l'attitude à adopter, sur les gestes qu'il convient d'accomplir. S'exagérant la chose. Et pourtant ne pouvant rien pressentir de l'impression immense qu'elle produit.

Formidablement amoureux cependant, à la folie comme on dit, et il y a bien de la folie dans leur longue fidélité au fantôme de l'autre, fous et amoureux à force d'avoir rêvé si longtemps le roman de leur passion contrariée, de lui avoir perpétuellement donné une telle place dans leurs pensées, au point de douter désormais moins de lui que de la réalité. Sans que cela change rien au profond embarras des premières fois, à l'incrédulité vaguement stupéfiée et presque imbécile quand commence le commerce des corps dans un lit. Eux, extraordinairement innocents comme pouvaient l'être des jeunes gens de leur âge et de leur époque, totalement impréparés à ce qui va se passer et qu'ils désirent sans trop savoir ce que c'est et comment ils vont s'y prendre pour l'obtenir. S'en tirant comme ils ont pu. Comme tout le monde. Pas plus démunis ainsi, je l'imagine, que n'importe quels amants d'aujourd'hui, considérant cyniquement que l'expérience accumulée de lit en lit leur donnerait sur les amants d'autrefois un avantage grâce auquel prétendre savoir davantage ce que c'est que l'amour et comment on le fait. Alors que chaque fois est toujours comme une première fois, le même saut dans le vide, le même abandon à une intimité inouïe et incompréhensible, depuis que l'Humanité existe et autant qu'elle durera, dont il n'y a rien de plus à dire que ce qu'en savent déjà ceux — ils sont tous à égalité — qui, un jour ou l'autre, se sont aimés.

Le pays vient tout juste de se donner une nouvelle compagnie aérienne. Ou plutôt de redonner vie à l'ancienne : Air France, créée en 1933, il avait douze ans, après la liquidation judiciaire de la légendaire Aéropostale, le ministre Pierre Cot procédant alors à la fusion des principales entreprises rivales qui se partageaient jusque-là les lignes au départ de Paris, dont Air Orient qui fournit les luxueux bureaux de son siège de la rue Marbeuf, à côté des Champs-Élysées, et son emblème, composé du corps du cheval Pégase et de la queue du dragon d'Annam, les deux moitiés ainsi ajointées formant une sorte de chimère à l'allure d'hippocampe ailé, les pilotes, peu portés sur la mythologie grecque ou indochinoise, donnant aussitôt le prosaïque surnom de « crevette » à la créature étrange qui va orner pendant plusieurs décennies le fuselage et l'empennage de leurs appareils. La compagnie a été démantelée après la défaite de 1940, confiée par le maréchal Pétain à l'un de ses proches, le général Bertrand Pujo, gérant depuis Marseille et Toulouse ce qui en reste, les quelques lignes qui relient encore le sud du pays avec l'Afrique du Nord et les colonies soumises à Vichy, avant que l'invasion de la zone libre mette purement et simplement l'entreprise sous la tutelle allemande, la Lufthansa s'appropriant à sa guise et selon ses besoins les appareils et les terrains de son ancienne concurrente, réquisitionnant les équipages et les mécaniciens, sans que la direction, semble-t-il, n'ait eu d'autre choix que de livrer la compagnie à l'ennemi, jouant le jeu de la collaboration, de mauvaise grâce sans doute mais avec assez de docilité ou de passivité pour se trouver tout entière discréditée au moment de la Libération et de l'épuration.

Lorsqu'il débarque à Marseille, Air France existe à nouveau sous la forme d'une société nationale dont de Gaulle a abandonné le soin au Parti communiste, nommant l'un de ses membres, Charles Tillon, au ministère de l'Air, et laissant la conduite effective de l'entreprise aux syndicalistes de la CGT qui, dans la plus totale improvisation et malgré des conditions défavorables, vont cependant s'acquitter plutôt bien de leur tâche. Le projet consiste à doter le pays d'une grande compagnie qui permettra à l'aéronautique civile française de retrouver le prestige qu'elle avait au temps de l'Aéropostale. Lui, le croit pour avoir entendu le grand Général en personne, président provisoire de la France libre — et cette fois, la première, il a bien voulu lui faire confiance —, l'affirmer lors de la visite qu'il a rendue aux pilotes du CFPNA à l'occasion de son voyage officiel aux États-Unis, le 27 août 1945, tenant à faire le détour par la base de Selfridge Field, afin de rendre hommage aux cadets de l'Army Air Force — parmi lesquels, lui, il devait se trouver sans doute avec les autres, au garde-à-vous — et de leur adresser, une fois la cérémonie passée, un discours à sa manière dans lequel il les harangue, exaltant le génie aéronautique national, expliquant à ces jeunes pilotes, venus trop tard pour avoir fait une guerre désormais finie, qu'ils sont néanmoins appelés à participer à l'effort nécessaire afin de faire renaître de ses cendres l'aviation française.

Avant même que ses statuts définitifs aient été légalement adoptés, dès l'automne 1945, le Réseau des lignes aériennes françaises, auquel le nom d'Air France ne sera rendu qu'au 31 décembre, recrute son personnel. Les besoins en pilotes sont considérables. Mais tout à fait dérisoires par rapport au nombre effectif d'aviateurs disponibles, issus de l'ancienne aviation civile ou surtout nouvellement formés au cours du conflit sur les terrains militaires d'Angleterre, d'Amérique ou d'Afrique du Nord. Depuis les États-Unis, tandis qu'il attend le document officiel qui lui permettra de regagner la France, convaincu que piloter un avion est la seule chose qu'il puisse et qu'il veuille faire, il envoie rue Marbeuf une lettre de candidature à laquelle il n'obtient bien sûr aucune réponse. Finalement, à son retour, un courrier l'attend à son ancienne adresse et il apprend qu'on le convoque au siège de la compagnie. Soit que son dossier ait été jugé meilleur que la plupart des autres — et, de fait, il l'était sans doute — et que ses états de service aient suffi aux yeux du comité d'épuration mis en place par la CGT afin d'écarter les postulants au passé douteux et dont l'attitude pendant la guerre n'avait pas été jugée assez exemplaire. Soit que l'intervention de son beau-père, le vieux capitaine, influent au sein de l'Association des officiers de réserve de Mâcon qui compte un grand marchand de vin du Beaujolais, lui-même assez bien introduit auprès d'un général de l'armée de l'air, ait permis que sa lettre de candidature soit mise au-dessus de la pile.

Toujours est-il qu'il obtient un rendez-vous en vue d'un éventuel recrutement. Le lendemain de son arrivée à Marseille, il doit se présenter à la caserne de Dijon pour y être officiellement démobilisé. Et leur deuxième nuit, ils la passent là-bas à l'Hôtel de la Cloche, devenu aujourd'hui un établissement de prestige mais dont le nom, à l'époque, démunis comme ils l'étaient, devait sonner ironiquement à leurs oreilles. Ils passent par Mâcon et montent aussitôt à Paris où les héberge un couple de vieux et lointains cousins, boulangers ayant fait fortune dans la capitale où, à force de travail et de privations, ils ont acquis plusieurs immeubles dont l'un qu'ils habitent alors du côté de l'Hôtel de Ville. Le 7 février 1946, c'est-à-dire quelques jours seulement après son retour d'Amérique, il est pris comme pilote stagiaire à Air France. Et sa formation commence dès le lendemain — si bien qu'aussitôt réunis ils sont séparés, leur voyage de noces s'étant limité à un pénible périple ferroviaire et professionnel d'une dizaine de jours de Marseille à Paris *via* Dijon. Échouant à trouver un logement dans la capitale où les appartements vides sont réquisitionnés : la police les expulse de celui qu'un ami leur avait trouvé et dans lequel ils venaient juste d'emménager, laissant leur place à un occupant muni d'un meilleur passe-droit auprès de la préfecture. Il doit alors se résoudre à louer une chambre à l'Air Hôtel en face de l'aéroport du Bourget — où se déroule sa formation — tandis qu'elle retourne habiter chez ses parents dans la vieille maison de La Coupée, l'un ou l'autre faisant lorsque cela est possible les dix heures de chemin de fer que prend à l'époque le voyage de Paris à Mâcon.

Il croyait entrer enfin dans la vie active et, de nouveau, il se retrouve à l'école, à devoir tout réapprendre depuis le début. À l'intention des stagiaires dont la plupart, avec les critères de sélection retenus, ont déjà un carnet de vol assez bien rempli et dont certains — mais pas lui — ont rapporté de la guerre tout un lot de médailles, les instructeurs soulignent avec insistance, et dès le premier jour, en guise de mise au point, ou plutôt de mise en garde, que l'aviation de chasse et l'aviation de ligne sont comme le jour et la nuit et qu'en conséquence tout ce qu'ils savent, il vaut mieux qu'ils l'oublient, que la qualité d'un pilote ne se mesure plus aux acrobaties, à la voltige, aux risques pris et qu'en revanche tout ce qu'ils ont cru pouvoir se dispenser d'apprendre pendant la guerre, s'imaginant que faire le zouave ou la tête brûlée dans le ciel suffisait, il serait préférable qu'ils s'y intéressent maintenant s'ils veulent avoir une chance d'aller au bout de leur formation et d'intégrer la compagnie pour de bon.

On les fait s'asseoir dans des salles de classe où on leur enseigne une fois de plus tout ce qu'un aviateur est censé connaître, depuis la météorologie et la mécanique jusqu'aux principes de l'aérodynamique et toutes sortes d'autres disciplines scientifiques touchant à la propagation des ondes électromagnétiques ou bien à la navigation astronomique, l'usage du sextant, les subtilités de la table de Friocourt et de ses cologarithmes, sans oublier les problèmes de mathématiques pures, qui donnent à tous ces jeunes gens le sentiment qu'on les prépare à passer le concours d'une grande école d'ingénieurs plutôt qu'à s'installer aux commandes de l'un ou l'autre des vieux appareils qui constituent à l'époque la flotte assez fatiguée dont dispose la compagnie. Notamment les Goéland de chez Caudron, des bimoteurs en bois, datant de plus de dix ans, destinés au transport aérien tel qu'on le concevait avant-guerre puisque leur cabine ne permet d'embarquer que six passagers et sur lesquels on les entraîne, pendant des heures, tournant autour du Bourget, à répéter les mêmes manœuvres : décollage, atterrissage, navigation sans visibilité avec l'obligation, pilotant à tâtons, de garder un cap, une altitude, d'aller d'un point à un autre selon la trajectoire la plus adaptée.

Tout résultat insuffisant aux épreuves théoriques ou toute approximation dans le poste de pilotage signifiant l'exclusion immédiate. Jouant ainsi, à chaque évaluation, leur avenir et parfois leur vie lorsque, comme ce fut parfois le cas, un exercice un peu plus risqué que les autres, comme la simulation d'une panne moteur au décollage, accompli afin d'éprouver les limites de leur habileté, fait s'écraser l'avion-école dans le paysage. Pendant le temps de son stage, au cours de cette année 1946 où reprend véritablement l'exploitation des lignes d'Air France et où se reconstitue la compagnie, ils sont plusieurs dizaines à périr à l'entraînement ou à l'occasion de l'un de leurs premiers vols.

Ainsi le 4 septembre. Elle est venue le rejoindre au Bourget, s'installant dans la chambre qu'il loue à l'Air Hôtel, un établissement triste conçu et construit selon les conceptions architecturales de l'immédiat avant-guerre et dont toute la clientèle se compose d'aviateurs, d'employés du personnel au sol ou de passagers en transit. Sachant bien que c'est la dernière visite qu'elle lui rend avant longtemps puisqu'elle attend leur premier enfant, enceinte dès leurs retrouvailles, et qu'à six mois de grossesse sa condition ne lui permet plus de supporter les dix heures de train entre Mâcon et Paris. Ayant échappé de peu à une fausse couche l'ayant forcée à faire venir un médecin des environs qui l'a très nettement dissuadée d'entreprendre encore une fois le voyage. Enfermée entre les quatre murs de cette chambre sinistre tandis qu'il part tous les matins, avec sa sacoche d'écolier, ses livres, ses cahiers, sa règle à calculer, résoudre ses problèmes de trigonométrie et d'algèbre, elle, allant promener son ventre en guise de seul divertissement dans le paysage sinistré de cette banlieue parisienne où des friches et des ruines entourent l'aérogare calcinée et les pistes desquelles elle n'a pas même le goût de regarder décoller les avions. Le retrouvant le soir, sans qu'ils aient nulle part où aller aux alentours, et dépourvus de l'argent qu'il faudrait pour dîner dans un restaurant, à supposer qu'il y en ait un à proximité de l'endroit où ils dorment, soupant avant de s'endormir de quelques biscottes et d'un peu de bouillon réchauffé à l'aide d'une résistance branchée à même la seule ampoule électrique qui pend du plafond de leur chambre. Attendant le moment du déjeuner où elle est autorisée à prendre, avec lui et ses camarades, à la cantine de l'entreprise, un vrai repas à peu près décent, profitant de ce privilège en une époque où la disette est encore plus sévère qu'au temps de l'Occupation, où les tickets de rationnement ne donnent droit qu'à des rations dérisoires et insuffisantes, heureuse peut-être moins du menu assez misérable qu'on leur offre que de la distraction qu'elle trouve.

Autour de la table, ils ne parlent que de l'accident de la veille, celui du DC-3 d'Air France qui, au retour de Copenhague, s'est abîmé en feu pas très loin d'Hambourg, quand la nouvelle leur parvient qu'un autre appareil de la compagnie s'est écrasé dans la matinée alors qu'il décollait du Bourget à destination de Croydon, l'avion, un DC-3 également, s'abattant sans raison apparente en bout de piste alors qu'il négociait sa montée, le crash faisant dix-neuf victimes parmi les vingt-six personnes à bord, avec au nombre d'entre elles, ils l'apprennent en même temps, le copilote, Georges Capron, son plus vieil ami, élève comme lui de l'Institut agronomique de Maison-Carrée, passé comme lui par les chantiers de jeunesse des gorges de la Chiffa, et comme lui breveté pilote de chasse en Amérique au sein du Grand Chelem du 6e détachement des CFPNA, auquel une démobilisation plus rapide a permis d'intégrer avant lui la compagnie. Marié, laissant veuve son épouse, avec deux tout petits enfants auprès d'elle.

Aussitôt informé, il a dû se rendre sur le lieu du sinistre, à quelques kilomètres de l'aérogare — je ne suis pas certain qu'elle ait eu le cœur de l'accompagner —, observant la carcasse de l'appareil allongé en morceaux parmi l'herbe et les fleurs, au beau milieu d'une sorte de champ de tulipes faisant toutes sortes de taches de couleur autour du fuselage démantelé par le choc, des ailes affaissées, de la carlingue noircie par la fumée de l'incendie. L'épave — dont les corps avaient été évacués par les sauveteurs — étendue dans le jaune et le rouge d'un jardin redevenu paisible et gisant là comme un avertissement adressé à l'intention de tous — elle comme lui — au cas où ils se seraient imaginé que, la paix revenue, l'aviation avait cessé d'être l'aventure assez dangereuse et très hasardeuse qu'elle avait toujours été.

Le 3 décembre 1948, puisqu'une fois encore, consciencieux et travailleur, palliant par un acharnement à l'étude son manque d'aptitudes intellectuelles — du moins telle était l'idée qu'il se faisait de lui-même, gardant sans doute le souvenir complexé de ses premiers échecs —, il a réussi toutes les épreuves de sélection, il part pour son premier vol en tant que copilote, à bord d'un Douglas DC-3 à destination de Saigon. Absent pour un mois entier car les appareils de l'époque ne disposent, bien entendu, pas de l'autonomie suffisante pour rallier directement, comme c'est le cas aujourd'hui, l'autre bout du monde. Il faut en passer par toutes les escales, techniques ou commerciales, de la ligne, les mêmes que celles exploitées autrefois par Air Orient — Nice, Athènes ou bien Beyrouth, Bagdad et Téhéran, Karachi, Calcutta, Bangkok, d'autres encore — et la logique compliquée des rotations, des changements d'équipage, des relais aux commandes des appareils, des ravitaillements et des contraintes mécaniques, fait qu'il est plus rentable pour la compagnie d'envoyer ses pilotes pour des missions aussi longues où ils se retrouvent basés un bon moment en Asie plutôt que de leur faire faire un aller-retour qui, de toute manière, à l'époque, aurait duré plus d'une dizaine de jours.

Pour la naissance de leur premier enfant, une fille, Marie-Françoise, venue au monde le 29 novembre 1946, il n'a pu se libérer qu'une seule journée. Laissant la mère et le bébé aux soins des grands-parents tandis qu'il reprend le train en gare de Mâcon afin de rejoindre Le Bourget. Et c'est l'une des dernières fois qu'il est obligé à cette expédition. Dans l'une des propriétés de leurs cousins, un magnifique immeuble haussmannien situé au 8 de la rue Huysmans, entre le boulevard Raspail et les deux branches de la rue Duguay-Trouin, c'est-à-dire à mi-chemin du Luxembourg et de Montparnasse, ils finissent en effet par trouver un appartement à Paris, providentiellement vacant en cette période de pénurie et de réquisitions puisque le précédent locataire, un vieil amiral, pour une raison inconnue, un beau soir, a eu la bonne idée de se jeter du sixième étage, enjambant la balustrade du balcon. Un appartement splendide et gigantesque, dont le luxe contraste à l'époque assez vivement avec la relative modestie de son traitement de copilote, mais qui va vite se révéler presque exigu car deux autres enfants leur naissent, un garçon, Patrick, puis une seconde fille, Claude, tandis que, quittant Mâcon, ses beaux-parents viennent s'installer avec eux, le vieux capitaine, renouant avec les livres et son ancien métier, reprenant du travail comme représentant pour les éditions Delagrave.

Dévasté et ruiné, le pays connaît la misère la plus noire. La richesse nationale, disent les manuels scolaires, a été divisée par deux par rapport à son niveau d'avant la guerre et les prévisions les plus optimistes des experts de Jean Monnet envisagent que, malgré le plan de reconstruction mis en œuvre, il faudra attendre encore deux ou trois ans avant que la production industrielle se retrouve à sa hauteur de 1929... Il y a des villes qui ont été entièrement rasées et cinq millions de personnes logent dans des baraquements provisoires construits à la hâte parmi les vestiges des cités calcinées. Au sein de la population, une grande stupéfaction un peu triste, profondément amère s'empare de chacun car, malgré les explications des économistes et celles des politiciens, personne ne parvient à comprendre, bien que cela soit tout à fait explicable, que, depuis la Libération, les conditions strictement matérielles de la vie se soient détériorées par rapport à la période de l'Occupation. Les prix qui flambent avec les salaires bloqués, les logements qui manquent, l'impossibilité de trouver le charbon ou le bois nécessaire à alimenter un peu une chaudière, le rationnement de plus en plus strict et les tickets de ravitaillement qui donnent droit à des portions de plus en plus congrues de n'importe quoi, un artichaut ou un chou-fleur étant censé constituer le repas de toute une famille. Et bien sûr, le marché noir plus florissant encore qu'au temps des Allemands. Jamais, pensent-ils, on n'a eu aussi faim et aussi froid qu'au cours de ces deux ou trois années qui suivent la victoire.

Toutes ces choses oubliées — et même parfois de ceux qui les ont connues — en raison de la honte qui s'attache à elles et qui fait que personne ne tient à se souvenir de la souillure de l'indigence, du ventre qui réclame n'importe quelle nourriture insipide afin de se trouver provisoirement rempli, du corps qui tremble irrépressiblement, des dents qui claquent quand la température tombe dans une maison humide et malsaine à force de n'avoir pas été chauffée pendant des mois — cela pour ceux qui ont la chance d'avoir encore un toit sous lequel s'abriter —, de l'hygiène approximative à laquelle on se résout faute de disposer d'une salle de bains, des vêtements que l'on taille soi-même dans des couvertures ou des rideaux, du déshonneur de glisser irrésistiblement — soi et tous les autres avec soi — le long d'une pente qui conduit certains vers l'expérience extrême d'une pauvreté où plus rien ne compte que le souci de survivre jusqu'au jour suivant.

L'Histoire de France, non pas telle que la racontent ceux qui l'écrivent depuis le confort de leur impensable futur, attentifs seulement aux institutions nouvelles, la Constitution de la IVe République approuvée le 13 octobre 1946, aux changements de majorité et de gouvernement — le MRP, la SFIO, le PCF, le RGR, ces vieux noms de partis qui ne disent plus rien à personne, le ministère Ramadier et le président Auriol — mais comme se la rappelleraient ceux qui l'ont vécue si l'humiliation d'avoir connu des temps aussi obscurs n'avait effacé de leur mémoire le souvenir d'une époque dont ils ne peuvent même plus concevoir qu'elle a été la leur, eux, promis à une prospérité prochaine, refusant l'idée qu'ils aient eu quoi que ce soit de commun avec les misérables dans la peau desquels pourtant ils ont autrefois vécu.

Si bien qu'il est difficile, par exemple, de concevoir la situation concrète des aviateurs de l'après-guerre autrement qu'en l'imaginant identique à celle qui allait prochainement lui succéder. Et que lui-même, recruté lors de l'hiver 1946, très précisément le 7 février, prenant sa retraite de commandant de bord à l'automne 1981, le 30 septembre, avait sans doute fini par se représenter sa carrière comme si elle s'était déroulée dans les conditions plutôt confortables et luxueuses qu'il avait connues sur la fin. Alors que, au lendemain de la Libération, la compagnie est en réalité dans une situation aussi pitoyable que le pays. Tandis qu'elle en comptait plus du double cinq ans auparavant, la flotte se limite à une petite vingtaine d'avions datant tous de l'avant-guerre, des Bloch, des Dewoitine, à quoi s'ajoutent quelques Goéland et une dizaine de Junker allemands de récupération : appareils vieillissants, usés en raison des conditions très précaires d'exploitation et d'entretien auxquelles ils ont été soumis pendant le conflit, ne présentant aucune des garanties de fiabilité ou même de sûreté qu'exige, en principe, l'aviation commerciale. Avec pour terrain le vieil aérodrome du Bourget, celui-là dont décollaient autrefois les as de la Grande Guerre, Fonk ou Nungesser, et sur lequel s'était posé le 21 mai 1927 le *Spirit of St. Louis* de Charles Lindbergh, assez sérieusement endommagé, pour ne pas dire : presque rasé, par les bombardements, avant d'être remis en service par les armées alliées, et où les bureaux de la compagnie sont logés dans des hangars en attendant la reconstruction de l'aérogare. Et pour faire voler les avions, des pilotes, des mécaniciens, des navigateurs venus d'un peu partout, sélectionnés et formés avec assez de sévérité pour qu'on soit en général certain de leur excellence mais de qui, dans l'improvisation présidant au redémarrage des activités, on exige à peu près n'importe quoi : s'installant en tenue de ville, en veston ou en blouson, on n'a pas eu le temps de confectionner les uniformes, aux commandes d'appareils pour lesquels parfois ils n'ont pas été qualifiés et qu'ils découvrent au moment du décollage, accumulant les heures de vol jusqu'à l'épuisement, en attendant que les négociations syndicales aient lieu et que les conventions collectives soient signées, contraints parfois à piloter tout un mois sans un seul jour de repos. Et si en 1946 les premiers slogans publicitaires proclament qu'« Air France rayonne à nouveau sur le monde », la formule ne va pas sans quelque exagération.

En fait, tout est à reconstruire à partir de rien. Les aéroports ont été parmi les premières cibles au moment du Débarquement et de la Libération, les avions sont vétustes et forment une flotte disparate et baroque insusceptible de se prêter à une exploitation rationnelle et rentable, il n'y a plus sur le territoire d'industrie aéronautique digne de ce nom, le réseau des anciennes escales réparties sur la planète a été démantelé par une guerre qui n'a épargné aucun continent, et c'est à se demander où l'on trouverait une clientèle assez fortunée pour remplir les appareils quand l'essentiel de la population vit désormais dans la plus extrême pauvreté. Sans compter que les compagnies américaines — la TWA, la Pan American et l'American Overseas qui s'arrogent le monopole des lignes transatlantiques — et britannique — la BOAC avec ses deux cents appareils — partent avec un avantage tel dans la compétition commerciale qu'il devrait suffire à dissuader toute velléité de concurrence.

Le prodige, pourtant, se réalise. Mais le mot, certainement, ne convient pas car personne, à l'époque, n'aurait songé à l'utiliser pour désigner ce qui n'apparaissait que comme la lente et laborieuse remise en état de marche d'une société spécialisée dans le transport aérien. Tandis que les bureaux d'études se lancent dans l'examen de nouveaux projets, que les prototypes commencent à sortir des usines, qu'on restaure les pistes défoncées par les bombes, aux commandes d'appareils américains, des Douglas DC-3 ou des Lockheed Constellation, car l'industrie nationale n'est pas encore en mesure de produire des modèles équivalents, les premières promotions des pilotes formés par Air France assurent les vols par lesquels, les unes après les autres, les escales d'hier sont de nouveau desservies. La liaison la plus symbolique est rétablie, le 24 juin 1946, quand un DC-4 de la compagnie, baptisé comme le veut la coutume du nom d'une province, l'Île-de-France, décolle pour New York, faisant escale en Irlande puis à Terre-Neuve, avant de rejoindre sa destination après une bonne vingtaine d'heures de vol, soit autant qu'il en faut aujourd'hui à un Boeing ou à un Airbus pour couvrir la distance séparant la France de ses antipodes.

Vu d'en haut, cela ressemble aux premiers tours d'une grande partie de Monopoly — ou d'un jeu de société semblable mais beaucoup plus compliqué puisqu'il faut calculer chaque coup en ayant tout en tête des données techniques, économiques et même politiques de la situation du moment —, un affrontement où les principales compagnies, à peine créées ou tout juste reconstituées, se disputent aussitôt les différents aéroports du monde, y établissant leurs escales afin d'y faire passer leur réseau, cherchant à couvrir tous les continents mais surtout à l'emporter pour l'exploitation des lignes les plus lucratives, les nations négociant les unes avec les autres, dans le cadre des organisations qu'elles ont mises en place, des accords de telle sorte que les concessions consenties — laisser le concurrent desservir son propre territoire — équilibrent les avantages obtenus — s'assurer de lui que l'on puisse également desservir le sien dans des conditions au moins aussi favorables. Une partie de Monopoly quand on la commence à peine, que la plupart des cases sont encore vides et que des premiers coups joués dépend déjà l'issue lointaine lorsque bien plus tard le plateau se trouvera saturé par les pions que tous les joueurs y auront placés tour après tour, et que la chance et le talent les auront départagés, les quelques compagnies qui se seront imposées subsistant seules quand toutes les autres auront été rachetées ou mises en liquidation jusqu'à ce qu'un nouveau jet de dés, au résultat parfois inattendu, oblige à tout reconsidérer pour la manche suivante.

Des hommes en costume triste et gris, portant parfois encore le chapeau et toujours en cravate, avec leur serviette en cuir et leurs dossiers, passés par la politique, ou bien issus de l'industrie, des grandes écoles d'ingénieurs, de la haute fonction publique et, par exception, de l'aéronautique, jouant leurs cartes, plaçant leurs pions sur la table immatérielle autour de laquelle ils se disputent pacifiquement le monde. Et c'est un jeu qui en vaut certainement d'autres, préférable en tout cas à celui auquel se sont livrés pendant cinq ans les hommes en uniforme dont le Kriegspiel a ensanglanté la planète, un exercice intellectuel de pure spéculation demandant aussi beaucoup de sens tactique, quelque chose qui par la complexité, plutôt qu'au Monopoly, ressemble aux échecs ou mieux encore au go, puisqu'il ne s'agit pas de mettre mat l'adversaire mais de disposer adroitement ses jetons blancs ou noirs sur le quadrillage abstrait que tracent sur la carte les lignes de latitude et de longitude. Le capitalisme si l'on veut, c'est-à-dire l'investissement, la concurrence, la recherche de la rentabilité la plus grande et du profit le plus important, mais à une époque où il œuvre pour la transformation réelle de l'économie et qu'il n'est pas encore devenu ce tour vain de passe-passe financier par lequel des fortunes fantomatiques se perdent et se gagnent pour rien. Et sans la propriété privée des moyens de production, puisque la compagnie a été nationalisée, elle ne survit d'ailleurs pendant longtemps que grâce aux subventions que lui accorde l'État et, depuis la direction jusqu'aux personnels et aux syndicats, personne ne doute qu'elle exerce une mission de service public, permettant que se reconstitue le tissu déchiré du monde, reliant à nouveau les uns aux autres des pays que la guerre avait séparés, contribuant au rayonnement retrouvé de la France, comme une revanche paisible prise sur la honte d'avoir été défaits.

Mais c'est un jeu d'enfant aussi qui consiste à planter de petits drapeaux sur le planisphère, à collectionner comme des modèles réduits les jouets tout neufs de ses nouveaux avions, à les passer en revue. Exactement comme un petit garçon très sérieux construit sur la plage un gigantesque château avec ses tours, ses murailles et ses douves, annexant des surfaces toujours plus vastes de sable, ou bien, dans un coin du jardin, s'invente tout un pays à partir des éléments qu'il assemble de son jeu de construction, des pièces de son Meccano, parmi lesquels il installe l'armée dépareillée de ses soldats de plomb, de ses petites voitures et de ses maquettes d'avion.

L'enfant très sérieux qui joue ainsi se nomme Max Hymans, directeur d'Air France de 1948 à sa mort en 1961, et qui, s'il s'était trouvé quelqu'un pour en faire un héros de film ou de roman, mais l'époque ne s'y prêtait déjà plus, serait devenu aussi célèbre que le légendaire Didier Daurat, le patron de l'Aéropostale, qui fut son adversaire, son concurrent avant de devenir son employé, intégrant finalement le giron de la compagnie. Lui, Hymans, né avec le siècle, centralien, avocat puis militant par conviction politique, rejoignant à vingt-cinq ans la SFIO, élu trois ans plus tard l'un des plus jeunes députés du pays, et puis s'éloignant des socialistes pour adhérer à l'un des nombreux partis de la gauche parlementaire d'alors, chargé de toutes sortes de missions dont certaines furent officielles, ainsi commissaire général de l'Exposition universelle de 1937, et dont d'autres le furent beaucoup moins, contribuant, avec le cabinet de Pierre Cot, aux opérations clandestines visant à approvisionner en armes l'Espagne républicaine.

Lorsque la guerre éclate, il compte au nombre des très rares parlementaires qui, renonçant au privilège que leur mandat leur procure, demandent à servir dans l'armée, affecté comme capitaine dans une unité hippomobile de l'artillerie, combattant au cours de la débâcle du côté de l'Aisne, décoré de la croix de guerre. Et si, revenu du front, il est de ceux qui votent les pleins pouvoirs au maréchal Pétain, dupé comme tous les autres par le vieux prestidigitateur en chef de Verdun, il ne lui faut que quelques semaines pour revenir de son erreur, tentant d'entrer en relations avec les Français de Londres, recruté comme agent par les services secrets britanniques, passant dans la clandestinité, condamné à mort par contumace, échappant aux arrestations, puis gagnant enfin l'Angleterre et l'Algérie où de Gaulle, sans doute parce qu'il avait été autrefois rapporteur du budget de l'Air à la Chambre des députés et, à ce titre, l'un des artisans en 1933 de la fondation d'Air France, le nomme directeur des Transports aériens du Comité français de la libération nationale, pressentant en lui l'homme à qui il confiera le soin de faire renaître l'aviation lorsque la paix sera revenue.

Ainsi, après avoir été le représentant du pays à la conférence de Chicago où est créée l'Organisation de l'aviation civile internationale, et puis placé par le gouvernement provisoire à la tête du Secrétariat général à l'aviation civile et commerciale d'où il conçoit le premier train de décisions visant à redonner une existence officielle à l'aéronautique, il est nommé en 1948 à la direction d'Air France, prenant ses fonctions le 8 août, tandis que lui termine avec succès sa formation de pilote stagiaire sur la piste du Bourget. À partir de là, jouant ses cartes, avançant ses pions, se lançant dans une partie dont l'enjeu, au fond assez excitant, consiste à construire l'une des premières compagnies aériennes du monde à partir d'une flotte faite d'une trentaine d'appareils en instance d'être réformés, d'un terrain d'aviation dont l'aérogare est encore en ruines, et de quelques centaines de pilotes dont la plupart, extraordinairement jeunes, ont tout juste quitté l'armée et dont certains vont devenir commandants de bord avant d'avoir atteint leur trentième année.

Gagnant son pari en une décennie. Fort du soutien de l'État et ayant habilement réussi à s'allier les représentants de la CGT qui, de fait, dirigeaient depuis trois ans la compagnie. Obtenant qu'Air France passe commande des avions américains qui lui étaient nécessaires puisque l'industrie nationale n'était pas en mesure de lui fournir des appareils aux performances équivalentes. Homme de négociation et de décision, sans doute doté d'un sens assez exceptionnel de l'État et des affaires, à en juger par ce qu'il accomplit et dont certainement tout le crédit ne lui revient pas car, en de telles questions si vastes qu'elles concernent à la fois la politique et l'économie, et qui reposent sur le travail de milliers de personnes, ce n'est jamais le cas, mais pour lesquelles il faut parfois qu'un individu soit là qui, comme un enfant très sérieux, joue les bons coups au bon moment de la partie.

Développant le réseau vers l'Amérique du Nord — New York, Chicago, Montréal — et l'Amérique latine — Mexico et Bogota —, vers l'Extrême-Orient — jusqu'à Tokyo —, tout en devant se prémunir de la concurrence de compagnies privées créées en France, comme la TAI et l'UAT, qui ont obtenu l'exclusivité de certaines destinations du côté des anciennes colonies d'Afrique ou d'Asie. Européen, rêvant par conviction ou par pragmatisme de s'associer au sein d'Air Union à la Sabena, à la Lufthansa et à Alitalia, poussant le projet assez loin, si bien qu'il se serait réalisé, unifiant le transport aérien sur le continent, si, revenu au pouvoir, de Gaulle n'y avait opposé son veto. Soucieux d'imposer l'image de grand luxe qui va faire beaucoup pour le succès d'Air France, affrétant à destination de l'Amérique du Nord de véritables palaces volants à bord desquels les hôtesses servent des repas gastronomiques à des passagers voyageant en salon-lit et en fauteuil-couchette, mais préparant aussi l'avènement du tourisme aérien de masse en équipant la compagnie des avions à réaction indispensables, les Caravelle, les Boeing 707, pour cette métamorphose à laquelle, du reste, il n'assistera pas, lui, l'inlassable fumeur de Gitanes, malade d'un cancer du poumon dont, selon les usages médicaux de l'époque, on ne l'informe même pas et qu'il découvre à la faveur de la confidence involontaire d'une infirmière maladroite, réalisant qu'il est condamné, travaillant jusqu'au bout, rendu déjà aphone par le mal mais intervenant auprès des syndicats pour les convaincre de faire cesser la grande grève qui menace alors la survie de la compagnie, mourant enfin le 7 mars 1961, quelques jours après l'inauguration de la nouvelle aérogare d'Orly avec laquelle l'aviation civile française entre dans l'époque nouvelle que, pendant un peu plus de dix ans, il avait dépensé toute son énergie à planifier et à rendre possible.

Mais quand en décembre 1948 il part vers Saigon pour la première fois en tant que copilote, ou même lorsqu'en avril 1952, à trente ans, il devient commandant de bord, qualifié aux commandes d'un DC-3, alors qu'Air France peut déjà se prévaloir sur ses publicités de posséder le plus long réseau du monde et que seules les compagnies américaines la dépassent en importance sur le marché du transport aérien international, l'aéronautique est encore loin d'être devenue cette affaire moderne que sont en train de concevoir des hommes en costume gris comme Max Hymans et d'autres qui, jouant leur immatérielle partie de Monopoly autour des tables de leurs conseils d'administration, président aux destinées des sociétés concurrentes se développant alors un peu partout sur terre et dans le ciel.

Si bien que ceux qui pilotent alors les avions de la compagnie peuvent avoir le sentiment d'appartenir encore à l'ère des pionniers dont les exploits d'autrefois leur avaient donné l'idée enfantine de faire de l'aviation leur métier. Les premiers des Douglas DC-3 qui équipent l'essentiel de la flotte nouvelle d'Air France sont sortis de leurs usines d'Amérique en 1935. C'est-à-dire à une époque où Mermoz volait toujours et où les hydravions de Latécoère ou ceux d'Imperial Airways assuraient les liaisons d'une rive à l'autre de la Méditerranée, de l'Atlantique, avant de rallier les destinations les plus lointaines. Et si le DC-3 est certainement le premier des appareils de ligne modernes, conçu afin de disposer de l'autonomie suffisante pour relier les deux côtes des États-Unis avec une seule escale technique, assez sobre en kérosène pour rendre son exploitation rentable, robuste au point que la légende prétend que certains appareils seraient encore en service aujourd'hui, soit plus de soixante-dix ans après leur conception, malgré les progrès précipités par la guerre, et notamment l'invention du radar, l'art du pilotage n'a pas, au cours de ces quelques années, substantiellement changé et, en cette matière, les différences sont moins grandes entre les appareils flambant neufs acquis alors par Air France et ceux, en instance d'être réformés, de l'ancienne Aéropostale qu'entre les avions à bord desquels, lui, il commence sa carrière en 1948, DC-3 et DC-4, et ceux, Boeing 747, avec lesquels il la finira en 1981.

Des avions, ceux des années cinquante, qui vont succéder au DC-3, comme le Constellation ou le Viscount, dépourvus encore de tous les perfectionnements devenus de règle par la suite et qui, pour cette raison, exigent à l'époque des équipages au sein desquels les pilotes sont assistés non seulement d'un mécanicien, comme c'est parfois toujours le cas aujourd'hui, mais encore d'un navigateur et d'un radio, professions disparues depuis près de quarante ans, autant que les vieux métiers du Paris pittoresque d'autrefois, tout ce petit monde à sa place dans le cockpit et indispensable pour procéder aux vérifications, aux relevés et aux calculs par lesquels on établit, on maintient, on corrige un cap, on définit une route, on s'essaie à la tracer et à trouver son chemin parmi le grand vide étoilé du ciel. Ou bien : sur les distances les plus courtes ou dans les appareils les plus petits, toutes ces tâches devant être assumées à la fois par le commandant de bord et par son copilote.

Ceux-ci suivant à peu près les mêmes méthodes, appliquant sensiblement les mêmes procédures, utilisant en gros les mêmes instruments qu'aux temps héroïques de l'Aéropostale et des premiers vols ouvrant des lignes inconnues à destination de l'Afrique, de l'Amérique ou de l'Asie. De telle sorte que Mermoz ou Lindbergh, sinon Wilbur Wright et Louis Blériot, s'y seraient certainement retrouvés si on les avait placés à l'improviste dans la cabine d'un Dakota, identifiant les principaux instruments et les indicateurs indispensables, palliant leur méconnaissance des autres appareils de navigation en comptant sur leur expérience et sur leur instinct, parvenant à faire décoller et puis atterrir l'engin où il faut et comme il faut, tandis qu'eux, les jeunes pilotes de l'après-guerre, tout juste sortis pourtant du stage très strict qui les avait formés aux techniques les plus en pointe du pilotage, se seraient sentis totalement démunis si on les avait installés d'un coup aux commandes des avions que, une ou deux décennies plus tard, soit à peine plus de temps que celui les séparant alors du raid accompli par le *Spirit of St. Louis*, ils feront cependant voler sans problèmes, avec leurs moteurs à réaction, leurs plates-formes à inertie et tout le reste qu'ils n'auraient même pas pu concevoir puisque les ingénieurs les plus brillants n'en avaient pas seulement eu l'idée — sans parler des Airbus avec le relais de l'appareillage électronique les privant plus tard, auraient-ils, aurait-il, certainement pensé, de la sensation physique de commander directement aux gouvernes et aux autres organes de l'appareil dont le cerveau informatique converse sans eux avec les ordinateurs et les satellites.

La vraie révolution technologique s'opérant donc plus tard et sans qu'ils en aient vraiment conscience, puisqu'ils l'auront eux-mêmes accomplie, ou en tout cas accompagnée, pas à pas. Ayant ainsi la conviction qu'ils poursuivent l'aventure de ceux qui les ont précédés. Sans savoir — ou bien : sans accepter — que l'épopée s'est arrêtée maintenant que tous les autres sont morts, les vieux défricheurs de ligne cherchant un passage dans le noir parmi les cimes des montagnes ou au-dessus des étendues d'océans sans clarté et à la surface plus dure, lorsqu'on la heurte de très haut, qu'un sol de ciment soulevé de vagues. Ceux qui sur le planisphère, insoucieux des reliefs, des obstacles, avaient tracé une ligne d'un point à un autre de la carte, unissant des villages sans nom, les baptisant « escales », décidant que ce serait par là qu'ils passeraient, et puis y parvenant en dépit de tout, pour acheminer à leur destination quelques lettres sans importance et convoyer à bon port deux ou trois passagers plus ou moins stupéfaits et totalement incrédules. Ces pilotes, tous disparus, les uns après les autres, sinon Lindbergh reconverti en voyageur de commerce, en représentant de prestige, démarchant les compagnies aériennes, consultant pour la Pan Am, négociateur de contrats auprès de Dassault, s'arrangeant entre une réception et une réunion pour que ses missions commerciales lui permettent d'épisodiques visites à ses enfants illégitimes dispersés à travers l'Europe. Ou bien : Didier Daurat, devenu chef du centre d'exploitation d'Air France à Orly. Le bal ayant été fermé par le pilote au crâne dégarni et à la corpulence devenue excessive, abîmant son Lightning dans les eaux de la Méditerranée, certainement fatigué d'avoir trop longtemps chanté une épopée à laquelle il ne pouvait plus croire tout à fait, repliant sur lui le linceul d'une eau ayant englouti avant lui ses amis et tirant le rideau signifiant que tout cela était bel et bien fini.

Sauf que eux — eux qui n'avaient pas encore trente ans, survivants d'une guerre que parfois ils n'avaient pas même faite — ne pouvaient bien sûr se résoudre à ce que le point final ait été posé par d'autres et au moment où ils allaient entrer à leur tour dans l'Histoire qu'on leur avait racontée et à laquelle ils avaient cru. Bien décidés à rêver plus loin ce rêve qui leur était venu du spectacle d'un avion passant au-dessus d'eux — tandis qu'adolescents, par exemple, ils traînaient du côté de la Saône et pas très loin du quai où, dans une ville de province paisible, accostaient les passagers et les pilotes des Short Empire d'Imperial Airways. En conséquence : convaincus qu'il leur appartenait d'accomplir ce que les autres, avant eux, n'avaient pu qu'ébaucher, donnant sa réalité à la prophétie qu'ils leur avaient léguée. Ayant déjà tout oublié de la guerre, de la migration quotidienne des milliers d'appareils allant verser leur feu au-dessus des villes, et de l'essaim autour d'eux des chasseurs protégeant leur sillage. Devenus certains, au fond d'eux-mêmes, que rien de tout cela n'avait jamais vraiment eu lieu : ni les cités calcinées aux immeubles flambant comme des torches, ni les avions tombant comme des pierres vers le sol et s'écrasant dans le grand nulle part d'un paysage perdu.

Croyant que tout recommençait et que sur l'ardoise du temps quelqu'un avait passé l'éponge miséricordieuse de l'oubli. Si bien que l'aventure d'autrefois avait été seulement provisoirement interrompue, qu'une pure parenthèse de folie et d'horreur s'était ouverte par accident pour se refermer aussitôt, laissant l'aviation redevenir ce qu'elle n'aurait jamais dû cesser d'être, ce qu'au fond et en vérité, malgré les apparences de cauchemar prises par le monde, elle avait toujours été. Non pas cette entreprise de destruction systématique et de meurtres en masse accomplie par des machines anonymes dépêchées par milliers vers leurs objectifs, faisant pleuvoir le chargement en chapelets de leurs explosifs sur des cités abstraites immédiatement transformées en sinistre spectacle de pyrotechnie, projetant le sillon lumineux de leurs balles traçantes vers des cibles grandes comme des modèles réduits, ou bien se jetant à la rencontre les unes des autres, tournoyant à toute vitesse dans l'espace, faisant feu presque à l'aveuglette et puis dégageant aussitôt en espérant être passées au travers des balles. Non pas cette déraison, dont pourtant ils avaient été les premiers témoins, cette entreprise, dont ils furent cependant les artisans, ce crime, si l'on veut, qu'ils avaient bel et bien commis, coupables, complices et victimes à la fois. Mais l'autre rêve, venu de leur enfance et de celle du siècle, concevant l'avion non comme la machine meurtrière à l'aide de laquelle arraisonner la terre et terroriser ceux qui y vivent mais comme l'outil gracieux, le symbole splendide d'une liberté contribuant à l'émancipation pacifique d'un monde enfin unifié.

L'Histoire recommençant aussitôt comme elle l'avait fait autrefois, de la même manière amnésique qui est toujours la sienne, effaçant ses traces à mesure qu'elle avance, sans autre but que cette perpétuation d'elle-même qui sacrifie sans cesse le pathétique passif du passé à la pure promesse d'un présent sans contenu. Rendue possible par cette seule faculté d'oubli qui congédie automatiquement toute conscience accumulée, laissant à peine subsister le simulacre lointain de quelques souvenirs si peu spécifiques qu'ils pourraient être ceux de n'importe qui, une vague rumeur de mémoire qui rumine derrière soi, à laquelle on tourne le dos et dont on échoue à repérer d'où elle vient, jetant parfois un regard par-dessus son épaule et n'apercevant rien d'autre que quelques morceaux de mirages, aussi peu dignes de foi que les épisodes d'un vieux roman dont personne ne se soucie ni ne sait plus l'intrigue.

Ce 7 février 1946 il avait dû éprouver le sentiment que, pour lui, tout commençait enfin, laissant définitivement derrière lui les déconvenues, les contretemps qu'il avait subis jusque-là, s'installant pour de bon aux commandes d'un appareil qui n'était ni le Dewoitine dont il avait rêvé, ni le Thunderbolt dans le cockpit duquel il avait appris vraiment à voler, mais le Dakota DC-3 qui lui serait bientôt confié afin qu'il le conduise vers tel ou tel des aéroports d'Europe ou d'Asie de nouveau desservis par la compagnie.

Et, comme il en serait finalement convenu lui-même, cela valait certainement mieux ainsi : pilote de ligne plutôt que pilote de guerre, sans que la distinction soit d'ailleurs très apparente ni visible à l'œil nu. Lui, pourvu d'un grade, muni de galons et d'insignes, en uniforme, au sein d'une compagnie nationale où régnaient à peu près la même hiérarchie et la même discipline que celles qu'il avait connues à l'armée, les imposant comme commandant de bord au sein de la cabine et dans le reste de l'appareil, ayant le sentiment de servir de cette façon la cause et les couleurs de son pays plutôt que de contribuer au développement d'une entreprise strictement commerciale. Avec cette différence essentielle que l'aviation, donc, s'en était revenue vers son rêve d'autrefois, celui de ses origines, quand les premiers aéroplanes s'élevant au-dessus du sol produisaient la preuve inédite que l'homme n'est prisonnier de rien, et pas même de la gravitation qui le liait depuis toujours à la terre, qu'un peu d'ingéniosité et d'audace suffisent pour qu'il prenne assez d'altitude et jette un pont immatériel de l'un à l'autre des points les plus éloignés du planisphère.

L'Histoire recommençant donc comme elle l'avait fait une première fois lorsque les jeunes pilotes de la génération perdue, survivant à l'horreur de la Grande Guerre, avaient inventé, dans la plus parfaite inconscience et à partir de presque rien, l'aviation moderne. Le rêve renaissant spontanément, comme de lui-même. Naïf et scandaleux, sans l'ombre d'un doute, si du moins l'on tient à le juger, car passant sous silence la catastrophe sans nom que l'Humanité venait de vivre, si terrible qu'elle aurait dû invalider à jamais toute croyance en quoi que ce soit, et à laquelle l'aviation avait largement contribué, étendant à la planète le programme d'une extermination technique généralisée.

Sauf que porter sur les gens de cet âge une telle condamnation indiscriminée, ironique ou outrée, reviendrait à donner une seconde fois tort au temps lui-même et au mouvement d'éternel recommencement par lequel des hommes ont pu prendre alors le pari que pour le monde un lendemain était cependant possible. Ne se déjugeant pas, malgré Auschwitz ou Hiroshima, en dépit des cités en feu de France, d'Angleterre ou d'Allemagne, avec toutes les souffrances effectives qu'ils avaient connues, tous les désastres auxquels ils avaient survécu, ne renonçant pas à l'optimisme qui, quoi qu'on en dise désormais, fut le sentiment du vieux vingtième siècle et pour lequel l'aviation proposa l'illustration de quelques images légendaires dans lesquelles ils crurent — enfantinement et pourtant dans le vrai.

Ayant eu raison, en somme, puisque la guerre, au bout du compte, qu'ils l'aient faite ou non, et même s'ils s'étaient portés volontaires pour des combats qu'on ne leur avait pas laissé la possibilité de livrer, ils l'avaient gagnée, le dernier mot ne revenant pas à ceux qui déportaient, qui fusillaient, qui gazaient, mais à eux qui à un moment ou un autre, fût-il trop tardif, avaient décidé que cela suffisait, prenant les armes sans toujours savoir pourquoi, avec les mauvaises ou les bonnes raisons qui font ce genre de décisions quand on est n'importe qui, un individu comme les autres, noyé dans la masse de ses semblables, tous différents, chacun pris dans sa vie, avec une famille, des amours, un métier, des projets, n'imaginant pas abandonner tout cela et se retrouvant pourtant à mourir, avec tout le courage qu'il faut — ou pas, cela ne change rien — sur une plage de Normandie, devant un peloton d'exécution, dans l'enfer ignoble et boueux d'un camp, ou bien au cours d'un entraînement accompli pour rien sur un terrain lointain de l'Army Air Force. L'emportant cependant — tous, les vivants et les morts —, triomphant à leur manière sur l'abjecte immondice des ruines, portant témoignage ainsi pour le lendemain dans lequel ils avaient conservé jusqu'au bout une forme de foi.

L'optimisme, oui. Autant dire : la conviction que le jour d'après vaudra toujours la peine d'être vu. Avec le soleil qui se lève, les nuages dans le ciel, la lumière du matin qui s'en vient baigner et laver de sa clarté tout au-dessous d'elle. Ce sentiment de lendemain de désastre, quelle que soit la masse tragique de tout ce qui a été vécu avant. La sensation certainement très stupide qu'il y aura toujours une suite à l'histoire, la curiosité un peu puérile qui pousse à tourner les pages pour découvrir de quoi le prochain chapitre sera fait.

Et dans leur cas, la certitude de participer encore à l'ancienne épopée et d'œuvrer ainsi à quelque chose d'utile, dont sans doute ils n'exagéraient pas l'importance — concevant bien que leur nouveau métier tenait, en plus moderne, de celui des chauffeurs de bus, des conducteurs de train ou, pour choisir une comparaison plus prestigieuse, des capitaines de la marine marchande — mais qu'ils prenaient tout à fait au sérieux aussi, considérant qu'une profession comme la leur exigeait une vocation particulière chez ceux qui l'exercent, et qu'une sorte de mission leur incombait. Transportant dans le ciel des passagers et des marchandises mais produisant du même coup la preuve que la planète était une, que la terre était ronde, vérifiant concrètement cette évidence connue depuis longtemps mais qu'ils étaient en réalité les premiers à éprouver physiquement, décollant d'un continent pour atterrir sur un autre après une poignée d'heures passées dans les airs, suspendus dans le vide et tirés en avant selon les principes d'un phénomène dont ils savaient tout, techniquement explicable et tenant à l'action conjuguée de la traction des moteurs et de la portance de la voilure, mais qui, chaque fois qu'ils arrachaient l'appareil à la terre, devait continuer à les frapper à la façon d'un prodige improbable.

Libérés de l'espace que l'avion leur donnait la faculté nouvelle de traverser dans toutes ses dimensions à la fois sans subir aucune des servitudes auxquelles les hommes avaient été soumis avant eux, surplombant le sol, voyant passer en contrebas les surfaces successives des pays parcourus comme si le grand atlas du monde étalait ses pages sous leurs yeux. Affranchis également du temps, tournant bientôt plus vite autour de la terre que la terre ne tourne sur elle-même, changeant sans cesse de fuseau horaire, perdant ainsi toute notion du jour et de la nuit, finissant par flotter dans l'épaisseur étrange d'une durée décrochée de celle des horloges et du calendrier. Évoluant dans un autre univers, univers de vents et d'orages avec ses lois propres dont les compétences encore limitées des appareils exigeaient qu'ils tiennent le plus grand compte, mais qui semblait envelopper celui où les autres vivaient et dont les règles ordinaires, devaient-ils penser, tant qu'ils volaient, ne s'appliquaient plus tout à fait à eux.

Éprouvant cette liberté, en jouissant, ayant décidé de leur vie selon ce désir-là. Dans son cas, certainement pas par goût de la mécanique — lui, tout juste capable de changer un pneu de voiture et inapte jusqu'au bout au moindre bricolage. Et pas davantage par l'appât du gain, qui lui était totalement étranger — d'autant plus qu'au début de sa carrière rien ne laissait présager que les salaires versés par la compagnie à ses commandants de bord atteindraient leur niveau très confortable des années soixante-dix, niveau dérisoire cependant par rapport aux revenus que n'importe qui tire désormais de ses bonus et de ses stock-options. Pas même pour le pur plaisir de voler, n'ayant jamais eu la passion de faire l'acrobate dans le ciel, ne fréquentant pas les aéro-clubs et considérant avec un peu d'incrédulité, voire de condescendance, qu'on puisse occuper ses loisirs à faire de l'aviation en amateur. N'ayant rien du tout de commun avec les fanatiques à l'érudition délirante qui accumulent la documentation au point d'être incollables sur n'importe quel modèle d'appareil en service dans le monde. Non, ayant juste la certitude que sa place était aux commandes de son avion. Et sans même savoir vraiment pourquoi.

Car on n'explique pas une vocation, pas plus celle d'un pilote que d'un artiste, d'un ingénieur ou d'un médecin, incapable de remonter à son origine, puisque cette certitude de devoir devenir celui que l'on est au fond de soi semble si ancienne qu'elle paraît précéder les souvenirs les plus lointains, commander au récit qu'après coup on en fait aux autres et à soi-même. Si bien que quand on lui posait la question, il répondait que non, il ne se rappelait plus quand l'idée lui en était venue et encore moins comment et pourquoi car, aussi loin qu'il se souvienne, il avait toujours voulu être aviateur. Et s'il se rappelait les hydravions d'Imperial Airways se posant sur les eaux de la Saône — mais se les rappelait-il seulement ? — ce n'était pas parce que son désir de voler était né de ce spectacle auquel il avait assisté adolescent. Très exactement l'inverse : s'il s'en souvenait, à supposer qu'il s'en soit souvenu, c'est parce qu'à l'époque il avait déjà pris l'irrévocable décision qu'un jour, et il ne pouvait imaginer par quel invraisemblable concours de circonstances, il serait pilote à son tour.

Recruté en février 1946, qualifié comme copilote en décembre 1948, commandant de bord en avril 1952, participant avec les quelques centaines d'officiers navigants et les dix mille agents que devait alors compter la compagnie à l'ambitieux plan de développement conçu par Max Hymans. Avec la conviction — qu'ils partageaient tous — que le grand rêve d'autrefois était en train de se réaliser, celui-là même dont Mermoz avait formulé la prophétie, l'année de sa mort, c'est-à-dire une décennie auparavant, mais à une époque que la guerre avait rendue aussi lointaine tout à coup que s'il s'était agi d'une période d'avant le déluge — et de fait le déluge avait eu lieu. Déclarant (Mermoz) en des termes très emphatiques que l'aviation procédait du « besoin idéal de s'évader de soi-même », de « la volonté de s'élever des contingences d'une vie trop étroite, de rompre avec la monotonie d'un régime d'existence trop égoïste ». Considérant donc qu'elle n'était qu'accessoirement une invention technique mais bien, disait-il, une « œuvre de foi », dotée pour cette raison même de « sa mystique, son apostolat, son martyrologe » et destinée à fonder « une sorte de religion sociale », laquelle allait « servir de base à l'évolution profonde de l'esprit des générations nouvelles »

Et certainement il y aurait beaucoup à dire d'un discours aussi daté, aussi douteux. Mais lui, n'aurait pas souri de ce lyrisme-là — et particulièrement en ces années d'après-guerre où il n'avait encore rien perdu de l'arrogance dogmatique propre aux tout jeunes gens trop sérieux. Il n'aurait même pas compris que quelqu'un d'autre en sourie. Ne voyant dans de tels propos l'expression d'aucune forme de naïveté ou d'idéalisme. Mais simplement l'affirmation d'une croyance juste. Car ces convictions étaient les siennes et elles conféraient quelque chose de visiblement sacré à certains mots quand il les utilisait : l'« équipage », la « ligne », la « compagnie ». Ayant édifié sur ces deux ou trois mots toute sa philosophie de la vie — qui en valait bien une autre, après tout.

Ne prêchant pas. Sachant bien qu'il l'aurait fait dans le désert et qu'il n'y aurait eu personne autour de lui — et particulièrement dans sa propre famille — qui puisse l'entendre. Puisque c'est la règle, qui veut que les valeurs des fils ne soient jamais celles de leur père. Ou bien, si c'est le cas, qu'ils prétendent le contraire. Ne cherchant pas à convertir qui que ce soit. Se contentant de manifester son incompréhension si l'on ironisait un peu sur ce à quoi il croyait, ne cherchant pas à argumenter, se demandant juste ce qu'il pouvait y avoir de mal ou de médiocre à défendre l'idée que le mérite d'un homme se mesurait à l'honnêteté, l'abnégation avec lesquelles il se mettait au service désintéressé d'une cause commune quand celle-ci contribuait à la paix et à la prospérité du monde.

De l'aviation il s'était fait ainsi une sorte de religion dont lui et — je crois — tous les autres pilotes de son époque avaient déduit un système très strict de croyances, de rites et même de superstitions. Convaincu que la « compagnie » passait avant tout le reste, qu'il était naturel de lui consacrer sa vie. Voire, si les circonstances l'exigeaient, de la lui sacrifier, comme les marins coulant avec leur navire, ce qu'il aurait sans doute fait si l'occasion s'était présentée, moins par courage, il n'en avait pas forcément davantage que n'importe qui, que par principe — et là, le moins qu'on puisse dire, c'est qu'il n'en était pas dépourvu. En tout cas, considérant que ce qui ne concernait pas la « compagnie » venait après : notamment son intérêt personnel et jusqu'à sa vie de famille. Avec l'idée qu'une mission incombait aux commandants de bord et qui consistait à assurer la « ligne ». Comme si le monde lui-même tenait ensemble seulement en raison de ces fils immatériels encerclant le globe et passant par les points des escales disposées sur le planisphère. De telle sorte que si un seul de ces fils s'était rompu — ou même détendu — parce que l'un des courriers n'était pas parvenu à bon port ou s'était trouvé retardé, la planète tout entière serait tombée en morceaux, soudainement privée de la ronde cohérence que lui conférait l'exploitation aéronautique.

Eux, les pilotes, convoyant moins des passagers et des marchandises qu'ils ne garantissaient ce mouvement perpétuel de pendule par lequel la terre se vérifiait elle-même en faisant communiquer les uns avec les autres tous les points dispersés à sa surface. Une telle tâche, pour son accomplissement, n'exigeant aucunement des héros. Il n'avait d'ailleurs jamais prétendu en être un et toute la logique de l'entreprise visait à conjurer le risque qu'il en ait un jour l'opportunité. Puisque, dans l'aviation civile, un héros est toujours un pilote qui sauve son appareil d'une catastrophe qui n'aurait pas dû avoir lieu — réussissant un atterrissage d'urgence à bord d'un appareil en flammes, victime d'une panne sèche ou bien privé de moteurs — et contre laquelle il aurait dû pouvoir le prémunir, trouvant à temps la solution au problème qui se posait à lui, et cela sans devoir se fier au hasard. Si bien que le meilleur pilote est en somme le plus anonyme, celui dont le dossier — comme le sien — ne contient la trace d'aucun exploit accompli. Exécutant la tâche qu'on lui a confiée et qui consiste à veiller sur la terre et sur ceux qui la traversent. Ne pouvant compter pour cela que sur son esprit de sérieux, attaché à contrôler inlassablement tous les paramètres du vol sans en négliger aucun. « Seul maître à bord après Dieu » comme le veut la vieille maxime de la marine. Avec pourtant le secours de l'« équipage », la dernière chose en laquelle il ait cru et en quoi il plaçait sa foi : le copilote, le mécanicien, autrefois le radio et le navigateur, et derrière la cohorte du personnel commercial, des hôtesses et des stewards, réunis sans vraiment se connaître, aléatoirement assignés sur un même vol en fonction des calculs de la direction, communauté embarquée sous son autorité afin que, pour la « compagnie », la « ligne » soit assurée.

Telle était sa religion. Valant pour tous les aviateurs. Mais également, et au-delà, pensait-il sans le dire en ces termes, pour l'humanité tout entière. Optimiste au point de penser que celle-ci était en train d'entrer dans une ère nouvelle, sans qu'il y ait besoin pour cela de révolution ou de coup d'État, la victoire alliée ayant suffi à établir pour toujours les conditions justes d'une démocratie dont il ne doutait pas qu'elle s'étendrait à toute la terre, et que tout le travail consistait désormais à contribuer à ce mouvement unanime du monde vers la paix et la prospérité. Eux, les aviateurs, étant à ses yeux les agents d'une telle transformation, rapprochant les continents, assurant le grand mouvement perpétuel de circulation grâce auquel la terre serait enfin une. Faisant tourner la mécanique du monde.

Accomplissant cette besogne extraordinairement routinière et en somme assez fastidieuse — récompensée cependant par le spectacle splendide du ciel — de répéter à chaque courrier les mêmes gestes. Le passage par la salle des opérations, la préparation du plan de vol, la check-list, le décollage, le calcul et la correction du cap, la trajectoire négociée selon les vents, la vérification constante de tous les paramètres, le jeu de piste qui consiste à aller d'un point marqué sur la carte au suivant, parcourant dans le ciel des chemins invisibles à l'œil nu jusqu'à l'approche finale et au grand mouvement tournant qui met l'appareil dans l'axe du terrain et le dépose sur le sol. Sans qu'il y ait en général rien d'autre à en dire.

Sauf parfois. Ainsi ce 24 décembre 1952. Tout jeune pilote de ligne de trente et un ans, depuis six mois commandant de bord. Décollant d'Orly pour Alger à bord d'un DC-4 immatriculé BELL (Bravo Echo Lima Lima). Et devant être rentré le soir même pour le réveillon puisqu'il s'agissait pour l'équipage, comme le plus souvent à l'époque, sur les moyen-courriers, de faire l'aller-retour dans la journée avec juste une escale en Espagne.

Le détail de l'histoire s'étant perdu, sans qu'il en reste grand-chose ni dans ses papiers, juste la trace dans son carnet de vol, ni dans la mémoire de ceux qui pourraient encore s'en souvenir. Peut-être une tempête imprévue avait-elle éclaté sur le sud de l'Espagne, obscurcissant le ciel, soufflant l'appareil dans tous les sens, le laissant totalement désorienté quelque part entre Barcelone et Grenade, sur ces côtes où passaient autrefois les premiers engins de l'Aéropostale, s'égarant comme le racontent Kessel et Saint-Ex. Et alors, en aussi mauvaise posture que les pionniers de l'ancienne épopée, il s'était tout à fait perdu, dépourvu du moindre repère qui lui aurait permis d'établir sa position, tournant pendant des heures, ne pouvant chercher refuge sur les terrains les plus proches que les conditions météorologiques rendaient absolument impraticables, devant trouver une piste de dégagement, mettant le cap sur Oran. Ou bien : il s'agissait d'un problème technique, d'une panne, un réservoir qui fuit, une jauge inexacte, une erreur commise à Orly lorsque l'avion avait été chargé de son carburant. Toujours est-il qu'il s'était retrouvé en plein milieu de la Méditerranée, au bord de la panne sèche. Dans le noir de la nuit qui tombait, volant au-dessus de nulle part, avec son appareil, la quarantaine de passagers qu'il transportait, et les quatre moteurs qui donnaient presque leurs derniers tours d'hélice. Et c'est pourquoi, sachant qu'il ne pouvait faire demi-tour vers l'Espagne, calculant qu'il ne parviendrait jamais à Alger, il avait choisi de se dérouter vers Oran, qui demeurait l'unique destination encore à sa portée.

Prenant la seule décision rationnelle vu les conditions, saisissant la chance qui lui restait. Tout en ayant conscience que les probabilités ne jouaient pas en sa faveur. L'issue presque certaine étant désormais que l'avion s'abîmerait en mer. Telle était d'ailleurs la conclusion à laquelle était parvenu aussi le centre des opérations d'Air France à Paris. Le chef pilote ayant annulé son réveillon pour demeurer, par la radio, en contact permanent avec lui. Tentant de lui communiquer les informations météorologiques et techniques qui pourraient lui être utiles, l'assistant de ses conseils, sachant bien que tout cela ne servait pas à grand-chose, sinon à assurer l'équipage du soutien de la compagnie, car il avait tous les éléments en main et il n'y avait plus que lui désormais qui, malgré toutes les données défavorables déterminées par la malchance et le hasard, puisse parvenir peut-être à faire se poser l'avion.

Trois fois dans la soirée, le chef pilote lui avait téléphoné à elle pour lui annoncer d'abord que son mari serait en retard et ensuite qu'il valait mieux qu'elle et leurs trois enfants — Marie-Françoise, Patrick et la petite dernière, Claude, âgée de quelques mois — ne l'attendent pas pour ce soir-là. Pendant qu'elle mettait la dernière main au dîner de Noël et qu'elle terminait sur sa machine à coudre la panoplie de cow-boy qui devait faire le cadeau de leur fils. Et bien sûr, il ne lui avait pas dit la gravité exacte de la situation, se contentant de la lui présenter comme un simple contretemps, déplorable certes en un tel jour de l'année, rien de plus. Mais, depuis six ans qu'il volait pour Air France, c'était la première fois que le chef pilote en personne, surtout un soir où il aurait dû se trouver en famille comme tout le monde, prenait la peine de l'appeler pour l'informer d'un retard. Et elle se doutait bien un peu de ce que cela pouvait signifier.

Il fallait rejoindre Oran. Malgré le temps, piloter avec assez de sobriété pour épargner le peu de carburant qui restait. Calculer la trajectoire, l'altitude, la vitesse optimales pour parvenir à destination même s'il fallait terminer en vol plané. À défaut, négocier un amerrissage. Avec tous les risques propres à ce genre d'exercice auquel il est rare que l'on survive. À quelques dizaines de kilomètres de la côte, alors que les quatre jauges pointaient presque leur aiguille sur le zéro, il avait lancé sur toutes les ondes l'appel de détresse, le « Mayday ! Mayday ! » prévu par la procédure, le signal résonnant dans la nuit, capté par un navire marchand dont le capitaine lui avait répondu aussitôt, se déroutant pour accompagner, sur ses indications, l'appareil, suivant sur la mer son sillage dans le ciel, afin de pouvoir porter secours aux naufragés si l'avion devait finir sa course dans les eaux. Et puis l'aéroport d'Oran était apparu, avec ses balises brillant dans l'obscurité, la tour de contrôle lui accordant la priorité immédiate pour entamer son approche. L'avion trouvant enfin la piste sans plus une goutte de kérosène à bord.

Il était rentré le lendemain à Paris, rejoignant le grand appartement de la rue Huysmans où, dans le salon, au pied de l'arbre, gisaient encore les papiers défaits des cadeaux de Noël avec lesquels ses enfants étaient en train de jouer, tenant à la main, comme on le ferait d'un mot d'excuses, le télégramme que lui avait aussitôt adressé la direction de la compagnie, signé peut-être de Max Hymans, qui le félicitait et, sans doute, lui souhaitait de bonnes fêtes.

CHAPITRE 8

17 mars 1972

> « Il n'y avait plus au-dessus de lui que le ciel, un ciel voilé, mais très haut, immensément haut, où flottaient doucement des nuages gris. "Quel calme, quelle paix, quelle majesté ! songeait-il. Quelle différence entre notre course folle, parmi les cris et la bataille, et la marche lente de ces nuages dans ce ciel profond, infini ! Comment ne l'ai-je pas remarqué enfin ! Oui, tout est vanité, tout est mensonge en dehors de ce ciel sans limites. Il n'y a rien, absolument rien d'autre que cela... Peut-être même est-ce un leurre, peut-être n'y a-t-il rien, à part le silence, le repos. Et Dieu en soit loué !..." »
>
> LÉON TOLSTOÏ

Il était à peine plus âgé que je le suis désormais et sans doute avait-il commencé à compter mentalement les années, ou plutôt les heures, puisque ce sont elles qu'on note dans un carnet de vol, qu'il lui restait encore à piloter. À supposer qu'il aille jusqu'au bout de sa carrière, qu'il fasse les dix fois douze mois, un peu moins en vérité, qui le séparaient de la date de sa mise à la retraite. Puisqu'un accident, un « pépin » comme le disait le parler de la profession, était bien sûr possible — comme durant cette nuit du 24 décembre 1952, vingt ans auparavant. Et que sa licence pouvait toujours lui être retirée — cela était arrivé à beaucoup de ses camarades — à l'issue de la visite médicale suivante s'il était déclaré inapte, pour un problème de vue par exemple — il portait de petites lunettes étranges désormais, bizarrement rapportées du Japon, des demi-lunes comme celles qu'on voit au vieux Gepetto dans le dessin animé de Walt Disney, mais cela était toléré tant que l'acuité ne tombait pas en dessous d'un certain seuil. Ou bien s'il était jugé insuffisamment en forme — grossi, affaibli, fatigué — pour pratiquer cet exercice malgré tout très physique que constitue la conduite d'un long-courrier : l'organisme usé par la tension nerveuse, par les longues veilles aux commandes de tel ou tel appareil, totalement déréglé par le décalage horaire systématique au point de le plonger dans une sorte d'insomnie perpétuelle et stupéfaite. Et parfois, il se disait sans doute que cela aurait été aussi bien ainsi : congédié, du jour au lendemain, sur décision d'un médecin ignorant tout de l'aéronautique et décidant de sa capacité à piloter, après avoir pris sa tension et l'avoir ausculté, sur la foi absurde de quelques mensurations et d'une analyse de sang ou d'urine. Arrêté soudainement et sans avoir pu s'y préparer plutôt que de devoir procéder au long compte à rebours mental, déclinant les heures jusqu'au moment où il lui faudrait rendre son dernier avion et cesser de se considérer comme un pilote.

Si j'en juge d'après les photographies ou les films amateurs de cette époque — et je dois le faire puisque, pour moi, sa dernière apparence a pris toute la place dans la mémoire que je conserve de lui —, il se tenait plutôt bien. Et si je dois dire la vérité, bien mieux que moi à son âge, que je suis sur le point d'atteindre. N'ayant sur lui que l'avantage d'avoir gardé mes cheveux, tandis que lui, avant même la trentaine, s'était tout à fait dégarni. Mais beaucoup moins svelte, élancé que lui ne l'était resté. Avec un air à la Michel Piccoli très frappant, que lui faisaient remarquer ses deux filles, forcément amoureuses de lui, et qui, sans doute après avoir vu un film de Claude Sautet, l'encourageaient, en dépit de la coupe réglementaire exigée par la compagnie et du port de la casquette, à laisser boucler dans le cou et autour des oreilles — c'étaient les années soixante-dix — le peu de cheveux qu'il avait encore.

À la fois semblables et si différents. Lui, père de famille nombreuse — cinq enfants : Marie-Françoise, Patrick, Claude et Pierre, après moi, le petit dernier, selon la formule consacrée —, déjà grand-père à mon âge, avant de l'être à nouveau une bonne dizaine de fois. Fidèle à sa femme, n'en ayant vraisemblablement jamais connu d'autres — malgré ce que prétend, et certainement à juste titre, toute la mythologie érotique avec ses histoires cependant très exagérées de pilotes et d'hôtesses. Ayant d'ailleurs tourné la page sur tout cela depuis que le médecin, au lendemain de la naissance de son dernier fils, lui avait annoncé que, vu l'état dans lequel la dernière grossesse avait laissé sa femme, cela valait mieux ainsi. Ou peut-être pas, après tout. Puisque l'on ne sait jamais rien de la vie de ses propres parents. Et il en va certainement mieux ainsi. Avec un gigantesque appartement à Paris, une très confortable résidence secondaire sur les bords de l'Yonne, un compte en banque et un patrimoine suffisants pour pouvoir subvenir non seulement à ses propres besoins mais à ceux de tous les enfants qu'il avait faits. Commandant de bord à Air France mais également chef pilote, instructeur, parvenu donc aux postes les plus importants auxquels puisse prétendre un aviateur de la compagnie, exerçant toutes sortes de fonctions officielles au sein du syndicat et d'associations aéronautiques aux noms improbables : le Tomato, les Ailes brisées, les Vieilles Tiges, Notre-Dame des Ailes, l'APNA et l'ANORAA. Ayant tenu à poursuivre sa carrière comme officier de réserve dans l'armée de l'air, y faisant régulièrement ce qu'on appelle des « périodes », au point de devenir le responsable du transport aérien civil auprès de l'état-major et de gagner pour finir le grade de colonel, mourant juste un peu trop tôt pour qu'on lui décerne la Légion d'honneur — qu'il avait désirée toute sa vie mais sans jamais se résoudre à la solliciter auprès de ceux qui lui auraient permis de l'obtenir.

Lui, poussant le patriotisme jusqu'à servir comme « honorable correspondant » du SDECE — devenu la DGSE. C'est-à-dire agent des services secrets français. Comme le sont certainement encore aujourd'hui — et je ne devrais peut-être pas l'écrire — les pilotes d'Air France jugés les plus dignes de confiance par la direction des opérations. À supposer, bien sûr, qu'ils puissent toujours être utiles aux missions de l'espionnage moderne — qui ont dû beaucoup changer depuis l'époque. Recevant chez lui les visites d'un très mystérieux interlocuteur. Ne voulant rien en dire — et même à sa femme à laquelle pourtant, sur le reste, il disait tout. Et puis, bien plus tard, de lui-même et sans que personne ne lui ait rien demandé, racontant un jour comment, dans les années cinquante, on lui confiait la tâche, parce qu'il desservait les escales espagnoles de la compagnie, de remettre clandestinement de l'argent et des messages à des opposants au régime franquiste, terrés dans des hôtels de Madrid où il avait du mal à retrouver leur trace, parcourant la ville dans tous les sens comme on lui en avait donné l'ordre et indiqué la manière afin d'être certain de ne pas avoir été suivi par la police et d'éviter de la conduire ainsi jusqu'aux hommes qu'elle traquait. Relatant cette histoire assez invraisemblable — parce que, en y réfléchissant, je vois mal quel intérêt la République française aurait eu à soutenir ainsi ces opposants au régime légal, sinon légitime, d'un État voisin — mais qui doit être vraie puisque ni lui — qui la racontait — ni moi — qui m'en souviens — n'avions de raison de l'inventer.

Les mêmes yeux, la même voix, comme l'écrit Joyce, entre un père et un fils. Une certaine expression du regard, identifiable sur toutes les photographies de l'un ou de l'autre, comme si, de génération en génération, seuls les yeux ne changeaient pas, autour desquels l'âge transforme le visage. Des intonations, aussi, avec cette façon de parler qui, lorsque l'on sait écouter, trahit mieux que tout le reste l'appartenance à une même famille et donne un tour si étrange aux conversations qui s'échangent lorsque tout le monde se trouve réuni autour de la table du déjeuner dominical et se met à discuter avec des accents, des tournures de phrases, des expressions identiques comme si une seule personne s'entretenait avec elle-même. Au téléphone, ayant toujours l'impression de m'entendre moi-même ou de l'entendre lui lorsque je reçois un coup de fil de l'un ou l'autre de mes frères. Et inversement, éprouvant le sentiment étrange, quand c'est ma propre voix que j'entends à la radio, que c'est lui ou bien l'un de mes frères qui est en train d'y parler à ma place. Avec une ressemblance physique telle qu'on dirait que c'est à peu près le même visage, posé sur des corps variables, qui sert à tous.

Si différents et si semblables. À cinquante ans, commandant de bord, chef pilote, officier de réserve et, en prime, agent secret. À mon âge, ayant très certainement réussi sa vie, comme on dit. Tandis que moi — et même s'il se trouve des gens pour croire le contraire… Mais lui, après tout, peut-être pensait-il pareillement. Se disant ce mot que chacun, un jour ou l'autre, finit par se murmurer à soi-même, sans pouvoir en faire l'aveu à quiconque, ne voyant aucune bonne raison de désespérer les autres autour de soi. Sachant que de toutes les manières ils ne comprendraient pas avant d'avoir fait par eux-mêmes l'expérience du temps. Comme s'il s'agissait d'un secret que chacun découvre enfin mais dont la révélation même oblige à ne pas le divulguer, établissant une sorte de solidarité singulière entre tous ceux qui le savent mais qui, pour cette raison même, ne le disent pas. Une évidence tellement énorme et banale que d'ailleurs il n'y aurait eu personne avec qui la partager. Pensant ainsi : finalement, ce n'était que cela, la vie…

Une silhouette identique : plutôt très grand avec les épaules extraordinairement voûtées, ma mère : « tiens-toi droit sinon tu vas finir comme ton père », supportant ainsi tout le poids du monde, s'avachissant petit à petit sous l'effet d'une lassitude ou d'une mélancolie dont il n'avait pas même conscience, la considérant comme un trait propre à son tempérament, comment et surtout pourquoi changer ce que l'on est ?, une disposition psychologique assez ordinaire et d'ailleurs sans réelle importance. Arrivé à un point que tous les hommes connaissent un peu plus tôt ou un peu plus tard, selon les circonstances variables de leur existence, et qui se situe juste après le moment du milieu de la vie. Lorsque l'on réalise que ce moment est maintenant passé sans qu'on s'en soit aperçu, n'ayant même pas pu en profiter fugitivement quand il avait lieu, jouissant de se sentir, ne serait-ce que pour un instant, installé au sommet de son existence, en pleine possession de ses moyens physiques et intellectuels, contemplant au-dessous de soi tout le panorama surplombé du temps. Puisqu'une telle idée ne vient jamais à l'esprit qu'une fois qu'il est trop tard et que, le moment passé, l'on prend conscience que le sommet est derrière soi, qu'il n'existe d'ailleurs pas sinon, justement, dans l'image que l'on s'en fait après coup et que l'on est déjà en train de glisser sur l'autre pente, celle qui conduit irrésistiblement vers le nulle part où tout finit.

À cinquante ans, ou presque, se sentant encore assez jeune, bien conscient de tout ce que l'on a déjà accompli et, en même temps, convaincu de n'avoir rien fait. Averti que tout l'éventail des possibles s'est déjà refermé, que le jeu est joué, qu'il n'y aura pas de nouvelle donne, que le mieux que l'on puisse espérer est d'obtenir encore, en échange de celles qui vous ont été distribuées au départ, une ou deux bonnes cartes et d'avoir assez d'habileté, de chance et d'expérience, pour les abattre sur le tapis comme il faut avant de passer à la caisse pour y rendre ses jetons. Ayant déjà assez obtenu de la vie pour ne plus se faire trop d'illusions sur ce qu'elle est susceptible de donner. Comme lui, à cinquante ans, devait le penser, comptant mentalement les heures qu'il avait encore à piloter, sachant qu'aucune d'elles ne lui procurerait plus le sentiment prophétique de promesse des premières.

Ou bien si. Le milieu de sa vie se situant en cette journée du 17 mars 1972. Mais alors il avait été trop occupé pour s'en rendre compte. Qualifié comme commandant de bord sur Boeing 747. Parvenant ainsi à l'apogée de sa carrière aéronautique au moment où la compagnie se trouvait elle aussi à son zénith. Comme si l'histoire de l'aviation et la sienne n'en avaient jamais formé qu'une seule, évoluant ensemble et du même pas, depuis l'époque antédiluvienne des hydravions et de l'Aéropostale dont, enfant, il avait suivi les exploits, en passant par la parenthèse refermée et oubliée de la guerre, jusqu'à l'ère des long-courriers à réaction qu'il pilotait désormais et des aéroports vastes comme des cités reliées les unes aux autres au sein du réseau rond et régulier des lignes encerclant le monde. Pouvant mesurer, s'il y pensait — mais, ce jour-là, il avait autre chose à faire —, comment, depuis vingt-cinq ans qu'il volait pour Air France, le rêve raisonnable d'autrefois était progressivement devenu une réalité au point de passer pour être toujours allé de soi. Et même du temps où une armada disparate d'engins dépareillés — avec quelques DC-3, des Bloch, des Dewoitine, des Junker et des Goéland — décollait, pilotée par des hommes sans uniforme, de la piste du Bourget devant une aérogare sinistrée. Quand désormais l'aviation était devenue cette énorme entreprise très moderne que quelques-uns avaient conçue et rendue possible, y parvenant si bien qu'elle n'étonnait maintenant plus personne, chacun trouvant naturel que Paris se situe à quelques heures de vol de toutes les grandes villes du monde, et qu'une flotte d'une centaine d'appareils fasse ainsi la navette entre les continents.

Le début des années soixante-dix constituant le moment où s'accomplit cette révolution en cours depuis deux décennies et dont l'aéroport d'Orly est devenu, dix ans auparavant, la vitrine. Créé en 1948, investi l'année suivante par Air France qui délaisse alors Le Bourget et s'installe dans quelques baraques de bois bâties précipitamment à proximité de la piste, groupées autour d'un immense et vieux saule pleureur épargné par les terrassiers, et puis totalement transformé lorsque s'ouvre l'aérogare sud, inaugurée en 1961 par le grand Général en personne, revenu aux affaires, et plus que jamais convaincu, — ce qui est méritoire, après tout, pour un officier d'infanterie — que l'aviation, comme il l'avait expliqué autrefois aux cadets d'Amérique sur la base de Selfridge Field, était l'un des plus beaux symboles du génie national français.

Pour l'époque, un modèle architectural de conception et de réalisation, au point — et cela semble aujourd'hui une idée plutôt saugrenue — qu'on s'y rend pour le plaisir, Orly devenant alors le monument le plus visité du pays, davantage que la tour Eiffel, le Louvre ou Notre-Dame. Une sorte de cathédrale moderne, en somme, et bien plus que les musées dans l'idée que s'en faisait le ministre de la Culture du moment mais — puisqu'il avait été lui-même aviateur — sans que cela suscite en lui sans doute la moindre amertume. Concevant bien que la silhouette d'un avion décollant dans le ciel n'aurait pas été déplacée aux côtés d'un mobile de Calder ou d'un totem africain sur l'une ou l'autre des pages illustrées de son panthéon imaginaire de papier. Les religions changeant et celle-là — qu'avait prophétisée Mermoz — en valant bien une autre, exprimant la longue foi optimiste du siècle, la croyance retrouvée dans la paix, la prospérité et surtout dans l'unité d'un monde dont les frontières auraient enfin été effacées, avec pour chacun — et même pour ceux qui, faute de moyens ou d'occasion, ne se rendaient à Orly qu'afin d'y voir embarquer les autres — le sentiment qu'un aéroport, à partir duquel rayonnait le réseau des lignes, était le lieu idéal où éprouver à quel point la planète était devenue — et bien mieux, bien plus concrètement que ne le disaient les spéculations des métaphysiciens — ce cercle infini dont le centre est partout et la circonférence nulle part.

La foule du dimanche affluant, comme le dit la chanson de Bécaud, dans l'aérogare pour y assister à quelque chose qui tenait à la fois du spectacle et de la célébration, remplaçant ainsi avantageusement la promenade et la messe dominicales, et dont on peut rire bien sûr, une fois de plus, jugeant une telle distraction vulgaire et populaire — vulgaire parce que populaire, ou l'inverse —, ne comprenant plus quelle fascination tout cela pouvait bien exercer au juste sur des milliers de gens, faisant le chemin à travers la banlieue de Paris afin de se retrouver à errer, dans la cohue des couloirs et des halls, parmi les boutiques et les comptoirs d'enregistrement, là où un voyageur d'aujourd'hui s'arrange pour ne passer que le temps strictement nécessaire afin de ne pas manquer son avion. Regardant les tableaux d'affichage avec la loterie de leurs lettres qui tournent et qui annoncent, en des codes ésotériques comme des formules magiques, les vols en provenance ou à destination des aéroports les plus improbables.

Côtoyant, auprès des pilotes, les hôtesses rejoignant en petits groupes les appareils, jeunes femmes en uniforme et en talons hauts, aussi distinguées et attirantes que si elles avaient porté une robe de soirée, incarnant un fantasme facile — dont aucun homme à peu près sensé n'aurait pu être vraiment dupe —, et cependant d'une séduction assez irrésistible comme si, à travailler dans le ciel, on devenait nécessairement plus légère et plus libre. Prêtant leur apparence à un nouvel idéal érotique, spécifiquement moderne, du moins selon l'idée que l'on se faisait alors de l'érotisme et de la modernité, comme celui auquel succombe le pauvre héros un peu pathétique d'un vieux film de Truffaut — dont je ne peux pourtant pas dire de mal tant je lui ressemble : entre deux âges, à la silhouette un peu épaissie par les années, écrivain vaniteux et velléitaire, amoureux sincère et sentimental. Ainsi que le voulait la mythologie de l'époque et qui, sans aucun doute, n'entretenait, comme toujours, que des relations très lointaines avec la réalité : des femmes indépendantes, ayant choisi de vivre en se dispensant de toutes les contraintes auxquelles les autres étaient encore soumises, leur indiquant de cette façon la voie qu'à leur tour elles pouvaient suivre, durant ces années d'avant la *so-called* révolution sexuelle. Simplement des femmes que le hasard de leur profession, ou bien la décision qui les avait conduites à choisir précisément celle-ci, avait soustraites à toutes les conventions valant pour les autres, sans les faire pour autant ni plus vertueuses ni plus dépravées, pour employer des mots qui, à l'époque, avaient encore cours, gagnant leur vie sans mari, puisque le règlement leur interdisait d'en prendre un, ni amant, puisque la rumeur prétendait qu'elles en changeaient à chaque escale, produisant alors la preuve qu'une femme n'a aucunement besoin d'un homme pour exister — moins exemplairement, bien sûr, que si elles étaient devenues elles-mêmes pilotes ou présidentes, chefs d'entreprise ou chirurgiennes, mais pour cela il faudrait attendre une bonne vingtaine d'années.

Elles (les hôtesses) comme eux (les pilotes) manifestant ainsi que l'habitude du ciel rendait possible une liberté que tous les autres pouvaient revendiquer pour eux-mêmes, à leur tour, sur la terre. Et, après tout, peut-être était-ce au spectacle de cette liberté-là que venaient assister les visiteurs d'Orly, voulant vérifier de leurs yeux qu'une époque nouvelle avait bien commencé, rendue possible par le progrès technique — que personne n'aurait songé seulement à critiquer pour ses éventuels méfaits — et la croissance économique, dont tout le monde s'imaginait naïvement qu'elle se poursuivrait perpétuellement. Cherchant à s'assurer de ce miracle — qui, bien sûr, une fois de plus, n'était jamais qu'un mirage produisant l'illusion moderne d'une oasis de métal et de verre s'épanouissant sur le sol encore dévasté et misérable de l'après-guerre, pas très loin des banlieues de Paris où les cités-dortoirs en cours de construction pour le petit peuple des ouvriers et des employés jouxtaient les bidonvilles où s'entassait la main-d'œuvre immigrée. Eux, les visiteurs d'Orly, sachant bien tout cela, assez conscients de leur propre situation pour ne se laisser abuser qu'à moitié par la perfection trompeuse de cet univers aussi artificiel que celui des magazines de mode ou des actualités télévisées, du Scopitone et du Technicolor, traînant quelques heures dans un aéroport duquel ils ne décolleraient pas, visitant des boutiques de luxe où ils n'avaient pas les moyens d'acheter quoi que ce soit sinon peut-être un souvenir — foulard, cendrier, modèle réduit de Caravelle — frappé de l'emblème de la compagnie, passant parmi les équipages et les voyageurs sans se mêler à eux.

Se disant, cependant, qu'un jour ce serait peut-être leur tour. Et, s'il faut écrire la vérité, étant plutôt dans le juste, si bien qu'il serait trop facile de les considérer comme les victimes manipulées de l'aliénation consumériste ou comme les esclaves volontaires de la société du spectacle ainsi que l'expliquaient bien doctement les confortables donneurs de leçon de l'époque évangélisant les foules au fond assez indifférentes de la Ve République. Bécaud plus lucide qu'Althusser ou Debord. Leur désir étant d'accéder à cette liberté dont le dimanche qu'ils passaient à Orly — au lieu d'aller à la messe, de visiter les musées, de distribuer sur les marchés la propagande du Parti — faisait miroiter sous leurs yeux tous les signes, comme la promesse, pas complètement mensongère grâce à la démocratisation et à la croissance, d'une vie meilleure qui leur aurait permis à eux aussi de partir pour des destinations inconnues, de profiter des merveilles magnifiques du monde, dont ils commençaient à penser — et telle était, au fond, la vraie révolution — qu'ils y avaient droit autant que n'importe qui d'autre.

Avec, aperçus à travers les monumentales baies vitrées de l'aérogare sud, les appareils sur les pistes, régulièrement rangés, la passerelle poussée jusqu'à eux et sur laquelle progressait la file indienne des passagers, roulant ensuite vers l'axe du terrain et puis prenant leur envol. Ou bien se précipitant du ciel vers la terre, comme s'ils tombaient vraiment, mais avec suffisamment de grâce et de science pour ne jamais manquer le sol. Se succédant. Tout à fait semblables à de grands oiseaux blancs, se distinguant seulement par deux ou trois couleurs vives dans leur plumage qui indiquaient leur espèce d'origine

— je veux dire : leur compagnie. Extraordinairement légers à en juger selon leur agilité à perdre ou à prendre de l'altitude et puissants d'après le bruit des moteurs qui, sur quelques centaines de mètres, les tiraient au-dessus de la terre. Prenant des attitudes de rapaces fondant sur leur proie lorsque les volets sortis viennent casser le profil des ailes. Ou bien cambrés sur les pattes arrière du train avec le bec pointé vers le ciel. Tournant ensemble comme des oiseaux de mer faisant la ronde pour rien au-dessus du monde, offrant à tous ceux qui les voient le même spectacle insignifiant et splendide.

Il y avait eu la première génération des appareils à réaction. La Caravelle, tout d'abord, produite par Sud Aviation et devenant le symbole de la renaissance de l'industrie aéronautique nationale, adoptée par le grand Général qui en avait fait son appareil personnel, confiant à son épouse le soin de baptiser l'avion. Mise en service sur les lignes d'Air France en 1959 et dont il avait été l'un des premiers commandants de bord. Avec ses deux moteurs placés à l'arrière, de part et d'autre de la queue, lui donnant une vague allure de flèche ou de fusée gracile. Affectée aux destinations d'Europe et d'Afrique du Nord, mettant des villes comme Alger ou Rome à environ deux heures de vol de Paris. Et puis le Boeing 707, acquis par la compagnie l'année suivante, qu'il pilotait depuis 1964, l'année de la naissance de son dernier fils. Le premier jet long-courrier de l'histoire, sorti des usines américaines car il faudrait encore attendre une décennie pour que l'Europe, avec Airbus, produise un appareil à peu près comparable. Un quadrimoteur à réaction d'une conception si nouvelle que les équipages qui le découvrent alors ont parfois le sentiment de devoir tout réapprendre de ce qu'ils croyaient savoir du pilotage. Rapide et doté d'une autonomie suffisante pour relier, sans escale, les destinations les plus lointaines, l'autre côté de l'Atlantique ou l'extrémité de l'Asie se trouvant désormais à un seul coup d'aile de la capitale. Ces deux avions voulus par Max Hymans peu avant sa mort et équipant la compagnie après lui, au point de constituer bientôt l'essentiel de la flotte, Air France se vantant sur ses affiches publicitaires de posséder les deux meilleurs jets du monde sur le plus long réseau de la planète. Accomplissant ainsi la première étape en vue de ce que l'on présente dans les livres comme la révolution du transport de masse — celle dont rêvaient les visiteurs d'Orly — et qu'on ferait mieux d'appeler la démocratisation du voyage aérien.

Et puis, succédant à la Caravelle et au 707, au cours des années soixante-dix, deux autres appareils, aussi opposés l'un à l'autre que possible — le Concorde et le Boeing 747 —, différents au point d'incarner deux conceptions inconciliables de l'aéronautique civile entre lesquelles il aurait fallu choisir. L'un, avec sa silhouette de cigogne, perché sur ses hautes pattes, le nez cassé au moment de l'atterrissage afin d'offrir le profil qu'il faut au vent, tout à fait semblable à une sorte d'échassier posant délicatement son corps distingué sur la terre, avec dans ses flancs étriqués une poignée de passagers dépensant une fortune afin de compter au nombre des *happy few* pouvant se permettre de traverser l'Atlantique en trois heures trente à plus de deux fois la vitesse du son. Et l'autre, avec son air de pachyderme débonnaire, véritable éléphant volant, tenant certainement de là son surnom de Jumbo Jet, que lui avaient valu non seulement sa carlingue énorme mais la bosse que son pont supérieur lui faisait sur le sommet du crâne, emportant dans son ventre près d'un demi-millier de passagers, monumental et gracieux à sa manière lorsqu'il accomplissait le prodige de faire flotter, contre toutes les lois apparentes de la gravitation, le fardeau inouï de sa masse.

Et lui, il avait pris son parti. Quoique, en vérité, on ne lui avait sans doute pas laissé le choix puisque, avec le nombre très réduit des appareils en service, une demi-douzaine, et la date très tardive d'inauguration de la première ligne, en janvier 1976, il n'aurait certainement été ni rationnel ni rentable de former sur un engin aussi rare et aussi compliqué que le Concorde — jusqu'à aujourd'hui le seul supersonique de l'histoire du transport aérien — un pilote se trouvant à cinq ans de la retraite. Si bien que, sur décision de la compagnie plutôt que par un choix personnel, et sans qu'il ait pu s'estimer ainsi déjugé par la direction — lui, instructeur et chef pilote long-courrier —, il avait fini sa carrière aux commandes d'un 747. Manifestant dès lors un peu d'ironie et même d'agacement à l'égard du « grand oiseau blanc » — comme les journaux enthousiastes l'appelaient à l'époque — dont tout le monde savait qu'il était un rêve pour rien, trop petit, trop cher, trop bruyant et destiné donc à rester une sorte de dispendieuse marotte pour ceux qui l'avaient voulu et ceux qui allaient l'exploiter. Fier, cependant, et sans qu'il ait voulu vraiment l'avouer, lorsque, piloté par un autre, le premier Concorde avait rallié Rio, refaisant la route autrefois ouverte par Mermoz dans des conditions techniques dont celui-ci n'aurait jamais pu avoir l'idée. Tout comme il aurait été sincèrement consterné s'il avait vécu assez longtemps pour apprendre comment l'histoire se terminerait, ce jour de catastrophe du 25 juillet 2000. Sachant que toute l'aventure aéronautique — à laquelle il avait participé à son niveau pendant un demi-siècle — avait toujours dépendu de projets financièrement absurdes et tragiquement coûteux en vies humaines.

Étant donc arrivé, ce 17 mars 1972, à l'apogée de sa carrière tandis que la compagnie se trouvait à son propre zénith — avant la grande crise des années à venir — dans le poste de pilotage de son premier 747 — parmi la petite dizaine d'appareils acquis alors par Air France et amenés depuis les usines de Seattle au-dessus de l'Atlantique. Mesurant l'énormité de la chose à laquelle on venait juste de lui donner licence de commander. Lourde comme un paquebot, légère comme un oiseau, longue, large et haute comme un immeuble. Ses proportions gigantesques qui obligent l'équipage à lever la tête lorsqu'il s'en approche sur la piste et se prépare à monter à bord. Avec le poste perché sur le pont supérieur et la dérive haute comme un bâtiment de six étages pavoisé aux couleurs de la compagnie. Long comme les tours de Notre-Dame si elles avaient été couchées sur le sol. Presque aussi large avec son envergure qui couvrirait la chaussée, de l'un à l'autre des trottoirs, de l'avenue des Champs-Élysées. À l'intérieur du fuselage, malgré le nombre insensé de passagers, un espace assez vaste pour donner l'illusion d'un palace flottant dans l'air, avec l'escalier en colimaçon conduisant au bar, où rien n'interdisait encore de fumer en regardant les nuages. Un monument aux allures de grand animal chimérique, davantage que les énormes hydravions d'autrefois, posé sur les seize roues de son train, chacune supportant le poids d'un camion de vingt-quatre tonnes, se soulevant malgré tout du sol, après avoir roulé sur la piste, lorsque la main droite du pilote bascule en avant les quatre manettes des moteurs, pousse sur les gaz, jusqu'à ce que la vitesse de décollage soit atteinte, que le seuil soit franchi au-delà duquel il n'est plus possible de renoncer, et, quoi qu'il advienne, il faut se jeter en avant dans le vide, attendant le prodige qui a lieu quand on sent physiquement disparaître la pression des pneus sur le tarmac et que la masse d'acier commence à léviter, tirée vers le haut par la puissance des quatre moteurs à l'allure de canons aux calibres inouïs et que le mouvement sur le manche fait dresser la tête de l'avion vers le ciel.

Tout cela, dont je me souviens un peu. Si tant est, au point où j'en suis, que je puisse encore faire la part entre ce que je me rappelle et ce que j'imagine.

Moi : né le 18 juin 1962. En début d'après-midi dans une clinique du quinzième arrondissement de Paris. Au terme d'une grossesse à l'issue assez hypothétique, qu'une autre suivrait pourtant encore, produisant mon petit frère, car un enfant, un garçon déjà, avait été perdu peu avant sous l'effet d'une fausse couche plutôt tardive qui, du coup, rendait aléatoire toute naissance nouvelle. Le 18 juin, soit vingt-deux ans, jour pour jour, après le moment de leur vraie rencontre, sur la route entre Mâcon et Nîmes, dans un pays dévasté par la guerre et à travers lequel ils fuyaient, réunis par un hasard auquel ils finiraient par donner le nom de destin, s'arrêtant auprès d'une fontaine, dans un village dont ils avaient oublié le nom, prétendant avoir bu là-bas le philtre qui les avait rendus à jamais amoureux l'un de l'autre. Chacun de mes anniversaires étant, de ce fait, l'occasion de rappeler également le récit — devenu rituel — de cet épisode — presque légendaire à force d'avoir été raconté — de leur existence.

Si bien que, dans ma tête d'enfant, j'avais nécessairement établi un lien entre le premier de ces événements — leur rencontre — et le second — ma naissance. Puisqu'il avait bien fallu, évidemment, et même si ce genre d'évidence échappe parfois aux enfants, qu'ils se rencontrent, un jour, pour que je naisse, un autre jour accomplissant la promesse du premier, faisant le lien entre ces deux faits. Mais comme si la simultanéité des deux dates dans le calendrier signalait une relation plus étroite entre ces deux moments du temps et que, davantage que mes frères et sœurs, m'imaginais-je certainement, comme si j'avais été en vérité l'aîné, j'étais né de cette rencontre, conçu dès celle-ci, virginalement, de l'eau qu'ils avaient partagée à la fontaine de ce village sans nom, avant de venir au monde, issu d'une impossible grossesse de plus d'une vingtaine d'années. Tout ceci et ce qui suit, généreusement indiqué par l'auteur au lecteur au cas où ce dernier souhaiterait formuler d'ingénieuses hypothèses d'ordre psychologique sur l'origine et la signification du roman qu'il est en train de lire.

Né le 18 juin 1962 (moi) : c'est-à-dire sous le signe des Gémeaux. Et, si je n'avais conservé un tout petit peu le sens du ridicule, je leur adresserais bien en passant mon salut comme le fait le vieux poète italien partant vers le Paradis. Mon thème astral, approximatif cependant, se trouvant consultable, gratuitement et en ligne, sur un site voué au ciel des célébrités — site suffisamment généreux ou assez mal informé pour me compter parmi celles-ci, plus personne ne pouvant échapper désormais à la grande curiosité informatique poussant son indiscrétion jusqu'à révéler les données intimes du zodiaque. Avec, je le précise, puisque l'information manque, aucune police n'étant heureusement parfaite, la lune en Capricorne et pour ascendant la Balance, dont le caractère pondéré est censé compenser un peu les tendances extravagantes du Gémeau. Tout cela ayant peut-être un sens, après tout.

Placé deux fois (moi, né le 18 juin en début d'après-midi) sous un signe d'air. N'ayant été longuement lié amoureusement dans ma vie — je le signale à l'intention des astrologues si cela est susceptible de les intéresser — qu'à des femmes elles aussi nées sous le ciel des Gémeaux et censées partager le même tempérament volatile, instable et inquiet, mais aussi la même légèreté insouciante. Avec pour patron Mercure, le dieu volant aux sandales ailées, celui des voleurs et des voyageurs, le messager passant les frontières entre les hommes et conduisant les mourants jusqu'au lieu de leur dernier séjour. Avec une prédilection céleste, paraît-il, Dante au moins le prouve, pour l'écriture et la poésie. Gémeau : cérébral et sentimental à la fois, superficiel et volage, cherchant cependant en amour à trouver cet autre lui-même dont le signe double exprime la promesse. Ou bien : la nostalgie. Elles : des filles de l'air. Comme il y en a du feu. De surcroît : issues de familles d'aviateurs, pour donner à l'histoire sa vague dimension délicieusement incestueuse.

Prénommé Philippe. Celui qui aime les chevaux. N'ayant pourtant pas pratiqué l'équitation avec toute la panoplie : en bombe, bottes, culotte de cheval, cravache, sur un manège de

Chantilly davantage que ne l'exigeait alors l'éducation d'un petit garçon de bonne famille. Piètre, d'ailleurs, dans tous les sports, et particulièrement en gymnastique, malgré un corps faisant plutôt illusion, du moins : du temps de la jeunesse, grand et solide, en dépit d'épaules prématurément voûtées. Arrière droit assez acceptable pour avoir pu jouer dans l'équipe de football du lycée. Ayant même décroché quelques médailles universitaires en escrime, à l'épée. Mais tout à fait incapable d'aller très loin au-delà des premiers tours éliminatoires d'une compétition un peu sérieuse.

Philippe, donc. Pas par tradition familiale — le premier des miens à porter ce prénom — ni par dévotion à l'apôtre très obscur dont parlent à peine les Évangiles. Ou au vieux vainqueur de Verdun, définitivement oublié comme les deux guerres auxquelles son souvenir était lié. Simplement parce qu'il s'agissait, en ce début des années soixante, du prénom masculin le plus à la mode. Baptisé dans une paroisse du quartier — Notre-Dame-des-Champs —, avant que l'événement, moins le baptême lui-même que la naissance d'un quatrième enfant, soit célébré au cours d'un grand repas de famille organisé — c'était à côté, dans le sixième arrondissement de Paris — à La Closerie des Lilas. Tout ceci, également, comme le reste que je laisse le soin à sa sagacité d'établir, imprudemment indiqué par l'auteur au lecteur au cas où celui-ci croirait à la prédestination ou — c'est la même chose — au déterminisme et désirerait affiner ses hypothèses d'ordre psychologique, sociologique et littéraire sur l'origine et la signification du roman qu'il est en train de lire et, éventuellement, s'il en a eu connaissance, des autres qui l'ont précédé.

Moi, domicilié au 8 de la rue Huysmans, grandissant entre le Luxembourg et Montparnasse, fréquentant de la maternelle à la terminale, rue d'Assas, les bancs de l'école Saint-Sulpice, enfant trop sage et trop sérieux sans doute et dont je ne me souviens pas. Dont j'ignore tout. Et dont il me faudrait inventer la vie si l'idée désastreuse — mais il n'y a rien à craindre — me prenait de la raconter un jour. N'ayant rien gardé de lui. Ne se rappelant même pas où a été rangé, au terme de plusieurs déménagements, le carton où sa mère a placé le rebut de ses jouets, de ses cahiers, de ses carnets de notes, de ses photographies. N'ayant aucun désir de le retrouver. Craignant même, un peu superstitieusement, d'avoir à l'ouvrir, laissant égoïstement ce soin à ses très hypothétiques héritiers. Comme s'il s'agissait d'une boîte aussi funeste que celle de Pandore et dont, à peine entrouverte, sortirait toute l'irréversible misère de la vie.

Un enfant pour lequel je n'éprouve ni curiosité ni sympathie d'aucune sorte. Dont le visage, trop beau, comme celui de tous les garçons avant que ne vienne la puberté, si l'on me montre l'un de ses portraits, ne me dit rien — et où je reconnais, seulement, mes yeux d'aujourd'hui. Vaguement verts, devenant de plus en plus verts avec l'âge, comme ceux que le poète prête aux êtres sur le berceau desquels la lune, descendant moelleusement son escalier de nuages, s'est amoureusement penchée, leur serrant si tendrement la gorge qu'ils en ont gardé pour toujours l'envie de pleurer. Ceux qui aiment l'eau, les nuages, le silence et la nuit. Le lieu où ils ne sont pas. Les lunatiques. Incroyablement enfant, d'une naïveté stupéfiante pour l'époque. Et en même temps, paraît-il, d'une intelligence à faire peur, au point d'inquiéter tous les éducateurs de ses classes, apprenant à lire seul, passant son temps dans des livres bien au-dessus de son âge, précédant tous ses camarades de plusieurs années sur le chemin que l'école avait tracée pour eux. Sans que personne ne puisse dire pourquoi. Et surtout : à quoi bon ? Puisque, finalement, et quelle que soit l'avance que l'on prend sur celui-ci, le bout du chemin est toujours le même.

Ne conservant de lui que la menue monnaie de quelques souvenirs sans importance ni signification, le trésor de quelques piètres pièces jaunes reléguées au fond d'un tiroir, oxydées par le temps et sans valeur pour qui que ce soit. Si bien que les oublier tout à fait est certainement ce qu'il y a de mieux à faire.

N'ayant donc pas encore fêté son dixième anniversaire lorsque lui, cinq fois père et une fois grand-père en attendant de l'être encore une bonne dizaine de fois, s'installe aux commandes de son nouveau 747.

Me rappelant vaguement l'homme qu'il était. Du moins tel que je le voyais alors. Un homme encore jeune, mais l'enfant de dix ans que j'étais ne se le représentait certainement pas ainsi, avec à peine plus de la cinquantaine que j'aurai bientôt, svelte et dégarni, formidable d'autorité et en même temps d'une douceur un peu désarmée. Appartenant déjà à une époque depuis longtemps révolue. Et le sachant. Tout cela se trahissant en une myriade de détails. Comme le geste de tracer une croix sur la croûte avec le couteau à pain lorsqu'il l'entamait à table — c'est tout juste s'il n'aurait pas dit le bénédicité — et l'obligation qu'il s'imposait de finir les tranches qu'il avait coupées s'il en restait lorsque le repas était terminé — car il aurait été sacrilège de les jeter. Nous faisant dire notre prière avec lui quand il venait pour nous souhaiter bonne nuit dans notre lit. Le lendemain : la manie — qui agaçait jusqu'à sa femme — de vouloir embrasser tout le monde au réveil. Comme si nous ne nous étions pas revus depuis six mois. Une forme de politesse et de galanterie désuètes. Des habitudes héritées d'un autre âge. Un corps d'une autre époque.

Ainsi lorsqu'il chantait. Avec une belle voix très juste dont je suis le seul de ses fils — lui, basse, et moi, ténor — à avoir à peu près hérité — les mêmes yeux, la même voix. Sollicité à la fin de tous les repas de famille lorsque la coutume voulait encore qu'ils se terminent ainsi. Finissant par n'avoir plus à son répertoire, l'oubli aidant, que les deux ou trois premières strophes d'une rengaine d'opérette, *Le Pays du sourire*, qu'il dédiait rituellement à son épouse, « Je t'ai donné mon cœur, tu tiens en toi tout mon bonheur... », la seule chanson susceptible de lui mettre, comme elle disait, la larme à l'œil. Avec cependant l'*Ave Maria* de Schubert qu'elle connaissait depuis l'interprétation qu'en avait donnée Tino Rossi et que la radio diffusait lorsqu'elle attendait des nouvelles de son fils aîné, devenu photographe de presse, couvrant la guerre du Vietnam, pris en otage à l'autre bout du monde, manquant deux ou trois fois de ne pas en revenir — mais c'est une autre histoire. Lui, chantant, avec un vibrato assez excessif dans la voix, roulant énormément les *r*, avec une diction démodée et presque ridicule au temps des variétés, du rock et du yé-yé, mais considérant cela comme naturel puisque c'est ainsi que l'on faisait quand il avait vingt ans.

Ou bien : lorsque, pendant les vacances, dans le jardin des bords de l'Yonne, si la famille était réunie, il jouait avec nous, et plutôt bien, une partie de ping-pong dont il avait été autrefois champion, ou de football, un match improvisé sur la pelouse, des piquets plantés dans l'herbe pour faire les poteaux, en essayant de ne pas trop abîmer les fleurs et les arbres fruitiers qu'il avait plantés selon le savoir-faire qu'il avait conservé de ses études d'ingénieur agronome et de ne pas envoyer le ballon rouler jusque dans l'étang du fond. Avec une certaine manière anachronique au ping-pong de tenir sa raquette, de smasher, et au football de taper le cuir de l'intérieur du pied, de faire une tête, de dribbler en sautillant comme un boxeur, des gestes qu'il semblait avoir appris en regardant jouer Kopa et Fontaine — ou bien d'autres, encore plus anciens, dont nous ignorions le nom et jusqu'à celui de leurs clubs puisque pour nous l'histoire du football avait commencé avec le Bayern et Saint-Étienne. Si bien que disputant une partie avec lui, nous avions le sentiment de passer le ballon, pour lui faire plaisir, à un fantôme, comme un tennisman de Roland-Garros ou de Flushing Meadows consentirait à quelques échanges avec un adversaire en dentelles et en perruque sur un terrain de jeu de paume dans le parc du château de Versailles.

Un homme ayant eu vingt ans au moment de la débâcle de 1940. Gardant de l'événement un souvenir suffisant pour se dire que l'Histoire est toujours susceptible de faire revenir les mêmes catastrophes et de laisser soudainement s'écrouler le monde. Pour cette raison, et en prévision de la prochaine guerre qui, pensait-il, éclaterait fatalement un jour ou l'autre, conservant, caché si bien que parfois il oubliait où, un arsenal plutôt illégal, plus que suffisant pour armer un petit groupe de partisans — avec notamment son pistolet d'officier rapporté d'Amérique et celui, remontant au temps des tranchées, du vieux capitaine, désormais décédé, plus une demi-douzaine de fusils de chasse, de carabines de tir aux calibres divers. Stockant dans son garage plusieurs jerrycans d'essence de manière à toujours disposer du carburant nécessaire pour rallier depuis Paris, et à condition de se ravitailler au garage de sa résidence secondaire des bords de l'Yonne, la vieille maison du Balmay, conservant celle-ci même après la mort de sa mère, pas par nostalgie puisqu'il n'en éprouvait pas mais parce qu'elle se situait à une distance de marche raisonnable de la frontière suisse et qu'en s'enfonçant dans la forêt, le long des chemins dont il nous décrivait les arbres et leurs essences, on pouvait espérer rejoindre un pays neutre. Ayant tout prévu, une somme en or, répartie en autant de bourses qu'il avait d'enfants, pour payer les frais du voyage, soudoyer les passeurs, au cas où le papier-monnaie aurait perdu toute valeur, et, sur un compte numéroté à Genève qu'il approvisionnait régulièrement — et certainement pas pour le dissimuler au fisc car, scrupuleux comme il l'était, il aurait été du genre à signaler lui-même aux impôts une erreur en sa faveur —, assez d'argent pour permettre à sa famille de trouver provisoirement refuge en lieu sûr.

Avec des convictions de plus en plus inappropriées au monde dans lequel il vivait et qui changeait sous ses yeux, sans que cela soit pour lui un argument suffisant pour qu'il en change avec lui. Sa foi intouchée dans l'aéronautique et dans la compagnie — alors que l'aviation avait depuis deux décennies cessé d'être l'aventure épique en laquelle il avait d'abord cru. Chrétien, consentant de bon gré à ce que l'Église évolue comme elle l'avait fait avec Vatican II, sans nostalgie pour la messe en latin et la pompe des cérémonies anciennes, regrettant juste de n'avoir plus l'occasion de chanter de sa belle voix grave les refrains liturgiques d'autrefois, mais s'imposant, avec le même sens un peu militaire qu'il avait mis dans sa pratique de l'aviation, la plus stricte intransigeance dans le respect des règles, n'imaginant pas une seule fois de manquer l'office ni de déroger à la moindre des prescriptions reçues dans la paroisse. Lorsqu'on l'interrogeait sur ses convictions politiques, se déclarant MRP, alors même que le parti avait déjà disparu, se disant donc démocrate-chrétien sans se soucier vraiment du fait que cela ne signifiait rien dans le pays où il vivait, marquant ainsi qu'il se voyait plutôt partisan d'une sorte de centrisme social et de progrès, votant pour Georges Bidault aussi longtemps qu'il l'avait pu, et puis se reportant sur des candidats comme Jean Lecanuet ou Jacques Chaban-Delmas — ce qui traduit bien son peu de réalisme électoral. Refusant toujours de donner sa voix à François Mitterrand bien sûr mais également au grand Général — et particulièrement depuis que celui-ci avait consenti à l'indépendance d'une Algérie dont, avec la naïveté intacte de ses vingt ans, il persistait à croire qu'elle aurait pu constituer ce paradis prospère et pacifique qu'il avait fugitivement imaginé du côté de Maison-Carrée.

Un homme d'un autre âge. Si cela signifie quoi que ce soit. Puisque, à chaque moment du temps, et pour n'importe quelle personne vivante, toutes les périodes se superposent au point que le présent ne coïncide jamais avec lui-même et que, si cela était possible, la seule manière juste d'écrire l'Histoire consisterait à faire apparaître le perpétuel phénomène de désynchronisation qui affecte toutes les existences à la fois et les rend pareillement contemporaines des événements les plus distants, éparpillés dans l'épaisseur désorientée de la durée. De telle sorte qu'un homme, parvenu au sommet de sa vie, qui inaugure, aux commandes d'un quadrimoteur à réaction flambant neuf et équipé de la technologie la plus en pointe, l'ère du transport aérien d'aujourd'hui est aussi une sorte de survivant d'une époque depuis longtemps révolue, hanté par des fantômes d'un autre âge, l'enfant d'un siècle vieillissant, voire du siècle précédent, celui pour lequel le voyage aérien n'était encore qu'une chimère merveilleuse et improbable. L'empan de toute existence s'étendant ainsi sur bien davantage que la longueur d'une vie.

J'en sais d'autant moins sur lui qu'il nous donnait, à nous ses enfants, le sentiment de n'être jamais là, ni pour longtemps, ni pour de bon. Et, parce qu'il en avait toujours été ainsi, pensant que cela était naturel. Qu'un père est quelqu'un qui passe, qui s'en va et puis qui revient. Sur qui l'on peut compter, puisqu'il revient, mais à condition d'avoir accepté que sa vraie vie est ailleurs, là vers où il s'en va, de s'être habitués à cette présence en pointillés, celle d'un homme qui ne fait jamais que passer. Sachant plus ou moins comment il gagnait sa vie, la nôtre aussi, et que, comme nous l'avait expliqué notre mère, lorsque dans les petites classes on nous demandait sa profession, nous devions répondre : pilote de ligne ou commandant de bord long-courrier. Comme les autres répondaient à l'institutrice qui les interrogeait le jour de la rentrée : artisan, ingénieur, médecin, fonctionnaire. Mais n'ayant longtemps qu'une idée très vague de ce que cela signifiait.

Ce qui est, sans doute, le cas de tous les enfants, un père étant toujours pour ses enfants quelqu'un d'occupé ailleurs à on ne sait quoi, mais qui, avec un métier pareil au sien, prenait des proportions plus singulières. Partant pour l'école le matin, en revenant le soir, sans pouvoir jamais dire s'il serait là ou non, déjà parti, pas encore rentré. L'énorme sacoche de cuir contenant les épais manuels techniques indispensables à un pilote, si nous la voyions dans l'entrée, étant le signe qu'il se trouvait à la maison entre deux courriers. Lorsqu'il était là, dormant le plus souvent à n'importe quelle heure de la journée, pour tenter de rattraper son sommeil en retard, comme nous l'indiquaient assez les ronflements énormes qui sortaient de la chambre. Ou bien travaillant sur la grande table de la salle à manger qu'il avait annexée pour en faire son bureau, passant en revue toute sa documentation nouvelle ou ancienne, fournie aux pilotes afin qu'ils disposent de toutes les informations, constamment actualisées, concernant les procédures de vol, les spécifications des appareils, les protocoles d'opérations propres aux différents aéroports de la planète. Sans cesse annotant ces pages à l'aide d'un éternel Bic à quatre couleurs, soulignant des phrases, entourant des abréviations aussi indéchiffrables que des formules mathématiques, s'étant inventé tout un code de signes et de sigles dont il surchargeait et enluminait les centaines de feuillets de ses gros classeurs. Calmant ainsi une inquiétude qui ne s'apaisait jamais. Convaincu, à tort ou à raison, personne, pas même lui, n'aurait pu le dire, qu'il disposait de moins de mémoire, de moins d'intelligence qu'il n'en aurait fallu pour exercer correctement son métier et qu'il devait donc compenser ces déficiences par davantage de travail et d'entêtement à l'étude. Tout ce que nous voyions de son métier d'aviateur se limitant à cette fastidieuse besogne d'écolier.

Et puis il était reparti. Vêtu de son uniforme d'aviateur, avec la casquette, la sacoche, la valise. Sans que l'on sache jamais où puisque les noms des destinations, des escales pour lesquelles il s'envolait — même lorsqu'il s'agissait de villes dont nous avions entendu parler, New York ou Tokyo, et a fortiori dans le cas contraire, où se trouvaient Anchorage ou Karachi ? —, si nous pouvions les situer sur les pages de l'atlas, ce que nous n'avions d'ailleurs même pas la curiosité de faire, doutant au fond peut-être de leur existence réelle, n'étaient justement pas davantage que des points sur le papier dont nous ne pouvions nous faire aucune forme de représentation. Ou alors la plus naïve qui soit, celle des premiers livres de géographie qui figurent l'Amérique en plaçant un cow-boy et un Indien au pied d'un gratte-ciel et l'Asie avec deux ou trois personnages en pagne assis en tailleur devant le portique d'un temple ou auprès d'un éléphant.

Lorsqu'il était absent, nous demandant où il pouvait bien être. Imaginant qu'il ne se trouvait nulle part. Ou bien : dans les airs. C'est-à-dire : au ciel. Pas tout à fait mort puisqu'il en revenait à chaque fois. Mais ayant établi son séjour dans le bleu et le blanc d'un espace presque abstrait, au milieu des nuages. Pensant : notre père est au ciel. Et, puisque ces paroles nous les récitions par cœur le dimanche à la messe ou le soir s'il venait nous souhaiter bonne nuit dans notre lit, tout le reste suivait : que ton nom soit sanctifié, que ton règne vienne. Et surtout : donne-nous aujourd'hui notre pain, notre argent de poche, de ce jour. Sans oublier : pardonne-nous nos offenses. Avec accessoirement : délivre-nous du mal. Et puis : car c'est à toi qu'appartiennent le règne, la puissance et la gloire, pour les siècles des siècles. Sachant qu'un siècle compte cent ans. Mais ignorant tout à fait combien durent les siècles des siècles et même ce qu'une telle expression pouvait bien signifier. Trouvant toutefois cela un peu long s'il fallait attendre jusque-là pour que son tour passe et que le nôtre arrive.

Perdu — je l'imagine ainsi — dans des spéculations théologiques à faire perdre leur latin aux conclaves anciens. Car s'il était le Père, j'étais le Fils. Mais qui faisait le Saint-Esprit ? Et je crois bien que j'avais dû laisser s'arranger dans mon esprit d'enfant une fable semblable, considérant que puisque sa place était au ciel, que c'était de là-haut qu'il exerçait son métier parmi les nuages, appartenant à un univers de machines volantes qui n'était pas beaucoup moins fantasmagorique que le paradis dont parlait le catéchisme, il devait bien être pareil à une sorte de divinité distante et douteuse, généralement débonnaire et parfois menaçante, visitant le monde en passant, y manifestant soudainement son inquestionnable autorité en déchaînant la foudre ou bien laissant s'accomplir le miracle incalculable de sa présence aimante parmi nous, mais ne restant jamais assez longtemps sur terre pour que son existence devienne davantage qu'une hypothèse toujours sujette à caution.

Lui, abandonnant à elle, mère le plus souvent sans mari, ainsi sainte et vierge, le soin de nos vies. Ce qui arrangeait certainement le petit garçon que j'étais et qui faisait tourner dans sa tête, comme le font tous les enfants, les théories les plus subtiles et les plus abracadabrantes pour tenter de faire tenir ensemble les morceaux d'un système d'explication du monde aux élucubrations aussi ambitieuses que celles des sommes de la théologie médiévale, ajointant des bribes d'information avec des fragments de légende, les soumettant semblablement à un désir dont il n'avait qu'à moitié conscience et devant les implications duquel, la psychanalyse dit vrai, il aurait reculé de gêne ou d'effroi. Réinventant à son usage propre une sorte de religion très commode dont le dieu présentait le mérite d'être à la fois absolument présent et complètement absent, permettant, simultanément et successivement, de croire avec la même conviction à son existence comme à son inexistence. Selon les circonstances du moment et en fonction des avantages ou des inconvénients qu'il y avait à opter pour une théorie ou pour la théorie inverse. Libre, ainsi.

Absent et présent, comme le sont certainement tous les pères, comme ils doivent l'être, puisque leur absence est aussi nécessaire que leur présence aux enfants qu'ils ont faits. Remplissant ainsi son rôle, sans le savoir, en le sachant, sans savoir qu'il le savait. Partant et revenant. Mais ayant élu son vrai domicile au ciel, en un lieu vide et sans substance. Affranchi de toute attache durable avec la terre, ne considérant celle-ci que comme le site d'escales provisoires au-dessus desquelles faire simplement passer le réseau immatériel des lignes rayonnant autour du monde. Flottant dans le nulle part d'un espace sans limites ni frontières. Faisant de celui-ci une sorte de patrie suspendue dans les airs dont nul ne peut revendiquer la propriété, y planter des drapeaux s'élevant vers le haut, y plonger des racines puisant dans la terre.

Affranchi du temps autant que de l'espace. Avec à son poignet une montre qui nous jetait dans la plus profonde perplexité car elle donnait systématiquement une heure fausse, réglée une bonne fois pour toutes sur le méridien de Greenwich, puisque le temps universel, GMT, était le seul auquel, pour éviter toute confusion, se référaient les pilotes, et afin de leur éviter la gymnastique incessante des aiguilles à faire tourner, avancer ou bien reculer, avec chaque changement de fuseau. Si bien que lorsqu'on lui demandait l'heure, parce qu'il savait que c'était la convention sous laquelle nous vivions, il précisait toujours qu'il nous la donnait en GMT + 1 — tout comme il n'épelait jamais un mot ou un nom qu'en utilisant l'alphabet aéronautique (Alpha, Bravo, Charlie, Delta...) et même lorsqu'il devait dicter un télégramme aux demoiselles de la Poste, puisqu'elles existaient encore, rompues à un autre usage (Aline, Brigitte, Chantal, Denise...) qui, du coup, peinaient à le comprendre, le faisant répéter (« B comme Brigitte ? — Oui, c'est cela, B comme Bravo... »). Agissant ainsi, bien sûr, par coquetterie et avec même un peu de forfanterie. Mais signifiant aussi qu'il appartenait à un autre univers, doté de son propre langage, tournant au rythme de ses propres horloges.

Toujours avec une heure d'écart. Comme s'il avait vécu dans un temps parallèle, imperceptiblement décalé par rapport au nôtre, qu'il ne visitait que par exception. Ne se trouvant assigné à aucun des points de la planète par lesquels il passait — et même celui où son foyer était censé se situer. Ces soixante minutes-là — et leur soixante fois soixante secondes — marquant suffisamment qu'un certain tremblement du temps le tenait un petit peu éloigné du calendrier ordinaire auquel, nous, nous étions soumis avec tous les autres. Lui, dormant tandis que nous veillions, veillant pendant que nous dormions, resté accroché aux pendules de l'escale qu'il avait quittée la veille ou l'avant-veille. Sortant du lit quand tout le monde y était allongé et se disant que, quitte à rester sans sommeil, autant retourner étudier sa documentation sur la table de salle à manger qu'il avait transformée en bureau, finissant par s'assoupir pourtant au-dessus de ses gros classeurs, par s'écrouler dans le grand canapé du salon. Et puis : lorsqu'il aurait fallu être là, sentant ses paupières tomber en plein milieu de l'après-midi, désertant le temps, disant qu'il devait aller se reposer.

Ne sachant plus quelle différence il y a entre le jour et la nuit. Condamné à une sorte d'insomnie perpétuelle. Ou bien : plongé dans une vague stupéfaction sans fin. Semblable à celle que l'on éprouve lorsque l'on a oublié trop longtemps de dormir et que le moment est passé où il aurait encore été possible de le faire, au-delà de la fatigue éprouvée, s'imaginant pouvoir rester debout, vigilant pour toujours. Susceptible de garder les yeux ouverts jusqu'à la fin des temps avec cette lucidité assez implacable des petits matins au bout des nuits blanches. Fort de cette certitude illusoire qui vous donne le sentiment d'être le seul à veiller sur un monde où tous les autres sont inconscients d'exister encore.

Libre, oui. Et d'une manière un peu mélancolique. Séparé du reste des vivants. Établi dans le ciel où le soleil brille toujours quelque part, franchie la frontière des nuages et une fois rejoint le bon côté de la planète. Un père ne pouvant rien enseigner à ses fils, aucune croyance, aucune valeur, sinon en leur donnant l'exemple d'une liberté vide à laquelle il leur appartiendra plus tard de donner eux-mêmes la forme vaine qu'ils voudront. Installé en ce lieu qui n'est nulle part, réduit aux coordonnées abstraites que définissent des repères arbitrairement chiffrés de latitude, de longitude, d'altitude. Disant, comme dans la vieille fable, la seule qu'il ait sue par cœur, après moi, c'est à vous, un trésor est caché dedans. Taisant qu'il n'y a pas plus de trésor à trouver — au ciel comme dans la terre — que de sens à découvrir. Sinon que le trésor consiste précisément en l'absence de sens. Et que tout ce qu'un père peut faire c'est transmettre à ceux qui le suivent la promesse mensongère d'une fortune dont il leur faudra éprouver à leur tour l'émerveillante déception qu'elle n'existait pas : finalement, c'était cela, la vie...

Laissant comme seul legs un tel arpent d'air. Dont aucun cadastre ne consigne l'existence. Pour lequel il n'y a pas de notaire auprès de qui en revendiquer la propriété. Ne se situant ni dans l'espace ni dans le temps. À peine placé entre deux étoiles et trois nuages. Un territoire vide sans emplacement autre que celui que déterminent le ciel fixe des étoiles et celui, éminemment variable, des nuages. Une patrie comme une autre et dont, jusqu'à aujourd'hui, fidèle en somme à ma foi d'enfant, si je dois faire cet aveu naïf, j'ai toujours considéré (moi, né le 18 juin 1962, sous le signe des Gémeaux, d'un père pilote de ligne) qu'il s'agissait de ma vraie terre natale. Convaincu d'être chez moi dès lors que j'ouvre la paupière du volet intérieur posé sur le hublot d'un avion croisant dans le ciel. Ou bien que je lève, n'importe où, les yeux vers les nuages, contemplant de tous mes yeux le vide azuré dont je suis né et vers lequel je sais que je vais.

Ne sachant rien, ou presque, puisqu'il ne racontait rien. Sans que la faute — s'il s'agit d'une faute — lui incombe. Ni à nous davantage qui, de toute manière, c'est vrai, ne l'aurions pas écouté s'il y avait eu quoi que ce soit dont il ait pu nous faire le récit. Chaque nouveau vol répétant la routine du précédent. Ne connaissant aucune des péripéties dont le compte rendu aurait été de toute façon trop technique pour que nous puissions seulement le comprendre.

Puisque, depuis ce vol de Noël 1952, rien ne lui était jamais arrivé. N'ayant jamais été détourné — comme cela se produisait à l'époque une bonne cinquantaine de fois chaque année, la mode étant depuis lors à peu près passée. Lorsque des partisans d'une cause folklorique s'introduisaient dans le cockpit pour exiger un changement immédiat du plan de vol, de manière à demander l'asile politique auprès d'une dictature quelconque, de préférence située sous les tropiques. Ou bien : réclamaient de survoler la cité de leur choix pour y déverser la pluie de propagande des tracts qu'ils avaient réussi à embarquer en cabine. Sans qu'explose jamais la bombe qui ferait éclater l'appareil en plein vol ou le forcerait à un atterrissage d'urgence sur une piste de dégagement. Tout cela étant plutôt fréquent en cette décennie agitée, bien que les crimes plus spectaculaires du terrorisme récent nous l'aient fait un peu oublier. Plus personne ne se rappelant, par exemple, le sort des quarante-sept victimes du vol 330 de la Swissair, s'envolant le 21 février 1970 de Zurich pour Tel-Aviv et à bord duquel, neuf minutes après le décollage, sautait la bombe cachée dans une valise par le Front populaire de libération de la Palestine, l'organisation visant en vérité un appareil de la compagnie israélienne El Al, l'engin ayant été placé non dans la soute de ce dernier mais dans celle de l'avion suisse en raison d'un retard dans la manutention des bagages. Et c'est tout juste si l'on se souvient un peu mieux des détournements perpétrés par le même Front de libération en septembre suivant et s'achevant par un feu d'artifice sur une piste du désert jordanien et la destruction de quatre avions de ligne.

Avec la longue liste des accidents aussi, presque quotidiens, la plupart se terminant heureusement sans victimes. Et puis, à intervalles irréguliers — parfois suffisamment rapprochés pour que l'on parle de « série noire » — les vraies catastrophes imputables — et, malgré les enquêtes et les reconstitutions, sans qu'on sache jamais totalement comment — à des défaillances mécaniques, des erreurs de pilotage, des conditions météorologiques exceptionnelles, à la malchance ou à la fatalité tout simplement. Ces causes contribuant ensemble et selon un enchaînement trop complexe pour être distinguées les unes des autres jusqu'au bout à un résultat toujours identique : un avion qui s'écrase contre le relief d'une montagne, à la surface d'un océan, dans le grand n'importe où d'un paysage sans vie, après qu'une aile s'est détachée en plein ciel ou qu'un autre morceau de l'appareil, empennage, moteur, porte de soute, a cédé sans raison apparente, entraînant la dislocation de l'avion. Ou bien percutant la terre à proximité de la piste si la procédure d'approche n'avait pas été respectée et la distance, l'altitude ou la vitesse mal évaluées par l'équipage.

Et lorsque cela arrivait, apprenant la nouvelle au journal télévisé du soir, il se mettait rituellement en colère, passant son énervement sur les journalistes, qu'il connaissait un peu, ses fonctions de chef pilote et ses responsabilités syndicales faisant que ceux-ci s'adressaient parfois à lui pour commenter l'actualité aéronautique sur les ondes de la radio ou dans les colonnes de la presse — et plus souvent pour lui demander, s'il le pouvait, de justifier les grèves et les salaires que pour faire l'éloge de son métier ou de la compagnie. Disant qu'il était inadmissible qu'on laisse entendre que la catastrophe avait peut-être des explications humaines, mettant en cause l'honneur des pilotes, toujours les boucs émissaires les plus commodes dans ce genre de situation, alors que l'enquête n'avait pas même commencé et qu'il faudrait certainement des semaines ou des mois pour qu'elle aboutisse. Si elle aboutissait jamais. Réagissant par esprit de corps. Mais ajoutant ensuite, et sans souci de la contradiction, qu'un bon pilote, un pilote vraiment bon, faisant son métier comme il le fallait, sauf exception, car il reconnaissait bien sûr qu'il en existait, parvenait toujours à parer au pire. Insinuant ainsi que si son dossier à lui était vide de toute trace du moindre accident grave, c'est qu'il mettait dans son travail un sérieux qui manquait peut-être aux autres pilotes. Ou du moins à certains d'entre eux. Concluant toujours en rappelant que de toute manière l'avion était le moyen de transport le plus sûr et qu'on était davantage en sécurité à bord d'un appareil dans le ciel qu'en prenant son automobile sur les routes, alors particulièrement meurtrières, du week-end.

Avec une part irréductible d'aléatoire, bien sûr. Le risque de mourir en avion étant à peu près égal à la chance de gagner à la loterie. Et même s'il arrive parfois que l'on tire bel et bien le bon ou le mauvais numéro sur un million. Montant sans s'en douter dans un appareil qui décolle de la piste et qui n'atterrira plus jamais nulle part. Sachant que les probabilités sont pour soi. Pas assez sage pour s'en remettre à la Providence, quoi qu'elle décide, et pour se dire comme Chateaubriand : « Tous, tant que nous sommes, nous n'avons à nous que la minute présente ; celle qui la suit est à Dieu... Combien d'hommes n'ont jamais remonté l'escalier qu'ils avaient descendu ? » Belle phrase qui lui aurait plu sans doute s'il l'avait connue — mais cet écrivain d'autrefois, c'était elle et non lui qui l'avait lu, et davantage son *Atala* que ses *Mémoires d'outre-tombe*. Et combien de voyageurs, en effet, n'ont jamais redescendu la passerelle par laquelle on accède à l'appareil ?

La symétrie statistique jouant également dans l'autre sens, sauvant inexplicablement la vie de quelqu'un qui, en toute logique, aurait dû mourir. Un rescapé survivant seul à la catastrophe dans laquelle tous les autres ont péri. Cela arrive aussi. Il y a des exemples, pas très nombreux mais si spectaculaires qu'on se souvient assez bien d'eux pour les imaginer plus fréquents qu'ils ne sont en vérité. Ainsi cette miraculée de Noël, une jeune fille de dix-sept ans, échappant le 24 décembre 1971 au crash du vol 508 de la Lansa, le Lockheed dans lequel elle quittait Lima frappé par la foudre après le décollage, son aile droite en flammes et qui se détache du fuselage, l'appareil allant percuter le flanc d'une montagne et elle, saine et sauve, errant pendant dix jours dans la jungle avant de trouver du secours. Ou bien, le mois suivant, le 26 janvier 1972, une hôtesse de l'air, dont l'histoire est assez incroyable pour que l'on ait retenu son nom, Vesna Vulović, servant à bord d'un appareil d'une compagnie yougoslave reliant Copenhague à Zagreb, celui-ci explosant en plein vol dans des circonstances assez obscures, victime d'un attentat ou bien abattu par un tir de missiles, expulsée hors de la carlingue et faisant une chute libre de plus de dix mille mètres, la laissant miraculeusement, c'est bien le mot, en vie, avec quelques fractures et autres traumatismes.

Toutes ces histoires, leur rumeur de légende immédiate, participant à la mythologie nouvelle du transport aérien : non plus l'épopée ancienne qu'avaient écrite les Saint-Ex, les Kessel, exaltant la grandeur de l'aviation, la sainteté de la ligne, le caractère sacré du courrier, mais le long film catastrophe à rebondissements, le feuilleton cinématographique à grand spectacle qui fit florès tandis qu'il terminait sa carrière et pour lequel des scénaristes inventifs, dans le confort de leurs studios d'Hollywood, imaginaient toutes les manières possibles de faire échapper in extremis un appareil comme celui qu'il pilotait à une destruction plutôt improbable. S'il avait aimé le premier épisode, *Airport*, en 1970, s'amusant du numéro de cabotin en uniforme interprété par Dean Martin, et s'amusant surtout qu'on ait pu confier le rôle du commandant de bord à un crooner notoirement alcoolique, la suite l'avait vite énervé, n'appréciant ni l'exploit d'acrobate de Charlton Heston héli-treuillé à bord d'un 747 en détresse ni celui d'Alain Delon sauvant son Concorde d'une attaque terroriste. Ne pouvant s'empêcher de relever à voix haute les invraisemblances de l'histoire, les inexactitudes ou les approximations du dialogue dès lors qu'elles concernaient les données techniques d'un appareil qu'il était bien placé pour connaître mieux que le plus informé des *scriptwriters*. Disant pour finir, et bien sûr un peu par provocation, que le meilleur film sur l'aviation qu'il ait jamais vu était *Y a-t-il un pilote dans l'avion ?*, sorti dans les salles alors qu'il terminait sa carrière, comme pour bien marquer que l'Histoire, si elle se répète trop longtemps, transforme n'importe quel drame en farce. Partant d'un grand éclat de rire devant chacun des gags énormes lors de l'une ou l'autre de ses rediffusions télévisées. Signifiant ainsi — et comment lui donner tort ? — que le dernier mot de tout appartient toujours à la comédie.

Lui, pilote assez irréprochable pour se sortir sans mal des problèmes mineurs affectant son engin, la météo imprévisiblement hostile, le moteur qui tombe en panne, la nuée d'oiseaux venant éteindre un réacteur au moment du décollage. Et assez chanceux pour n'avoir jamais rencontré de difficulté plus grande ou plus spectaculaire. Donnant parfois le sentiment qu'il le regrettait. Et qu'il aurait aimé que quelque chose d'un peu plus sérieux lui donne l'occasion de faire la preuve qu'il était capable de tirer d'un énorme Boeing 747 à peu près les mêmes performances que du vieux P-47 Thunderbolt, nerveux et puissant, sur lequel il avait appris à piloter trente ans auparavant.

Une vie, une carrière sans histoire. Depuis que l'Histoire s'était retirée de sa vie et de toutes les autres autour de lui. Qu'il n'y avait plus à fuir, au volant d'une vieille Peugeot, devant l'arrivée des divisions blindées de l'ennemi. Ni à se demander s'il était juste ou non de se porter volontaire pour combattre dans un camp ou bien l'autre. Maintenant que la guerre était finie, gagnée, depuis longtemps, totalement oubliée, au point que si on l'interrogeait pour savoir dans quelles circonstances il était devenu pilote il lui fallait tout expliquer depuis le début. Racontant l'Aviation populaire, l'Institut agronomique de Maison-Carrée, l'opération Torch, disant qui étaient Giraud et Darlan à des jeunes gens pour lesquels ces noms ne signifiaient rien, évoquant la traversée de l'Atlantique à bord de l'*Empress of Scotland*, les terrains d'entraînement de l'Alabama ou du Michigan, ses premiers courriers sur DC-4 ou Constellation. Et le récit de tout cela aurait été si long et si compliqué qu'il n'avait jamais entrepris de le faire, personne ne le lui ayant d'ailleurs demandé, se contentant d'une allusion, si la conversation s'y prêtait, à tel ou tel des épisodes de ce long feuilleton dont nous ne connaissions donc que quelques morceaux dans le désordre, tout à fait incapables d'en reconstituer même vaguement l'intrigue.

Tout cela se trouvant désormais sur le point de se terminer. L'épopée achevée — devait-il admettre. Si bien qu'il était normal qu'elle devienne objet de risée ou qu'elle ne suscite plus qu'une vague indifférence plus ou moins polie. Lui, avec ses cinquante ans, passant déjà pour un survivant de l'âge des pionniers auprès des équipages qu'il commandait, des nouveaux pilotes qu'il formait et qui devaient se figurer qu'il avait autrefois servi de second sur les appareils de l'Aéropostale, portant alors une combinaison de cuir et une casquette fourrée, des jeunes gens dont certains choisissaient encore le métier appelés dans le ciel par une vocation semblable à la sienne mais dont la plupart avaient passé le concours de l'ENAC comme ils auraient passé celui de n'importe quelle école d'ingénieurs à leur portée, attirés moins par l'aviation elle-même que par la perspective de mener une vie aisée et distrayante faite de fastueux voyages autour de la terre.

Toutes les années de sa carrière se confondant certainement dans son esprit depuis que la même routine inflexible gouvernait son existence. N'ayant pour ses trente-cinq années passées à Air France que quelques vagues repères accrochés à autant de souvenirs un peu lointains : ses qualifications successives aux commandes des différents appareils de la compagnie et puis la naissance de ses enfants. Un roman, si l'on veut, mais dont la lecture aurait été aussi répétitive que celle d'un carnet de vol ou d'un livret de famille avec des inscriptions de noms, de lieux, de dates sans jamais la marque du moindre événement à l'allure de drame. Entre deux courriers, revenant chez lui, révisant sa documentation, s'absentant pour des réunions associatives ou syndicales, partant pour les « périodes » qu'exigeaient ses galons d'officier de réserve, prenant quand il le pouvait les vacances auxquelles il avait droit, passant avec nous deux semaines auprès de sa mère, la vieille femme aux airs de chanteuse et de tragédienne installée dans la vieille maison du Balmay, et le reste du temps dans sa résidence secondaire des bords de l'Yonne dont il avait transformé le jardin en y plantant des parterres de fleurs et des arbres fruitiers. Ne voyant pas grandir ses enfants. Constatant juste, lorsqu'il rentrait de la messe, comment grossissait cette tribu d'étrangers qu'il considérait avec bienveillance et un peu d'incompréhension, jeunes gens et jeunes femmes absorbés par les exigences d'une autre vie, les études, le travail, les amours, et d'une autre époque, étrangement désinvolte ou indifférente à l'égard des valeurs ou des idéaux de la sienne, qui se rassemblaient autour de la table du déjeuner dominical, ses deux filles, ses trois fils, et puis leurs épouses et époux respectifs, en attendant la foule des petits-enfants.

Et puis repartant — comme nous le signalait l'absence dans l'entrée de sa grosse sacoche de cuir noir. Totalisant à la fin de sa carrière quelque chose comme vingt-deux mille heures de vol dont il suffirait de reprendre ses carnets pour reconstituer le relevé exact : jour par jour, les appareils pilotés, leur modèle et même leur immatriculation, les destinations, la durée à la minute près de chacun des courriers. Mais lui-même mélangeait tout cela, ne pouvant humainement garder en mémoire chacun de ces voyages qu'il avait faits et qui, à la fin, devaient lui apparaître comme les moments confus d'une seule et perpétuelle croisière autour de la planète.

Avec pour certaines choses la tête la plus solide et la plus fiable qui soit : capable ainsi de situer bien sûr chacun des innombrables instruments à l'intérieur du poste de chacun des appareils qu'il avait pilotés, sachant par cœur toutes les check-lists, retenant toutes les procédures, ayant mentalement photographié le moindre des aéroports sur lesquels il s'était posé avec leurs pistes et leurs circuits d'approche au point de pouvoir se repérer dans les conditions de plus mauvaise visibilité et d'en convoquer encore l'image précise dans son esprit longtemps après avoir cessé de voler. Mais oublieux de tout le reste. Se rappelant vaguement les continuels trajets de l'hôtel à l'aéroport et de l'aéroport à l'hôtel. Totalement désorienté dès lors qu'il se trouvait à terre : perdu dans le temps et dans l'espace. Allant se coucher aussitôt que l'appareil était posé. Se réveillant soudainement dans l'obscurité d'une chambre inconnue, sans savoir ni l'heure ni le lieu, mettant de longs instants à se souvenir dans quel pays il était. Toujours installé, comme l'exigeait le standing de la compagnie, dans la suite la plus luxueuse d'un grand hôtel et qui aurait suffi à loger toute sa famille nombreuse si elle l'avait accompagné ! Profitant à peine de tout cela : de la piscine, de la plage, des bars, des restaurants. Dormant autant qu'il le pouvait. Et si l'insomnie du décalage horaire l'en empêchait vraiment : rejoignant ses collègues de l'équipage ou de l'escale. Ayant noué de vagues camaraderies avec quelques-uns des personnages affables qui, un peu partout, s'empressaient autour des comptoirs de la compagnie, vivant des services de toutes sortes qu'ils offraient aux pilotes de passage. Ainsi M. Édouard, devenu légendaire auprès des équipages en transit à Hong Kong et par lequel il passait pour se faire couper sur mesure et en vingt-quatre heures les élégants costumes sobres qu'il portait.

Le plus souvent, partant se promener seul. Comme il l'avait fait autrefois dans les quartiers d'Alger ou de Tuscaloosa. Marchant au hasard dans les coins les plus populaires des grandes métropoles d'Amérique ou d'Asie, qu'il finissait par connaître comme sa poche et bien mieux que le sixième arrondissement de Paris où se situait pourtant son domicile. Sachant retrouver un restaurant, une boutique, l'emplacement d'un marché ou d'un jardin public et puis, après plusieurs heures à errer ainsi, reprenant le chemin de son grand hôtel pour y chercher le sommeil. Justifiant de telles promenades vaines — et peut-être aussi pour se faire pardonner son absence — en achetant à peu près n'importe quoi en guise de cadeaux : des fleurs et des soieries à Bangkok, des épices et des fruits à Pointe-à-Pitre, des jouets et des gadgets électroniques à New York ou Tokyo. Peu porté sur les monuments. Et moins encore sur les musées. Se contentant de regarder le monde. L'ayant vu changer sans pourtant s'en être vraiment aperçu. Mesurant mal la métamorphose qu'il avait connue et dont il avait été le témoin. Lui qui, à peu près sous toutes les latitudes et toutes les longitudes, avait assisté à l'invention d'un nouvel univers sur les lieux de l'ancien et qui aurait pu dire tellement de choses sans doute sur cette transformation inouïe qui s'était opérée en l'espace de trente ans, s'il s'en était seulement souvenu ou avait considéré que ce qu'il aurait pu en dire était susceptible d'intéresser qui que ce soit.

Considérant l'existence qu'il menait comme naturelle. Ne concevant pas même le privilège qu'elle constituait et qu'il nous faisait partager lorsqu'il lui arrivait de nous emmener avec lui. Nous offrant, enfants, chacun à son tour, notre baptême de l'air. Ainsi : ayant demandé qu'on le dispense pour une fois des vols long-courriers et qu'on lui confie un aller-retour dans la journée pour Lyon-Satolas. Moi, âgé de six ans, et le cœur plutôt mal accroché, vomissant copieusement sur le siège du copilote au moment de l'atterrissage. Ce qui est sans doute un signe mais de quoi, une fois de plus, je ne sais pas. Nous laissant l'accompagner ensuite une ou deux fois par an. Installés derrière lui dans la cabine, ou bien assis un instant à sa place, avec le pilote automatique enclenché et l'interdiction formelle de toucher à quoi que ce soit, descendant prendre notre repas avec les premières classes. Profitant des largesses que la compagnie, à l'époque, consentait à ses commandants de bord. Allant avec lui vers Houston, Los Angeles, Dubaï, Bangkok, Anchorage ou Tokyo.

Voyageant très vite seuls grâce aux billets presque gratuits dont nous pouvions bénéficier. Partant ainsi, avec mon frère cadet, pour l'Amérique du Nord alors que je ne devais pas avoir beaucoup plus que quatorze ou quinze ans. Nous laissant à Montréal et nous donnant rendez-vous, deux semaines plus tard, à New York. Le plus étonnant étant que notre mère qui était du genre à nous guetter depuis le balcon de l'appartement pour s'assurer que nous traversions sains et saufs la rue Huysmans, la seule à séparer l'école de la maison, ne s'opposait pas à ce que nous accomplissions une telle équipée, plutôt imprudente. S'étant sans doute faite à l'idée depuis le temps que son mari et les aînés de ses enfants parcouraient la terre en toute insouciance et en toute liberté. Ayant raison puisque, malgré notre anglais quasi inexistant, après avoir pris les Greyhound Lines, trouvé à dormir dans des auberges de jeunesse situées dans les quartiers les plus improbables — au point d'être arrêtés dans la rue par de bons samaritains cherchant à s'assurer que nous n'étions pas perdus et se demandant ce que deux petits garçons français pouvaient bien faire tout seuls dans un *neighbourhood* aussi peu recommandable —, nous nous trouvions au rendez-vous que notre père nous avait fixé à plusieurs centaines de kilomètres de là, avant de reprendre l'avion avec lui pour Paris.

Recevant de lui cette seule leçon de liberté qui enseigne qu'il n'y a rien à craindre du monde, que nous sommes tous des visiteurs qui passent parmi ses paysages — les nuages au-dessus de l'Atlantique, les glaciers d'Alaska, les mers chaudes devant les plages d'Arabie, les villes gigantesques de l'Amérique et de l'Asie, tout cela vu à quinze ans. Oui, un immense privilège. Éprouvant ainsi — une fois et à jamais — un sentiment de détachement intense et infini : tout est à vous, rien ne vous appartient. En tirant une indéfectible confiance dans la vie — quoi que celle-ci réserve de malheur par la suite — puisqu'il reste qu'un autre temps, qu'un autre lieu existent. Privilégié, oui, pour avoir compris cela plus tôt et mieux qu'un autre, et pour avoir eu la chance d'apprendre tout cela d'un père qui lui-même l'avait appris un peu par hasard et sans vraiment le savoir. Devrais-je prier qu'on m'en excuse ? Je ne crois pas.

Avec mes yeux qui ont vu tout cela, les mêmes yeux, ma voix qui le dit, la même voix, me souvenant de ce spectacle magnifique — tous ces pays dont aucun n'égalait en splendeur le pur paysage vide du ciel parmi l'encombrement énorme des nuages réfléchissant la lumière du soleil. Avec cette certitude étrange et parfois un peu amère de pouvoir être partout et de ne se trouver nulle part. Semblable soi-même à une sorte de nuage soufflé par le vent. Pas grand-chose. À peine quelqu'un. Un touriste, en somme. Étant entendu que le tourisme est l'art de jouir du monde en passant. Comme la vie.

Dix ans, un peu moins en vérité, commandant de bord sur Boeing 747, depuis ce jour de mars 1972 où il avait été qualifié aux commandes de l'appareil jusqu'à celui de septembre 1981 quand il lui faudrait se résoudre à sa retraite. L'âge d'or du transport aérien : avant la crise, la déréglementation, les faillites, les plans de redressement et puis l'entrée dans l'ère d'aujourd'hui. À l'époque, Air France, qui dégage depuis peu les tout premiers bénéfices de son histoire, avec sa flotte d'une centaine d'appareils, ses cinq mille navigants, son réseau de cent soixante-dix escales réparties sur tous les continents, comme le proclament les publicités, compte parmi les premières compagnies du monde. Le trafic croît si vite qu'Orly, totalement saturé, ne suffit plus et qu'en 1974 on inaugure le nouvel aéroport de Roissy, baptisé du nom du grand Général, désormais disparu. Le voyage aérien est encore un luxe et une aventure — du moins pour ceux qui le découvrent. Car son développement et sa démocratisation le mettent déjà presque à la portée de tous.

Conduisant son énorme appareil sur les routes invisibles qui, passant à des altitudes inouïes au-dessus des zones les plus inhospitalières du globe, étendues nues de roche et de glace, relient les uns aux autres les aéroports de la planète, aux commandes d'une machine si perfectionnée que seuls les rudiments du pilotage en sont demeurés inchangés, le reste étant devenu l'affaire de la technique, le cerveau de l'engin calculant électroniquement le cap de balise en balise suivant l'itinéraire le plus rapide et le plus rentable, il sait certainement que l'épopée est sur le point de s'achever. Pour lui dont se remplissent, feuille après feuille, les dernières pages de ce qui sera son dernier carnet de vol. Et pour les autres, aussi. À moins qu'elle ne se soit terminée il y a déjà longtemps, en décembre 1936 avec Mermoz ou en juillet 1944 avec Saint Exupéry disparaissant mystérieusement au-dessus des eaux de l'Atlantique ou de la Méditerranée alors que, lui, il commençait tout juste à voler, à bord des appareils de tourisme de l'Aviation populaire, du côté de Charnay-lès-Mâcon, aux commandes de son Thunderbolt, finissant sa formation de pilote de chasse dans le ciel américain du Michigan ou de l'Illinois. Si bien que, en réalité, tout aurait été fini depuis toujours. Lui, arrivant trop tard, s'imaginant que toute l'histoire recommençait avec lui alors que le rêve était déjà révolu et que son seul titre de gloire — ou disons : sa seule raison de fierté — consistait à compter au nombre des derniers à l'avoir rêvé.

Tous les pilotes morts maintenant, selon la formule du vieux romancier américain, disparu également depuis plus de dix ans, le fanfaron à l'uniforme usurpé et à la démarche faussement claudicante dont il n'avait jamais lu une ligne et ignorait jusqu'au nom. Lindbergh, lui-même, s'éteignant en ces années-là, le 26 août 1974, emporté par un cancer de la moelle épinière tandis qu'il coulait mélancoliquement ses vieux jours devant l'océan, dans sa maison construite sur la plage d'une île volcanique du Pacifique, méditant solitaire l'inanité du temps. Pionnier ayant épousé une ultime cause, moins douteuse que celles d'autrefois, consacrant ses dernières forces à la défense de l'environnement, avant que cela soit à la mode, militant pour la sauvegarde des espèces menacées, se faisant l'avocat des baleines et des aigles, prêchant devant la presse et dans ses livres en faveur de l'alliance entre le savoir scientifique et la sagesse sauvage, « *the knowledge of science and the wisdom of wildness*». Sorte de Robinson volontaire ayant renoncé à reconstruire le monde, comptant vaguement sur les suivants pour empêcher qu'il ne disparaisse trop vite, s'abîmant face au spectacle du ciel surplombant la mer dans un paysage de crépuscule. Ses cendres dispersées près de l'église de Palapala sur l'île de Maui, avec pour épitaphe sur sa stèle cette phrase des Psaumes : « *If I take the wings of the morning, and dwell in the uttermost parts of the sea...* »

Le dernier ? À moins que le dernier des derniers ne soit cet autre qui lui survit à peine, mort en ces mêmes années, le 5 avril 1976, dans une solitude plus pathétique encore, naufragé hirsute et nu, reclus dans une chambre d'hôtel, devenu la victime de sa propre démence. Howard Hughes, en un sens, le martyr méconnu du vieux vingtième siècle, suffisamment visionnaire pour avoir compris que le cinéma et l'aviation constituaient ensemble la grande affaire de son temps, celle où s'exprimait l'optimisme insensé et héroïque du monde Jeune homme arrogant et naïf, déclarant vouloir devenir le plus grand aviateur, le plus grand producteur et enfin l'homme le plus riche du monde. Y parvenant presque, d'ailleurs. Un temps, propriétaire à la fois de la RKO et de la TWA. Nabab adulé d'Hollywood, multipliant les conquêtes parmi les plus splendides vedettes féminines de l'époque. Pilote d'essai se chargeant lui-même de tester les engins qu'il avait conçus pour le compte de l'entreprise aéronautique qu'il possédait, la Hughes Aircraft Company. Poussant tout jusqu'à la plus extrême démesure. Le 2 novembre 1947, faisant se soulever de l'eau, à vingt mètres seulement au-dessus de la surface et pendant moins d'une minute, parvenant ainsi à des performances à peine supérieures à celles qu'avaient obtenues près d'un demi-siècle auparavant les frères Wright au sortir de leur atelier de fabricants de bicyclettes, faisant décoller donc, ce 2 novembre 1947, le plus gros appareil du monde, le H-4 Hercules dit *Spruce Goose*, un hydravion destiné à assurer les liaisons transatlantiques et demeuré à l'état de prototype. Accomplissant cet exploit pour rien tant un tel appareil ne pouvait servir à quoi que ce soit sinon à produire la preuve qu'il était possible. Et puis finissant dans la folie, s'infligeant la torture d'une existence sans nom, passant les dernières années de sa vie alité dans une chambre d'hôtel dont il ne sortait jamais et où il ne laissait entrer personne, drogué et débile. Mort dans un tel état que seules ses empreintes digitales permettraient d'identifier la chose informe qu'il était devenu.

La sagesse tardive du premier (Lindbergh) et la démence ultime du second (Hughes), morts presque en même temps, au milieu des années soixante-dix, tandis que l'aviation civile, dont ils avaient rendu possible la légende, connaissait son âge d'or, témoignant pareillement de ce moment où se dissipe le rêve. Un demi-siècle de songes, finalement. Presque rien, au regard du Temps et de l'Histoire. Depuis les premiers pilotes établissant, au sortir de la Grande Guerre, les plus anciennes des liaisons régulières vers l'Afrique du Nord, l'Amérique du Sud ou l'Asie jusqu'à ceux bouclant leurs rotations désormais routinières autour d'une planète rendue une par le réseau régulier des lignes qui la parcourent en tout sens. La révolution s'étant accomplie si vite que ceux qui en avaient été les acteurs à son début avaient vécu parfois assez longtemps pour, septuagénaires, assister à la réalisation du vieux rêve. Et que ceux qui, enfants, avaient été les témoins lointains des commencements, étaient devenus adultes juste à temps pour recevoir le relais des mains des premiers, prendre leur relève et parfaire l'entreprise d'hier. Tout cela, une affaire de pères et de fils, s'étant passé en l'espace séparant une génération de la suivante. Sans que personne n'ait pris vraiment conscience de ce qui arrivait, la révolution ayant été assez rapide — cinquante ans, moins que le temps d'une vie, c'est-à-dire d'un claquement de doigts dans le vide — et assez lente — des milliers de jours, jour après jour, dont chacun apportait sa petite et imperceptible nouveauté à des hommes trop absorbés par la besogne quotidienne du prochain courrier — pour que seulement après coup, et à condition de jeter un bref regard derrière soi, l'ampleur de la métamorphose puisse être aperçue.

Se disant que l'aviation avait bien été le grand rêve du vieux vingtième siècle, né avec lui, destiné à finir en même temps que lui. Signifiant la foi — certainement absurde et coupable — en un lendemain toujours meilleur qui ne soit pas issu de la violence dressant les hommes les uns contre les autres mais de l'entreprise pacifique s'employant à établir qu'ils habitaient une seule et même terre au-dessus de laquelle faire voler, en guise de symboles approximatifs, les équipages d'une armada hétéroclite d'engins aux allures d'oiseaux. Malgré l'horreur et la mort qui, toujours, reviennent et l'emportent, en dépit de l'entropie qui pousse toutes les choses vivantes sur la pente du pire et les fait dégringoler enfin dans le précipice informe et sans fond du néant. Comme une sorte de compensation précaire et dérisoire, autant que la consolation vaine que le plus misérable des hommes trouve à lever une minute les yeux vers un ciel bleu qui lui rappelle que, même si tout l'écrase et l'humilie, quelque chose résiste en lui au sort et le conserve libre et heureux.

Un rêve de rien. Inimaginable pour ceux d'avant. Incompréhensible pour ceux d'après. Les premiers ne pouvant concevoir qu'il deviendrait réalité, calculant encore la chance très hypothétique de s'envoler qu'aurait le plus lourd que l'air. Les seconds peinant à se figurer qu'il avait été et ce qu'il avait bien pu signifier, considérant avec condescendance et un sentiment de supériorité fausse l'exaltation fantomatique d'autrefois pour les performances démodées de quelques machines désormais tout juste bonnes à garnir les galeries d'un musée aéronautique. Mais dans le temps où ce rêve était : une utopie unanime expliquant l'enthousiasme des foules accueillant le *Spirit of St. Louis* sur la piste du Bourget ou celui des visiteurs d'Orly, dépensant leur dimanche à regarder les Boeing et les Caravelle décoller devant eux à travers le miroir des baies vitrées d'une aérogare. Se réjouissant à voir n'importe quoi doté de deux ailes s'arracher à la pesanteur, comme si ce prodige banal suffisait à démontrer que toute fatalité, et même celle physique de la gravité, pouvait être conjurée. Et qu'en conséquence aucune raison n'existait de ne pas aspirer à une liberté qu'incarnaient — mensongèrement, sans doute — les hommes et les femmes en uniforme accomplissant, pour le compte de telle ou telle compagnie, le travail de convoyer des passagers jusque vers l'autre côté du monde.

Lui, à cinquante ans, en ce mois de mars 1972, assez vieux déjà pour se rappeler la rumeur des exploits d'un Lindbergh ou d'un Guillaumet lorsqu'il était enfant. Et assez jeune encore pour qu'on lui confie les commandes d'un Jumbo Jet flambant neuf.

Qu'aimait-il au fond ? Je ne sais pas. Qu'y avait-il derrière ce discours bien raisonnable et très responsable qu'il tenait aux autres, parlant du courrier, de la ligne, de la compagnie, invoquant la mission dont tout commandant de bord se trouve investi ? Discours auquel il croyait certainement, à l'aide duquel il justifiait sincèrement sa conduite, mais qui, même chez un homme aussi consciencieux, aussi scrupuleux que lui, n'aurait pas suffi à expliquer la longue passion à laquelle, en vérité, il avait voué sa vie. Une sorte de vice incompréhensible et inavouable. Peut-être était-ce, après tout, le pur plaisir physique de voler, la performance presque sportive — l'athlétisme aérien — qui vous assujettit aux sensations qu'elle produit — autant que le sexe ou l'alcool —, stupéfiant mental qui exige que l'expérience soit sans cesse reproduite, avec la nécessité toujours plus impérieuse d'éprouver au bout de ses bras, de ses jambes, son propre corps relié aux organes de l'appareil, l'impression d'arracher à la terre la masse inconcevable d'un engin de plusieurs tonnes et de le gouverner à sa guise dans les airs. Ou encore : cette licence que son métier lui donnait de n'être nulle part, de s'en aller et puis de revenir, tour à tour nomade et casanier, éprouvant une sorte de vertige à se retrouver dans le vide absolu du ciel, laissant au-dessous de soi tous les tracas de la terre.

Ce qu'il aimait vraiment, je ne le sais pas. Je peux simplement l'imaginer. Ainsi : lorsque l'avion a atteint son altitude de croisière, que les hôtesses et les stewards s'affairent, ce sentiment soudain d'extrême solitude. Dans le poste de pilotage, sur le pont supérieur, convaincu, comme il devait l'être, d'assumer à la fois le rôle du capitaine qui conduit le navire et celui de la vigie qui surveille l'horizon. Tandis que la plupart des passagers se préoccupent déjà de ce qu'on leur servira à boire, à manger et du film qui leur sera proposé. Avides de la plus petite distraction destinée à remplir le temps vide de leur voyage. Alors que le soleil brille au-dehors, les volets baissés, la cabine plongée dans l'obscurité afin d'y simuler une nuit artificielle. Affalés dans les rangées comme un convoi léthargique d'ombres enveloppées dans des couvertures, cherchant la position la moins inconfortable sur des sièges toujours trop exigus. Plus personne — ou presque — ne regardant par les hublots. Ne pouvant soutenir le spectacle nu d'un monde dont rien ne vous divertit. Sinon les enfants et les lunatiques qui comptent les nuages comme on le fait des moutons. Non pas pour trouver le repos mais afin de rester éveillé. Victimes extasiées d'une insomnie merveilleuse. Avec des formes impossibles qui planent devant soi, grotesques et splendides, tout à fait pareilles à celles qu'un petit garçon, une petite fille de quatre ou cinq ans voit anxieusement s'épanouir sur le papier peint de sa chambre à coucher avant de sombrer dans le sommeil.

La couche des nuages les plus bas traversée. Au-dessus des grandes villes, l'odeur de la pollution accumulée qui envahit le cockpit comme si l'on passait parmi les fumées s'élevant des cheminées d'usine. Perçant ce couvercle posé sur le monde. Et puis l'azur. Ce vieux mot de poète et de pilote. Le seul mot de poète qu'un pilote puisse comprendre : les paysages que le hasard fait avec les nuages, leur attrait mystérieux et plus puissant que celui des terres auxquelles on accoste, malgré la beauté aperçue. La gloire du soleil sur la mer violette, oui. Sous les yeux, ce faste sans prix et qui pourtant ne signifie rien, auquel, fût-on Baudelaire, on ne peut accrocher au fond aucun mot qui tienne. Voyageur dont le désir est en forme de nuage, rêvant de voluptés vastes, changeantes, inconnues, dont l'esprit humain n'a jamais su le nom.

Tandis que la terre change comme un chantier aux travaux sans fin, qu'on y creuse des tranchées, qu'on y jette des fondations desquelles s'élèvent des bâtiments qui s'agglomèrent en villes, elles-mêmes faisant se rejoindre leurs banlieues au point de tout recouvrir du ciment d'une seule cité, et que les prairies, les forêts, les montagnes et toutes les étendues réputées les plus inhospitalières, les plus réfractaires à toute forme d'exploitation, prennent l'apparence d'une misérable peau de chagrin que chaque nouveau désir exprimé par un homme fait se rétracter encore davantage. Le spectacle du ciel, identique depuis toujours et pourtant sans cesse recommencé. Mais pour la première fois de l'histoire, considéré non plus depuis le sol, les yeux levés vers l'augure de formes lointaines se développant comme une fresque peinte par le vent sur la voûte des airs. Envisagé maintenant à hauteur de nuages ou même depuis le surplomb impensable d'une altitude inhabitable. La perspective ayant ainsi tout à fait changé. Renversée. Puisque ce qui se trouvait en haut est désormais en bas. Le monde sens dessus dessous.

Aimant le ciel ainsi : le grand jeu qui se joue entre le bleu de l'azur, la couleur même du monde, enveloppant toutes les autres, et le blanc des nuages aux nuances si diverses sous le soleil qu'il peut virer vers à peu près n'importe quelle teinte, le gris et le noir, l'ocre et le beige, le rouge avec parfois l'éclat inattendu du vert. La collection de ces formations quasi immatérielles auxquelles, pour les distinguer les unes des autres, les hommes ont fini par donner des noms latins — comme ils le font pour presque tout, espèces végétales ou animales, minéraux et insectes, qu'ils situent ainsi dans le tableau compliqué de leurs taxinomies savantes, classant les individus en les assignant chacun à sa case, traçant de grands arbres qui expliquent comment chaque chose est à sa place dans l'économie parfaite de la création, susceptible de se transformer en une autre, soumise à la loi lente du temps. Classant comme s'y était employé le naturaliste Lamarck, soucieux sans doute que rien n'échappe à l'empire de sa raison et qui, après s'être occupé de ce qui vit sur la terre, de ce qui va sous les eaux, s'était dit qu'il lui fallait se mêler aussi, sinon sa gloire n'aurait pas été parfaite, de ce qui se passe au ciel, des grandes créatures de vapeur, aux allures étranges comme celle de la girafe, de l'éléphant ou du rhinocéros, qui peuplent les airs. Le privilège de leur avoir trouvé un nom revenant cependant à l'un de ses contemporains, un obscur pharmacien britannique, Luke Howard, déterminant en 1802 la nomenclature sous laquelle les présentateurs de la météo et les pilotes de l'aviation désignent aujourd'hui encore les nuages. Ceux-ci tardivement baptisés, si l'on y réfléchit, puisque dès la première semaine de la Création, la Genèse le dit, Dieu chargea l'Homme de donner un nom à tout, et que, les yeux fixés sur la glaise dont il venait de sortir, celui-ci négligea de leur en trouver un. Si bien qu'ils restèrent ainsi, anonymes, jusqu'à ce tout début du dix-neuvième siècle où l'oubli fut enfin réparé par un apothicaire anglais. Celui-ci cartographiant le ciel ainsi que les phénomènes qui y passent, tirant de son dictionnaire quelques appellations qui ne signifient pas grand-chose tant le propre des nuages est de varier si vite, de se soustraire tellement à toute volonté de les saisir, qu'à peine on leur a trouvé un nom ils ont déjà changé de forme et en exigent un autre. Leur donnant seulement un patronyme latin pour accréditer la conviction que chacun d'eux est une sorte de dieu ou de roi, un héros mythologique tenant son rôle de titan vaporeux dans l'épopée météorologique.

D'abord, si le temps est couvert, le stratus : la brume à la texture de grumeaux et de glu, qui colle au sol, faisant comme une fumée mouillée pesant sur la terre, incapable de s'élever, s'accrochant au relief, cachant parfois tout à fait le soleil, couchée comme une couverture épaisse étendue sur le lit de l'univers. Comme si un troupeau étrange d'animaux inquiets s'était répandu dans la campagne et avait investi la ville, boules de brouillard jaune, « *the yellow fog* », frottant aux vitres leur échine, leur museau, bougeant lentement autour des choses, s'enroulant autour des maisons, auréolant de gris le feu affadi de l'éclairage public. Fantômes envahissant l'espace, aussi populeux que la foule des morts si celle-ci avait clandestinement repris possession du monde, agitant leurs suaires de suie, faisant flotter comme une neige sale et lourde leurs cendres en suspension dans l'air, celui-ci soudainement rendu visible et où, de loin en loin, s'agglomèrent des silhouettes de spectres aux allures familières.

Et si le temps tourne au beau, la nappe opaque qui se défait un peu, se déchire par endroits pour laisser voir de grands pans de ciel bleu, bourgeonnant sur le bord des plaies, cicatrices ourlées autour d'un trou énorme ouvert sur le ventre vide et palpitant du temps. Comme un puits vu à l'envers et tourné vers la lumière. Ou bien la marque que trace sur l'eau dormante d'un étang une pierre jetée et qui dispose en cercles autour d'elle tous les débris flottant à la surface. Le stratocumulus livré au travail qui divise en lui l'épaisseur basse et uniforme du magma nébuleux, qui sépare horizontalement en son sein des continents immobiles de marbre, les fissure d'azur, et perce en eux de grandes cheminées verticales.

Alors : le ciel dégagé, passé les étages inférieurs, quand la couverture compacte pesant sur le sol s'est effrangée, effritée, qu'elle a volé en éclats et qu'il ne reste plus rien d'elle sinon des morceaux de blanc suspendus dans le nulle part du ciel. Des masses énormes et qui paraissent aussi solides que des montagnes jusqu'à ce que, s'approchant, elles s'évanouissent en fumée. Formes impossibles à enlacer comme celle du vieux dieu marin, régnant sur un peuple de phoques, que les peintres d'autrefois représentaient à la manière d'un centaure aquatique à la queue de dragon, un peu comme si sa silhouette avait servi de modèle à l'emblème de la compagnie, et qui, lorsque l'on voulait s'emparer de lui, se métamorphosait en lion, en serpent, en léopard, en cochon. Chaque cumulus accroché sur la page bleue du ciel comme un test de Rorschach pendu au mur dans le cabinet d'un psychiatre, sollicitant spontanément l'interprétation de celui qui l'observe, lui révélant sans qu'il le sache le secret de sa vraie nature, la forme de nuage de son désir, et qui prend l'allure de tout et de n'importe quoi : une baleine, une belette, un troupeau de petits animaux pressés les uns contre les autres, paissant l'atmosphère, et sur lequel veille un géant dressé de toute sa taille, deux amants allongés côte à côte parmi un fouillis de draps chiffonnés par la nuit, une enclume immense comme un continent et sur laquelle se tiennent, juchées sur ces sommets, des villes aux architectures irrégulières avec des cheminées d'usine, des pointes de minaret, des coupoles et des clochers émergeant vaguement au-dessus des remparts. Le domaine de l'ogre, avec ses terreurs et ses trésors, vers lequel, dans les contes, vont les enfants imprudents et où toutes les fables d'autrefois prennent les formes qu'on leur trouve.

Un autre univers posé à plusieurs milliers de mètres au-dessus du premier et en répétant l'apparence approximative. Le ciel réfléchissant la mer, son eau calme ou tourmentée, sa surface étale rayée de légères rides, l'écume soulevée sur la crête régulière des vagues parallèles ou bien tourbillonnant selon le mouvement d'un maelström creusant un abîme sur les bords duquel se dressent des paquets d'eau hauts comme des falaises. Imitant à la perfection un paysage de montagnes, les nuages semblables à la neige, flocons énormes flottant en formations espacées, ou bien recouvrant des reliefs escarpés aux dénivellations inouïes, avec des pentes et des pics, des crevasses entre des massifs aux contours assez baroques pour avoir été sculptés pendant des siècles par le ciseau de l'érosion, y creusant des canyons. Avec parfois la colonne colossale d'un cumulonimbus, comme un pilier dont la base ne repose sur rien et qui porterait sur son sommet le chapiteau immatériel du ciel. Mais plutôt : une banquise chauffée par la proximité du soleil, magnifiquement en train de tomber en morceaux, cassée par la catastrophe de la débâcle, des bancs de glace se détachant les uns après les autres de l'ensemble et commençant à dériver, s'éloignant tandis que, sur le point de s'effondrer, se tient encore debout l'édifice de quelques icebergs à l'équilibre instable. Le désert aussi, avec la couche continue des altocumulus, régulièrement ondulée et jaunie par le soleil, aux dunes parfaitement disposées comme celles que le vent du Sahara souffle et forme avec le sable. Sans que l'on puisse plus dire où se situe la réalité et où se situe son reflet. Si c'est le ciel qui imite la terre, comme un caméléon lové autour de la planète et tournant avec elle. Ou si c'est la terre qui imite le ciel, façonnant sa surface solide selon l'empreinte que laisse sur elle le spectacle d'en haut.

Tout cela pris dans un perpétuel mouvement, l'avion traversant ce milieu également agité par la convection de l'air, par le jeu de bascule entre les masses chaudes et les masses froides, elles-mêmes soufflées par le vent et propulsées par le tournis de toupie de la planète. La lumière passant comme elle peut parmi les nuages et modifiant, de minute en minute, le spectacle qu'ils font, éclairant le ciel de la manière la plus aléatoire qui soit, l'écran irrégulier des masses de vapeur morcelées cachant le soleil et puis le découvrant l'instant d'après, exposant à sa clarté tel ou tel de ses versants ou bien le cachant tout à fait, irradiant derrière les formes fugitives flottant dans l'air et entre elles. Et le soir qui vient : le blanc incendié des crépuscules avec le rouge du soleil couchant qui fait s'épaissir une barre sur l'horizon que surplombe le disque de la lune déjà livide. Le grand massacre qui dévaste tout, juste avant la nuit, et qui transforme le ciel en une sorte de palette sur laquelle les pigments se mélangent, si magnifiquement que l'on se demande à quelle autre peinture servent de telles couleurs saccagées pour rien. À chaque fois, on dirait le début du monde. La Genèse lorsque, sur ordre de personne, se séparent au firmament les eaux d'en haut de celles d'en bas et qu'elles se rétractent pour que s'assèche la terre et qu'à son aplomb se mettent à briller les luminaires une fois accompli le grand partage d'avec les ténèbres.

Je ne le sais pas, bien sûr, mais je crois que c'est cela qui comptait pour lui. Étranger à tout le reste, au fond, indifférent à l'argent et à la réussite, ne sachant plus sous quelle latitude sa patrie était située, sans amis, tandis qu'il volait, ayant oublié jusqu'à sa famille, n'ayant plus à cœur que les nuages, les merveilleux nuages qui passent là-bas.

CHAPITRE 9

26 novembre 1998

He himself is the ghost of his own father.

JAMES JOYCE

Le 30 septembre 1981, son soixantième anniversaire passé depuis une dizaine de jours, mais profitant jusqu'au bout du sursis que lui laissait le règlement de la compagnie, il se pose pour la dernière fois sur l'une des pistes de l'aéroport Charles-de-Gaulle à Roissy, faisant rouler son appareil jusqu'au pied de l'un des satellites qui entourent le terminal. Recevant l'hommage habituel qui va à tous ceux qui prennent leur retraite : la gerbe de fleurs, le champagne, le discours prononcé par les personnalités officielles dépêchées par la direction. La cérémonie à la hauteur des bons et loyaux services qu'il avait rendus : lui, avec ses vingt-deux mille heures de vol, ses décorations, toutes parmi celles auxquelles il aurait pu prétendre sinon la Légion d'honneur, instructeur et ancien chef pilote, responsable syndical, membre de toute une série d'associations aéronautiques aux noms improbables, depuis trente-cinq ans employé de l'entreprise à l'emblème d'hippocampe.

Elle, à peine moins âgée que lui, faisant pour la première fois le déplacement jusqu'à l'aéroport, allant l'accueillir à son arrivée — puisque c'était son dernier atterrissage —, pénétrant pour l'occasion dans le cockpit où elle n'avait donc jamais mis les pieds. N'ayant pris l'avion qu'une fois dans sa vie, dans les années cinquante, afin d'accompagner sa fille aînée qui se rendait à Londres pour les vacances. Aller et retour : deux heures de vol. Autant dire : rien. Sans même qu'il ait été, cette fois-là, le pilote. Prenant sur elle. Angoissée. Pas vraiment par la perspective de voler. Encore qu'elle le prétendît, se trouvant ainsi une excuse. Mais par celle de se retrouver dans un milieu pour lequel elle ne se sentait pas faite. Parmi toutes ces épouses de commandant de bord qu'elle n'avait jamais voulu fréquenter et qu'elle imaginait inutilement et excessivement sophistiquées. Trop différentes d'elle, restée une fille d'institutrice et de libraire, une enfant de province, trouvant son plaisir ailleurs, tout à fait incapable de thésauriser et de spéculer sur les formes les plus tapageuses de la réussite financière et sociale. Ne concevant pas même de passer une nuit dans l'une des suites trop luxueuses de l'un des fastueux hôtels où son mari, comme le voulait le standing de la compagnie, descendait à l'autre bout du monde et où, bien qu'il ait longtemps insisté, déployant tous les stratagèmes pour l'en persuader, elle avait donc toujours refusé de l'accompagner. Renonçant à ce privilège comme à tous les autres qui allaient avec. Mettant même un peu de superbe dans sa discrétion, d'ostentation paradoxale dans la façon dont elle dédaignait tout cela : l'argent, les voyages, le luxe... Montrant ainsi qu'elle était libre — au moins en cela.

Mais aussi : gênée d'entrer dans son monde. Éprouvant une sorte de scrupule à le faire. Se disant que ce qu'ils avaient vécu ensemble valait davantage que tout le reste. Ayant raison de penser ainsi. Soucieuse — comme le sont certaines femmes — de ne pas assister au spectacle nécessairement vaniteux que donnent les hommes — tous les hommes — lorsqu'ils se trouvent en représentation. En sachant trop sur eux pour y croire. Ayant peur que leur incrédulité ne se remarque et ne porte préjudice à ceux dont elles partagent la vie. Par amour, les préservant d'une telle humiliation. Ne voulant pas risquer que la folie de paraître de ceux-ci éclate en leur présence comme une pure bulle de savon. Ce jour-là, cependant, le regrettant un peu. Se disant qu'elle n'avait rien manqué. Mais que lui aurait certainement aimé qu'une fois, au moins, elle parte avec lui, qu'il puisse lui montrer le spectacle du ciel auquel il assistait depuis toujours, qu'il puisse jouer devant elle le rôle de ce personnage en uniforme pour lequel tout le monde, sauf elle, le prenait. Que cela lui aurait fait plaisir. Plaisir de s'imaginer lui faire plaisir ainsi. Et qu'il ne lui aurait rien coûté de faire semblant. Simulant comme le font depuis toujours les femmes — sans que les hommes comprennent jamais qu'il s'agit là de l'une des preuves d'affection les plus vraies qu'elles leur donnent.

Sur le dernier compte rendu de son dernier vol — conservé comme tous les autres depuis le début de sa carrière et posé sur le sommet de la pile où ils s'entassent tous dans une boîte —, dans la rubrique libre où le pilote consigne ses remarques, il avait simplement noté : « Dernier vol comme commandant de bord à Air France. Au revoir et merci. » Inscrivant cette formule très laconique, la fin sans phrases, ne trouvant rien d'autre à ajouter. Rentrant chez lui après la cérémonie. Allant se coucher. Le lendemain, accrochant son uniforme dans la penderie, remisant l'énorme sacoche de cuir dans un placard, entreprenant de ranger son bureau — puisque cela faisait trente-cinq ans qu'il remettait à plus tard de le faire, s'étant habitué à un désordre où chaque chose avait pourtant sa place si bien qu'il finissait toujours par retrouver le document qu'il cherchait parmi des piles écroulées de papiers, dans des classeurs entassés en vrac sur le sol. Ayant promis à sa femme qu'il s'occuperait de tout cela quand il serait à la retraite. Tenant sa promesse. Triant, classant, jetant. Mettant toute sa carrière dans les cercueils de quelques cartons, descendant tout cela à la cave.

Expliquant qu'il allait enfin pouvoir exécuter toutes sortes de projets qu'il avait en tête depuis longtemps. Ayant toujours prétendu que, lorsqu'il en aurait le temps, il apprendrait le grec ancien que lui, autrefois le meilleur latiniste de son lycée, avait dû renoncer à étudier à l'école, préférant se consacrer aux matières scientifiques indispensables s'il voulait passer le concours de l'École de l'air — auquel il avait échoué. Moins par désir de lire Homère ou Platon dans le texte — ayant cessé depuis longtemps de lire quoi que ce soit qui ne fût pas directement lié à son métier — que par goût des langues dont il découvrait les rudiments dans de petits ouvrages de format carré que publiaient alors les éditions Marabout et qui prétendent vous enseigner en quelques pages comment vous exprimer dans n'importe lequel des parlers les plus improbables de la planète, manuels minuscules dont il possédait toute une collection correspondant aux langues des principales escales desservies par la compagnie. Capable, ainsi, à

Rio, Tokyo, Mexico ou Moscou, de compter, de demander son chemin, d'indiquer sa destination à un taxi, de commander à dîner dans un restaurant, de former la douzaine de phrases qui permettent à un touriste de survivre et de se débrouiller n'importe où. Décidant donc d'apprendre enfin une langue qui n'était plus en usage nulle part, pour le seul plaisir d'assembler les mots, de les accorder. S'étant peut-être installé à son bureau désormais dégagé et bizarrement vide pour y ouvrir une vieille grammaire de grec, un manuel d'écolier, s'enseignant à lui-même l'alphabet, les premières déclinaisons, les règles de conjugaison les plus faciles. Et puis renonçant, bien sûr, assez vite. Se disant qu'il reprendrait plus tard. Car, et bien qu'à la retraite désormais, il avait encore tant d'autres choses à faire.

Il prétendait n'avoir jamais été aussi occupé que depuis qu'il avait cessé de travailler. Mettant toute son énergie intacte à œuvrer pour la bonne cause, bénévole au service des innombrables sociétés dont il restait membre : celles qui défendent les intérêts de la profession, représentent les pilotes de l'aviation civile (l'APNA) et les réservistes de l'armée de l'air (l'ANORAA), celles qui prennent soin des camarades en début ou en fin de carrière (les « jeunes pousses » et les « vieilles tiges »), qui viennent au secours de leur famille s'ils sont morts aux commandes de leur appareil (les Ailes brisées). Sans oublier l'association des Anciens d'Amérique et la paroisse de Notre-Dame des Ailes. Étant de toutes les assemblées générales, de toutes les commémorations, de tous les défilés. Sortant son uniforme du placard pour aller parader sur une base militaire, faisant le salut sous un drapeau pour rendre rituellement hommage aux mânes de Mermoz ou de n'importe quelle autre gloire plus obscure. Se donnant ainsi l'illusion qu'il n'avait pas tout à fait cessé d'être un pilote.

Ayant renoncé cependant tout à fait à voler. Il s'était inscrit dans un aéroclub, celui de Toussus-le-Noble, en se disant qu'il irait de temps en temps y faire un tour de Cessna. Mettant à chaque fois les moniteurs dans l'embarras car la réglementation les obligeait à contrôler régulièrement son aptitude à piloter. Eux, des aviateurs amateurs, forcément impressionnés de se retrouver devant un homme dont le carnet comptait plus de vingt-deux mille heures de vol, depuis les exercices sur Thunderbolt jusqu'aux long-courriers sur 747, et placés dans la situation un peu absurde d'avoir à lui faire subir un examen — comme si un employé d'auto-école devait faire repasser son permis de conduire, sur une voiture de tourisme, à un pilote de Grand Prix. Et puis, il avait laissé tomber. Réalisant sans doute que l'aviation de plaisance ravivait seulement en lui la nostalgie des sensations plus intenses que lui avaient procurées les vrais appareils qu'il conduisait autrefois dans le ciel.

Une fois, alors qu'il passait par Roissy, l'un de ses vieux camarades de la compagnie, toujours en activité, lui avait proposé de profiter du simulateur sur lequel il formait les nouveaux pilotes pour reprendre un peu les commandes. Montant dans la machine qui n'avait plus rien de commun avec les link-trainers de Casablanca ou de Craig Field, un cockpit bourré d'électronique, monté sur des vérins hydrauliques destinés à mimer les mouvements de l'appareil dans l'air, avec, à la place du pare-brise, un écran produisant l'image fausse du ciel et de la piste comme dans l'un de ces jeux auxquels on joue désormais sur son ordinateur et qui, à l'époque — ni les jeux ni les ordinateurs — n'existaient pas encore. Mais, pour que l'exercice soit plus drôle, lui proposant de demander aux techniciens d'entrer toutes les données les plus défavorables qu'un pilote puisse connaître à la fois : la visibilité nulle, la panne des réacteurs, le vent de travers, l'orage, le feu en cabine. Si bien qu'il avait naturellement envoyé l'avion dans le décor virtuel. Connaissant enfin son grand accident. Racontant, quand il était rentré, toute l'histoire avec un énorme éclat de rire un peu triste. Pensant, sans doute, qu'il était préférable que tout cela ne soit pas arrivé avant et pour de vrai, et qu'il n'aurait pu rêver, pour sa carrière, de meilleure fin que ce crash immatériel et sans conséquence ni victime.

Un matin — mais ce n'était pas celui du 1er octobre 1981 ; peut-être toute une année était-elle déjà passée depuis, ou même davantage : dix ans, pourquoi pas ? —, un matin, donc, il s'était levé et avait réalisé à quel point le temps devant lui était soudainement devenu vide. Recevant cette révélation pour rien dans le moment qui précède le réveil, lorsque l'affreuse et impitoyable clairvoyance du jour vous atteint sans que votre esprit ait pu se préparer à la vérité, se prémunir contre elle. Ou peut-être est-ce encore la nuit qui parle avant que la fausse clarté du monde l'ait fait taire. Désarmé et impuissant à éluder l'évidence — celle que l'on sent grandir depuis des mois dans l'un ou l'autre des recoins de la tête mais qui, tout à coup, se manifeste telle qu'en elle-même, avec toute sa brutalité idiote et irréfutable. Comprenant tout.

Les morceaux d'idées qui flottaient dans la cervelle s'ajustant impeccablement en un seul instant. Des mots écrits dans un alphabet inconnu, détachés les uns des autres, qui changent de place et qui, finalement, se mettent dans l'ordre qu'il faut pour former une phrase. « Une sentence » serait plus juste. Limpide. Énonçant que bien qu'innocent vous êtes condamné, vous l'avez toujours été, qu'il n'y a pas de grâce à espérer, qu'il a fallu être bien stupide pour ne pas en avoir conscience plus tôt mais que maintenant, pourquoi précisément ce matin-là ?, le moment est venu.

Et puis croyant avoir oublié. Se redressant dans son lit, à l'aube d'une journée comme n'importe laquelle. Passant en revue dans son esprit les occupations qui l'attendaient. Avec peut-être une réunion à laquelle il devait assister, l'assemblée générale d'une association aéronautique devant laquelle il devait présenter un rapport ou bien les comptes s'il en était le trésorier, la cérémonie destinée à célébrer tel ou tel des épisodes glorieux de l'épopée ancienne et pour laquelle il sortirait son vieil uniforme de la penderie. Ou bien : les enfants, les petits-enfants venant déjeuner parce que c'était un dimanche. Se levant pour prendre son café, se laver. Alors : frappé par l'évidence. Debout devant la glace de la salle de bains, la brosse à dents dans la bouche, assis sur la cuvette des toilettes, en train de nouer son lacet ou reposant sa tasse vide dans l'évier de la cuisine. Saisi subitement comme par le souvenir d'un rêve lorsque celui-ci vous revient à l'improviste. Ne disant rien. Convaincu qu'il n'y avait personne avec qui partager cette révélation dont d'ailleurs il n'aurait rien su raconter. Tant elle était simple et accablante.

Ne changeant rien à sa vie. Paraissant identique aux yeux de tous ceux qu'il côtoyait et qui n'auraient pu déceler la moindre nouveauté dans son attitude, la plus petite anomalie dans son comportement. Son humeur apparemment intacte. Avec ce secret, pourtant, qui l'accompagnait désormais, semblable à une sorte de mauvais ange, planant un peu derrière lui, à quelques centimètres au-dessus de son épaule, pesant sur son dos de plus en plus voûté, soufflant son haleine dans son cou, lui chuchotant à l'oreille des paroles qu'il aurait été incapable de répéter mais dont il savait bien le sens — la vie, finalement, seulement cela… Invisible pour les autres. Et que même lui ne parvenait pas à apercevoir car s'il se retournait brusquement, aussi vite que possible, il voyait bien qu'il n'y avait personne près de lui. Sans douter toutefois que quelqu'un était là, avait toujours été là et ne le quitterait plus.

L'ange mauvais de la mort posé sur son épaule. Dont il connaissait l'apparence puisqu'à soixante ou soixante-dix ans, forcément, on a déjà eu plusieurs fois l'occasion de le voir traîner dans les parages. Au-dessus du cercueil où le corps trop grand d'un homme au visage mélancolique de masque de carnaval avait été allongé et que la flamme bleue de la lampe à souder scellait dans son enveloppe de zinc. Auprès du lit mortuaire où gisait une vieille femme à la corpulence excessive, théâtrale et emphatique jusque dans la dernière pose qu'elle avait prise. À quelques pas de lui, tandis qu'il creusait la terre du jardin pour y ensevelir le sac plastique dans lequel le vétérinaire venait de glisser le cadavre d'un chien, pleurant pendant qu'il plongeait la pelle dans le sol, se disant que les larmes qu'il versait là pour rien valaient pour toutes les autres fois où ses yeux étaient restés secs et le dispenseraient peut-être d'éprouver à nouveau un chagrin pareil. Partout, s'il y songeait — maintenant qu'il y songeait —, à tel point qu'il n'y avait plus aucune image dont il puisse se souvenir sans que d'une certaine manière il réalise qu'elle recelait déjà cette présence à laquelle il n'avait jamais vraiment pensé : quelque part dans l'air opaque où volait trop bas l'hydravion d'Imperial Airways allant s'écraser près de la pointe du mont Fufret, sur le bas-côté des routes ensoleillées où filait la vieille Peugeot qu'il avait conduite au moment de la débâcle, au-dessus des eaux démontées de l'Atlantique que fendait la proue d'acier d'un paquebot, près du foyer froid où parmi le maïs ou les tulipes gisaient les restes noircis d'une carlingue carbonisée, et même dans les airs où il avait passé l'essentiel de son existence, volant à travers l'encombrement magnifique des nuages incendiés par le soleil du soir, prêtant seulement attention à la splendeur du ciel sans saisir de quelle superbe catastrophe elle était le signe ou bien le présage.

L'augure du temps. Une allégorie scintillante et sinistre. Un ange. Dépêché par personne afin de se faire le messager silencieux d'une vérité toute simple. Et dont il faudrait être bien stupide pour se scandaliser — ou même s'étonner — de la nouvelle qu'il apporte. Créature céleste déshabillée de son uniforme d'apparat. Sans ailes, ne brandissant pas la faux, ne portant pas le sablier, silencieux au point que ne l'annonce aucun cliquettement d'os ou de chaînes. N'empruntant pas davantage son apparence au guerrier glorieux qui exhibe son épée de lumière sous les yeux des vivants pour leur signifier que l'heure du Jugement est venue. Semblable plutôt à une poche grise de vide flottant dans l'air, une bulle de rien suspendue au dessus du sol et absorbant lentement tout l'espace autour d'elle.

Cela, qu'il avait vu, disons, ce matin-là, assis en robe de chambre devant sa tasse de café, accoudé sur la table de la salle à manger, dans cet appartement plutôt petit du quinzième arrondissement de Paris où lui et elle avaient choisi d'emménager après sa retraite, fixant un paysage de façades ternes surplombé en cette saison par la bande vaguement bleue d'un ciel indécis, avec ce nuage de néant à ses côtés, soudainement apparu de nulle part, lourd d'une neige noire qui finirait bien par tomber lorsque viendrait la prochaine précipitation, descendant sur le monde pour tout ensevelir dans sa grisaille douce et froide.

Ayant le sentiment d'avoir vécu tout un siècle, assez long, comme n'importe quel siècle, pour contenir en lui tous les autres et ramasser en son sein l'épaisseur même du temps avec ses milliers d'histoires contemporaines les unes des autres et chacune installée dans sa propre durée solitaire. Et pourtant aussi bref qu'un éblouissement. La réalité désormais disparue, volatilisée, comme partie en fumée sous l'effet d'un sortilège, l'enchantement du temps, avec la vapeur des visions anciennes mimant encore la forme de quelques souvenirs, contrefaisant leurs silhouettes, et sur le point de se dissiper tout à fait.

Ou plutôt : l'univers restait intact et il le savait. Le monde continuait à tourner de son mouvement perpétuel avec, pour s'en assurer, la rotation autour du globe de tous ces appareils et à leur bord des hommes qui, après lui, les pilotaient, veillant depuis l'habitacle de leurs avions nouveaux à ce que la Ligne continue à conduire d'escale en escale et enveloppe la terre de son réseau régulier. La mécanique de pendule de la planète, comme celle de la montre qu'il portait à son poignet, toujours calée sur le méridien du temps universel, sans même qu'il y ait jamais à tourner une clé, à changer une pile, remontée par son propre mouvement au bout de la main, suffisant et susceptible ainsi de fonctionner pour toujours. Tout cela voué à continuer interminablement, se perpétuant, tantôt bien, tantôt mal. Et, n'ayant renoncé en rien à l'optimisme de son siècle, bien plutôt que mal, pensait-il obstinément, ne doutant ni du présent ni de l'avenir, convaincu que le monde d'aujourd'hui était meilleur que celui d'hier et que, malgré toutes les catastrophes qui avaient lieu et toutes celles que le futur réservait certainement, demain serait meilleur encore.

C'était lui, avait-il compris ce matin-là, qui s'effaçait à la façon d'un spectre dont les contours se font vagues et transparents lorsque se lève sur la terre le soleil du jour d'après. Inconsistant désormais tandis que tournait imperturbablement la machine intouchée du monde sur les leviers de laquelle ses mains de fantôme perdaient progressivement toute prise. Spectateur, il regardait les choses changer. Et leur donnait raison de changer comme elles le faisaient. Même si, bien sûr, il ne pouvait acquiescer tout à fait au tour qu'elles prenaient. Ses journées, il les passait maintenant devant l'écran de la télévision, allant de programme en programme, et puis revenant sans cesse sur l'une de ces chaînes nouvelles, apportées par le câble et exclusivement consacrées aux informations, ne manquant plus un seul de ces bulletins qui toutes les demi-heures répètent les mêmes nouvelles, diffusent les mêmes reportages. Comme si un devoir absurde lui commandait de veiller sur le temps, de s'assurer que ne survenait pas un événement qui l'aurait transformé à son insu. Sans que rien ne se produise jamais, bien sûr, sinon la succession indifférenciée des résultats électoraux ou sportifs et puis, parfois, un drame, une catastrophe, une guerre prenant très vite la même apparence insignifiante d'image destinée à être chassée par l'image suivante.

Tout comme le journal de la météo — lui aussi régulièrement répété avec ses simulacres de nuages posés sur la carte et les photographies satellite semblables à celles qu'il lisait autrefois sur l'écran de son radar — ressassant les mêmes prophéties insignifiantes et douteuses — le mouvement des masses d'air, l'anticyclone rayonnant au-dessus de l'océan et repoussant au loin la couronne tournoyante du mauvais temps, les fronts qui se déplacent par-dessus les continents. Tout cela pour aboutir à un ciel toujours variable avec le jeu de cache-cache des nuages et du soleil, non plus considéré depuis le surplomb d'un avion traversant les airs mais dans le cadre cathodique d'un minuscule théâtre électronique trônant, trop gros, au milieu du salon un peu exigu de leur nouvel appartement du quinzième arrondissement de Paris. Captivé par ce spectacle, celui-là même qu'offre désormais le temps, son ruissellement spectral de faux-semblants où toutes les apparences se valent et se confondent, chacune luisant un instant de l'éclat éphémère de l'évidence et puis s'éteignant aussitôt, ce scintillement hypnotique éblouissant la conscience. Lui, assis dans son fauteuil, la télécommande à la main, tassé, épaissi, changeant de corps pour s'installer dans l'immobilité ahurie d'une durée vide.

Donnant raison au temps — et même contre lui. Se disant que celui-ci appartenait déjà à d'autres qui sauraient sans doute veiller sur lui aussi bien que l'avaient fait lui et les gens de son âge. Conservant la confiance, naïve probablement, qu'il plaçait depuis toujours dans le monde, ne doutant pas que le Bien l'emporterait au bout du compte, que les vieilles valeurs désuètes que lui avaient enseignées l'Église et l'École finiraient sinon par triompher, du moins par faire pencher la balance un peu de leur côté. Et parfois l'Histoire lui avait donné tort. Et parfois elle lui avait donné raison aussi. Si bien qu'il ne voyait pas pourquoi désespérer. Car si la guerre avait pu être gagnée autrefois — malgré toute l'horreur dont il avait été le témoin lointain —, si la colonisation et la ségrégation appartenaient désormais au passé — bien que cela n'ait pas changé grand-chose à l'inégalité et à l'injustice —, s'il avait été possible de transformer la misère d'un pays détruit en une prospérité imprévue — et même si cette richesse nouvelle avait fait grandir partout l'insatisfaction et l'inquiétude —, alors aucune raison n'existait pour que le miracle ne se reproduise pas d'une manière ou d'une autre et que les hommes et les femmes d'après lui n'en soient pas à leur tour les témoins.

De la compagnie, il n'avait maintenant plus que des nouvelles assez vagues — la plupart des collègues qu'il avait connus, ceux de sa génération et même certains des plus jeunes qu'il avait formés, ayant pris leur retraite après lui. Si bien qu'il ne passait plus par les bureaux d'Orly et de Roissy, ni par ceux de Montparnasse situés cependant à deux pas de l'appartement qu'ils habitaient désormais, n'y croisant plus aucun visage familier et réalisant que son visage à lui ne disait plus rien à personne. N'ayant pas renoncé à l'aéronautique pourtant, se dépensant plus que jamais au sein d'associations où son âge et son expérience, la carrière qu'il avait faite et le désintéressement, la discrétion avec lesquels de l'avis unanime de la profession il l'avait conduite, lui conféraient cette autorité morale qu'on accorde en général, en guise de compensation, à ceux qui se retrouvent privés de tout pouvoir effectif. Trouvant là une forme de consolation certainement, de dérivatif, collaborant de plus en plus à la commémoration de l'épopée ancienne, à laquelle il avait été l'un des derniers à participer, ou plutôt à rêver, devenu comme une sorte de gardien de musée galonné, un peu engoncé dans son vieil uniforme devenu trop étroit pour sa corpulence, fantôme faisant le salut militaire en souvenir de fantômes plus anciens que lui.

Tandis que l'Histoire continuait, passée entre les mains d'hommes plus jeunes et dont il devait nécessairement penser qu'ils se débrouillaient plutôt maladroitement de la grande affaire qui leur avait été confiée. L'aviation civile connaissant alors sa plus grande crise avec le renversement brutal de la longue tendance qui depuis la guerre avait permis son expansion planétaire : les avions qui se vident, la flotte soudainement surnuméraire d'appareils inutiles, la déréglementation sauvage qui met en compétition toutes les compagnies, les nouvelles et les anciennes, laissant à la loi aveugle de la concurrence le soin de décider de celles qui survivront. Au point qu'en 1993 Air France se retrouve au bord du dépôt de bilan et très sérieusement menacée de disparaître, l'hypothèse n'ayant rien d'improbable ainsi que le démontraient assez les cas tout récents de la Pan Am et de la TWA aux États-Unis. Lui, n'ayant pourtant jamais voulu croire, même à ce moment-là, à la faillite, se disant qu'elle était tout simplement inconcevable, qu'il y aurait des hommes qui, comme Max Hymans autrefois, inventeraient les solutions économiques et techniques pour sauver l'entreprise. Ayant raison une fois de plus, vivant juste assez vieux pour voir les premiers signes du redressement assurant le salut d'Air France.

Mais, et en dépit de cela, tous les pilotes morts désormais, ou sur le point de mourir avec lui, ainsi que l'avait voulu le vieux romancier américain auquel finalement et sans l'avoir lu il donnait raison maintenant. Ceux dont des livres déjà oubliés racontaient l'histoire formidablement démodée. Et puis les autres, plus anonymes encore. Certains qu'il avait connus. Ceux qui dormaient sous la pelouse d'un cimetière de l'Alabama, de l'Illinois ou d'ailleurs, sans même une sépulture parfois et dont le souvenir ne tenait plus qu'à la fin tragique qu'ils avaient trouvée aux commandes de leur avion et que célébrait quelque part une stèle fleurie une fois l'an par de vagues survivants. Étrangement nés ensemble, à quelques années d'écart, entre les deux guerres de telle sorte que celles-ci avaient marqué la frontière infranchissable de leur rêve. Après eux, plus personne, ou presque. Comme si le moule qui les avait faits s'était brisé. Ou bien : était de lui-même tombé en poussière soufflée par le vent. Eux, si peu nombreux, *happy few*, formant la plus fantomatique des confréries, *band of brothers*, décimée par le pur désastre de la durée, les abattant les uns après les autres. Témoignant de la foi formidable qui, au temps de leur jeunesse, s'était emparée de l'Humanité, contagieuse au point de les avoir tous contaminés. Et puis éteinte, du jour au lendemain, comme si l'épidémie avait presque aussitôt cessé. Des « mordus », de véritables « enragés », ayant attrapé dès l'enfance le « virus », comme l'exprimaient toutes les images convenues qu'ils employaient eux-mêmes, possédés par une passion maniaque que le monde, un jour, avait choisi de juger dépassée et puérile. Plus personne ne pouvant vraiment comprendre celle-ci et moins encore partager l'optimisme avec lequel ils avaient cru en l'utopie ancienne, levant les yeux vers le ciel au passage du moindre avion et voulant découvrir en lui le signe d'une prophétie heureuse.

Tous ces jeunes gens ayant atteint l'âge d'homme vers le milieu du vieux vingtième siècle. Morts maintenant ou n'ayant plus beaucoup d'années devant eux avant de mourir à leur tour. Devenus vieux et n'ayant laissé à ceux qui les suivraient que le souvenir magnifique du ciel au sein duquel, un jour, ils avaient disparu. Avec ce vide, dont parle la vieille fable, que le monde abrite, qu'il découvre lorsqu'on l'a mis sens dessus dessous et qui ne signifie rien. Des hommes qui avaient tous placé la même espérance dans ce songe un peu enfantin de l'aéronautique, desquels aujourd'hui on ne se souvient déjà presque plus mais auxquels il serait si juste de consacrer une sorte de mémorial un peu vain qui retiendrait tous leurs noms ou du moins quelques-uns d'entre eux.

Ainsi par exemple et pour moi, né sous le signe des Gémeaux et n'ayant été amoureusement lié qu'à des femmes issues de la même constellation du zodiaque, le sien, Jean-

Claude Fournier, mort tandis que je naissais, au début des années soixante, que je n'ai donc jamais connu, pilote de chasse dans l'armée de l'air, disparu aux commandes de son appareil, celui-ci s'écrasant sans raison connue au cours d'une mission d'entraînement au-dessus des Vosges, laissant veuve une toute jeune femme, mère d'une petite fille, elle se remariant quelques années plus tard avec un médecin lui-même pilote, ayant de lui trois enfants, dont une fille née sous le signe des Gémeaux, mais n'oubliant jamais celui qui avait été son premier mari, portant perpétuellement son deuil, au point de se rendre bien plus tard sur les lieux du sinistre, signalés à son intention par un garde-chasse, afin d'y collecter quelques morceaux d'acier, débris de son appareil, comme s'il lui fallait ce signe tangible pour ne jamais oublier l'histoire vraie de sa vie et l'homme qu'elle avait aimé, sorti de l'École de l'air dont, lui, il avait réussi le concours, rencontré du côté de Salon-de-Provence, superbe, disait-elle, dans son uniforme d'apparat, officier d'élite, trouvant la mort la plus prématurée et la plus absurde qui soit, éparpillant son appareil parmi la forêt, le pulvérisant en pièces, dispersant ce puzzle sinistre au milieu des arbres, ne parvenant pas à s'éjecter à temps, comme elle l'avait appris alors, pilote disparu à la manière de tous les autres, évanoui dans le vent.

Ou bien : lui, dont je fus longtemps le gendre, marié à sa fille née elle aussi sous le signe des Gémeaux, assez épaté qu'elle ait pu épouser un homme, moi, et ce fut peut-être ma principale qualité à ses yeux, dont le père avait été pilote de Thunderbolt et de Boeing 747, Paul Lerebours, professeur d'anglais au lycée de Louviers, dont j'écris le nom maintenant qu'il n'est plus là pour le lire. Fils de petits paysans normands, suffisamment brillant dès l'enfance pour avoir été distingué comme le meilleur élève de son canton, envoyé pour cette raison au prestigieux lycée Saint-Louis de Paris, y ayant pour condisciples Cau et Lanzmann, mais trop peu sûr de lui pour se prendre comme eux pour un intellectuel, à supposer qu'il en ait eu le désir, partant en Éthiopie afin d'y enseigner avant de revenir chez lui, mais toujours captivé par la seule passion de l'aéronautique, faisant voler tout ce qui passait à portée de ses doigts, quelques morceaux de balsa auxquels il ajoutait une hélice, consacrant dans sa cave l'essentiel de ses loisirs à l'aéromodélisme et puis, dès que son traitement le lui avait permis, obtenant son brevet de tourisme, partant pour de grands raids dominicaux vers Étretat ou Deauville, hantant les terrains d'aviation, pris vers la fin d'une fugitive passion pour l'ULM. Laissant à sa fille pour principal héritage, avec les collections complètes de toute une série de revues aéronautiques, des dizaines et des dizaines de maquettes, certaines exposées dans des vitrines, d'autres attendant encore dans leur boîte d'être construites, et puis la carcasse inachevée d'un « pou du ciel », dont il avait lui-même révisé, dessiné les plans, concevant d'ingénieux aménagements pour la machine, projetant d'en faire son chef-d'œuvre, défaisant et refaisant sans cesse, différant ainsi toujours le moment où l'appareil aurait pu prendre forme, abandonnant la chose en l'état après un chantier de plusieurs décennies, le squelette des ailes et de la carlingue aux vertèbres vernies et luisantes comme celles d'une baleine fossile conservée dans quelque coin d'un musée de paléontologie, toute cette population d'aéroplanes comme pour témoigner de sa passion ancienne.

Tous, nés dans la terrifiante mâchoire de l'entre-deux-guerres, enthousiastes, vouant leur vie en vain à la même illusion désormais révolue, afin de manifester aux yeux du monde entier qu'alors quelques-uns avaient cru en quelque chose.

Et lui, séparé de sa vie. Certainement séparé de son métier. Sans doute séparé tout autant de sa famille même sans en avoir conscience ou sans vouloir le reconnaître. N'ayant d'ailleurs aucune raison objective de le penser. Marié depuis cinquante ans à la même femme. Ayant eu cinq enfants avec elle — six, si l'on comptait celui qui était mort avant terme. Plusieurs fois grand-père et bientôt arrière-grand-père. Retrouvant tout ce monde très régulièrement chez lui puisque c'était elle, sa femme, qui finalement avait élevé non seulement leurs enfants mais également certains des enfants de leurs enfants, après le divorce des parents, les prenant pour de bon à la maison ou bien les y accueillant les mercredis et les dimanches, pour les vacances aussi passées dans la résidence secondaire des bords de l'Yonne ou dans la vieille demeure du Balmay. Si bien qu'il était très rare qu'une semaine s'écoule sans qu'ils voient débarquer pour le déjeuner une dizaine de convives, embarrassés de tout le matériel de puériculture, landaus, lits pliants, couches et biberons, qui constitue la panoplie des jeunes couples. Lui, patriarche imposant et impuissant, voyant s'assembler autour de la table ces jeunes hommes et ces jeunes femmes, ces petits garçons et ces petites filles, qu'il aimait avec l'attendrissement un peu excessif qui vient avec l'âge, et dont, avec la plus grande bienveillance, il essayait de suivre et de comprendre un peu la vie qu'ils menaient. Sachant bien, au fond de lui, que c'était en vain tant le temps passé était épais qui mettait entre eux et lui cette même vapeur de neige noire grossissant dans l'air autour de lui, voilant l'espace jusqu'à l'obscurcir presque depuis que flottait dans son dos l'immobile nuage du néant.

Et puis le pire était venu. Il viendrait deux fois pour faire bonne mesure. Mais la seconde lui serait épargnée. Car il était mort avant. Mais, en vérité, tout avait sans doute commencé beaucoup plus tôt. Si bien que le pire ne servirait qu'à confirmer le pressentiment qui grandissait en lui depuis longtemps, et même depuis l'époque qui, rétrospectivement, devait lui apparaître heureuse — glorieuse, peut-être — où il avait étrenné ses galons ou pris les commandes de son premier appareil à réaction. Cette sensation de glisser le long de la pente irréversible de la vie, incapable de s'accrocher à quoi que ce soit, se regardant dévaler doucement vers une sorte de précipice, arraché lentement au temps.

Le monde qui avait été le sien, il le voyait inexorablement avalé dans le lointain. Et lui restait vivant tandis que tout ce à quoi il avait cru cessait insensiblement d'exister pour les autres. Si bien qu'il aurait fait sourire s'il avait exprimé à haute voix ses convictions d'antan — auxquelles, cependant, il tenait toujours. Réalisant un peu que l'aviation telle qu'il la concevait était devenue une affaire de vétérans pour laquelle les pilotes d'après lui feignaient simplement une vénération vaguement polie mais dont ils auraient été tout à fait incapables de comprendre l'esprit. Déçu, donc. Ou plutôt incrédule devant le tour que tout prenait alentour. Ne comprenant pas qu'on traite à la légère les certitudes auxquelles il avait confié le soin et la conduite de son existence.

Un étranger. Et même au sein de sa propre famille. Ne parvenant pas à accepter ce qui, à ses yeux, devait avoir l'apparence d'une forme de déroute ou de gâchis. Ses filles ne faisant pas tout à fait le mariage qu'il leur aurait souhaité. Ses fils ne choisissant pas le métier qu'il aurait fallu. Aucun — et même l'aîné qui aurait pu y arriver — ne parvenant à devenir pilote après lui. Tous ses enfants échouant ainsi à occuper dans le monde une position supérieure — ou seulement égale — à la sienne. Et cela, il l'aurait encore accepté — pensant à juste titre que la valeur d'un individu ne se mesurait pas à sa réussite sociale. Mais admettant avec beaucoup plus de mal les divorces, les remariages, la désinvolture avec laquelle les enfants qu'il avait élevés considéraient les valeurs religieuses et morales qu'il croyait leur avoir inculquées.

Moi : ne valant pas mieux que mes frères et sœurs. Enfant le décevant peut-être encore plus que les autres en raison des espérances qu'il avait un moment placées en lui. Assez sérieux à l'école pour pouvoir envisager de passer le concours d'ingénieur qui menait à l'École de l'aviation civile. Piètre pilote mais pilote tout de même. Étant parvenu — pas plus doué mais pas plus maladroit qu'un autre — à obtenir son brevet de vol à voile et à intégrer une classe préparatoire de mathématiques supérieures. Et puis plaquant tout pour rien. Pas assez courageux cependant pour renoncer à réussir. Passant l'examen de l'Institut d'études politiques de Paris. Ayant toutes les capacités qu'il faut — et c'est bien peu — pour entrer, comme n'importe qui, à l'École nationale d'administration. Et au moment d'y arriver, laissant tout tomber à nouveau. Avec une application dans l'échec qu'il ne comprenait pas et que seul un psychanalyste aurait pu d'ailleurs expliquer. Mû, certainement, par ce désir qu'ont parfois les fils de ne pas faire mieux que les pères. Devenant pour finir professeur des universités et parvenant même à passer pour un écrivain. Ce qui, une fois encore, quoique mieux que rien, n'était pas grand-chose. Lui, assistant à sa soutenance de thèse dans l'un des grands amphithéâtres de la Sorbonne. Recueillant religieusement la moindre des coupures de presse le concernant. Fier, d'une certaine manière, et peut-être davantage que je ne peux l'imaginer — moi, croyant moins encore que lui à tout cela —, mais ne réussissant pas — lui — à prendre au sérieux une notoriété qui ne reposerait que sur le vide et le vent des mots. Se disant cependant que je n'avais pas tout manqué. Adorant la jeune femme que j'avais épousée à la façon dont les hommes vieillissants s'attendrissent innocemment sur leurs belles-filles si celles-ci sont assez charmantes pour faire revenir un peu de vie auprès d'eux. Et puis l'adorant plus encore en raison de la suite.

Lui, mort assez tôt pour qu'il n'ait rien su de ce qui allait se passer : le sort d'une famille d'aujourd'hui comme toutes les autres dans une société où ne valent plus les vieilles lois dont il avait pensé qu'elles gouverneraient pour toujours l'avenir, s'imaginant que chaque génération ferait un pas plus loin, mais vers où ? que celle qui l'avait précédée, vivant mieux, plus confortablement, plus dignement, capitalisant sur le passé, alors que, dans un monde désormais désorienté, le temps avait pris l'apparence d'une sorte de débandade généralisée où chacun s'en tirait comme il le pouvait, avec ses amours, ses enfants, ses problèmes de logement et d'emploi, la nécessité de trouver un compromis précaire et forcément insatisfaisant avec le monde tel qu'il va. Ayant d'ailleurs réussi plus qu'il ne l'aurait pensé. Et même en dépit de ce qu'il aurait pensé. Puisque des cinq enfants qu'il avait élevés, et de la douzaine d'enfants que ceux-ci avaient élevés à leur tour, s'il ne s'en était trouvé aucun pour devenir pilote — ou ministre, médecin, avocat, selon les stéréotypes de la réussite d'autrefois — il n'y en avait pas un auquel il n'aurait accordé la bénédiction bienveillante qui va à ceux qui n'ont pas complètement démérité de la vie qui leur a été donnée.

Mais c'était sa femme qui lui avait permis de comprendre enfin cela, lui expliquant que les vieilles idées qu'il s'était faites sur l'existence, tout simplement, n'avaient plus cours et qu'il ne servait à rien de s'imaginer obstinément le contraire. Qu'il n'y avait pas de moyen d'exiger des enfants et des enfants des enfants qu'ils croient à leur tour à ce en quoi lui-même avait cru : la foi en Dieu telle que l'enseignait l'Église, la fidélité dans le mariage et l'obéissance au sein de la famille, le sérieux et l'acharnement au travail, la stricte soumission à la morale comme on la concevait avant que ne vienne l'époque douteuse et désinvolte dont témoignaient désormais autour de lui toutes ces choses qu'il voyait et qu'il désapprouvait, le divorce, l'avortement, l'athéisme, l'incrédulité ironique à l'égard de toutes les convictions. Elle, ayant raison en cela et faisant preuve d'une lucidité dont, seul, il n'aurait sans doute pas été capable. Puisque l'unique chose que quiconque puisse faire pour ceux et celles qui viennent après soi consiste à les rendre libres sans vouloir jamais leur dicter l'usage qu'ils feront de leur liberté — et même s'ils s'en servent pour ruiner leur vie.

Acquiesçant silencieusement à tout et souhaitant simplement que chacun de ceux qu'il aimait s'en sorte au mieux et à sa manière au milieu du désastre du temps.

Alors, il s'en était remis entièrement à elle pour conduire les affaires de la famille. N'exerçant plus du tout la formidable autorité qui, pendant des décennies, lui avait appartenu — au moins en apparence. La laissant seule juge de ce qu'il faudrait faire ou ne pas faire. Ayant raison en cela car elle en était bien davantage capable que lui — elle qui, de toute façon, tandis qu'il avait toujours mené son existence lointaine parmi les nuages, avait rempli à sa place les fonctions de chef de famille sans en revendiquer jamais le titre, le laissant se figurer que c'était lui qui commandait. Et sa grande idée à elle, inspirée par un sens du sacrifice qui certainement lui venait à la fois de la générosité et de la mélancolie de son tempérament, était qu'il fallait tout consentir et tout abandonner aux suivants, aux enfants et aux enfants des enfants. Si bien que maintenant que leur temps à eux était passé, une seule chose leur restait à faire : se débarrasser de tout ce qu'ils possédaient au profit de ceux qui leur survivraient. La première partie de leur vie ayant été consacrée à accumuler sans jamais vraiment dépenser — car ils n'en avaient pas le goût. Faisant des enfants, achetant des maisons, des propriétés, remplissant des comptes en banque, constituant des portefeuilles d'actions — avec assez de maladresse cependant pour que ceux-ci s'évanouissent à chaque nouvelle crise boursière. La seconde vouée à tout dilapider de cet avoir en le distribuant à la ronde. Comme si la fourmi de la fable avait engendré une portée de cigales et que pour finir, telle était la morale, elle avait fait le don gracieux de tout son patrimoine.

Lui, commandant de bord à Air France, assuré d'un salaire plus que confortable pour l'époque — avant que l'argent ne devienne fou et que le premier diplômé venu d'une école de commerce puisse bâtir une fortune sur la foi d'une opération virtuelle en Bourse —, accumulant franc après franc. Moins par avarice ou par avidité que par inaptitude à dépenser. Désormais, vendant tout, bien après bien, les maisons et les actions, méthodique et systématique, consentant devant notaire à toutes les donations autorisées par l'administration des impôts, dans l'intervalle signant des chèques sans jamais rien demander concernant la façon dont l'argent serait ensuite utilisé. Préférant ne pas savoir. Et cela valait mieux car cette petite fortune se trouvait perdue aussitôt, placée entre les mains d'individus — moi autant et même davantage que les autres — ne sachant pas quel en avait été le prix, insoucieux de l'argent qu'il avait gagné patiemment. Entretenant toute une progéniture incapable de subvenir elle-même à ses besoins. Dispersant à la volée des sommes qui filaient entre les doigts de ceux qui les recevaient. Comme s'il avait fallu qu'ils procèdent à cet autodafé de papier-monnaie avant de mourir. Afin de n'avoir plus rien au moment de descendre dans la tombe. Au point de vivre les dernières années comme de modestes retraités, ayant emménagé dans un appartement du quinzième arrondissement de Paris plus petit que celui de leurs enfants tandis qu'ils auraient eu les moyens, autrement, de posséder plusieurs propriétés luxueuses — villas avec piscine sur la côte, chalets à la montagne — un peu partout dans le pays.

Mettant ainsi une sorte de rage à se dessaisir de tout. Comme s'ils avaient expié ainsi la faute d'avoir détenu quoi que ce soit. Pratiquant cette ascèse avec un plaisir sans doute un peu masochiste mais surtout afin de produire la preuve que tout cet argent qu'il avait gagné ne voulait rien dire vraiment. À la loterie du temps, jouant pour perdre — ainsi que le font les vrais parieurs. Soucieux de rendre à la banque du casino tous les jetons qu'ils avaient reçus pour pouvoir, les poches vides, rentrer se coucher dans la nuit. Avec le sentiment sans doute de ne pas avoir mérité ces sommes excessives et insignifiantes. Mettant dans la pure dilapidation de leurs biens la même application que dans le travail et l'épargne.

Il laissait tout s'en aller. Et lui-même, il se laissait aller. Le corps épaissi et fatigué dans son fauteuil, la télécommande à la main, sortant promener son chien avant de revenir et de s'affaler face à l'écran vide de son téléviseur. Dépossédé de tout et même de la certitude d'avoir un jour possédé quoi que ce soit. Attendant le pire qui lui confirmerait qu'il avait eu raison de se défaire de ce qui lui appartenait. Puisque tout cela était si peu de chose et que bientôt il ne lui en resterait rien.

Avec le pire, donc, qui était venu : ce 26 avril 1996, ou plutôt la veille, lorsque le téléphone avait sonné en fin de matinée. C'était elle qui avait décroché. Et lui se tenait un peu en retrait dans l'embrasure de la porte ouverte du bureau. Comme s'il n'avait pas voulu trop s'approcher par peur du combiné. Ne prenant pas l'écouteur. N'entendant donc rien de ce qui se disait à l'autre bout du fil. Mais comprenant aussitôt par l'expression sur le visage de sa femme. C'était son fils — ou peut-être sa belle-fille — qui expliquait en quelques mots que la clinique venait d'appeler, que dans la nuit il avait fallu replacer l'enfant en salle de réanimation, la mettre sous respirateur car elle était incapable de se ventiler seule, menaçait d'étouffer, que contre toute attente les métastases en quelques semaines avaient investi tout ce qui restait des poumons que lui avait laissé la précédente opération. Si bien que, comme l'avait affirmé le médecin de garde, elle allait mourir maintenant, que cela se passerait dans quelques heures sans doute ou que peut-être elle tiendrait jusqu'au jour suivant. Et lui — ou bien elle —, le père — peut-être la mère de l'enfant — disait qu'ils partaient aussitôt la rejoindre, qu'il n'y avait rien que les autres puissent faire, que ce n'était pas la peine de venir, qu'ils ne le voulaient pas, qu'ils appelleraient lorsque tout serait fini. Raccrochant précipitamment sans ajouter quoi que ce soit, laissant sonner la tonalité de la communication interrompue dans le vide, son bip-bip régulier comme un message de détresse inutile exprimé dans la vieille langue désuète du morse.

Alors, ils étaient restés là, debout près du combiné décroché, n'osant pas le reposer comme si le son qu'ils entendaient, au lieu d'être celui du téléphone, provenait des machines clignotantes et scintillantes qu'ils imaginaient installées au chevet de l'enfant, indiquant que le cœur battait encore. Par une sorte de superstition, ne voulant pas couper la communication pour que le signal électronique ne s'interrompe pas. Incrédules comme on l'est seulement devant la vérité. L'air soudainement gelé autour d'eux, solide et transparent comme si, de nulle part, s'étaient dressées des parois de glace, les séparant du monde, les séparant même l'un de l'autre. Puisqu'il n'y avait plus aucun geste qu'ils puissent faire, aucune parole qu'ils puissent dire, que tenter de se réconforter mutuellement n'était plus possible maintenant que l'irrémédiable avait eu lieu — et que tout simulacre de consolation leur aurait paru insignifiant et indigne. Les apparences intactes, le téléphone posé sur le bureau, les fenêtres par lesquelles on voyait le ciel d'une journée de printemps au-dessus des immeubles monotones du quinzième arrondissement de Paris, mais l'univers versé dans le vide, ayant perdu d'un coup toute sa substance comme si celle-ci avait été avalée par la bouche invisible d'une créature carnassière faisant travailler ses mâchoires sur la matière la plus tendre de la vie.

Jamais il n'avait voulu penser qu'elle puisse mourir. Elle, sa petite-fille, la fille de son fils, une enfant de quatre ans, comme toutes les autres, mais que la maladie avait soudainement rendue unique à ses yeux. Pensant désormais que toute la signification du monde dépendait de sa seule survie. Et pour cette raison n'admettant pas qu'elle puisse périr. N'ayant à aucun moment conçu que l'issue serait celle-ci. Lorsque les premières radios et la biopsie qui avait suivi, à l'hiver de l'année d'avant, avaient établi qu'elle souffrait d'un ostéosarcome, c'est-à-dire d'un cancer osseux, tout à fait improbable à son âge et pourtant avéré, faisant grossir la tumeur dans la partie supérieure de son bras gauche. Malgré la rechute, quand la tumeur avait été ôtée par les chirurgiens, ceux-ci parvenant à éviter le recours écœurant à l'amputation, n'empêchant pas pourtant que, quelques mois plus tard, les métastases s'installent dans le poumon gauche. Au point qu'il avait fallu enlever celui-ci. S'imaginant alors qu'elle était sauvée et que les drogues et les rayons finiraient le travail que la lame avait opéré. Si bien qu'il ne parvenait pas à comprendre que toute l'horreur que cette enfant avait endurée ne lui ait gagné, au bout du compte, qu'un répit de quelques mois, vécus dans la souffrance et dans l'angoisse. Trouvant cela trop injuste. Et, en vérité, qu'y avait-il de plus injuste que cette histoire infiniment triste dont la fin de sa vie le faisait le témoin ?

Passant ces journées d'avril 1996 dans la plus totale hébétude, attendant le coup de fil de son fils ou de sa belle-fille qui dirait que tout était terminé, qu'elle reposait désormais dans la morgue de l'hôpital, jusqu'à ce qu'on imagine quoi faire de sa dépouille. Ce qui s'était déroulé alors — la longue veille des deux parents autour de l'enfant presque privée de conscience par les médicaments et rendue muette par les tuyaux de plastique descendant dans sa gorge, le corps agité par des spasmes lorsque le cœur avait été sur le point de céder et puis s'apaisant enfin lorsque, à la demande de son père, son fils à lui, le médecin d'astreinte avait accepté d'injecter dans ses veines le poison qui la délivrerait de vivre davantage, la laissant morte avec ce mouvement de soufflet initié par la machine et continuant à soulever mécaniquement sa poitrine — tout cela, qui d'ailleurs était strictement impensable, il ne l'avait su qu'après. Et seulement par bribes. Reconstituant l'histoire à partir de fragments de confidences et sans pouvoir ajuster assez les morceaux de ce puzzle sinistre pour se faire une idée décente de ce qu'il avait représenté.

Comme il n'avait rien su de tout ce qui avait précédé. Eux deux, voyant depuis qu'elle était malade l'enfant dans les intervalles des cures, lorsque la chimiothérapie lui laissait un peu de répit. Ou bien : lui rendant parfois visite à l'hôpital, passant là-bas le temps qu'on leur accordait entre la sieste, la séance de soins, la visite des médecins, assis auprès du lit, sans trop savoir quoi faire. Intrus dans ce monde cruel où ils croisaient dans les couloirs de l'Institut des petits garçons et des petites filles exténués par le mal. Faisant bonne figure par nécessité. Affichant une bonne humeur excessive et trompeuse. Et puis sortant de l'ascenseur, allant chercher la voiture qu'il avait garée où il avait pu, rue d'Ulm, rue Claude-Bernard ou bien plus loin place du Panthéon, titubant sur le trottoir, nauséeux et abattus comme si toute la misère du monde leur était tombée sur les épaules, les avait pris au ventre. Se disant que tout cela n'était certainement qu'un mauvais rêve et qu'ils allaient bientôt s'en réveiller. Pour sûr.

Convaincu qu'elle guérirait. Qu'il s'agissait là d'une épreuve terrible dont personne ne pouvait saisir la signification, qui certainement en était dépourvue. Mais que le comble de l'absurde ne serait pas atteint. Confiant dans la science et se disant que les meilleurs spécialistes de l'un des meilleurs services d'oncopédiatrie du pays, celui de l'Institut Curie, trouveraient forcément une solution thérapeutique, quitte à user in extremis d'un protocole expérimental dont ils devaient bien disposer dans les réserves secrètes de leurs laboratoires. Et que même s'ils échouaient, un miracle aurait lieu, que contre toute attente, comme cela arrivait parfois, la rémission viendrait — rêvant sur ce mot — et que la souffrance cesserait sous l'effet d'une volonté surnaturelle, prenant l'enfant en pitié, la préservant de la mort. Mettant son espoir, déclinant à mesure, dans la science et la foi, auxquelles toute sa vie il avait cru. Refusant l'idée de ne pouvoir compter ni sur l'une ni sur l'autre. Ou alors : cela aurait voulu dire que le monde entier n'avait jamais reposé que sur un mensonge immonde.

Si bien que le salut de cette enfant finissait par lui apparaître sans doute comme la terrible pierre de touche à l'aide de laquelle mesurer toutes les valeurs qui avaient guidé son existence et dont, jusque-là, il n'avait jamais vraiment douté, considérant comme acquis que c'étaient elles qui éclairaient l'univers et conduisaient le temps. Tournant dans sa tête toutes ces questions sans pouvoir leur apporter aucune réponse. Pensant parfois qu'il fallait croire jusqu'au bout et qu'elle serait sauvée. Se disant aussi qu'il aurait été prêt à tout abjurer si, en échange, elle avait vécu. Tentant de se convaincre lui-même que, de toute façon, quelque chose se produirait enfin — quoi, il ne parvenait plus à l'imaginer. Mais tous les traitements avaient été vains et au moment, ce 26 avril 1996, où son fils avait demandé qu'on cesse de la maintenir artificiellement en vie, afin de retenir son bras et d'interrompre le sacrifice, aucun ange n'était descendu du ciel, sinon sous la forme de l'immobile nuage de néant obscurcissant le temps et plongeant le monde dans l'épaisseur d'une sorte de nuit perpétuelle.

Il lui avait survécu un peu plus de deux ans. Mort par hasard, comme tout le monde. Ce 26 novembre 1998 où, en fin de matinée, il était sorti pour promener son chien et que, à quelques pas de la porte de l'immeuble, il s'était soudainement et sans raison apparente écroulé sur l'un des trottoirs de la rue de la Procession. Couché face contre terre, tenant encore le bout de la laisse dans sa main, tandis que son chien tentait à sa manière de le réveiller, lui léchant le visage, montant la garde en jappant plaintivement autour de lui. Tombé juste devant l'étalage de la petite épicerie au coin, si bien que le propriétaire avait pu alerter aussitôt les secours et qu'en quelques minutes l'ambulance était arrivée. Le véhicule avec sa sirène et son gyrophare, parvenu sur les lieux avant même que, elle, elle soit descendue de son petit appartement au troisième étage, avertie par les voisins, voyant l'homme en blouse blanche qui, après l'avoir retourné sur l'asphalte, frappait la poitrine de son mari, pratiquant un massage cardiaque et puis, comme chacun l'a vu à la télévision, lui appliquait les deux fers à repasser du matériel de réanimation, soulevant son corps très lourd en un spasme qui lui arquait les reins avant qu'il retombe inerte. Recommençant deux ou trois fois. Disant comme s'il répétait la réplique du dialogue entendue dans un feuilleton : « Dégagez. » Et puis : « On le perd. » Ordonnant enfin aux brancardiers de le hisser dans la voiture et au chauffeur de partir vers l'hôpital le plus proche. Moins par espoir de le sauver là-bas — convaincu déjà qu'il ne reviendrait pas à la vie — mais sans doute pour éviter d'avoir à constater le décès sur le trottoir, se disant que cela valait mieux ainsi pour tout le monde.

Elle, confiant le chien à la concierge ou bien à l'épicier, autorisée à s'asseoir à l'arrière de l'ambulance qui filait à toute allure, hurlante, à travers les rues de la ville. Sidérée par la brutalité de l'événement. Lui prenant la main en se disant peut-être que quelque chose en lui, à l'intérieur de l'enveloppe affaissée de son corps abattu, avait conscience de ce geste qu'elle faisait. Et puis, lorsque la voiture était arrivée, le brancard expulsé et roulé vers la salle de réanimation tandis qu'on lui disait d'attendre et qu'une secrétaire la divertissait un peu de son angoisse en lui demandant les informations nécessaires pour remplir le formulaire d'admission. Et elle avait à peine eu le temps de commencer à remplir la première page du document qu'un médecin venait à elle pour lui dire qu'il était mort, qu'il n'y avait rien eu à faire. Et elle demandant un prêtre. N'y attachant pas trop d'importance mais se disant qu'il l'aurait voulu. Même s'il était trop tard maintenant. Le jeune homme tout juste sorti du séminaire se présentant et acceptant, comme elle le désirait, puisqu'il y aurait tenu, de prononcer l'extrême-onction sur le corps déjà mort, se disant que le Saint-Esprit n'était pas très regardant en ce qui concerne le règlement et qu'à quelques minutes près cela ne changeait rien à l'affaire, abaissant alors le drap dont on avait couvert son visage, paupières fermées, avec cette expression si particulière qu'ont les morts, prononçant les paroles du pardon, traçant la croix sur son front.

Mort d'un arrêt cardiaque. Sur le coup. Certainement sans en avoir eu conscience. Se sentant simplement partir en une seconde. Comme s'il avait été pris d'un vertige sans en deviner la gravité et sans savoir qu'il était en train d'en mourir. Le muscle refusant de se contracter davantage, ne serait-ce qu'une seule fois et malgré tous les efforts faits pour qu'il se serre et se détende à nouveau. Si bien que la cause du décès ne laissait aucun doute. Mais c'était la cause de cette cause qui restait obscure, assez mystérieuse — sans que les médecins prennent la peine de résoudre ou même de considérer cette énigme, n'ayant pas de temps à perdre à tenter d'expliquer ce phénomène au fond très naturel que constitue la mort brutale d'un homme de soixante-dix-sept ans. Mort encore plus étrange que celle dont son propre père avait été victime plus d'un demi-siècle auparavant, s'endormant en sueur pour ne jamais se réveiller. Car il n'était malade de rien — et certainement pas du cœur qui battait aussi régulier et solide, lui avait dit le médecin lors de sa dernière consultation, que la vieille montre qu'il portait depuis toujours au poignet. Souffrant seulement d'une immense lassitude qui pesait de plus en plus sur lui, épaississant son corps, voûtant ses épaules, le penchant vers la terre. Faisant encore parfois illusion, comme le peuvent les hommes grands et forts qui conservent jusqu'au bout un peu de leur prestance d'autrefois. Mais visiblement vieilli. Avec toutes sortes de souffrances et de faiblesses qui accompagnent un physique usé par l'âge mais dont aucune n'avait pris la consistance d'une de ces vraies maladies dont on meurt en sachant pourquoi.

Si bien qu'en un sens il n'était mort de rien. Ou alors peut-être : lentement de fatigue, de chagrin, de détresse. Du moins était-ce l'impression qu'il donnait depuis deux ans qu'elle avait disparu. Sachant bien qu'elle n'était ni la première ni la dernière, qu'il y avait toujours eu et qu'il y aurait toujours des enfants pour mourir. Mais ayant si intensément parié qu'elle guérirait, prié pour qu'elle soit sauvée que, d'un coup, la conviction lui était venue d'avoir tout perdu avec elle, que le reste n'était rien ou presque, le nuage noir du néant qui flottait derrière lui ayant investi tout l'air alentour et recouvrant désormais la surface de la terre où qu'il aille. Quoique personne, bien sûr, ne meure jamais de désespoir comme le voudrait la superstition ordinaire. Mort par hasard, alors, mais de telle sorte que ce hasard était devenu comme un signe, le témoignage involontaire de la décision, exprimée en dépit de soi, de ne pas participer plus longtemps à l'ordre injuste et destructeur du temps.

Quelque chose, ainsi, l'aspirait sans cesse vers le bas. Sans raison, il perdait l'équilibre dans la rue, manquant le bord du trottoir, glissant sur la chaussée, se blessant à la main en tentant d'amortir sa chute, heurtant parfois le sol de la tête, remontant chez lui la lèvre et le nez en sang, expliquant à sa femme qu'il ne comprenait pas ce qui lui était arrivé, mettant l'incident — dont il minimisait l'importance — sur le compte de la maladresse ou de la distraction. Sobre — ou du moins ne buvant pas assez pour que ce qu'il prenait au repas puisse produire de tels effets. Mais titubant entre les immeubles comme un homme ivre, saoulé malgré lui par l'alcool trop fort et le vin mauvais de la vérité. Chancelant parmi les apparences, elles-mêmes vacillantes, d'un monde à la réalité duquel il ne parvenait plus à croire, cherchant en vain quelque chose à quoi se raccrocher. Interminablement attiré par la terre comme s'il avait voulu disparaître en elle et que sur lui qui avait passé son existence dans le ciel la loi de la gravité prenait enfin une revanche cruelle.

Face contre terre, ce matin-là, sur le trottoir de la rue de la Procession, comme il se trouvait depuis plus de deux ans devant un mur, avec en tête une question à laquelle il ne parvenait pas à donner de réponse. Sans qu'il y ait personne vers qui se tourner. Ni sa femme qu'il voyait aussi démunie que lui. Ni son fils dont il savait qu'il ne partageait aucune de ses convictions et auquel il n'aurait plus osé parler de miséricorde divine et d'espérance en une vie future où ils se seraient tous trouvés réunis. Conscient que l'épreuve d'avoir perdu son enfant unique — épreuve qu'il pouvait seulement imaginer puisque lui-même ne l'avait pas connue — avait fait tomber celui-ci dans une sorte de précipice au fond duquel aucune parole de consolation n'aurait pu le toucher. Par délicatesse, ne disant rien à ceux qui avaient souffert de cette perte, son fils, sa belle-fille, effrayé à l'idée que tout mot soit nécessairement maladroit et ravive inutilement une douleur pour laquelle n'existait l'antidote d'aucun discours. Ne pouvant pas non plus en parler aux autres — car ceux-ci n'auraient pas compris. Ayant perdu tous ses amis — le peu d'amis qu'il avait jamais eus —, ceux-ci morts depuis longtemps ou bien éloignés de lui par la vie.

Le seul qui aurait su, pensait-il, avait déjà disparu. Le prêtre qui l'avait marié — le jour de cette étrange cérémonie solitaire célébrée en août 1945 dans la chapelle d'une base aérienne du Michigan —, qui avait baptisé et puis marié à leur tour la plupart de ses enfants. Le père Pierre Goube qui était sans doute le seul homme en qui il ait jamais eu confiance, dont il avait donné le prénom à son dernier fils : ce jésuite distingué à l'allure d'officier de marine, ingénieur de formation, dont il avait fait la connaissance aux États-Unis. Miraculeusement échappé de l'enfer concentrationnaire où l'avaient envoyé quelques actes de résistance assez flamboyants mais dont il ne parlait jamais, mettant sa vie en péril pour sauver du pillage et de la profanation la vaisselle précieuse d'une paroisse, installant une radio clandestine en territoire occupé, arrêté par les nazis, torturé par eux, déporté dans un camp dont il était parvenu à s'enfuir au prix d'une évasion très romanesque, rejoignant l'Afrique du Nord, traversant l'Atlantique pour être affecté auprès des jeunes pilotes français. Et puis, après la guerre, poursuivant sa carrière — si c'est le mot qui convient — comme aumônier militaire en Indochine, comme curé sur l'aéroport d'Orly puis à bord du paquebot *France* avant de se voir confier la direction spirituelle des élèves de l'école Sainte-Geneviève de Versailles — où, à vingt ans, je me rappelle être allé le voir, envoyé là-bas par mon père qui espérait qu'il m'éclairerait sur mon avenir.

Lui, extraordinairement bienveillant, débonnaire et en même temps formidablement intimidant en raison du respect absolu que lui témoignait notre père. Venant parfois déjeuner le dimanche à la maison — et, tout petits, nous savions que ces jours-là, pour nous asseoir à la table du repas tendue de la nappe blanche des fêtes et manger les coquilles Saint-Jacques et le vol-au-vent préparés par notre mère, il faudrait attendre qu'il ait prononcé les paroles rituelles du bénédicité. Prêtre, investi ainsi d'une sorte d'autorité sans appel, avec une superbe et une élégance qui le distinguaient cependant de tous les fonctionnaires en soutane que nous supportions à l'école de la rue d'Assas. Mais jésuite également, imprévisiblement désinvolte à l'égard des convictions toutes faites que prêchait l'Église. Le seul à pouvoir convaincre notre père de la justesse qu'il y avait à préférer l'esprit à la lettre, défendant des positions bien plus libérales et tolérantes, lui disant : « Mais, Jean, il faut bien que tu comprennes... » Parvenant à le persuader chaque fois et à le faire passer dans le camp de sa femme, dans celui de ses enfants.

Lui, pensait-il, aurait su quoi lui dire. Un peu comme l'aumônier des Glières dans ce livre qu'il n'avait pas lu, dont il n'avait jamais entendu parler, avouant dans la nuit du maquis qu'il n'y a pas d'autre vérité qu'on apprenne des hommes sinon celle qui dit qu'il n'y a pas de grandes personnes et que les gens sont toujours plus malheureux que l'on ne croit. Et qui, raconte Malraux, lorsqu'on l'interroge sur ce Mal absolu que constitue la mort d'un enfant, n'entreprend pas de le justifier et déclare simplement qu'il s'agit d'un mystère. Et même une telle réponse — qui n'explique rien —, à défaut d'une autre, il aurait certainement voulu l'entendre de sa bouche. Mais il était mort maintenant. Et du prêtre de sa nouvelle paroisse, dans le quinzième arrondissement de Paris, lorsqu'il était allé le trouver, demandant à ce qu'il l'entende en confession, il n'avait pas même reçu cette parole-là. De l'autre silencieux et puis balbutiant dans le cercueil dressé de sa boîte en bois, caché derrière l'écran tiré entre les deux compartiments, il n'avait entendu que l'injonction de faire confiance à la justice divine et l'ordre de prononcer quelque prière creuse en guise de pénitence, mais pour quel péché commis ? Sans qu'il y ait eu à lui jeter la pierre car personne — et pas même le Saint-Esprit — n'aurait pu souffler à ce prêtre le mot qui convenait.

L'inquiétude l'avait accompagné toute son existence, mais pas le doute. Se demandant sans cesse s'il faisait bien, s'il était à la hauteur de la tâche qui lui avait été confiée, s'il était un bon pilote, un bon mari, un bon père, hésitant, vérifiant, se remettant en question, s'amendant autant qu'il le pouvait, reprenant le travail, assidu à l'étude, incertain donc de sa propre valeur mais ne concevant pas que les principes sur lesquels reposait sa vie puissent constituer l'objet d'une discussion. S'étant fait sa religion une fois pour toutes, pensait-il. L'affaire ayant été réglée autrefois. Quand ? Bien sûr, il n'aurait pas su le dire. Depuis toujours sans doute. Croyant que chaque homme avait été mis sur terre pour accomplir la volonté de Dieu et puis recevoir de lui sa rétribution céleste. Se disant que la cause était entendue.

Son existence, il l'avait ainsi soumise à tous les commandements qu'il avait reçus de l'Église. Sans fanatisme : sachant, comme l'enseignent les Évangiles, que la maison de Dieu compte de nombreuses demeures et concevant bien que d'autres chemins que celui qu'il suivait pouvaient conduire aussi sûrement, peut-être davantage, que le sien au salut, acceptant donc qu'on puisse croire autrement que lui ou même ne pas croire du tout, allant jusqu'à admettre que l'athéisme vertueux est parfois aussi une forme de foi. Mais pour sa part, scrupuleusement attentif à ne manquer à aucune des obligations qu'il avait apprises du catéchisme : se confessant, recevant la communion, pratiquant la charité auprès d'une bonne vingtaine d'associations ou de missions chrétiennes installées dans les coins les plus reculés de la planète. Ne ratant jamais la messe dominicale. Et même lorsqu'il se trouvait autrefois en rotation du côté des escales les plus improbables desservies par la compagnie. S'étant constitué, avec l'esprit méthodique et appliqué qu'il mettait en tout, une documentation sans doute unique en son genre et qui lui permettait de connaître les lieux du culte catholique et les horaires des services à Anchorage, Tokyo, Bangkok, Moscou ou même Pékin, assistant à la messe, maintenant que le latin n'était plus d'usage, en français s'il le pouvait, en anglais à défaut mais s'il le fallait dans une langue dont il n'entendait pas un seul mot. Peu porté par tempérament à la contemplation mystique ou à la spéculation métaphysique. Se voulant simplement en règle, avec cette attitude légaliste et scrupuleuse qu'il avait adoptée depuis longtemps. Passant en revue sa check-list dans le confessionnal comme dans le cockpit. S'agenouillant, faisant le signe de croix, recevant l'eucharistie, accomplissant tous les gestes qu'il faut en se disant qu'ainsi la foi suivrait. Et de fait, c'était certainement le cas, elle suivait.

Et puis, confronté soudainement à la toute fin de sa vie, alors qu'il allait fêter son soixante-quinzième anniversaire, à une révélation scandaleuse et absurde dont aucune morale — et pas même la sienne — n'aurait pu rendre compte : le surgissement du Mal majuscule sous l'apparence, à la fois anecdotique et dévastatrice, d'un événement concernant une petite fille de quatre ans qu'il aimait et qu'il avait vue prématurément et injustement soustraite au monde par une maladie sans rime ni raison. Tout à fait semblable, pensait-il, aux vieux pères dont il avait lu ou entendu l'histoire telle que la racontaient les fables familières de la foi : Abraham sur le point de sacrifier son unique enfant, la seule réjouissance de sa vieillesse, pour obéir à un ordre barbare venu du ciel ; ou bien Job, abattu sur son tas d'immondices, rongé par les chancres et les ulcères, transformé en objet de dégoût et de risée, constatant impuissant que tout lui était ôté. Attendant en vain qu'un ange vienne. Se disant qu'il ne saurait d'ailleurs pas le reconnaître et qu'il ne pourrait dire avec certitude qui, du Diable ou du bon Dieu, l'avait envoyé vers lui, et si c'était pour le sauver ou pour le tenter.

Ainsi, à un âge où l'énergie oublieuse de la jeunesse l'avait abandonné, il se trouvait contraint de réviser toutes les convictions sur lesquelles avait reposé sa vie. Sachant qu'il aurait dû acquiescer à tout — et même à cela —, donner son assentiment au sacrifice dont le hasard l'avait fait le témoin. Pourtant n'y parvenant pas. N'ayant pas perdu la foi. En un sens, ayant peut-être découvert enfin ce qu'elle signifiait et quelle amertume il y avait à se trouver entre les mains du Dieu vivant, arraché à toute raison, ouvrant les yeux sur l'immense humour de la révélation qui tient pour vaines toutes les affections humaines. Plongeant au plus profond du précipice asphyxiant où tout se perd et où personne ne peut plus compter sur rien — et pas même sur l'hypothétique miséricorde promise. Dieu acceptant enfin de lui montrer son visage, celui qui n'apparaît qu'au sommet de la croix, lorsque se dérobe tout secours et que le corps pend piteusement dans le vide exténuant du vrai.

Il continuait à aller à la messe. Il se laissait toujours tomber, chaque dimanche matin, sur la chaise inconfortable de paille et de bois réservée aux fidèles d'où le faisait se lever mécaniquement la parole du prêtre. Mais, désormais, il se taisait, ne joignant plus sa voix à celle des autres lorsqu'il s'agissait de prier ou de chanter. Obstinément muet — comme l'avait raconté sa femme qui était la dernière à l'accompagner parfois — alors que, toute sa vie, dans toutes les églises qu'il fréquentait, il avait à lui seul fait le travail de toute une chorale, mettant son coffre et sa diction de chanteur d'opéra au service de la congrégation, poussant la chansonnette rituelle si haut et si fort, avec sa manière si démodée de faire vibrer et rouler les *r*, qu'il embarrassait tout le monde, et faisait se retourner les paroissiens des rangées de devant. Silencieux maintenant. Marquant ainsi sa réprobation ou sa stupéfaction.

Tombé à terre, ce 26 novembre 1998. En théorie : n'ayant jamais renoncé à la foi de son enfance et croyant donc toujours à la rémission des péchés, à la résurrection des corps, à la vie du monde à venir. Mais dégoûté de tout et, comme ce héros d'un roman russe qu'il n'avait pas lu non plus, mourant pour rien, comme Ivan Karamazov rendant son billet, sur le trottoir de la rue de la Procession, admettant que Dieu existe mais ne voulant pas qu'on puisse dire de lui qu'il acceptait d'être sauvé si pour l'être il fallait donner raison à la majestueuse économie d'une rédemption impliquant que meurent d'innocentes petites filles de quatre ans.

Dépêché à son tour vers les morts au terme d'une cérémonie très chrétienne célébrée en l'église Saint-Jean-Baptiste-de-La-Salle à Paris, entre plusieurs prêtres et de vieux aviateurs en uniforme, ceux-ci faisant l'éloge attendu d'un pilote exemplaire et d'un catholique irréprochable. Incinéré quelques jours plus tard comme le permettait désormais la réglementation vaticane. Ses cendres déposées quelques mois après dans le vieux caveau suintant et délabré du cimetière de Vieu-d'Izenave, près du Balmay, où reposaient ses parents. Avec la petite stèle de marbre rappelant tous ses titres et ses décorations. Sans que personne ne puisse dire quelle avait été la dernière pensée de cet homme, enfermé avec son corps inerte et massif dans sa boîte de bois, ou bien réduit en cendres dans son urne, et s'il avait ou non fini dans l'espérance de la résurrection promise.

Parmi les quelques projets très vagues qu'il avait en tête au moment de sa retraite et dont il devait déjà savoir qu'il ne les réaliserait jamais, figurait celui de se rendre en Turquie, d'y retourner en touriste. Lorsqu'on lui posait la question, il disait que de tous les endroits du monde qu'il avait vus, Istanbul, au fond, était celui qu'il avait préféré, gardant de la ville un souvenir d'ailleurs très ancien, datant des années où il pilotait des Caravelle ou des Constellation car l'escale avait cessé d'être systématiquement desservie par les 747 de la compagnie et que les long-courriers partant vers l'Extrême-Orient passaient désormais plutôt par Ankara. Si bien qu'il n'avait pas dû y séjourner depuis plusieurs décennies. Et cette préférence qu'il exprimait paraissait étrange, presque une preuve de « mauvais goût » car cela faisait déjà longtemps que la Turquie était devenue en Europe un lieu de vacances assez « bon marché », une destination de voyage de masse, un pays dont une bonne partie avait la réputation d'avoir été massacrée par l'urbanisation, la construction de grands hôtels de seconde catégorie ou de clubs de loisirs exclusivement consacrés au bronzage de groupe et à la bêtise balnéaire. Par quelle aberration de son jugement, se demandait-on, s'il ne devait plus faire qu'un voyage, son dernier voyage, aurait-il choisi de partir là-bas au lieu de s'envoler vers l'une des villes lointaines du monde, plus prestigieuses et plus exotiques, les grandes métropoles d'Amérique et d'Asie aux côtés desquelles se trouvaient les merveilles d'Angkor, de Borobudur ou du Machu Picchu ? Mais tous ces endroits, il les connaissait pour y être souvent allé et, obstinément, il répétait que ce qu'il aurait voulu revoir était la ville construite sur les bords du Bosphore, avec le Grand Bazar, la mosquée de Soliman et puis Sainte-Sophie.

Sans nous l'avouer et même sans en avoir tout à fait conscience, j'imagine que c'est pour cette raison que, l'année qui suivit sa mort, nous sommes partis passer une dizaine de jours en Turquie : avec l'idée d'accomplir à sa place sa dernière volonté ; ou bien, en nous disant que son vœu était l'expression d'une sorte de message secret qui nous était destiné et que c'était seulement à la condition de nous rendre là-bas que nous aurions une chance d'en saisir la signification. Cela se déroulait pendant les congés de décembre 1999. On allait fêter la fin du siècle, où il avait vécu, et le début du suivant qu'il s'était attendu, encore curieux, à connaître mais à la veille duquel il était mort subitement. Et nous, qui depuis la disparition de notre fille avions cessé de célébrer Noël, quel sens cruel cela aurait-il eu de le faire sans elle ?, maintenant que lui ne la verrait pas, nous n'avions pas davantage envie de nous réjouir de la nouvelle année, désertant d'ailleurs systématiquement depuis trois ans qu'elle était morte toutes les réunions de famille, convaincus que, pour nous du moins, dès lors que l'un de ses membres manquait, il n'y avait plus aucune raison décente de rassembler tous les autres.

Nous sommes arrivés à Istanbul où nous avons passé Noël, dînant dans un restaurant comme s'il s'était agi d'une soirée ordinaire, soulagés de nous trouver dans un pays trop peu chrétien pour avoir à souffrir exagérément du folklore de l'affaire. Et puis, nous avons pris un train de nuit pour Ankara, louant là-bas au matin une voiture avec laquelle nous avions prévu de faire le tour du pays de manière à être revenus à notre point de départ le 31 décembre et à prendre le surlendemain l'avion qui nous ramènerait en France. Où que nous allions, le pays était vide. Sa mauvaise réputation touristique paraissait assez imméritée. Au plus froid de l'hiver en tout cas, sous une pluie fine qui tombait sans cesse, nous ne croisions jamais de visiteurs. Les paysages et les monuments prenaient du coup une apparence plutôt fantomatique. En Cappadoce, les cheminées de fée, avec leur chapeau de basalte posé sur le tuf des piliers, les rochers blancs creusés de demeures troglodytes, remplissaient l'espace obscurci par la bruine de grandes formes dégingandées et pâles, paraissant en équilibre instable, tout à fait semblables à celles que souffle le vent dans un ciel de nuages. Des sentiers descendaient dans la vallée de Göreme, conduisant aux grottes où, un millénaire plus tôt, des ermites avaient caché leurs refuges, aménageant dans le noir des chapelles rupestres, couvrant les anfractuosités de la pierre de formidables fresques aux couleurs à peine passées et où des portraits excessifs et naïfs de saints, d'anges et de monstres racontaient la fable insensée de leur foi. À Pamukkale, une banquise un peu sale couvrait le flanc de la colline, formée depuis des siècles par le sel qu'avaient déposé des centaines de sources fumantes, édifiant au hasard la forme impeccablement géométrique de ce que les habitants de là-bas nomment un « château de coton ». Plus nous allions vers le sud et plus le temps se réchauffait, comme si la distance que nous avions couverte — quelques centaines de kilomètres — séparait l'hiver du printemps. Un peu avant Antalya, près d'une plage plantée d'oliviers, je me suis déshabillé et baigné.

L'année précédente, nous étions partis pour Jérusalem et la Terre sainte, arrivant le soir de Noël dans la vieille ville vide et puis, les jours suivants, visitant tous les sites que surveillaient des jeunes gens et des jeunes filles en uniforme et en armes : le dôme du Rocher où Abraham fit à Dieu le don de son fils, les bords inhospitaliers du lac de Tibériade avec pas très loin la montagne du Sermon sur laquelle des missionnaires ont fait pousser un jardin paisible et calme, la mer Morte où les corps flottent et se couvrent de sel, le mont des Oliviers avec le cimetière de pierre par lequel passera d'abord le Messie, arrachant les défunts à la vallée des ossements, et plus bas, la Via Dolorosa serpentant par des ruelles étroites jusqu'au Saint-Sépulcre où, autrefois, dit la fable, le Fils de l'Homme s'était relevé d'entre les morts.

La pierre avait été roulée devant la tombe, laissant son entrée ouverte, et un individu aux allures de jardinier se tenait là, demandant aux femmes — elles, allant vers le cadavre qu'elles avaient déposé dans le sol — ce qu'elles venaient faire là et pourquoi elles cherchaient parmi les morts celui qui était vivant. Il y a presque deux mille ans, des hommes avaient assisté à ce miracle. Ou : avaient cru y assister. Ou : sans même y assister, avaient cru qu'il avait eu lieu. Et puis ils étaient partis de par le monde pour propager le délire de la bonne nouvelle, accostant ainsi sur tous les rivages de la Méditerranée. Eux, Jean et Paul, selon les deux prénoms que lui et son frère porteraient bien plus tard, allant évangéliser les contrées de l'Asie Mineure, y rassemblant de minuscules communautés de croyants sur la foi invraisemblable d'un témoignage qui disait qu'ailleurs, en Judée, il y avait seulement quelques années de cela, un homme s'était levé des profondeurs de la terre, après être descendu aux enfers, et sur le point de monter au ciel — où depuis il siégeait à la droite du Père. Jean, fils de

Zébédée et de Marie Salomé, enfant de Galilée, l'apôtre à l'aigle, le préféré de son maître, pleurant à l'ombre de la croix, le récipiendaire de la révélation par quoi tout s'achève, descendant vivant et centenaire dans la fosse qu'il avait fait creuser pour lui. Et puis Paul de Tarse, le persécuteur foudroyé par la foi, renversé sur le chemin de Damas, le dernier à avoir été visité par la vision du Christ, répandant sa parole dans tous les faubourgs de l'Empire, voyageur et propagandiste inlassable, décapité à Rome.

Leurs traces étaient partout. À Éphèse, sur la terre qui plus tard porterait le nom de Turquie, Paul avait prêché, expliquant que la mort n'était rien, que sa victoire était nulle, que l'espérance était sortie triomphante du tombeau. Et Jean était venu après lui, comme en témoignaient sa cité à Selçuk et la basilique qu'on lui avait érigée, rédigeant là-bas l'Évangile qui dit qu'au commencement était le Verbe, et que le Verbe était en Dieu, qu'il était Dieu, la vie et la lumière luisant dans les ténèbres. Tous deux avaient visité la ville d'Artémis dont désormais ne restaient plus debout que des pans de décors dressés sur des vestiges pavés parmi lesquels erraient des touristes. Nous au milieu d'eux passant entre des portiques ouverts sur le vide, nous penchant sur des bassins asséchés. Tout à fait incapables de se représenter quelle folie avait été celle de ces hommes propageant, malgré la menace du martyre, l'idée incongrue et irrecevable que tout ne se terminait pas dans la terre et que le ciel recueillerait l'âme de ceux qui, une fois dans le temps, avaient été des vivants, avant que, comme l'avait annoncé la vieille prophétie d'Ézéchiel, les ossements se recouvrent de leur chair, de leur peau, que la langue et les yeux viennent reprendre leur place dans les crânes et que les corps glorieux soulèvent le sol pour se tenir debout sous le soleil terrible du Jugement. La page la plus sublime peut-être, la plus insensée certainement, de l'histoire de l'Humanité s'écrivant ainsi. Non pas dans le livre glorieux des Évangiles qui relatent la Passion et la Résurrection. Mais dans celui, bien plus ignoré, qui le suit, les Actes des Apôtres, comme disent les Écritures saintes, et qui témoigne de l'obstination injustifiable de quelques hommes tenant devant tous les autres le pari improbable d'une survie possible, envers et contre tout. Lorsque l'obscurité s'était couchée sur le monde, que la nuit avait tout enveloppé, absorbant dans son encre la plus petite saillie du moindre relief. Le néant ayant gagné la partie. Et eux, cependant, ne désespérant pas de voir apparaître une vague lumière au-devant d'eux. Comme un pilote cherchant le port où allonger la forme de l'appareil qu'il conduit. Ne renonçant pas à voir se dessiner dans la nuit le tracé des prochaines balises. Avide d'un mirage. C'est-à-dire : croyant toujours au miracle.

Je me rappelle que c'est à Termessos que m'est venue l'idée vague de ce que signifiait pour lui la résurrection. Le site est logé très haut dans la montagne et il faut une longue marche à travers la forêt pour atteindre cette citadelle, autrefois imprenable au point d'avoir résisté aux armées d'Alexandre et qu'un séisme a ensuite ravagée, renversant absolument tout et suscitant le plus invraisemblable spectacle de ruines dont l'imagination puisse rêver : des colonnes effondrées formant comme les tas de cubes d'un gigantesque jeu d'enfant abandonné ; le cadre d'une porte ouvrant parfois solitaire sur le ciel quand tout le reste de la construction a été anéanti ; des arbres de plusieurs mètres de haut ayant percé le dallage de sanctuaires saccagés et faisant retomber l'ombre de leur feuillage sur des autels fracassés; le grand théâtre affaissé, mimant la forme d'un cratère d'obus, avec les rangées de gradins encore régulièrement disposées autour du trou de l'ancienne scène, monument délabré posé au sommet d'une pente à l'à-pic vertigineux et donnant ainsi sur un horizon inouï.

La voie royale montait encore plus haut, conduisant vers le sud jusqu'à l'antique nécropole. Ou plutôt : vers ce qui en restait. Car le tremblement de terre avait fait dégringoler le long de la montagne l'ancien cimetière, l'emportant comme si la coulée d'un orage ruisselant sur le sol et dévalant la pente l'avait fait dégouliner vers le bas, dispersant au hasard les sarcophages sur plusieurs centaines de mètres, si bien que le chemin passait entre des tombeaux en morceaux, couchés sur le flanc, sens dessus dessous, ou bien inexplicablement dressés comme des guérites, certains recouverts par la végétation, d'autres émergeant au-dessus des ronces. Les plus massifs n'avaient pas bougé mais la secousse en avait déplacé le couvercle, posé de guingois, comme celui d'une marmite trop longtemps laissée sur le feu, soulevé par la vapeur de la cuisson. Sur le côté de quelques-uns, des pillards avaient percé des trous assez larges pour s'introduire dans le cercueil de pierre afin d'y dérober les bijoux et les autres offrandes de valeur. Mais la plupart des monuments étaient simplement en pièces, comme des boîtes précieuses brisées net après avoir été lâchées par maladresse sur le sol. Si la colère de Dieu s'était abattue quelque part, s'il y avait fait la preuve dévastatrice de sa puissance, c'était certainement là, mettant lui-même le bordel le plus invraisemblable dans sa propre création.

La fin du monde avait eu lieu. Et bien sûr, tous les corps avaient disparu, retournés depuis des siècles à la poussière, lavés vers le bas par les orages et la pluie. Si bien que, devant ce spectacle, il était impossible de ne pas penser que, à la faveur de la catastrophe, tous les morts d'autrefois s'étaient évadés ensemble, soulevant la dalle de leur tombeau, faisant éclater leur cercueil ou bien forant un orifice dans la paroi de pierre, s'évanouissant dans le lointain, se faisant la belle, comme on dit. Le Jugement dernier, par anticipation, ayant eu lieu là, afin de donner aux hommes un avant-goût de ce qui les attend et à quoi ils ont cessé de croire, comme un signe enfoui dans le secret d'une forêt presque impénétrable, quelque part dans ce pays perdu : la terre qui tremble, le ciel qui dégringole, le grand échafaudage de l'univers pliant et ployant sous son poids, avec ce sentiment sublime d'effondrement de tout que l'on entend seulement dans un passage du *Requiem* de Verdi. Répondant à l'appel d'on ne sait quoi, la foule innombrable et anonyme des morts s'extrayant des coffres funéraires au milieu d'une rumeur de tonnerre.

Nous devions regagner Istanbul. Et la circulation s'épaississant à mesure que nous remontions vers le nord au point de prendre la consistance d'un gigantesque embouteillage immobilisant tout le pays, nous avons renoncé à faire un détour par Troie. Ou plutôt : par le site qu'on prétend être celui de Troie, sur la foi d'indices plutôt douteux assemblés par un savant monomaniaque qui avait été le héros de mon enfance, du temps où le petit garçon que j'étais rêvait de devenir archéologue, se prenant pour Schliemann, se le représentant à la manière d'une sorte d'Indiana Jones, alors que ce dernier n'était pas encore sorti de l'imagination des studios d'Hollywood. Troie où tout avait commencé, l'histoire des histoires, celle d'Achille et d'Hector, d'Ulysse — que jamais, donc, lui, il n'avait pu lire dans le grec d'Homère —, celle d'Énée aussi, dont il se rappelait comment il la traduisait, depuis le latin de Virgile, autrefois, dans sa classe du lycée Lamartine, s'essayant à donner un sens plausible aux phrases faites d'une langue morte et qui racontaient la tempête et la colère déchaînée des dieux.

Lorsque nous sommes arrivés, toute la ville, comme en vérité le monde entier, se trouvait dans l'expectative du grand compte à rebours déclinant les minutes, les secondes jusqu'au moment de minuit où le calendrier changerait tous ses chiffres à la fois. Suivant cette fête assez triste sur l'écran de la télévision de notre chambre d'hôtel. Une sorte d'interminable et clinquant message publicitaire produit simultanément sur toute la planète afin de faire la promotion du temps, de célébrer un avenir qui, partout, ne serait plus que le présent perpétuellement reconduit de la consommation et du divertissement. Et le lendemain matin, la cité était tout à fait déserte, comme si elle avait souffert d'une gueule de bois unanime. À l'aller, nous nous étions déjà acquitté de nos principaux devoirs de touristes. Errant dans le labyrinthe du Grand Bazar d'où autrefois il avait rapporté, en guise de cadeaux, la brocante de quelques-uns des pauvres produits de l'artisanat local. Passant par le palais de Topkapi. À la basilique Sainte-Sophie, levant les yeux, dans l'obscurité, vers l'immense vaisseau de la nef. Et puis à Saint-Sauveur, risquant de nouveau le torticolis pour observer le détail des vastes fresques figurant le Jugement dernier.

Je me l'imaginais semblable à cet homme que, peint au plafond, le Christ triomphant prend par la main et tire de son cercueil à l'allure de navire ou de nacelle, flottant dans le noir de la nuit, tandis que l'entourent la cohorte des élus et la troupe des réprouvés. Je ne m'étais pas mis à croire en la résurrection des corps. Oh non, certainement pas. Mais soudainement, je parvenais à comprendre un peu mieux ce qu'une telle espérance avait pu signifier pour lui. Et particulièrement au cours de ses dernières années où il s'était mis à considérer le vide vers lequel il allait avec davantage d'angoisse et de perplexité. Ne lui souhaitant pas d'avoir perdu la foi. Cette foi que je ne partageais pas. Au contraire. N'ayant aucunement le désir de prendre sur lui ce dernier avantage. Formant pour lui le vœu qu'il ait continué à croire jusqu'au bout. La mort étant pour chacun ce néant dont personne ne sait rien. Si bien que toutes les fables qu'on s'en fait, dès lors qu'elles restent fidèles à la tragique et inexpiable déchirure du vrai, se valent sans doute. Et qu'il y a autant de sens à supposer que les corps se revêtiront de leur chair à l'heure du Jugement dernier qu'il y en a à affirmer qu'ils se déferont pour toujours dans l'oubli de la terre. Chaque homme qui meurt à son heure méritant que l'on respecte les récits qui l'accompagnent dans le vide, comme des paroles de rien — et moi, je le savais bien — l'escortant à la façon d'un enfant inquiet sombrant le soir dans son sommeil.

Sur le trottoir de la rue de la Procession, dans le quinzième arrondissement de Paris, ce 26 novembre 1998, il était tombé face contre terre. Et peut-être en était-il arrivé à un point de sa vie où toutes ses convictions anciennes avaient presque perdu à ses yeux leur valeur d'autrefois. Mais entre le moment de sa chute et celui de sa mort, au cours des quelques secondes qui avaient séparé ces deux instants, personne n'aurait su dire ce qui s'était passé. Le temps se déployant formidablement dans l'intervalle suspendu séparant une seule haleine de la suivante. Voyant son existence défiler devant ses yeux presque fermés : tout ce roman révolu qu'il avait laissé inécrit, n'étant pas assez vaniteux pour imaginer qu'il puisse intéresser qui que ce soit et mériter la dépense inutile d'un peu d'encre et de papier. Laissant ce soin à d'autres — à moi par exemple —, accordant à ceux-ci son absolution pour avoir tenté de faire revivre si maladroitement les événements de sa vie. Couché de tout son long sur l'asphalte, ses lèvres sanglantes embrassant le sol sale, recevant cependant une sorte de bénédiction descendue du ciel, comme si l'azur limpide et le peuple des nuages au-dessus de lui avaient recouvert son corps d'un linceul bleu et blanc, l'enveloppant de leur lin, et l'emmenant reposer quelque part dans le grand vide calme des airs.

Il faisait un temps terrible sur Istanbul, la pluie tombant régulière et le vent soufflant avec une violence sans pareil. Nous sommes descendus sur les quais, rejoignant l'embarcadère d'Eminönü d'où quelques rares bateaux partaient ce jour-là, assurant la croisière rituelle le long du Bosphore. Une poignée de touristes, un peu grelottants, réfugiés sur le pont intérieur, avaient pris place dans le navire, remontant le détroit vers le nord, glissant sous les ponts suspendus, passant entre les berges, allant de l'une à l'autre, changeant à chaque fois de continent, avec d'un côté comme de l'autre tantôt de luxueuses résidences à l'européenne donnant directement sur l'eau, tantôt les formes de coupoles et de minarets des mosquées. L'itinéraire se terminait dans le port d'un petit village de pêcheurs nommé Anadolu Kavagi où il était prévu que le bateau fasse escale le temps de laisser les visiteurs profiter de l'endroit et avant de faire demi-tour pour les ramener à Istanbul.

Nous avons déjeuné de poisson et puis pris un chemin qui conduisait vers le promontoire où se dressent les ruines d'un château génois et du haut duquel on observe tout le panorama. Nous avons eu du mal à grimper jusque-là, les rafales si violentes, le sol si trempé, la pluie soufflée par le vent à l'horizontale, manquant plusieurs fois de perdre l'équilibre. Et puis parvenant au sommet, vaguement abrités par un pan de mur épargné, regardant l'horizon, juchés en un point d'où nous avions forcément le sentiment de surplomber tout l'espace et le temps. Ce matin-là, le premier du nouveau millénaire, sans que bien sûr rien n'ait changé en une nuit, le monde identique à lui-même, indifférent aux calculs des hommes, mais comme si un cap avait été franchi cependant, la masse énorme des années à venir pesant soudain d'un poids équivalant à celui des années passées. Si bien que sur la balance de l'Histoire, ne penchant ni d'un côté ni de l'autre, le fléau se tenait droit, verticalement dressé sur la pointe d'un instant vide, d'une seconde suspendue entre l'infini de ce qui avait été et celui de ce qui viendrait. Avec, dans le dos, le passage de quelque dix kilomètres de long que nous venions de suivre et qui depuis toujours faisait se rencontrer l'Orient et l'Occident, deux continents dont les côtes se touchaient presque, dont les terres énormes réparties de part et d'autre du détroit laissaient se rejoindre là leurs extrémités qui, sur la carte, avaient la physionomie exacte de deux visages abouchés en une sorte de baiser. Comme si la ligne de partage du monde passait en cet endroit davantage qu'en n'importe quel autre, fendant le planisphère sur toute sa longueur et ajointant ses deux moitiés. Avec, devant nous, l'embouchure de la mer Noire, et puis les montagnes du Caucase, l'antique Colchide des mythes, celle vers laquelle les voyageurs d'hier étaient partis en quête de ce quelque chose que ceux de demain chercheraient aussi bien et à quoi ils avaient donné l'apparence d'une Toison d'or.

D'un strict point de vue météorologique, il faut reconnaître que le millénaire commençait vraiment mal. Avec un simulacre de déluge, les eaux gonflées par une averse lourde, incessante et glacée. Comme pour engloutir le monde. Ou bien pour le lessiver de toute trace de son passé. Le vent soufflait des nuages puissants et noirs qui filaient à toute vitesse, et dont les formations se défaisaient et se recomposaient à une allure telle, laissant apparaître un peu de bleu, l'assombrissant aussitôt, qu'on aurait dit un film du ciel projeté en accéléré sur une toile tendue dans le vide. Je crois qu'ils allaient d'ouest en est. Venus d'Europe et partant pour l'Asie. Formés peut-être quelques jours auparavant au-dessus de l'Atlantique et puis s'en allant crever plus loin, un peu plus tard, au-dessus des terres du continent.

Les derniers nuages du siècle. Je l'ai pensé en tout cas. Les derniers du siècle des nuages qui avait été le sien. Obscurcissant le temps au point que sans doute, alors qu'il était encore vivant, il n'en avait rien compris. Ou du moins : pas davantage que moi ou que n'importe qui. Recouvrant la terre d'une illusion épaisse absorbant tout ce dont il avait été le témoin, les événements de son existence comme ceux de l'Histoire, les revêtant d'une sorte de matière indécise et absurde. Mais faisant aussi dans les airs un spectacle splendide au sein duquel il était passé, se sentant libre et heureux. Un théâtre de vapeur, parfois troué par le vent afin qu'y éclate une clarté éphémère, où, sans doute, il n'avait été qu'un figurant, récitant le texte que le hasard avait écrit pour lui, sans bien le savoir ni même le comprendre, s'appliquant à remplir son rôle aussi bien qu'il le pouvait. Sur la scène, un peu distrait, les yeux toujours tournés vers les cintres du ciel, vers le lustre des étoiles ou celui du soleil, luisant quelque part au-dessus du décor.

Nous avons repris le bateau qui nous a débarqués à Istanbul. Je pensais à lui. Et pour être honnête, cela ne m'arrivait pas très souvent. La pluie avait redoublé de violence et le vent soufflait en rafales si fortes qu'il fallait pencher le corps en avant pour ne pas être renversé par lui. J'avais son grand manteau qu'il avait acheté quelques mois avant de mourir, qu'il n'avait pas eu le temps de porter beaucoup. Et sur ma tête, j'avais mis l'un de ses chapeaux dont il avait pris l'habitude afin de protéger sa calvitie. Ayant récupéré tout cela dans la penderie où reposait son vieil uniforme vide. Coiffé ainsi d'une sorte de « bob » que tout le monde, autour de moi, sans pourtant me dissuader de le porter, s'accordait à trouver assez inélégant et plutôt ridicule. Déguisé en lui, j'imagine, malgré tous mes cheveux, le corps, comme le sien, déjà un peu épaissi par l'âge. Les mêmes yeux, la même voix. De manière que, finalement, il fasse ce voyage que les circonstances et le temps ne lui avaient pas permis. Revenant sur cette terre de Turquie qu'il n'avait pas visitée depuis des décennies mais où se trouvaient, dispersés parmi des ruines, les témoignages de cette grande prophétie à laquelle personne n'aurait pu dire si, au moment de mourir, il avait ou non cru encore.

Sur le quai, une bourrasque un peu plus forte que les autres a fait s'envoler mon chapeau — son chapeau, le chapeau de mon père. Il s'est posé sur le pavé à quelques mètres devant moi. Et j'ai couru sur le sol glissant afin de le rattraper. Et puis, alors que j'allais mettre la main dessus, le vent a soufflé à nouveau, le poussant jusque dans les eaux du Bosphore où je l'ai vu flotter dans le tumulte gris à la façon d'une bouée ronde, tournant dans le courant, criblé par la pluie, aspiré ou bien emporté par le remous. Moi, trempé et tremblant, irréconcilié avec le temps, mais ayant le sentiment d'avoir malgré tout versé l'obole qu'il faut au monde, d'avoir acquitté sous la forme de cette monnaie-là la dette qu'il avait contractée avec le siècle afin que, où que ce soit, il repose en paix.

ÉPILOGUE

Once there was (they cannot have told you this either) a summer of wistaria.

WILLIAM FAULKNER

Non, disait-elle, de tout cela, elle ne se souvenait pas. Cela ne lui rappelait absolument rien. Encore que, maintenant que je lui en parlais, il était bien possible que cela évoque vaguement quelque chose en elle et que cela se soit effectivement passé comme je le lui racontais. Mais en quelle année était-ce ? En 1937 ? Alors, j'avais quinze ans, disait-elle. En mars 1937 ? Alors je ne les avais même pas encore. Et bien sûr, elle se rappelait qu'ils passaient par Mâcon, se posaient sur la Saône, qu'une petite embarcation à moteur allait chercher les passagers — les dames, les belles étrangères avec leurs toilettes distinguées —, les membres de l'équipage en uniforme et qu'elle les conduisait jusqu'au débarcadère, quai du Breuil, qu'ils dînaient et dormaient à l'Hôtel d'Europe et d'Angleterre. Et d'abord c'était un événement dans une petite ville comme celle-là. Elle pouvait d'autant moins l'ignorer que le chef d'escale louait la maison de ses parents. Tu sais, la maison de La Coupée ? Mais non, puisque j'étais né en 1962, et qu'à l'époque elle était déjà vendue. Moi, je ne pouvais pas m'en souvenir. Elle devait confondre avec mon frère aîné. Pourtant, disait-elle, je suis sûre que tu y as été ; nous ne l'avons quittée que deux ou trois ans plus tard, lorsque nous avons acheté la propriété des bords de l'Yonne, papa était mort mais maman était toujours vivante, je la revois dans le jardin, assise au soleil et toi sur ses genoux.

Une tempête avait traversé le pays et l'avion s'était perdu. C'est bien possible mais comment, à plus de quatre-vingts ans, se souviendrait-on du temps qu'il a fait chaque jour de sa vie et, pourquoi pas, des neiges d'antan ? Alors, il y avait eu cet accident. Et ils étaient morts, l'appareil s'écrasant quelque part. Elle voulait bien que ce soit près de la Croix de Fufret mais le nom ne lui disait rien. Et quant à savoir si lui, il était allé sur le site de la catastrophe, s'il avait vu de ses yeux l'épave, s'il avait assisté à la bénédiction des corps devant la petite église d'Ouroux, comment l'aurait-elle pu puisqu'à l'époque ils ne se connaissaient pas encore ? Elle fréquentait parfois la boutique de ses parents, c'est vrai, pour y acheter des pralines ou du chocolat. Mais de lui, elle ne savait rien. Ils avaient beau être tous les deux des enfants de commerçants, vivant dans la même petite préfecture de province, tout un monde existait entre un confiseur et un libraire — surtout si ce dernier a été instituteur, capitaine et héros de la Grande Guerre.

Et puis, à quatorze ans, elle avait d'autres choses en tête. Et l'aviation était certainement l'une des dernières. « Le cadet » de ses soucis. Les appareils qui descendent du ciel, le vrombissement des moteurs, la carlingue qui s'allonge dans l'eau, l'engin qui rebondit sur ses flotteurs et qui s'immobilise enfin. La conquête de l'air, « Ce que j'ai fait, aucune bête ne l'aurait fait », l'Aéropostale et tout le reste. Des histoires d'hommes, disait-elle, indifférente et même un peu ironique à l'égard de toute cette mythologie masculine à laquelle elle n'était jamais parvenue à croire, celle des Mermoz et des Lindbergh. À l'époque, elle était dans ses livres et si elle rêvait, c'était de poésie et de peinture, satisfaisant seulement son tempérament de « garçon manqué » sur les terrains de sport où elle conduisait son équipe.

De la ville où elle vivait, elle avait gardé un tout autre souvenir — au point de donner l'impression qu'elle et lui avaient appartenu alors à deux univers parallèles, étanches l'un à l'autre, aussi distants que s'ils s'étaient situés aux antipodes. Son monde à elle était celui des bonnes familles qui fréquentaient la librairie de ses parents, avec leurs dynasties de notaires, d'avocats, de professeurs, de médecins, de pharmaciens, d'ingénieurs dont les fils et les filles étaient voués à se marier ensemble, fréquentant les mêmes écoles, allant aux mêmes fêtes, faisant leurs enfants ensemble afin que tout recommence avec la génération suivante. Non pas qu'elle ait vraiment appartenu à cette société un peu fermée, n'étant pas tout à fait de ce milieu-là. En tout cas, n'ayant pas eu le sentiment d'en faire jamais partie. Se contentant d'assister au spectacle que cette société donnait.

De tout cela, elle se souvenait. Ayant gardé en mémoire des dizaines d'histoires qui, autrefois, avaient fait la chronique du Mâcon d'avant-guerre mais dont il ne s'en trouvait désormais plus une seule à concerner qui que ce soit. Environnée par des foules de spectres. Se rappelant avec la plus extraordinaire précision le monde parmi lequel ces ombres étaient passées du temps où elles étaient encore vivantes. Parfois, et de plus en plus souvent à mesure qu'elle vieillissait, prenant à son tour la même apparence de fantôme, elle en rêvait. Capable, disait-elle, quand elle dormait, ou bien quand elle veillait — car ses heures d'insomnie avaient pris une consistance telle qu'il lui était devenu difficile de faire la part du jour et celle de la nuit —, de revoir les lieux dans lesquels elle avait grandi, comme s'ils étaient restés intacts, alors que depuis plus d'un demi-siècle ils avaient cessé d'exister tout à fait. En songe, visitant la maison, le jardin, la librairie, pouvant situer chacun de ses rayons, et chacun des livres sur chacun de ceux-ci, en reconnaissant la reliure, en sentant presque le cuir sous ses doigts. Considérant la collection de tous ces volumes sous ses yeux et se disant qu'ils contenaient la somme impensable de tous les récits du monde. Toutes les histoires étaient là. Et parmi celles-ci, il y avait la sienne. Son roman, que quelqu'un avait écrit hier. Ou bien : écrirait demain. Le livre qui lui dirait ce que serait, ce qu'avait été sa vie. Perdu parmi tous les autres. Sans qu'elle sache comment le distinguer et puis le reconnaître.

Elle rêvait qu'elle était encore une enfant, qu'elle descendait de sa chambre à l'insu de ses parents, revêtue de sa vieille robe de chambre de petite fille, et elle pénétrait dans le grand magasin aux odeurs d'encre, de peau et de papier. Sachant que cela lui était interdit. C'était bien la vieille librairie telle qu'elle l'avait connue. Et pourtant quelque chose lui signalait que tout avait imperceptiblement changé. Comme si un charme secret avait substitué à l'espace d'autrefois un simulacre ensorcelé. Elle ouvrait un à un les livres et ils lui semblaient tous avoir été écrits dans une sorte de langue étrangère, les lettres se mélangeant sur la page. Cherchant son roman. Le trouvant enfin avec le papier brun dont, comme pour un livre de classe, afin de le protéger, sa couverture avait été enveloppée, illustré de vignettes et d'enluminures à la manière d'un manuscrit médiéval. S'apprêtant à le lire, si elle y parvenait, sachant enfin, et puis, à chaque fois, se réveillant soudain.

Elle racontait tout cela. Longuement. Peu bavarde pourtant d'ordinaire. Presque taciturne. Mais parlant dès lors que quelqu'un se trouvait là pour l'écouter. À condition d'avoir le sentiment — l'illusion lui suffisait — qu'une oreille existait pour recevoir un peu de ce qu'elle disait. Et moi, j'étais là. Peu méritant. Moins que mes frères, mes sœurs ou ses petits-enfants. Ayant été absent si longtemps. Revenu juste à temps pour recevoir le récit éveillé qu'elle faisait de son rêve. Ou plutôt : revenu trop tard si bien que je ne pouvais en ramasser que les bribes qui tombaient à terre. Assis à côté du lit d'hôpital où elle était allongée depuis des semaines. Et sans doute était-ce sous l'effet des drogues et du choc de l'opération qu'elle parlait ainsi, ayant perdu à moitié conscience de ce qu'elle disait. Ne délirant pas. Sa tête sauve. Bien à elle. Mais suffisamment assommée par la fatigue médicamenteuse dans laquelle elle était plongée pour ne plus rien retenir de cette rumeur de vérité qui, depuis toujours, tournait dans sa tête, remontait parfois jusqu'à sa bouche et ne demandait plus qu'à en sortir maintenant.

C'était au cœur qu'elle était touchée, celui-ci battant la breloque depuis longtemps, avec une tension dont les courbes, avec leurs pics et leurs creux, étaient aussi irrégulières et vertigineuses que des rails de montagnes russes, des décennies de drogues diverses, expérimentées au gré des campagnes publicitaires successives et incessantes conduites par les laboratoires pharmaceutiques auprès des cardiologues et des généralistes, n'ayant rien arrangé à sa situation et ayant même largement contribué à la détraquer davantage. Si bien qu'elle avait dû se résoudre à l'intervention qui viendrait corriger la vieille et légère malformation dont elle souffrait, avec laquelle elle avait pu vivre jusque-là sans trop s'en soucier mais que l'âge avait soudainement aggravée au point de rendre l'opération indispensable, disaient les médecins, malgré le risque qu'elle représentait pour une femme dans sa condition et qui approchait de son quatre-vingt-cinquième anniversaire.

Et le résultat n'avait pas été très brillant ainsi que cela ressortait des explications embrouillées et embarrassées du chirurgien. Ou plutôt : de celles de ses assistants auxquels il avait délégué le soin de rendre compte de l'opération et de son issue, l'intervention n'ayant aucunement résolu le problème mais ayant eu l'effet exactement inverse. Elle était revenue du bloc plus abattue et plus faible et lorsqu'il avait fallu la sortir de la salle de réveil, il était devenu clair que, avec chaque jour qui passait, au lieu de recouvrer progressivement un peu de ses forces, son état se détériorait toujours davantage. Si bien que la seule solution consistait à recommencer la manœuvre. Sauf que dans la situation qui était désormais la sienne, le corps privé de presque tout ce qui lui restait de sa vitalité ancienne, le cœur abîmé par ce qu'il venait de subir, les chances de réussite d'une nouvelle opération étaient tombées si bas qu'il était apparemment très difficile, voire impossible, de trouver un chirurgien qui soit prêt à tenter sa chance.

Elle avait donc été envoyée dans une clinique du quinzième arrondissement de Paris, prise en charge dans un service au statut mal défini dont personne ne cherchait trop à déterminer s'il était consacré à la convalescence des patients ou bien aux soins palliatifs. Attendant là que l'un de ses enfants, sur la recommandation de telle ou telle relation de la famille, ait convaincu un nouveau chirurgien, plus inconscient ou mieux sûr de son talent, de tenter l'impossible. Les jours passant dans une vague hébétude. Elle supportant stoïquement cette vie nouvelle. Reprenant un peu de vigueur après chaque transfusion lui procurant le sang neuf qu'elle n'était plus capable de produire par elle-même. Et puis s'enfonçant de nouveau dans une sorte de somnolence triste.

Elle, tout à fait disposée, semble-t-il, à ce que cela soit la fin. Vaguement convaincue qu'il n'y aurait pas de seconde opération ou bien que, s'il y en avait une, elle n'aurait pas la force d'y survivre, s'endormant avec l'anesthésie pour ne plus se réveiller. Avec toutes sortes d'angoisses qui s'emparaient secrètement d'elle. Certaines revenues du fond de son enfance, qui l'avaient doucement empoisonnée tout au long de sa vie, fabriquant son tempérament inquiet et mélancolique, avec lesquelles elle avait su traiter tant qu'elle était valide et tournée vers l'avenir mais auxquelles la vieillesse conférait une vigueur violente et assez dévastatrice. D'autres liées aux circonstances présentes, au souci qu'elle se faisait pour tel ou tel de ses enfants, de ses petits-enfants, à ce qu'il adviendrait d'eux une fois qu'elle serait partie. Et puis aussi, malgré tout, à la pure perspective de mourir. Mais plutôt désireuse, au fond, de déclarer que la pièce était terminée et de relever sur son visage le drap de son lit d'hôpital comme on tire un rideau sur la scène d'un théâtre. La nature étant, en somme, plutôt bien faite puisque, en général et sauf exception cruelle, elle ne donne la mort qu'une fois que l'on est assez fatigué de la vie pour pouvoir l'accepter et presque la désirer.

Pour savoir que l'opération avait été un échec, il n'y avait d'ailleurs aucunement besoin d'être spécialiste ou de consulter son dossier médical. Car cela se lisait sur son visage, sur son corps, dès que l'on entrait dans sa chambre, quelques semaines ayant suffi à la changer tout à fait. Comme si un signe avait été tracé sur son front qui la désignait sans hésitation pour la mort. Avec cette expression très lisible que je connaissais bien pour l'avoir vue autrefois sur la face de sa petite-fille et sur celle de certains des autres enfants qui étaient traités avec elle. Un masque dont s'affublaient les vivants pour faire l'aveu qu'ils n'en avaient plus pour très longtemps. Sans âge, n'exprimant plus que la détresse d'être arrivé au bout et l'avidité lasse d'être quitte de toute souffrance supplémentaire.

Elle n'acceptait la perspective d'une intervention nouvelle que parce que chacun, autour d'elle, s'empressait pour la convaincre. Et puis, aussi, parce qu'elle supposait, qu'elle espérait peut-être, que celle-ci ne serait pas possible. Contente si on l'avait laissée se reposer enfin. Avec l'idée vague que ce ne serait que justice si elle disparaissait à son tour. La coupe amère étant pleine maintenant que lui était mort depuis près de dix ans et que, pour faire bonne mesure, elle avait perdu également non seulement une mais deux de ses petites-filles, ce qui, comme dit l'humoriste, n'est plus du drame mais relève carrément de la négligence. Satisfaite si on l'avait laissée vider cette coupe d'un trait et s'endormir d'un sommeil lourd et sans retour sur la table d'opération.

Allongée sur le lit d'hôpital, déguisée dans un corps déjà préparé pour le cercueil, tassée, voûtée, ayant perdu la haute taille et l'allure élancée qu'elle tenait de son adolescence de sportive, extraordinairement maigre, l'organisme vidé de sa substance, comme si elle se desséchait pour ne laisser descendre dans la tombe qu'un corps spontanément momifié par la souffrance, délesté de toutes ses parties corruptibles, réduit à la peau et aux os. Brûlée, consumée par le feu intérieur de la fin, sublimant son apparence. Belle, sinistrement, si l'on veut, comme une forme de vent, infiniment légère, que le souffle du temps allait emporter et faire s'évanouir dans le néant.

Elle parlait. Moins pour moi qui l'interrogeais, pensant la divertir du présent, que pour elle-même. S'étourdissant d'une sorte de monologue extasié au sein duquel lui revenaient tous les fragments de son passé. Le plus lointain. Comme si, à l'horloge de sa vie, l'aiguille s'était arrêtée sur le coup des douze ou treize ans et qu'après la mémoire n'avait plus rien retenu d'essentiel. Disant l'antique et éternel « Il était une fois » de l'existence, le temps immobile des premières heures, extraordinairement nettes et pourtant perdues dans le vague d'une durée sans repères. Récitant. Comme elle l'aurait fait d'un conte de fées. Ou d'une poésie apprise autrefois à l'école primaire. Retrouvant les phrases précises. Assez stupéfaite de constater qu'elles étaient restées intactes dans quelques-uns des recoins de sa mémoire. S'accompagnant elle-même dans le sommeil. Comme si elle avait été à la fois la mère et l'enfant, celle dont les mots guident vers le noir de la nuit et celle qui les reçoit et qui, s'accrochant à la parole qu'elle recueille, tente désespérément et toujours en vain de résister à l'endormissement dans l'épaisseur du soir.

Ou, peut-être, finalement, était-ce pour moi qu'elle parlait. Comme elle le faisait lorsque venait le moment de se coucher. Nous lisant, à mon frère et à moi, des livres dont l'histoire importait peu puisqu'elle servait simplement à nous bercer jusqu'à ce que nous soyons assoupis. Ayant, elle et moi, échangé nos places. Elle, allongée dans le lit où elle resterait lorsque j'aurais quitté la chambre pour la laisser reposer, la lumière éteinte, les rideaux tirés. Et moi, assis à son chevet. Avec la même voix que j'entendais. Mais elle, sur le point de partir pour de bon, se disant qu'il fallait que sa parole ne cesse pas tout à fait, qu'elle continue à résonner vaguement dans le temps. Parce que j'aurais besoin alors, pensait-elle, de cette rumeur persistante pour m'imaginer que l'histoire, en dépit de tout, n'était pas complètement terminée et que le point final n'avait pas été posé.

Racontant son roman. Se disant que lorsqu'elle serait enfin morte elle rêverait encore et que, retrouvant en songe les livres de son enfance, régulièrement rangés sur les rayonnages de la vieille librairie, elle, redevenue alors la petite fille dans sa robe de chambre, si elle voulait avoir une chance de mettre la main sur l'ouvrage qui relaterait sa vie, il fallait bien que celui-ci ait été écrit. Et, à part moi, et même si je n'étais certainement pas devenu l'écrivain qu'elle aurait souhaité —

moins doué pour la chose que son lointain cousin, Bernard Clavel, aussi sentimental que Lamartine mais faisant des livres parfois si impudiques et toujours trop intelligemment compliqués à son goût — elle voyait mal sur qui d'autre elle aurait pu compter.

Comme s'il avait manqué un seul livre dans la librairie de son père. Et que c'était lui que chaque nuit elle avait cherché en rêve. Examinant les dos de cuir, passant en revue les reliures, les bibliothèques ayant pris des dimensions énormes — et c'était normal puisqu'elle avait retrouvé son corps frêle de petite fille —, hautes comme des immeubles ou comme des palais, qu'il lui fallait gravir, pour atteindre l'étagère du haut, à l'aide d'une échelle aux proportions d'un escalier monumental. Le magasin d'autrefois transformé en une sorte de cité étrange au sein de laquelle elle errait. Inquiétante et familière. En quête de ce livre, donc, enveloppé de papier brun, enluminé et illustré, sur lequel elle ne parvenait jamais à mettre la main mais dont elle ne doutait pas qu'il contienne son roman vrai. Celui dont elle composait depuis toujours les phrases dans sa tête, avec les histoires qu'elle se racontait à elle-même et dont celles qu'elle nous lisait le soir constituaient comme les chapitres ou plutôt les épisodes, ceux d'un long feuilleton dont elle avait autrefois prononcé les premiers mots, le « Il était une fois », afin qu'il se poursuive pour toujours et pour chacun de nous. Un conte de fées ou bien un livre d'aventures, forcément un peu disparate et incohérent, comme l'est toujours un roman trop long, que le temps a écrit, l'auteur oubliant ce que contenaient les premières pages lorsque vient le moment de composer les dernières, l'ensemble finissant par faire une histoire sans queue ni tête qui devient celle de tout le monde parce qu'elle n'est plus celle de personne.

Elle parlait ainsi. Sachant très précisément ce qu'elle faisait malgré l'obscurcissement de son esprit. Afin que ce roman soit. Celui qui manquait seul à la librairie disparue de son père. Afin qu'il ait été. Se disant, bien sûr, que je l'écrirais peut-être. Ou pas. Et que, alors, il serait certainement trop tard puisqu'elle serait morte depuis longtemps, qu'elle ne le lirait pas et que la nouvelle de sa parution ne lui parviendrait que là-haut, et encore, à la condition qu'il obtienne un prix et que le Paradis soit relié à la TSF. Et la seconde condition lui paraissait plus facile à remplir que la première. De toutes les manières, cela n'avait pas beaucoup d'importance. Elle, ne croyant pas tant que cela à la littérature, à peine un peu plus qu'à l'aviation, à toutes ces histoires d'hommes accrochés à l'espérance assez vaine du ciel, m'ayant transmis un peu de son scepticisme, pas assez pour me dissuader d'écrire, mais suffisamment pour me prémunir contre la tentation d'y croire tout à fait.

Moi, assis à côté d'elle, en sachant assez sur la vie pour ne plus me faire trop d'illusions sur quoi que ce soit, particulièrement sur les livres et sur la faculté que parfois certains leur prêtent encore de triompher du temps, de surmonter l'oubli. Ayant depuis dix ans dépassé le moment du milieu de ma vie. Me disant simplement que, maintenant que je commençais à descendre le long de la même pente sur laquelle je les avais vus dégringoler tous les deux, il ne fallait plus trop tarder si je voulais pouvoir rendre ce que j'avais reçu. N'ayant plus personne après moi à qui je puisse le transmettre. Ce qui aurait certainement été la solution la meilleure et la plus commode. Moi, sans enfant depuis la mort de ma fille, bientôt sans parents, doublement orphelin, flottant dans le temps sans rien qui puisse me relier très durablement ni au futur ni au passé. Et, pour dire le fond de ma pensée, pas beaucoup plus au présent. Devenu le récipiendaire d'une révélation pour rien. Me disant donc que je devais rendre ce que j'avais reçu : de lui, le signe qu'à la naissance il avait tracé sur mon front ; d'elle, l'histoire avec laquelle, depuis l'enfance, elle m'avait accompagné dans le noir de la nuit. Pas pour acquitter une quelconque dette. Car la mort délie de toute obligation et rend blanches les pages sur lesquelles s'inscrit la comptabilité éphémère du temps. Mais simplement afin de me débarrasser enfin et à mon tour de l'encombrant fardeau d'une vérité vide, sans objet ni usage.

D'ailleurs, je savais que si j'écrivais ce livre que d'une certaine manière elle me dictait, à moitié assoupie, depuis le lit où elle se trouvait allongée dans cette clinique du quinzième arrondissement de Paris — « son roman » et non le mien, puisque au fond chacun des quelques livres que j'avais signés avait toujours été celui d'une autre —, ce ne serait pas celui qu'elle aurait voulu. Ayant cependant plaisir à ce qu'il existe — à supposer qu'il paraisse à temps, bien sûr, pour qu'elle le tienne entre ses mains. Mais ne se reconnaissant pas du tout en lui. Car, non, cela ne s'était pas du tout passé, disait-elle, comme moi je me l'imaginais. Et d'ailleurs, elle se demandait bien où j'avais pu aller chercher toutes ces anecdotes dont aucune ne lui rappelait rien et dont elle doutait que je puisse les tenir de mon père. Parce que, lui, il n'avait absolument aucune mémoire et que c'était elle qui devait toujours lui rappeler les événements les plus importants de leur vie. Et même lorsqu'il se les rappelait, à supposer que ce fût parfois le cas, il n'en racontait jamais rien. Qu'il ait voulu s'engager en mai 1940 et que son père le lui ait refusé, qu'il ait traversé l'Atlantique sur un paquebot poursuivi par les sous-marins allemands, qu'il se soit mis en grève avec tous ses camarades pour protester contre l'éviction d'un pilote noir, qu'il ait effectué quelques missions pour les services secrets français et tous les autres faits d'armes que je lui prêtais, tout cela ne lui disait rien du tout. Mais d'où, protestais-je un peu, aurais-je tiré tout cela s'il n'en avait pas parlé lui-même? Alors, elle concédait que cela n'était pas impossible. Qu'elle-même, à l'âge qu'elle avait, finissait par oublier beaucoup de choses. Se souvenant cependant des principales, de cette journée de juin où ils étaient partis ensemble sur les routes de l'exode. Oui, cela, elle se le rappelait. Mais pour le reste, non, disait-elle, c'était autre chose.

Et puis, elle avait subi sa seconde opération. Un chirurgien avait accepté de risquer cette nouvelle intervention. Non sans lui avoir expliqué longuement que les probabilités de réussite étaient minimes, qu'il faudrait attendre que tous ses examens attestent d'un mieux-être passager et suffisant pour que l'on tente le coup en espérant qu'elle puisse surmonter le choc du bloc. Lui faisant signer tous les papiers officiels qui le déchargeaient de sa responsabilité en cas d'échec. Elle, signant sans même lire. Personne ne pensant qu'elle survivrait étant donné l'état dans lequel elle se trouvait depuis des semaines. Mais, en dépit de tout, quand il reste une chance, fût-ce sur un million, comment ne pas la tenter ?

Et, contre toute attente, elle avait survécu. Le cœur était reparti. Fonctionnant de façon à peu près normale et de nouveau régulière. Le corps recouvrant, petit à petit, un peu de ses forces. Si bien qu'au bout de plusieurs mois, passés en convalescence dans une clinique de banlieue, elle avait pu rentrer chez elle. Dans le petit appartement vide du quinzième arrondissement de Paris. Et un an plus tard, elle était en mesure de sortir à nouveau, d'aller faire quelques courses jusqu'au coin de la rue.

Revenue d'entre les morts. Il n'y a pas d'autres mots qui conviennent. Sans pour autant avoir vraiment réintégré le camp des vivants, bien sûr. Toujours à la merci d'une crise ou de la première des maladies à proximité de laquelle elle serait passée. Extraordinairement faible et fatiguée. Tassée par le temps, amaigrie par l'épreuve, mais, droite, ayant à peu près retrouvé son apparence juvénile d'avant. Avec cet air d'être sans âge qui avait toujours été le sien et qui, maintenant, lui donnait à la fois les traits d'une jeune fille et ceux d'une vieille dame. Constatant elle-même, assez incrédule, ce qu'elle était devenue. N'en revenant pas lorsqu'elle voyait le peu qui restait d'elle désormais. N'y attachant d'ailleurs pas plus d'importance que cela. Avec sa lucidité intacte et pourtant vaguement absente. Entretenant en elle cette inquiétude continuelle pour les autres qui avait été sa manière de les aimer. Se faisant du mauvais sang, comme elle disait, et dans son cas c'était bien l'expression qu'il fallait, pour ses enfants, ses petits-enfants, ses arrière-petits-enfants, maintenant qu'il lui en était arrivé une demi-douzaine, pour la santé de l'un, le mariage de l'autre, les affaires du troisième. Absorbée par autre chose cependant, le long tête-à-tête avec le temps qui occupait toutes ses journées et toutes ses nuits, son esprit mobilisé afin de soutenir l'épreuve de cette durée vide devant laquelle elle se trouvait sans répit, les heures aussi longues que des années, les années aussi brèves que des heures, accomplissant seule ce travail de force, physique et mental, qui est la grande entreprise méconnue à laquelle se voue la vieillesse livrée, désœuvrée, au vertige vain du temps qui ne passe plus et qui s'évanouit pourtant.

Vivante, donc. Inexplicablement. Me laissant lié à cette sorte de promesse que j'avais faite, mais à qui ?, lorsqu'elle s'était mise à parler du fond de la torpeur où les drogues l'avaient plongée. Car je savais d'expérience que, si rien ne vous oblige jamais à faire la folie d'écrire, une fois que le premier mot est posé, il est trop tard et qu'il faut continuer, si insignifiante ou débile que vous paraisse l'espèce de chose bruyante et verbeuse qui se met alors à enfler, et quels que soient les effets — toujours un peu désastreux — qu'elle ne manquera pas de produire au bout du compte. J'avais le sentiment qu'elle savait très exactement ce qu'elle faisait et que si elle me racontait toutes ces histoires anciennes, c'était afin de me confier le long récit ressassé qui, depuis des décennies, remplissait sa tête. Du moins, je me le disais pour me rassurer et me disculper un peu de la faute que j'avais conscience d'avoir commise, celle d'évoquer les morts, de faire revenir sous la lumière pâle les formes de quelques fantômes qui avaient pourtant mérité qu'on les laisse en paix.

Lorsque j'allais la voir le dimanche — et ce n'était pas si souvent — je la trouvais toujours près de la télévision allumée, face à l'une des chaînes d'information auxquelles autrefois elle n'avait jamais prêté la moindre attention mais devant lesquelles, lui, il avait passé l'essentiel des dernières années de sa vie, guettant de bulletin en bulletin la moindre nouvelle et sans que rien de neuf n'arrive vraiment jamais. Comme si elle n'avait pas voulu en changer au cas où il reviendrait prendre sa vieille place, laissant tomber son corps lourd et fatigué dans le gros fauteuil du salon, s'installant sans rien dire, tout naturellement, ainsi que le font les morts dans les rêves. Nous déjeunions et puis je coupais le son. Tandis que tournaient en boucle les images muettes de l'actualité politique ou sportive, il suffisait que, sans donner l'impression que je le faisais à dessein, après avoir demandé ce que chacun devenait, je dirige la conversation vers tel ou tel souvenir pour qu'elle recommence à parler. Revenant sur des choses qu'elle avait déjà dites et ensuite, à la faveur d'une digression, bifurquant dans une direction imprévue, se mettant à évoquer des choses qu'elle pensait avoir oubliées, surprise elle-même de ce qu'elle découvrait, comme si elle était en train d'inventer sa vie plutôt que de s'en souvenir. Se contredisant parfois. En convenant elle-même. Disant alors qu'elle n'était plus trop certaine, que tout était si loin, qu'elle ne se rappelait pas.

De sa mère, de son père surtout, des années d'avant ses fiançailles, elle pouvait parler sans fin. Mais de lui, elle semblait n'avoir plus rien à dire une fois qu'elle avait raconté leur rencontre et leurs retrouvailles. Tout ce qui avait eu lieu ensuite était passé si vite en somme. La matière friable de la mémoire ayant glissé entre ses mains. Toutes ces années évanouies comme si elles n'avaient duré que le temps d'un claquement de doigts dans l'air et qu'entre le moment où ils avaient été unis et celui où ils avaient été séparés, au lieu d'un demi-siècle, s'étaient simplement écoulées quelques secondes sans substance. Sa vie avec lui — à laquelle, cependant, elle tenait pourtant plus qu'à tout le reste —, il n'y avait pas grand-chose, précisait-elle comme pour s'excuser, qu'elle puisse en dire.

Et quant à l'aviation, puisque c'était ce qui semblait me soucier — et cela me venait plutôt sur le tard, faisait-elle remarquer, car, quand j'étais plus jeune et lorsqu'il était en vie, alors que cela lui aurait fait certainement plaisir qu'un de ses fils fasse parfois semblant de s'y intéresser un peu, on ne peut pas dire que j'avais jamais manifesté la moindre curiosité à cet égard —, il ne fallait pas compter sur elle. Car toutes ces histoires de compagnie, de Ligne, d'équipage, non seulement elle n'y avait jamais cru mais elle en avait eu très vite, et même aussitôt, assez. Ne le lui avouant pas trop pour ne pas lui faire de la peine et parce qu'il faut bien qu'un homme croie à quelque chose dans l'existence, qu'il ne convient pas qu'une femme se moque ouvertement des jouets avec lesquels s'amuse son mari, des hochets dont se réjouit sa vanité. Et si elle l'avait aimé — et certainement ils s'étaient aimés autant que cela était possible —, c'était malgré son métier et non à cause de lui. Méritant davantage que lui, disait-elle, toutes les médailles qu'on lui avait décernées sur la fin : pour avoir repassé ses chemises blanches et porté ses uniformes au pressing, contribuant ainsi à la plus grande gloire de la compagnie.

Plutôt que pilote, elle aurait préféré qu'il soit n'importe quoi. Et elle avait d'abord essayé de le convaincre. Abandonnant ensuite parce qu'elle avait compris qu'elle n'y parviendrait pas et que renoncer à voler aurait été pour lui comme renoncer à vivre. Mais elle, élevant seule ses cinq enfants et quelques-uns des enfants de ses enfants, tandis que lui était à des milliers de kilomètres, il ne fallait pas escompter d'elle qu'elle chanterait les louanges de l'aéronautique. Se demandant ce qui pouvait pousser tous ces gens à aller voir l'autre bout de la planète alors qu'il était si évident que le bonheur, s'il existait, était chez soi.

Existait-il, d'ailleurs ? Elle en doutait aussi. En ce qui la concernait, sans doute avait-elle été heureuse mais un peu à son insu. Sans même s'en rendre compte. Ou bien après coup. Car, sur l'instant, elle avait été trop absorbée pour réaliser ce qui lui arrivait. Enceinte six fois. Donnant naissance à trois fils et à deux filles. Puisqu'il y avait ce petit qui n'avait pas pu naître et auquel, forcément, elle pensait parfois, se demandant ce qu'il aurait été et ce qu'il était devenu. Et cela ne lui avait pas laissé beaucoup de temps pour réfléchir à quoi que ce soit. À peine la rentrée des classes venue et c'était la suivante. Ils entraient à l'école élémentaire et déjà ils passaient le baccalauréat. Entre-temps, il y avait eu quelques vacances et puis la routine des repas, des courses, des lessives, des bulletins scolaires qu'elle signait, des sorties de classe qu'elle accompagnait, la trop grande propriété qu'ils avaient achetée sur les bords de l'Yonne et qui lui donnait encore plus de tracas, avec le jardin à entretenir, les déjeuners de famille à préparer, et des tablées chaque fois dignes d'un banquet de communion solennelle.

Avait-elle le sentiment d'avoir manqué sa vie ? Non, car que fait-on jamais de celle-ci ? À quoi d'autre aurait-elle préféré l'employer ? Non, elle n'enviait le sort de personne. Elle exprimait à peine un regret. Car elle avait gardé son idée. N'imaginant pas qu'elle aurait pu être peintre. N'ayant pas l'ambition qu'il faut pour réclamer qu'on pende ses tableaux aux cimaises d'un musée. Mais se disant qu'elle aurait pu devenir professeur de dessin. Ou même illustratrice de livres pour enfants. Cela, elle le croyait, elle en aurait eu le talent. Et la sensibilité qui va avec. Elle en restait convaincue. Et sans doute n'avait-elle pas tort.

Il y avait eu cependant ses enfants et ses petits-enfants — et elle avait bien sûr ses préférences, lesquelles allaient forcément à ceux qu'elle estimait avoir été le plus éprouvés par la vie. Se rappelant le temps d'avant. S'en faisant dans sa tête une sorte d'idylle un peu triste. Collectionnant les souvenirs des jeudis au Luxembourg, des promenades sur les poneys, des balançoires et des tours de manège, des spectacles du guignol lorsque sonnait la cloche, des vacances à La Bourboule ou bien au bord de la mer, des livres qu'elle nous lisait à la lumière de la veilleuse avant que nous nous endormions. La vie, c'était cela après tout, disait-elle, et, pour ma part, je ne voyais pas comment ne pas lui donner raison. Mais maintenant, ajoutait-elle, qu'en restait-il ? Tous ses enfants grandis et même ses petits-enfants — pour ceux qui étaient encore vivants — ayant atteint depuis longtemps l'âge d'être père ou mère à leur tour. Sans que rien, avec les deuils, les divorces et toute la série des déconvenues moindres, n'ait tourné comme elle l'avait d'abord espéré. Chacun vieillissant et s'en sortant comme il le pouvait parmi le désastre du temps. Te rends-tu compte, disait-elle, que ta sœur vient d'avoir soixante ans ? Oui, je sais, et moi, quarante-cinq. Quarante-cinq ans ? Oui, quarante-cinq… Non, elle ne se rendait pas compte. Et d'ailleurs moi non plus.

Au fil des déménagements, elle n'avait gardé du luxueux mobilier qui garnissait l'ancien appartement de la rue Huysmans qu'une très coûteuse commode qui aurait fait le bonheur de n'importe quel antiquaire mais qui paraissait plutôt déplacée dans le décor un peu dépouillé de son nouveau logement. Avec sur son plateau de marbre une plante grasse, qui refleurissait imperturbablement, extraordinairement vivace puisque j'avais souvenir de l'avoir toujours vue et qu'elle me semblait aussi vieille que moi, une splendide statuette cambodgienne que lui avaient offerte les parents de sa première belle-fille, peu de temps avant d'être massacrés à coups de pioche par les Khmers rouges entrant dans Phnom Penh. Et puis quelques photographies dans leurs cadres, exclusivement de ceux qui étaient morts, comme si ce privilège d'être en image chez elle était réservé aux disparus : ses deux petites-filles, la première, ma fille, morte du cancer à l'âge de quatre ans, la seconde, ma nièce, la fille de ma sœur aînée, tombée subitement chez elle, victime d'une sorte d'attaque, elle s'appelait Marion, sans que personne ait jamais su expliquer pourquoi, alors qu'elle ne devait pas avoir beaucoup plus de vingt ou vingt-deux ans, et puis lui, non pas à l'époque où elle l'avait rencontré, avec son allure de « jeune premier » mélancolique et ténébreux, mais tel que le montraient ses tout derniers portraits.

Je sais bien, disait-elle, que tu trouves cela un peu enfantin et naïf, mais moi j'y crois. Que nous serons tous réunis un jour. Elle n'entreprenait pas de me convaincre bien sûr, sachant qu'elle n'y parviendrait pas. Et moi, je n'essayais pas de la détromper ni même de la contredire. Je ne voyais pas de quel droit j'aurais pu le faire. Et d'ailleurs, que savais-je de tout cela ? Dans sa tête, elle se faisait une idée forcément assez vague de la chose. Le ciel : non pas avec l'azur et les nuages comme des îlots flottant dans le vide pour servir de séjour aux bienheureux — car il n'aurait plus manqué, elle n'aurait donc jamais la paix, que passent là-haut les appareils de la compagnie. Plutôt une sorte de jardin, un peu pareil à celui de son enfance, près de la vieille maison désormais disparue de La Coupée, où se serait tenue une fête très calme, à l'ombre des arbres fruitiers et près des fleurs qu'avait plantées son père, un repas de famille où, sans surprise, après avoir été séparés depuis des décennies et pour certains sans même avoir jamais été contemporains les uns des autres, se retrouveraient tous ceux qu'elle avait aimés, se donnant des nouvelles de ce qu'ils étaient devenus comme s'ils reprenaient simplement une vieille conversation interrompue la veille.

Elle ne comprenait pas comment l'on pouvait vivre sans espérer cela. Et moi, j'avais du mal à saisir comment l'on pouvait continuer à vivre même avec une telle espérance. Elle, âgée de plus de quatre-vingt-cinq ans, ayant perdu son mari et deux de ses petits-enfants, assistant au spectacle d'un monde où tout se fanait autour d'elle, tous les liens qui l'unissaient aux autres se trouvant distendus et cédant successivement, la faisant flotter pour finir dans une sorte de néant immobile. Et je me demandais quel courage ou bien quel aveuglement il lui fallait alors, à elle, à moi, à tous les vivants, pour endurer jusqu'au bout, et malgré la rétribution du bonheur, la diversion du plaisir, l'épreuve vaine du temps.

Un grand voile gris s'était étendu sur les choses. Une tache noire avait grandi dans son œil gauche au point de l'envahir tout entier. Et avec l'œil droit, elle voyait de moins en moins. Si bien qu'elle ne distinguait plus que des formes, lisait avec la plus extrême difficulté, devinait le monde plutôt qu'elle ne le voyait. Une poche de brouillard l'entourait, une sorte de brume sans couleur, obscurcissant l'horizon et collant aux objets et aux corps les plus proches. Il avait fallu l'opérer. Rentrée de la clinique, quelques heures seulement après être sortie de l'anesthésie, allongée dans son lit, elle s'était réveillée, comme cela lui arrivait toujours, au beau milieu de la nuit, avait ouvert les yeux, allumé la lumière. Et d'abord, l'esprit engourdi par le sommeil, elle n'avait pas fait attention. Notant naturellement l'heure à l'énorme horloge qu'elle avait installée sur le mur de sa chambre. Se disant seulement que le lever du jour était encore loin. Et puis réalisant tout à coup qu'elle avait pu lire l'heure de son lit, sans avoir à se lever et à approcher son visage de la pendule, qu'elle distinguait non seulement la grande et la petite aiguille mais aussi la trotteuse. Restant là un bon moment à regarder, comme pour vérifier qu'elle ne rêvait pas et que le miracle avait bien eu lieu, observant de son seul œil de nouveau valide le mouvement perpétuel de cette petite flèche de métal tournant sur son axe, comptant les secondes qui passaient. S'assurant du temps et de son incessante révolution.

Elle avait vu la lumière du matin passer à travers les persiennes. Elle s'était levée, était allée jusqu'au salon et l'appartement inchangé lui était apparu comme s'il s'était agi de la vieille maison et de la librairie qu'elle visitait en songe. Inexplicable et évident. Tous les meubles, les objets ayant réinvesti leurs contours anciens, ayant repris leur forme d'autrefois. Le monde ayant retrouvé sa couleur. Le rouge, disait-elle, surtout le rouge, j'avais oublié ce qu'était le rouge. Comme si je le voyais pour la première fois. Perdu depuis si longtemps, au point de paraître n'avoir jamais existé, et tout à coup de nouveau sous mes yeux.

Alors, pensais-je, oui, sans doute cela valait-il la peine d'avoir vécu jusque-là, et même en ayant progressivement presque tout perdu et avec l'amertume insensée de ces chagrins qu'elle avait connus, pour recevoir enfin le don de cette révélation-là. S'il n'y en avait pas d'autre, ce miracle suffisait. Comme si le brouillard s'était dissipé d'un coup à la faveur d'une éclaircie soudaine. Venu d'on ne sait où, et puis le vent l'ayant dispersé et soufflé au loin. Le soleil, injustifiable et splendide, brillant subitement sur le monde, à travers une trouée de bleu parmi les nuages. Et bien sûr, elle le savait, cela ne durerait pas. Le beau temps ne dure jamais très longtemps. Mais maintenant, même un instant était déjà assez.

Le temps tournant sur lui-même à la manière d'une toupie parfaite comme il l'avait fait depuis toujours, parcourant les marques du cadran, avec la grande aiguille des siècles, la petite des ans et la trotteuse des jours, se rapprochant, s'éloignant, se chevauchant, se dépassant, passant sur le cercle continuel où tout restait inscrit de ce qu'elle avait vécu, de telle sorte que se superposaient les événements les plus lointains comme s'ils avaient eu lieu simultanément et étaient appelés a se répéter interminablement. Et puis les couleurs remontant à la surface des choses, imprimant l'enveloppe de papier de leur apparence. Les mêmes que celles qu'elle mélangeait autrefois sur sa palette, au pied de la tour Magne, lorsqu'elle tentait de peindre les lointains. Ou bien celles dont un artiste oublié, destiné à l'être, s'était servi pour illustrer et enluminer son roman.

Le livre épais, à la couverture enveloppée de papier brun, qu'elle gardait précieusement dans sa bibliothèque et qu'il lui avait offert un peu après leurs fiançailles. *Tristan et Iseut*, certainement dans la version qu'en avait donnée Bédier. Une belle histoire d'amour et de mort, comme disait le poète. La leur, donc. Celle qu'il plaît toujours à chacun d'entendre. Qui racontait comment, à leur insu, deux amants boivent le breuvage magique qui va les unir à jamais. Quel était le nom de ce village ? Non, elle avait beau chercher, elle ne se rappelait pas. Quelque part sur la route qui mène de Mâcon à Nîmes. Le 17 ou le 18 juin 1940. Tandis que tout le pays tombait en morceaux. Eux, perdus dans une forêt aussi profonde que celle des contes et où errent les enfants. Ils s'étaient arrêtés là. Comme ils auraient pu le faire n'importe où. Se rafraîchissant à la fontaine. Et celle-ci devait bien être fée pour que s'y soit scellé ainsi le serment de leur vie.

Pour son anniversaire, il lui avait envoyé ce livre en cadeau, depuis Maison-Carrée. C'était le 2 novembre 1942. Et celui-ci lui était parvenu juste à temps pour le jour de ses vingt ans. Avant que l'Histoire fasse tomber entre eux, de part et d'autre de la Méditerranée, la frontière nouvelle de fer et de feu qui les tiendrait éloignés l'un de l'autre durant trois longues années. Avec une longue dédicace qui se terminait ainsi : « Mais, sur les routes de France, l'année de la défaite, nous avons bu ensemble, c'est certain, le même philtre enchanté. Depuis, séparés par les plaines et les monts et les mers, nos cœurs sans cesse s'envolent l'un vers l'autre et nos âmes languissent après le jour qui ne fera de nous deux qu'un seul être, décidés que nous sommes à vivre toujours Vous pour moi et moi pour Vous. »

Elle, prenant ce livre dans sa bibliothèque, le posant sur la table, l'ouvrant à la première page, lisant ces quelques lignes à l'encre bleue, se disant que malgré tout sa vie avait peut-être valu la peine. Et même si tout était perdu désormais et que ne restait plus pour seul témoignage de tout le temps qu'ils avaient traversé ensemble que cette pauvre petite chose de papier usé qu'on nomme un roman.

HISTOIRE DE TEL QUEL, « Fiction & Ciel », Seuil, 1995.

OÉ KENZABURÔ, LÉGENDES D'UN ROMANCIER JAPONAIS, Pleins Feux, 2001.

PRÈS DES ACACIAS, L'AUTISME, UNE ÉNIGME (avec des photographies d'Olivier Menanteau), Actes Sud/3CA, 2002.

Préfaces

Louis Aragon, ANICET OU LE PANORAMA, ROMAN, LES CLOCHES DE BÂLE, in *Œuvres romanesques*, t. 1, « La Pléiade », Gallimard, 1997.

Louis Aragon, LES ADIEUX ET AUTRES POÈMES, in *Œuvres poétiques*, t. 2, « La Pléiade », Gallimard, 2007.

Philippe Sollers, VISION À NEW YORK, « Folio », Gallimard, 1998.

Philippe Sollers, LOGIQUE DE LA FICTION, Éditions Cécile Defaut, 2006.

VOYAGER À LA VERTICALE, APSV/ Parc de la Villette, Actes Sud, 2000.

Composition Interligne
Achevé d'imprimer
par CPI Firmin-Didot
à Mesnil-sur-l'Estrée, le 15 juin 2010
Dépôt légal : juin 2010
Numéro d'imprimeur : 100354
ISBN 978-2-07-012986-7/Imprimé en France.

175971